ALGÈBRE ET
TRIGONOMÉTRIE

ALGÈBRE ET TRIGONOMÉTRIE

J. VINCENT ROBISON
PROFESSEUR ADJOINT DE MATHÉMATIQUES À
l'Université d'Oklahoma

Traduit et adapté par
BERNARD FONDER
Professeur au Collège Jean-de-Brébeuf
Montréal

M c G R A W - H I L L , É D I T E U R S
MONTRÉAL

TORONTO   NEW YORK   LONDRES   SYDNEY

ALGÈBRE ET TRIGONOMÉTRIE

Imprimé au Canada

PRÉFACE

L'objectif premier de ce livre a été de fournir des bases solides aux cours de géométrie analytique et de calcul, en présentant l'algèbre et la trigonométrie dans un ordre et du point de vue modernes.

Ce manuel offre l'avantage d'une grande souplesse d'utilisation par suite de la progressivité des chapitres et de l'indépendance relative de certains d'entre eux. De ce fait, il est possible d'accélérer le cours au bénéfice des sujets de niveau plus avancé ou d'en abréger la durée en omettant certains chapitres.

Notre premier souci, lorsque nous avons rédigé cette adaptation du texte original, a été de restructurer l'expression mathématique avec la rigueur maximale. Et c'est là que se situe sans doute l'utilité de ce manuel: exprimés dans une terminologie précise et moderne, on y traite les sujets habituels de l'algèbre élémentaire et de la trigonométrie sans employer une symbolique excessive.

La théorie des ensembles et la théorie des nombres sont réduites au minimum nécessaire pour une présentation moderne: quelques propriétés des ensembles en Introduction et les nombres réels, définis au Chapitre 1 comme un ensemble soumis aux axiomes d'un corps ordonné et complet, puis au Chapitre 10 comme un sous-corps des complexes.

Cet équilibre du texte permet une grande clarté d'exposé. Dès le Chapitre 3, une relation est définie comme un ensemble de couples, et une fonction, comme une relation possédant des propriétés. Ces deux notions et la formule de la distance sont présentées à l'occasion d'une étude du plan cartésien. Il est alors naturel d'introduire au Chapitre 4 la trigonométrie comme une étude des fonctions périodiques de nombres réels.

À la fin du livre, l'ensemble-produit sert de principe fondamental à l'étude des permutations et combinaisons. Les probabilités ne sont abordées qu'après une étude des espaces-échantillonnage et de la fonction réelle d'ensemble.

Dans le Chapitre 11, la distinction entre fonction polynomiale et polynôme est sous-jacente, mais le professeur doit en être averti pour que cette distinction fasse partie du vocabulaire de l'élève.

Tout ceci laisse assez de place pour étudier au Chapitre 13 les matrices et les déterminants, et pour les appliquer à la résolution des systèmes d'équations.

Certains problèmes nécessitent des preuves omises dans le texte. Signalons, également, que les réponses aux subdivisions (a), (c), (e) d'un problème se trouvent dans la partie réservée à la fin du livre aux solutions des problèmes de numéros impairs.

La couleur met en évidence les idées importantes du texte et rend claires les illustrations. Les notes en marge attirent l'attention de l'élève sur les définitions et les démonstrations essentielles: elles l'aideront à faire une révision.

Nous tenons à remercier l'équipe française de McGraw-Hill du soin particulier apporté à cette édition et les personnes qui nous ont encouragé dans cette entreprise. Mais notre reconnaissance doit aller en premier au professeur J. Vincent Robison, qui nous a fourni le texte original.

BERNARD FONDER
Ingénieur ICN, Université de Nancy
Professeur au Collège Jean-de-Brébeuf

TABLE DES MATIÈRES

Chapitre 10   NOMBRES COMPLEXES

Chapitre 11   FONCTIONS POLYNOMIALES

Chapitre 12   FONCTIONS TRIGONOMÉTRIQUES INVERSES

Chapitre 13   SYSTÈMES D'ÉQUATIONS.   MATRICES

Chapitre 14 SUITES

Chapitre 15 PERMUTATIONS, COMBINAISONS, PROBABILITÉS

TABLES

introduction

OPÉRATIONS SUR LES ENSEMBLES

L'influence de la théorie des ensembles sur les mathématiques a été probablement aussi grande que celle de toute autre idée du siècle passé. La théorie des ensembles s'est infiltrée, aujourd'hui, dans la presque totalité des mathématiques. Elle procure, de fait, langage et symbolisme pour la construction des mathématiques modernes.

Après avoir présenté l'idée fondamentale d'ensemble, nous apprendrons, dans cette introduction et les chapitres qui suivent, à composer les ensembles et à construire de nouvelles notions qui deviendront des outils permettant d'acquérir de nouvelles connaissances en mathématiques. Nous désirons montrer, en particulier, comment des notions traditionnelles d'algèbre et de trigonométrie peuvent être exprimées dans le langage relativement nouveau de la théorie des ensembles.

NOTION D'ENSEMBLE   0.1

ensembles

La notion d'ensemble est à la base des mathématiques. Nous considérerons un ensemble comme une collection d'objets distincts, qui peuvent être des objets matériels ou des êtres mathématiques (mentalement conçus). Nous parlerons donc de l'ensemble des chaises de la classe; de l'ensemble des nombres 1, 2, 3, . . . , 20; ou de l'ensemble des points d'une droite situés entre les points distincts P et Q.

entiers relatifs

ombres
rationnels

ombres réels

L'ensemble des *entiers positifs* 1, 2, 3, . . . qui nous sert à compter, nous est familier ainsi que l'ensemble des *entiers relatifs* qui comprend les entiers positifs, les entiers négatifs . . . , -3, -2, -1, et *zéro* (0). Nous connaissons un troisième ensemble, celui des *nombres rationnels*, représenté par des fractions p/q à termes entiers p et q, où q est différent de zéro, et un quatrième ensemble, celui des *nombres réels*. Pour le moment considérons les nombres réels comme des nombres qui représentent des distances mesurées sur une droite. L'ensemble des nombres réels comprend l'ensemble des nombres rationnels et des *nombres irrationnels*. Par exemple $\sqrt{2}$, $\sqrt{3}$ et π sont des irrationnels. Il a été montré dans un cours précédent que $\sqrt{2}$ représente le nombre d'unités de longueur de l'hypothénuse d'un triangle rectangle dont les côtés de l'angle droit sont égaux à l'unité de longueur. Le nombre π est le rapport de circonférence d'un cercle à son diamètre.

Élément d'un ensemble

Tout objet ou être mathématique qui appartient à un ensemble est appelé un *élément* de l'ensemble. Nous pouvons décrire l'ensemble en énonçant les propriétés que chaque élément de l'ensemble doit posséder et qu'aucun autre objet ne possède. Nous utiliserons les lettres majuscules pour désigner les ensembles et les lettres minuscules pour désigner les éléments des ensembles. Pour indiquer qu'un élément a appartient à l'ensemble A, nous écrivons

$$a \in A$$

et nous disons "a est un élément de (ou appartient à) l'ensemble A." Si a n'appartient pas à l'ensemble A, nous écrivons

$$a \notin A$$

et nous disons "a n'est pas un élément de A."

Détermination d'un ensemble

On détermine les ensembles de deux façons. Si l'ensemble a un nombre limité d'éléments, on en énumère entre accolades les éléments. Donc, si B est l'ensemble de tous les entiers positifs multiples de 4 inférieurs à 25, nous écrivons

$$B = \{4,8,12,16,20,24\} \qquad \text{ou} \qquad B = \{4,8,12, \ldots ,24\}$$

Les trois points indiquent que quelques éléments ne sont pas mentionnés, mais font partie de l'ensemble. On peut aussi déterminer un ensemble en plaçant entre accolades une définition des propriétés distinctives des éléments de l'ensemble. Par exemple, pour décrire l'ensemble A de tous les entiers positifs inférieurs à 6, nous pouvons écrire

$$A = \{\text{tous les entiers positifs inférieurs à 6}\} \quad \text{ou}$$
$$A = \{x : x < 6, x \text{ un entier positif}\}$$

La première description se lit "A est l'ensemble de tous les entiers positifs inférieurs à 6," et la deuxième "A est l'ensemble de tous les nombres x, tel que x est inférieur à 6 et x est un entier positif." Les deux points (:) utilisés se lisent ici "tel que" et le symbole $<$ se lit "est inférieur à." Implicitement, la lettre x est le symbole qui remplace un élément quelconque de l'ensemble $\{1,2,3,4,5\}$.

EXEMPLE 1. À l'aide de la symbolique des ensembles, déterminez de deux façons l'ensemble A des voyelles de l'alphabet français.

Solution. $A = \{a,e,i,o,u\}$
$A = \{x : x \text{ est une voyelle de l'alphabet français}\}$

CORRESPONDANCE BIUNIVOQUE 0.2

Correspondance biunivoque

L'idée de *correspondance biunivoque* est une deuxième notion de base des mathématiques. Soit $A = \{1,2,3\}$ et $B = \{a,b,c\}$. Il est possible d'associer à tout élément de A un élément, et un seul, de l'ensemble B, et réciproquement. Soit les deux bijections définies par

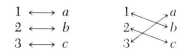

Il existe quatre autres bijections possibles. Les trouvez-vous? Dans chacun de ces cas, nous disons que A et B sont en correspondance biunivoque ou en bijection.

DÉFINITION. Une correspondance biunivoque entre deux ensembles A et B est une règle qui associe à chaque élément $a \in A$ un, et un seul, élément $b \in B$, de sorte que chaque élément de B est associé à un seul élément de A.   **(0.1)**

Pour indiquer qu'un élément a_1 de l'ensemble A est associé à l'élément b_1 de l'ensemble B, et réciproquement, nous utilisons la notation

$$a_1 \longleftrightarrow b_1$$

Ensembles équipotents

Deux ensembles A et B sont *équipotents* s'ils peuvent être mis en correspondance biunivoque. Par exemple,

$$A = \{1,2,7,9\} \qquad \text{et} \qquad B = \{a,p,b,q\}$$

sont des ensembles équipotents, et nous écrivons

$$A \longleftrightarrow B$$

Nous disons que "L'ensemble A est équipotent à l'ensemble B" ou que "L'ensemble A et l'ensemble B peuvent être mis en correspondance biunivoque".

Ensembles identiques

Si chaque élément de l'ensemble A est un élément de l'ensemble B, et chaque élément de l'ensemble B est un élément de l'ensemble A, alors A et B sont des ensembles *identiques*. Ainsi

$$A = \{5,7,14\} \qquad \text{et} \qquad B = \{7,14,5\}$$

sont des ensembles identiques. Nous écrivons

$$A = B$$

et lisons "L'ensemble A est identique à l'ensemble B" ou "L'ensemble A est le même ensemble que B". Une définition plus abrégée des ensembles identiques sera donnée dans la section suivante.

SOUS-ENSEMBLES   0.3

Sous-ensemble

L'ensemble A est un *sous-ensemble* de l'ensemble B si chaque élément de A est aussi un élément de B. Pour indiquer que A est un sous-ensemble de B, nous écrivons

$$A \subseteq B$$

que nous lisons "A est contenu dans B". D'après cette définition, chaque ensemble est inclus dans lui-même, c'est-à-dire $A \subseteq A$. Si

$$A = \{1,2,3\} \qquad B = \{2,3,1\} \qquad \text{et} \qquad C = \{1,4,3,2,5\}$$

alors A est un sous-ensemble de B et B est un sous-ensemble de A. A et B sont deux sous-ensembles de C. En outre, C est un sous-ensemble de C.

La définition d'ensembles égaux peut, maintenant, s'écrire brièvement comme suit:

DÉFINITION. Soit A et B des ensembles, $A = B$ si, et seulement si $A \subseteq B$ et $B \subseteq A$.   **(0.2)**

L'expression "si, et seulement si" se présente fréquemment dans l'énoncé des définitions et théorèmes. Nous utilisons cette expression pour grouper deux énoncés en un seul. Par exemple, la définition précédente a deux significations:

Si $A = B$, alors $A \subseteq B$ et $B \subseteq A$.
Si $A \subseteq B$ et $B \subseteq A$, alors $A = B$.

Remarquez que l'un de ces énoncés est la réciproque de l'autre. Chaque énoncé qui contient "si, et seulement si" peut être traduit par deux énoncés dont l'un est la réciproque de l'autre.

Sous-ensemble propre

L'ensemble A est un *sous-ensemble propre* de l'ensemble B, si chaque élément de A est un élément de B et B contient, au moins, un élément qui n'est pas un élément de A. Par exemple, si

$$A = \{1,2,3\} \qquad \text{et} \qquad B = \{1,2,3,4\}$$

alors, A est un sous-ensemble propre de B. Dans ce cas, nous écrivons

$$A \subset B$$

DÉFINITION. L'ensemble A est un sous-ensemble propre de l'ensemble B si $A \subseteq B$ et $A \neq B$.   **(0.3)**

Le symbole $\neq$ signifie "non identique à" ou "différent de".

ENSEMBLE VIDE   0.4

$\varnothing = \{\ \}$

En définissant certaines relations entre les ensembles, des conditions sont souvent imposées aux éléments qui ne peuvent être satisfaites par *aucun* d'eux. Donc, nous devons admettre un ensemble spécial que nous appelons *l'ensemble vide*. Cet ensemble, noté $\varnothing$ ou $\{\ \}$, est l'ensemble qui ne contient aucun élément. Par exemple, l'ensemble de tous les entiers positifs compris entre 8 et 9 est un ensemble qui ne contient pas d'éléments et se trouve vide. Comme la plupart des ensembles, l'ensemble vide peut être décrit de différentes façons. Soit $A = \{x : x + 3 = 2, x$ est un entier positif$\}$. Comme il n'y a pas d'entier positif tel que la somme de x plus 3 est égale à 2, nous concluons que A est l'ensemble vide:

$$\{x : x + 3 = 2, x \text{ est un entier positif}\} = \varnothing$$

$\varnothing$ est un
sous-ensemble de
tout ensemble

L'ensemble vide est un sous-ensemble de tout ensemble. Puisque $\varnothing$ n'a pas d'éléments, il est sûrement vrai que chaque élément de $\varnothing$ est partie de tout ensemble A. Et

$$\varnothing \subseteq A$$

Il est important de noter que, si des accolades servent de notation pour l'ensemble vide, aucun symbole ne doit y être inséré. Ainsi, $\varnothing = \{\ \}$, mais $\varnothing \neq \{\ \varnothing\ \}$.

EXERCICES 0.1

DÉTERMINER, selon la symbolique des ensembles, les ensembles définis ci-après, en énumérant leurs éléments entre parenthèses:

1. Les entiers positifs (nombres naturels) inférieurs à 12.
2. Les entiers positifs supérieurs à 13 et inférieurs à 21.
3. Les entiers positifs multiples de 4 et inférieurs à 43.
4. Les entiers positifs multiples de 4 et de 9 inférieurs à 100.
5. Les fractions rationnelles de numérateur 3 ayant pour dénominateur un entier positif inférieur à 9.

DÉTERMINER chacun des ensembles suivants par une définition, mise entre accolades, des propriétés caractéristiques de leurs éléments:

6. $A = \{1,3,5,7,9\}$ **7.** $B = \{3,6,9,12\}$
8. $C = \{a,e,i,o,u\}$ **9.** $D = \{\text{le, la, les, un, une, des}\}$

DIRE laquelle des propositions suivantes est vraie, si $E = \{1,3,5,7,9\}$

10. $7 \in E$ $\lor$ **11.** $8 \in E$ F **12.** $9 \notin E$ F

DIRE laquelle des propositions suivantes est vraie étant donné que $F = \{1,4,7,10\}$ et $G = \{1,4,7\}$:

13. $G \subset F$ $\lor$ **14.** $F \subset G$ F
15. L'ensemble $\{1,7\}$ est un sous-ensemble propre de F. $\lor$ **16.** L'ensemble $\{1,4,7\}$ est un sous-ensemble propre de G. F

ÉNUMÉRER tous les sous-ensembles des ensembles suivants, en se rappelant que l'ensemble vide est un sous-ensemble de tout ensemble:

17. $\{a,b\}$ **18.** $\{a,b,c\}$ **19.** $\{1,2,3,4\}$

Étant donné $A = \{a,b,c\}$, $B = \{1,2,3\}$, $C = \{b,c,a\}$, $D = \{3,2,1\}$, répondre aux questions:

20. Est-ce que $A = C$?   **21.** Est-ce que $A = B$?
22. Est-ce que $A \longleftrightarrow B$?   **23.** Est-ce que $B = D$?
24. Étant donné $A = \{1,4,9,15\}$ et $B = \{15,1,x,9\}$ et $A = B$, trouver x.

Un ensemble *fini* est défini comme l'ensemble vide ou un ensemble qui peut être mis en correspondance biunivoque avec l'ensemble de tous les entiers positifs inférieurs à un entier positif N. Un ensemble *infini* est un ensemble qui n'est pas fini. Ainsi, un ensemble infini a un nombre *"illimité"* d'éléments.

25. Parmi les ensembles suivants, lesquels sont finis? infinis?
   (**a**) l'ensemble de tous les entiers positifs supérieurs à 100;
   (**b**) l'ensemble de tous les entiers positifs inférieurs à 4,000,000;
   (**c**) l'ensemble de tous les entiers positifs impairs inférieurs à 348;
   (**d**) l'ensemble de tous les présidents des États-Unis;
   (**e**) l'ensemble de toutes les personnes nées après le 31 décembre 1960 et avant le 1er janvier 1966;
   (**f**) l'ensemble de tous les points d'une droite entre deux points distincts A et B;
   (**g**) l'ensemble de tous les entiers positifs compris entre 8 et 9.

INTERSECTIONS ET UNIONS D'ENSEMBLES 0.5

À partir de deux ou de plusieurs ensembles donnés, nous pouvons créer de nouveaux ensembles. Examinons, maintenant, les deux ensembles fondamentaux que l'on peut construire à partir de deux ensembles A et B.

Intersection d'ensembles

L'*intersection* de deux ensembles A et B est l'ensemble de tous les éléments qui appartiennent à la fois à A et B. L'intersection de A et B est noté $A \cap B$.

Donc,

$$A \cap B = \{x : x \in A \text{ et } x \in B\} \tag{0.4}$$

L'expression $A \cap B$ se lit "l'intersection de A et B".

Pour nous aider à illustrer les opérations sur les ensembles, nous pouvons nous servir des diagrammes de Venn. Dans un diagramme de Venn les éléments sont représentés par les points d'une région du plan. La partie ombrée dans la figure 0.1 représente l'intersection des deux ensembles A et B.

EXEMPLE 1. Soit $A = \{9,10,11,12,13,14\}$ et $B = \{10,12,14,16,18\}$, trouver $A \cap B$.

Solution: $A \cap B = \{10,12,14\}$

Le deuxième ensemble fondamental qui peut être construit à partir de deux ensembles se définit ainsi:

Union d'ensembles

L'*union* des ensembles A et B est l'ensemble de tous les éléments qui appartiennent à A ou à B (ou aux deux). L'union de A et B est noté $A \cup B$. Donc,

$$A \cup B = \{x : x \in A, \text{ ou } x \in B\} \tag{0.5}$$

Si $x \in A$, alors $x \in A \cup B$, et si $x \in B$, alors $x \in A \cup B$. Autrement dit, $x \in A \cup B$ lorsque x est un élément de A, ou de B, ou des deux ensembles A et B.

L'expression $A \cup B$ se lit "l'union de A et B". La partie ombrée de chacun des quatre diagrammes de Venn de la figure 0.2 représente l'union des ensembles A et B pour chaque cas.

EXEMPLE 2. Si $A = \{2,3,4,7\}$
et $\qquad\qquad B = \{4,7,8,11\}$
alors $\qquad A \cup B = \{2,3,4,7,8,11\}$

Notons que $A \cup B$ contient les éléments 4 et 7 une fois seulement. En général, le même symbole n'est pas répété deux fois ou plus dans une énumération. Ainsi "7" désigne un seul et même nombre; l'ensemble $\{7,7,7,8,8\}$ contient seulement deux nombres.

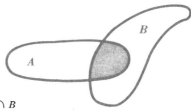

FIGURE 0.1
La partie ombrée représente $A \cap B$

$A \cap B$

RÉFÉRENTIEL   0.6

Lorsque chaque ensemble d'une discussion déterminée est considéré comme un sous-ensemble d'un ensemble déterminé U, alors U est appelé *référentiel*, ou simplement un *univers*. L'univers d'une discussion dépend des sous-ensembles considérés de U. Par exemple, si nous considérons les sous-ensembles de l'ensemble de tous les entiers positifs pairs inférieurs à 20, nous choisissons $U = \{2,4,6, \ldots 18\}$, et ceci n'exclut aucunement l'ensemble $\{1,2,3, \ldots 19\}$ comme ensemble universel.

On ne s'attarde pas à l'ampleur de l'ensemble U pour autant qu'il est spécifié et contient comme sous-ensemble tout ensemble dont on traite.

Une *opération binaire* sur un univers donné attribue à chaque couple de sous-ensembles A et B de U, pris dans l'ordre A B, un troisième sous-ensemble de U. Donc $A \cup B$ et $A \cap B$ sont des opérations binaires. Dans la section suivante, nous définissons une opération sur un univers qui attribue à chaque sous ensemble A de U un second sous ensemble de U. Une telle opération sur un univers se définit comme une *opération unaire*.

COMPLÉMENT D'UN ENSEMBLE   0.7

Le *complément* d'un ensemble A dans un univers donné est l'ensemble de tous les éléments partie de U mais non de A. Nous notons A' le complément de l'ensemble A. Donc,

$$A' = \{x : x \notin A \text{ mais } x \in U\} \tag{0.6}$$

Par exemple, si $U = \{1,2,3, \ldots 9\}$ et si $A = \{1,2,3, \ldots 6\}$, alors le complément de A est

$$A' = \{7,8,9\}$$

Le diagramme de Venn, figure 0.3, illustre cette notion de complément d'un ensemble. Le rectangle représente l'univers U et la surface ombrée représente le complément de l'ensemble A. Le complément d'un ensemble A relativement à un univers U se note fréquemment $U - A$. D'où

$$A' = U - A$$

FIGURE 0.2 Dans chaque cas, la partie ombrée représente $A \cup B$.

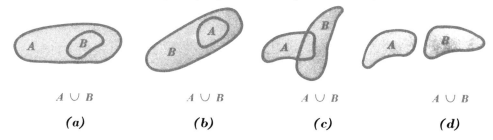

$A \cup B$	$A \cup B$	$A \cup B$	$A \cup B$
(a)	*(b)*	*(c)*	*(d)*

ENSEMBLES DISJOINTS   0.8

Deux ensembles sont *disjoints* (ou mutuellement exclusifs) s'ils n'ont aucun élément en commun. Cette définition peut s'énoncer rigoureusement ainsi:

> **DÉFINITION.**   Deux ensembles A et B sont disjoints si, et seulement si $A \cap B = \varnothing$.   **(0.7)**

Par exemple, si $A = \{1,2,3\}$ et $B = \{4,5\}$, alors A et B n'ont en commun aucun élément; ils sont donc disjoints; c'est-à-dire

$$A \cap B = \varnothing$$

EXERCICES   0.2

1. Soit $U = \{a,b,c,d,e,f,g,h,i,j\}$ un univers, et soit $A = \{a,b,c,d\}$, $B = \{c,e,j\}$ et $C = \{a,d,f,g,h,i\}$ Mettre en accolades les éléments de chacun des ensembles suivants:

   (a) $A \cap B$ (b) $B \cap C$ (c) $C \cap A$ (d) $A \cup B$
   (e) $B \cup C$ (f) $C \cup A$ (g) $B \cup \varnothing$ (h) $B \cap \varnothing$
   (i) $A \cap U$ (j) $A \cup U$ (k) $B \cap U$ (l) $C \cup (B \cap C)$.
   (m) A' (n) C' (o) $(B \cup C)'$ (p) $(A \cap C)'$
   (q) $A \cap (B \cup C)'$ (r) $(U \cup \varnothing)'$

2. Soit $U = \{0,1,2,3,4,5,6,7,8,9\}$, $A = \{0,1,2,3\}$, $B = \{2,4,6,8\}$, et $C = \{5,6,7,8\}$. Déterminer par énumération (analytiquement) chacun des ensembles suivants:

   (a) $B \cup C$ (b) $A \cap U$ (c) $A \cup \varnothing$ (d) $A \cap \varnothing$
   (e) $C \cup U$ (f) $C \cap U$ (g) A' (h) B'
   (i) C' (j) $(C \cup B)'$ (k) $(A \cap C)'$ (l) $(U \cap \varnothing)'$
   (m) $C \cap (A \cup B)$ (n) $(C \cap A) \cup B$ (o) $A \cup (B \cap C)$

3. Étant donné $U = \{p,q,r,s,t,u,v,w\}$, $A = \{q,r,t,u\}$, $B = \{p,q,s,u\}$ et $C = \{t,u,v,w\}$:
   (a) Déterminer les ensembles $A \cap (B \cup C)$ et $(A \cap B) \cup (A \cap C)$. Sont-ils égaux?
   (b) Déterminer les ensembles $A \cup (B \cap C)$ et $(A \cup B) \cap (A \cup C)$. Sont-ils égaux?
   (c) Déterminer $(A \cup B)'$ et $A' \cap B'$. Les ensembles sont-ils identiques?
   (d) Déterminer $(A \cap B)'$ et $A' \cup B'$. Que pouvez-vous dire de ces deux ensembles?

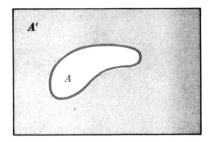

FIGURE 0.3
La partie ombrée représente
le complément de A.

4. Tracer les diagrammes de Venn qui illustrent chacune des propositions suivantes:

(**a**) $A \cap B = B \cap A$ (**b**) $A \cup (B \cap C) = (A \cup B) \cap (A \cup C)$

(**c**) $A \cap (B \cap C) = (A \cap B) \cap C$ (**d**) $A \cap (B \cup C) = (A \cap B) \cup (A \cap C)$

(**e**) $(A \cap B)' = A' \cup B'$ (**f**) $(A \cup B)' = A' \cap B'$

5. Tracer les diagrammes de Venn qui illustrent les propositions suivantes:

(**a**) $(A')' = A$.   (**b**) $B \subseteq A$ si, et seulement si $A' \subseteq B'$

(**c**) $A \cap B = B$ si, et seulement si $B \subseteq A$.   (**d**) $A \cup B = A$ si, et seulement si $B \subseteq A$.

ENSEMBLE-SOLUTION 0.9

re
ositionnel

Une proposition incomplète telle que "———— est la capitale du Québec" est un cadre propositionnel. Il n'est ni vrai ni faux ainsi exprimé. Si nous inscrivons dans l'espace libre le mot *Québec*, la proposition est vraie. Si nous remplaçons cet espace par le mot *Montréal*, la proposition est fausse.

Les cadres propositionnels en mathématiques se présentent sous la forme d'équations ou d'inéquations. Par exemple

ation

$$x + 3 \doteq 8$$

est un cadre propositionnel qu'on appelle une *équation*, et la forme propositionnelle

uation

$$x + 3 < 8$$

est une *inéquation*. Dans chacune de ces propositions, la lettre x est un symbole qui prend la place d'un nombre indéterminé. Remplacer x par

able
aine

le nombre rend la proposition vraie ou fausse. Ce genre de symbole est une *variable*. L'ensemble de toutes les valeurs possibles pour une variable d'une équation ou une inéquation est le *domaine* de la variable.

emble-
ion

L'ensemble de vérité ou *l'ensemble-solution* d'une équation ou d'une inéquation est l'ensemble de toutes les valeurs possibles du domaine de la variable qui rendent vrai le cadre propositionnel. Donc, avant de déterminer un ensemble de solutions, nous devons connaître le domaine de la variable. Autrement dit, nous devons connaître les valeurs acceptables de la variable. Par exemple, si le domaine de x est l'ensemble des entiers positifs, l'ensemble-solution de l'équation

$$x + 5 = 8$$

est l'ensemble $\{3\}$, mais l'ensemble-solution de l'équation

$$x + 5 = 3$$

est l'ensemble vide $\varnothing$. Il n'y a pas d'entier positif x pour lequel la somme de x plus 5 est égal à 3.

Soit l'équation

$$2x^2 - 5x + 3 = 0$$

Si le domaine de x est l'ensemble des entiers positifs, l'ensemble-solution de l'équation est $\{1\}$. Par contre, si nous prenons pour domaine de x l'ensemble des nombres rationnels, l'ensemble-solution est $\{1, {}^3/_2\}$. Chaque élément de cet ensemble fera de l'équation une proposition vraie.

Les cadres propositionnels peuvent impliquer plus d'une variable. Par exemple, l'équation $y = 3x + 6$ et l'inéquation $z < 2x + y$ impliquent respectivement deux et trois variables. Les domaines des variables dans un cadre propositionnel peuvent être différents. Cependant, nous les considérerons toujours comme semblables, sauf mention contraire.

L'ALGÈBRE DES ENSEMBLES 0.10

Considérons maintenant quelques-unes des propriétés du complément de l'union et de l'intersection d'ensembles. Dans cet exposé, l'ensemble universel sera noté U et l'ensemble vide $\varnothing$. Soit, $A, B, C, \ldots$ des sous-ensembles de U. Chacun des théorèmes suivants pourra être prouvé par les définitions fondamentales. On peut illustrer tous ces théorèmes par des diagrammes de Venn, mais ces diagrammes ne constituent pas des preuves.

Pour les grouper, mais aussi en raison des liens évidents qui existent entre les théorèmes de chaque rangée, nous les citons sur deux colonnes.

1. $U' = \varnothing$ $\varnothing' = U$

2. $(A')' = A$

3. $A \cup A = A$ $A \cap A = A$

4. $A \cup A' = U$ $A \cap A' = \varnothing$

5. $A \cup \varnothing = A$ $A \cap \varnothing = \varnothing$

6. $A \cup U = U$ $A \cap U = A$

Commutativité
Associativité

7. $A \cup B = B \cup A$ $A \cap B = B \cap A$

8. $A \cup (B \cup C)$ $A \cap (B \cap C)$
    $= (A \cup B) \cup C$ $= (A \cap B) \cap C$

Distributivité

9. $A \cup (B \cap C)$ $A \cap (B \cup C)$
    $= (A \cup B) \cap (A \cup C)$ $= (A \cap B) \cup (A \cap C)$

10. $(A \cup B)' = A' \cap B'$ $(A \cap B)' = A' \cup B'$

On dit que les théorèmes 7, 8 et 9 sont respectivement les lois de *commutativité*, d'*associativité* et de *distributivité* des opérations $\cup$ et $\cap$. Voici une preuve de la commutativité de l'union des ensembles (première partie du théorème 7):

Si $x \in A \cup B$, alors $x \in A$ ou $x \in B$ par définition de l'union d'ensembles. Ceci signifie également que $x \in B$ ou $x \in A$. De là

$$x \in B \cup A \qquad \text{par définition de } \cup$$

Donc $A \cup B \subset B \cup A$ par définition des sous-ensembles

Montrons maintenant que $B \cup A$ est un sous-ensemble de $A \cup B$.
Si $y \in B \cup A$, alors

	$y \in B$	ou	$y \in A$	**pourquoi?**
Ce qui signifie	$y \in A$	ou	$y \in B$	**pourquoi?**
D'où	$y \in A \cup B$			**pourquoi?**
Donc	$B \cup A \subseteq A \cup B$			**pourquoi?**
Puisque	$A \cup B \subseteq B \cup A$			
et que	$B \cup A \subset A \cup B$			
nous savons que	$A \cup B = B \cup A$			**pourquoi?**

Les lois d'associativité et de distributivité peuvent être prouvées de la même façon.

ENSEMBLES DE COUPLES. ENSEMBLES-PRODUIT   0.11

Considérons (x,y) comme deux nombres x et y rangés dans l'ordre x premier et y second. Nous appelons x et y les *coordonnées du couple* * (x,y).

Tout ensemble non vide de nombres conduit à un ensemble de couples. Par exemple, formons l'ensemble de tous les couples dont les coordonnées appartiennent à l'ensemble

$$U = \{0,1,2,3\}$$

Nous procédons en formant :

1)   Tous les couples de première coordonnée 0 :
   $(0,0)$, $(0,1)$, $(0,2)$, $(0,3)$

2)   Tous les couples de première coordonnée 1 :
   $(1,0)$, $(1,1)$, $(1,2)$, $(1,3)$

3)   Tous les couples de première coordonnée 2 :
   $(2,0)$, $(2,1)$, $(2,2)$, $(2,3)$

4)   Tous les couples de première coordonnée 3 :
   $(3,0)$, $(3,1)$, $(3,2)$, $(3,3)$

L'ensemble de tous les couples trouvés de 1 à 4 sera noté par le symbole $U \times U$ que nous lisons "U croix U". Donc

$$U \times U = \{(0,0),(0,1), \ldots ,(3,2),(3,3)\}$$

On appelle $U \times U$ le *produit cartésien* de U ou *l'ensemble produit* de U. Si U est un univers donné, alors

$$U \times U = \{(x,y) : x \in U \text{ et } y \in U\}$$

Si X et Y sont des ensembles, l'ensemble produit de X par Y est l'ensemble de tous les couples (x,y) tels que $x \in X$ et $y \in Y$. On note cet ensemble produit $X \times Y$ et on écrit :

$$X \times Y = \{(x,y) : x \in X \text{ et } y \in Y\}$$

*N. du T. — On dit encore doublet ou paire ordonnée.

EXEMPLE 1. Soit $X = \{p,q,r\}$, $Y = \{1,2\}$. Si p,q,r sont des nombres réels, trouver $X \times Y$.

Solution. $X \times Y = \{(p,1),(p,2),(q,1),(q,2),(r,1),(r,2)\}$

EXEMPLE 2. Si $A = \{1,2,3,4\}$ et $B = \{1,2\}$, trouver $A \times B$.

Solution. $A \times B = \{(1,1),(1,2),(2,1),(2,2),(3,1),(3,2),(4,1),(4,2)\}$

Nous utiliserons les produits cartésiens d'ensembles au chapitre 3 lorsque nous aborderons l'étude d'un des concepts mathématiques les plus importants, le concept de fonction. Les ensembles cartésiens sont à la base des graphes et notre étude des permutations et des combinaisons s'appuiera sur cette notion.

CARDINAUX D'ENSEMBLES FINIS   0.12

Cardinal

Soit A et B deux ensembles finis et équipotents. A peut donc être mis en correspondance biunivoque avec B. Nous décrivons cette propriété en disant que les ensembles A et B ont même *cardinal*.

Tous les ensembles équipotents à l'ensemble $\{a\}$ ont le même cardinal qui est *un*. Tous les ensembles qui peuvent être mis en correspondance biunivoque avec l'ensemble $\{a,b\}$ ont pour cardinal *deux*. Tous les ensembles équipotents à l'ensemble $\{a,b,c\}$ ont pour cardinal *trois*, etc. Nous notons les cardinaux *un, deux, trois, quatre,* . . . par les symboles 1, 2, 3, 4, . . .

DÉFINITION. Le cardinal d'un ensemble fini est n si cet ensemble est équipotent à 1,2,3, . . . , n. Le cardinal de l'ensemble vide **(0.8)** est noté 0.

Donc, l'ensemble $\{\triangle,\square,\bigcirc\} \longleftrightarrow \{1,2,3\}$ a pour cardinal le nombre 3. L'ensemble $\{8,13,17,21,32\} \longleftrightarrow \{1,2,3,4,5\}$ a pour cardinal le nombre 5.

Soit A un ensemble dont le cardinal est x, et soit B un ensemble dont le cardinal est y. Si A et B sont des ensembles disjoints, nous définissons la *somme des cardinaux* x et y, notée $x + y$, comme le cardinal de l'ensemble $A \cup B$.

EXEMPLE 1. Les ensembles $\{a,b,c\}$ et $\{k,m,n,p\}$ ont pour cardinaux 3 et 4 respectivement. Trouver la somme de 3 et 4.

Solution. $3 + 4 =$ le cardinal de l'ensemble $\{a,b,c\} \cup \{k,m,n,p\}$
$\qquad\qquad = $ le cardinal de l'ensemble $\{a,b,c,k,m,n,p\}$
$\qquad\qquad = 7$

Produit de cardinaux

Nous définissons le *produit* de x par y, noté xy, comme le cardinal de l'ensemble $A \times B$.

EXEMPLE 2. Le cardinal de l'ensemble $\{a,b\}$ est 2 et le cardinal de l'ensemble $\{r,s,t\}$ est 3. Trouver le produit $2(3)$.

Solution.
$$\begin{aligned}
2(3) &= \text{card } \{a,b\} \times \{r,s,t\} \\
&= \text{card } \{(a,r),\ (a,s),\ (a,t),\ (b,r),\ (b,s),\ (b,t)\} \\
&= 6
\end{aligned}$$

Si l'ensemble A a pour cardinal x et l'ensemble B a pour cardinal y, et, s'il y a des éléments communs aux deux ensembles, nous pouvons distinguer les éléments de B de ceux de A de sorte que A et B puissent être considérés comme disjoints. Par exemple, si $A = \{1,2,3\}$ et $B = (2,3,4\}$, nous distinguerons les éléments de B par un indice: $2_1, 3_1, 4$. Donc

$$A \times B = \{1,2,3\} \times \{2_1, 3_1, 4\}$$

EXERCICES   0.3

1. Soit $A = \{w,x\}$, $B = \{y,z\}$. Déterminer **(a)** l'ensemble de tous les couples de $A \times B$, **(b)** l'ensemble de tous les couples de $B \times A$. Ces ensembles sont-ils identiques ou égaux?

2. Soit $A = \{1,2,3\}$, $B = \{a,b\}$. Déterminer **(a)** l'ensemble de tous les couples de $A \times B$, et **(b)** l'ensemble de tous les couples de $B \times A$. Avons-nous $A \times B = B \times A$?

3. Soit $P = \{1,2,3\}$, $Q = \{1,2,3\}$. Déterminer l'ensemble de tous les couples de $P \times Q$.

4. Soit $X = \{x_1, x_2\}$, $Y = \{y_1, y_2, y_3\}$. Déterminer l'ensemble de tous les couples de $X \times Y$.

5. Si $R = \{3,5,7\}$, trouver $R \times R$.   **6,** Si $S = \{4,6,8\}$, énumérer $S \times S$.

7. Calculer la somme des cardinaux des ensembles $\{1,2\}$ et $\{7,8,9,13\}$ par le cardinal de leur union.

8. Calculer le produit des cardinaux des ensembles $\{3,7\}$ et $\{4,9\}$ par le cardinal de leur produit cartésien.

Nous représentons le cardinal d'un ensemble fini A par le symbole $n(A)$. Par exemple, si $A = \{a,b,c,d\}$, alors $n(A) = 4$.

9. Si $A = \{e,f,g,h\}$ et $B = \{m,n,o\}$, déterminer $n(A \cup B)$.

10. Si $R = \{1,2,3,4,5\}$ et $S = \{3,4,5,6,7\}$, déterminer

   (a) $n(R)$ **(b)** $n(S)$ **(c)** $n(R \cup S)$
   (d) $n(R \cap S)$ **(e)** $n(R) + n(S) + n(R \cap S)$

11. Si A et B sont des ensembles finis, montrer par un diagramme de Venn que

$$n(A \cup B) = n(A) + n(B) - n(A \cap B)$$

12. Si $P = \{0,1,2\}$, $Q = \{1,3\}$, déterminer $P \times Q$ et $n(P \times Q)$.

13. Si $T = \{4,8,12\}$, déterminer $n(T \times T)$.

chapitre

1 LES NOMBRES RÉELS

Le but de ce chapitre est de montrer comment l'ensemble des nombres réels peut se développer comme un système déductif où seules quelques propriétés familières devront être considérées comme primitives, donc traitées comme des axiomes.

SYSTÈMES DÉDUCTIFS 1.1

Termes primitifs

Dans tout système déductif, un nombre de termes spécialisés, ou symboles, servent à exprimer les propositions du système. Certains de ces termes sont définis à l'aide d'autres termes connus intuitivement qui n'ont pas été définis, et qui, pour cette raison, sont appelés *termes primitifs* du système. Nous prendrons donc le terme nombre réel comme primitif; et nous notons l'ensemble de tous ces nombres réels $R = \{a,b,c, \ldots\}$.

Axiomes

En outre, dans un système déductif, après un premier énoncé, chaque proposition doit être une conséquence logique de l'ensemble des propositions et définitions qui la précèdent. De la sorte une ou des propositions placées au début du système ne pourront être déduites de propositions précédentes. Ces hypothèses initiales s'appellent *axiomes* ou *postulats*. Dans la section suivante nous énoncerons les axiomes du corps des nombres réels, R.

Loi de composition interne

Nous définissons une loi de *composition interne* sur un ensemble comme une loi qui fait correspondre à chaque couple de l'ensemble un élément unique de cet ensemble. Les deux lois de composition de l'ensemble des nombres réels sont l'*addition*, notée $+$, et la *multiplication*, notée $\times$. À chaque couple de nombres réels a et b nous attribuons des nombres réels uniques x et y tels que $a + b = x$ et $a \times b = y$. Le nombre x est la *somme* de a et b, et le nombre y est le *produit* de a par b. Le produit de a par b est noté également: $a \cdot b$, $a(b)$, $(a)b$, $(a)(b)$, et plus fréquemment par ab.

Relation d'égalité

Par le symbole $=$ (égale) on note la relation d'identité. Ainsi $a = b$ signifie que a et b sont des symboles différents d'un même nombre. Nous admettons que cette relation d'égalité ou de congruence est soumise aux propriétés suivantes pour tout élément a,b,c,d de l'ensemble R:

14

1. L'égalité est *réflexive:* $a = a$.

2. L'égalité est *symétrique:* si $a = b$, alors $b = a$.

3. L'égalité est *transitive:* si $a = b$ et $b = c$, alors $a = c$.

En outre, les propriétés suivantes sont supposées vraies:

4. L'égalité est régulière pour l'addition: si $a = b$ et $c = d$, alors $a + c = b + d$.

5. L'égalité est régulière pour la multiplication: si $a = b$ et $c = d$, alors $ac = bd$.

Enfin, nous admettrons que l'égalité satisfait la loi de substitution:

6. N'importe quelle quantité peut être substituée à une quantité égale dans une proposition mathématique sans changer la validité de la proposition.

AXIOMES DU CORPS DES NOMBRES RÉELS 1.2

Plusieurs méthodes existent pour développer le système des nombres réels. Dans ce livre nous montrerons que les nombres réels ont une structure de corps, que ce corps est ordonné, et, enfin, que ce corps ordonné est complet. Pour commencer, définissons les nombres réels comme un ensemble muni de deux lois de composition interne vérifiant les Axiomes 1 à 9 (de ce chapitre).

Soit $R = \{a,b,c, \ldots\}$ un ensemble d'éléments appelés nombres réels muni des deux lois de composition interne, addition et multiplication. Pour l'instant supposons que les seules propriétés connues de R sont données par les Axiomes 1 à 6 qui sont les *axiomes d'un corps.* Tout ensemble d'éléments qui satisfait ces six axiomes a une structure de *corps.* Les nombres réels possèdent donc cette structure.

AXIOME 1. EXISTENCE DES LOIS DE COMPOSITION INTERNE. Pour tout $a, b \in R$,
$$a + b \in R \qquad ab \in R$$

Cet axiome signifie que deux lois de composition interne existent sur R. Ainsi, la somme ou le produit de deux nombres réels est un nombre réel.

AXIOME 2. LOIS DE COMMUTATIVITÉ. Pour tout $a, b \in R$,
$$a + b = b + a \qquad ab = ba$$

L'Axiome 2 implique que la somme ou le produit de deux nombres réels ne sont pas affectés par l'ordre dans lequel on les effectue.

AXIOME 3. LOIS D'ASSOCIATIVITÉ. Pour tout $a, b, c \in R$,
$$(a + b) + c = a + (b + c) \qquad (ab)c = a(bc)$$

L'Axiome 3 énonce que la somme ou le produit de trois nombres réel n'est pas affecté par la façon dont on les groupe pour effectuer l'addition ou la multiplication. En conséquence des Axiomes 1 à 3, les éléments d'un sous-ensemble fini des nombres réels s'additionnent ou se multiplient dan un ordre quelconque. Pour cette raison, on omet souvent les parenthèse dans les sommes et produits de trois nombres ou plus.

AXIOME 4. LOIS DE DISTRIBUTIVITÉ.   Pour tout a, b, $c \in R$,
$$a(b + c) = ab + ac \qquad (b + c)a = ba + ca$$

Par suite de l'Axiome 4, le produit d'un nombre réel par la somme de deu nombres réels ou plus s'obtient en multipliant chaque nombre de la somm par le nombre donné et en additionnant ensuite les produits trouvé Par exemple, $2(3 + 7 + 2) = 2(3) + 2(7) + 2(2)$.

Les parenthèses ( ) ou les crochets [ ] servent à grouper deux nombr ou plus en une seule quantité. Les accolades { } rendent le même servi lorsqu'il est clair que nous ne définissons pas un ensemble.

AXIOME 5. ÉLÉMENTS NEUTRES.   Il existe un nombre réel, appelé zéro noté 0, tel que pour tout $a \in R$
$$a + 0 = a$$

Il existe un nombre réel différent de zéro, appelé un, noté 1, te que pour tout $a \in R$
$$a(1) = a$$

On dit que le nombre réel 0 est *l'élément neutre pour l'addition* et q le nombre réel 1 est *l'élément neutre pour la multiplication*. Comme 0 et sont des réels, nous avons d'après l'Axiome 2: $a + 0 = 0 + a = a$ et $a(1)$ $(1)a = a$.

AXIOME 6. ÉLÉMENTS SYMÉTRIQUES.   Pour tout $a \in R$, il existe u nombre réel appelé symétrique pour l'addition ou l'opposé de a, not $- a$, tel que
$$a + (-a) = 0$$

Pour tout $a \neq 0$ et $a \in R$, il existe un nombre réel appelé sym trique pour la multiplication ou inverse, noté $1/a$, tel que
$$a \left(\frac{1}{a} \right) = 1$$

Par l'axiome de commutativité, $a + (- a) = (- a) + a = 0$. D'o est l'opposé de $- a$. Identiquement, nous pouvons montrer que a

l'inverse de $1/a$. Notons que la somme d'un nombre réel et de son opposé est l'élément neutre pour l'addition; le produit d'un nombre réel différent de zéro par son inverse est l'élément neutre pour la multiplication.

Unicité des éléments neutres

Les éléments neutres 0 et 1 de l'Axiome 5 sont uniques. La preuve de cette assertion est facile. Par exemple, pour montrer que 1 est unique, on suppose qu'il existe un autre nombre réel (par ex. x) partie de R, tel que pour tout $b \in R$

$$b(x) = b$$

Alors	$1(x) = 1$	puisque $1 \in R$
Donc:	$(x)1 = 1$	d'après l'Axiome 2
Mais	$(x)1 = x$	d'après l'Axiome 5
C'est-à-dire:	$x = 1$	pourquoi?

La preuve de l'unicité de 0 est laissée en exercice.

Unicité des éléments symétriques

Les éléments symétriques $-a$ et $1/a$ de l'Axiome 6 sont uniques également. Pour prouver que l'opposé d'un nombre réel a est unique, supposons qu'il existe un x tel que

$$a + x = 0 \qquad (1)$$

Alors	$-a = (-a) + 0$	d'après l'Axiome 5
	$= (-a) + (a + x)$	d'après (1)
	$= [(-a) + a] + x$	par associativité
	$= 0 + x$	pourquoi?
	$= x$	pourquoi?

La preuve de l'unicité de l'inverse de tout nombre réel a différent de zéro est laissée en exercice.

PROPRIÉTÉS DES NOMBRES RÉELS 1.3

Nous déduirons maintenant quelques propriétés des nombres réels directement des axiomes de corps de la section précédente. C'est notre espoir que les preuves de cette section (et des sections à venir) non seulement établiront quelques propriétés importantes des nombres réels, mais mettront en valeur la nature déductive de l'algèbre. L'étudiant devrait fournir les arguments là où ils sont omis.

THÉORÈME. $0 + 0 = 0$ **(1.1)**

Preuve: Puisque $a + 0 = a$ pour tout $a \in R$, si $a = 0$, alors $0 + 0 = 0$.

THÉORÈME. Pour tout $a \in R$,
$$a(0) = 0 \qquad \text{et} \qquad 0(a) = 0$$
(1.2)

Preuve. Soit $a(0) = x$, alors $x \in R$ et il existe $(-x) \in R$ tel que $x + (-x) = 0$ d'après les axiomes 1 et 6. Donc:

$$
\begin{aligned}
a(0) &= a(0) + 0 & \text{Axiome 5}\\
&= a(0) + [x + (-x)] & \text{substitution}\\
&= [a(0) + x] + (-x) & \text{associativité}\\
&= [a(0) + a(0)] + (-x) & \text{substitution}\\
&= a(0 + 0) + (-x) & \text{distributivité}\\
&= a(0) + (-x) & \text{Théorème (1.1)}\\
&= x + (-x) & \text{substitution}\\
&= 0 & \text{Axiome 6}
\end{aligned}
$$

De la commutativité et de la preuve précédente, il suit que

$$a(0) = 0(a) = 0$$

THÉORÈME. Si $ab = 0$, alors $a = 0$ ou $b = 0$.   **(1.3)**

Preuve. Si $a = 0$, le théorème est démontré. Si $a \neq 0$, alors

$$\frac{1}{a} \in R \qquad\qquad \text{Axiome 6}$$

Puisque $ab = 0$, $\qquad \dfrac{1}{a} \cdot (ab) = \dfrac{1}{a} \cdot 0 = 0 \qquad$ substitution et Théo. (1.2)

et $\qquad\qquad \left(\dfrac{1}{a} \cdot a \right) b = 0 \qquad\qquad$ Axiome 3

D'où: $\qquad\qquad\qquad (1)b = 0 \qquad\qquad\qquad$ Axiome 6

et $\qquad\qquad\qquad\quad b = 0 \qquad\qquad\qquad$ pourquoi?

THÉORÈME. Pour tout $a,b,c \in R$, $a + c = b + c$ implique $a = b$. **(1.4)**

Preuve. Comme $c \in R$, $(-c)$ fait partie de R.   Axiome 6

Alors $\qquad (a + c) + (-c) = (b + c) + (-c) \qquad$ pourquoi?

et $\qquad a + [c + (-c)] = b + [c + (-c)] \qquad$ par associativité

D'où: $\qquad\qquad\quad a + 0 = b + 0 \qquad\qquad$ pourquoi?

et $\qquad\qquad\qquad\quad a = b \qquad\qquad\qquad$ Axiome 5

THÉORÈME. Pour tout $a,b,c \in R$ et $c \neq 0$, $ac = bc$ implique $a = b$ **(1.5)**

La preuve sera laissée en exercice.

Jusqu'à présent le signe moins $(-)$ précédant un élément de R a servi à noter l'opposé d'un élément. Par exemple $(-b)$ est le symétrique de b pour l'addition. Il existe une autre signification du signe moins qui résulte de la définition suivante:

DÉFINITION.   Pour tout $a, b \in R$

$$a - b = a + (-b)$$

(1.6)

La somme $a + (-b)$ est appelée "la différence a moins b" obtenue en retranchant b de a. Le signe moins de $a - b$ sert à noter l'opération connue comme soustraction.

THÉORÈME.   Pour tout $a, b \in R$,

$$(-a)b = -(ab)$$

(1.7)

Preuve. $(-a)b + ab = [(-a) + a]b$ **Axiome 4**

$$= (0)b \qquad\qquad \textbf{pourquoi?}$$

$$= 0 \qquad\qquad\quad \textbf{Théo. (1.2)}$$

Donc, $(-a)b$ est l'opposé de ab. Puisque, d'après l'Axiome 6, $-(ab)$ est l'opposé de ab,

$$(-a)b = -(ab)$$

THÉORÈME.   Pour tout $a, b, c \in R$

$$a(b - c) = ab - ac$$

(1.8)

DÉFINITION.   Pour tout $a, b \in R$, $b \neq 0$,

$$\frac{a}{b} = a\left(\frac{1}{b}\right)$$

(1.9)

On dit que a/b est "le quotient a par b" ou "la fraction a sur b".
On appelle a le numérateur et b le dénominateur de la fraction a/b.

Si a et b sont des entiers, le nombre réel a/b est un nombre rationnel, et les propriétés ci-après des nombres rationnels s'établissent :

THÉORÈME. $b\left(\dfrac{a}{b}\right) = a$ si $b \neq 0$

(1.10)

THÉORÈME. $\dfrac{a}{a} = 1$ si $a \neq 0$

(1.11)

THÉORÈME. $\dfrac{0}{a} = 0$ si $a \neq 0$

(1.12)

THÉORÈME. $\dfrac{a}{1} = a$

(1.13)

Les théorèmes (1.12) et (1.13) impliquent que, si a est un entie
alors a est identique au rationnel $a/1$. Ainsi, tout entier est un nombr
rationnel. Si Z est l'ensemble de tous les entiers et Q est l'ensemble de tou
les nombres rationnels, alors Z est un ensemble propre de Q, c'est-à-di

$$Z \subset Q$$

SIGNES RÉSULTANT DES OPÉRATIONS 1.4

Les théorèmes suivants conduisent directement à des règles de signe
qui sont nécessaires pour opérer efficacement sur les nombres réels.

THÉORÈME. Pour tout $a \in R$,   (1.14)

$$-(-a) = a$$

Preuve. $-(-a)$ est l'opposé de $(-a)$ **pourquoi?**
a est l'opposé de $(-a)$ **pourquoi?**

Donc $-(-a) = a$, puisque l'opposé de $(-a)$ est unique.

THÉORÈME. Pour tout $a, b \in R$,   (1.15)

$$-(a + b) = -a - b$$

THÉORÈME. Pour tout $a, b \in R$ (1.16)

$$-(a - b) = -a + b$$

Preuve. $-(a - b) = -[a + (-b)]$ **pourquoi?**
$= -a - [(-b)]$ Théo. (1.15)
$= -a + b$ Théo. (1.14)

THÉORÈME. Pour tout $b \in R$,   (1.17)

$$(-1)b = -b$$

THÉORÈME. Pour tout $a, b \in R$,   (1.18)

$$(-a)(-b) = ab$$

Preuve: $(-a)(-b) = -[a(-b)]$ Théo. (1.7)
$= -[(-b)a]$ **pourquoi?**
$= -[-(ba)]$ Théo. (1.7)
$= -[-(ab)]$ commutativité
$= ab$ Théo. (1.14)

THÉORÈME. Pour tout $b \in R$,

$$\frac{1}{-b} = -\frac{1}{b}$$ (**1.19**)

THÉORÈME. Pour tout $a, b \in R$

$$\frac{a}{-b} = -\frac{a}{b} \quad \text{et} \quad \frac{-a}{b} = -\frac{a}{b}$$ (**1.20**)

THÉORÈME. Pour tout $a, b \in R$,

$$\frac{-a}{-b} = \frac{a}{b}$$ (**1.21**)

Preuve: $\dfrac{-a}{-b} = -a\left(\dfrac{1}{-b}\right)$ pourquoi?

$$= -a\left(-\frac{1}{b}\right) \quad \text{Théo. (1.19)}$$

$$= a\left(\frac{1}{b}\right) \quad \text{Théo. (1.18)}$$

$$= \frac{a}{b} \quad \text{pourquoi?}$$

AUTRES PROPRIÉTÉS DES NOMBRES RÉELS 1.5

Les théorèmes de cette section créent des méthodes pour opérer sur les fractions. Nous ne prouverons pas trois de ces théorèmes, mais nous incitons les étudiants à se persuader qu'ils sont valables. Dans tous ces théorèmes les éléments $a, b, c, \ldots$ feront partie de R.

THÉORÈME. $\dfrac{1}{a} \cdot \dfrac{1}{b} = \dfrac{1}{ab}$ (**1.22**)

THÉORÈME. $\dfrac{a}{b} \cdot \dfrac{c}{d} = \dfrac{ac}{bd}$ (**1.23**)

Preuve. $\dfrac{a}{b} \cdot \dfrac{c}{d} = \left(a \cdot \dfrac{1}{b}\right)\left(c \cdot \dfrac{1}{d}\right)$ pourquoi?

$$= (ac)\left(\frac{1}{b} \cdot \frac{1}{d}\right) \quad \text{pourquoi?}$$

$$= (ac)\left(\frac{1}{bd}\right) \quad \text{Théo. (1.22)}$$

$$= \frac{ac}{bd} \quad \text{Définition (1.9)}$$

Ce théorème peut être étendu au produit d'un nombre fini de fractions qui est une fraction dont le numérateur est le produit de tous les numérateurs des fractions et dont le dénominateur est le produit de tous les dénominateurs de ces fractions.

THÉORÈME. $\dfrac{ac}{bc} = \dfrac{a}{b}$ pour tout $c \neq 0$ **(1.24)**

Preuve. $\dfrac{ac}{bc} = \dfrac{a}{b} \cdot \dfrac{c}{c} = \dfrac{a}{b}\left[c\left(\dfrac{1}{c}\right)\right] = \dfrac{a}{b}(1) = \dfrac{a}{b}$

L'étudiant doit fournir les raisons de la preuve précédente. Le théorème (1.24), qui est le *principe fondamental des fractions*, énonce qu'un nombre réel de forme fractionnaire demeure inchangé lorsque son numérateur et son dénominateur sont divisés par un même nombre différent de zéro.

THÉORÈME. $\dfrac{a}{p} + \dfrac{b}{p} + \dfrac{c}{p} + \cdots + \dfrac{m}{p} = \dfrac{a + b + c + \cdots + m}{p}$ **(1.25)**

Preuve.
$$\frac{a}{p} + \frac{b}{p} + \frac{c}{p} + \cdots + \frac{m}{p} = a\left(\frac{1}{p}\right) + b\left(\frac{1}{p}\right) + c\left(\frac{1}{p}\right) + \cdots + m\left(\frac{1}{p}\right)$$
Déf. (1.9

$$= (a + b + c + \cdots + m)\left(\frac{1}{p}\right) \qquad \text{Axiome}$$

$$= \frac{a + b + c + \cdots + m}{p} \qquad \text{Déf. (1.9}$$

Donc, la somme d'un nombre fini de fractions qui ont même dénominateur est une fraction dont le numérateur est la somme des numérateurs et dont le dénominateur est le dénominateur commun de toutes les fractions.

THÉORÈME. $\dfrac{a}{b} + \dfrac{c}{d} = \dfrac{ad + bc}{bd}$ $b, d \neq 0$ **(1.26)**

Preuve: $\dfrac{a}{b} + \dfrac{c}{d} = \dfrac{ad}{bd} + \dfrac{cb}{db}$ Théo. (1.24)

$$= \frac{ad}{bd} + \frac{bc}{bd} \qquad \text{pourquoi?}$$

$$= \frac{ad + bc}{bd} \qquad \text{Théo. (1.25)}$$

Ce dernier théorème s'applique à la somme de deux fractions qui n'ont pas le même dénominateur.

THÉORÈME. $\dfrac{a}{p} - \dfrac{b}{p} = \dfrac{a-b}{p}$ (1.27)

THÉORÈME. $\dfrac{a}{b} - \dfrac{c}{d} = \dfrac{ad-bc}{bd}$ (1.28)

THÉORÈME. $\dfrac{\frac{a}{b}}{\frac{c}{d}} = \dfrac{a}{b} \cdot \dfrac{d}{c}$ (1.29)

Preuve: $\dfrac{\frac{a}{b}}{\frac{c}{d}} = \dfrac{a}{b} \cdot \dfrac{1}{\frac{c}{d}}$ pourquoi?

$= \dfrac{a \cdot 1}{b\left(\dfrac{c}{d}\right)}$ pourquoi?

$= \dfrac{a \cdot d}{b\left(\dfrac{c}{d}\right)d}$ Théo. (1.24)

$= \dfrac{ad}{bd\left(\dfrac{c}{d}\right)}$ Axiome 2

$= \dfrac{ad}{bc}$ pourquoi?

$= \dfrac{a}{b} \cdot \dfrac{d}{c}$ Théo. (1.23)

Les exemples suivants sont des applications des théorèmes de cette section et de la précédente.

EXEMPLE 1. $(-12) + (-12) = -(12 + 12) = -24$

EXEMPLE 2. $(-12) + 15 = (-12) + (12 + 3)$
$= [(-12) + 12)] + 3$
$= 0 + 3$
$= 3$

EXEMPLE 3. $12 - 15 = 12 + (-15) = 12 + [-(12 + 3)]$
$= 12 + [(-12) + (-3)]$
$= [12 + (-12)] + (-3)$
$= 0 + (-3)$
$= -3$

EXEMPLE 4. $(-5)(+3) = (+3)(-5) = -[(3)(5)] = -15$

EXEMPLE 5. $(-4)(-7) = (4)(7) = 28$

EXEMPLE 6. $\dfrac{\sqrt[3]{4}}{-\sqrt[3]{2}} = \dfrac{3}{4}\left(-\dfrac{2}{3}\right) = -\left[\dfrac{3}{4}\left(\dfrac{2}{3}\right)\right] = -\dfrac{1}{2}$

EXERCICES   1.1

CITER les axiomes des nombres réels utilisés pour passer au second membre des égalités suivantes

1. $5 + 3 = 3 + 5$
2. $4 + 7 = 7 + 4$
3. $9 + 0 = 9$
4. $0 + 5 = 5$
5. $-3 + 0 = -3$
6. $4(1) = 4$
7. $[-3 + (4)] + 7 = -3 + (4 + 7)$
8. $4 + [(-2) + 1] = (4 + 1) + (-2)$
9. $0 + 0 = 0$
10. $1(1) = 1$
11. $(-1)(1) = -1$
12. $4 + [-4] = 0$
13. $(-3) + [-(-3)] = 0$
14. $(1)(7) = 7$
15. $4(\frac{1}{4}) = 1$
16. $-3\left(\dfrac{1}{-3}\right) = 1$
17. $\dfrac{1}{-5}(-5) = 1$
18. $\dfrac{1}{7}\left(\dfrac{1}{\frac{1}{7}}\right) = 1$
19. $x + y = 1(x) + 1(y)$
20. $xy = yx$
21. $2(3 + 4) = 2(3) + 2(4)$
22. $4(x + y) = 4 \cdot x + 4 \cdot y$

CALCULER la valeur des expressions suivantes:

23. $(-2) + 5$
24. $(7) + (-4)$
25. $(-3) + (-8)$
26. $-(-9) + (9)$
27. $7 - 2$
28. $(8) - (4)$
29. $(-7) - (-4)$
30. $(-3) - (-5)$
31. $0 + (-3) + (-5)$
32. $18 - (-15) + (-1)$
33. $(2)(-4)$
34. $(-3)(5)$
35. $(-7)(-3)$
36. $(-2)(-15)$
37. $(-3)(-4) + [5(0)]$
38. $(-2)(-4) - [(-1)(-4)]$

TROUVER les opposés des nombres suivants:

39. 7
40. 0
41. -3
42. y
43. 8
44. $-x$
45. $\frac{3}{2}$
46. $\frac{3}{5}$
47. $3x + 2y$
48. $2x - 7y$
49. $11a - 9b$
50. $-(7a +$
51. $-(3x - 5y)$
52. $-(2a - 6b)$

TROUVER les inverses des nombres suivants:

53. 3
54. $\frac{1}{3}$
55. $\frac{2}{3}$
56. $\frac{4}{9}$
57. $1 + \frac{1}{2}$
58. $3 + \frac{7}{8}$
59. $5 - \frac{1}{5}$
60. $x + y$
61. $(2a - 3$
62. $-(4x/3y)$
63. $3a/7b$
64. $-3/x$
65. $2/(x + y)$
66. 3.7
67. $1/1.7$
68. $2/(3 + 0.7a)$

CALCULER la valeur des expressions suivantes:

69. $\frac{1}{2} + \frac{3}{2}$ **70.** $\frac{5}{4} + \frac{3}{4}$ **71.** $\frac{8}{7} + \frac{5}{3}$

72. $\frac{4}{11} - \frac{2}{11}$ **73.** $\frac{3}{7} \cdot \frac{2}{5}$ **74.** $\frac{5}{8} \cdot \frac{2}{9}$

75. $(-\frac{1}{3})(\frac{5}{6})$ **76.** $(\frac{2}{3})(-\frac{7}{5})$ **77.** $(-2)(-7)(-\frac{1}{3})$

78. $(-\frac{2}{5})(-\frac{1}{9})$

PROUVER les égalités suivantes où a, b, c, . . . sont des nombres réels:

79. $a(b - c) = ab - ac$ **80.** $-(a + b) = -a - b$

81. $-(ac - ad) = [d + (-c)]a$ **82.** $(a - b) + b = a$

83. $(a - b) - c = -[b - (a - c)]$ **84.** De $a + b = c$ vient $a = c - b$.

85. De $\dfrac{a}{b} = \dfrac{c}{d}$ vient $ad = bc$.   **86.** De $ad = bc$ vient $\dfrac{a}{b} = \dfrac{c}{d}$, pour tout $b,d \neq 0$.

87. $\dfrac{a}{b}\left(\dfrac{b}{a}\right) = 1$ **88.** $\dfrac{1}{\dfrac{a}{b}} = \dfrac{b}{a}$

EXPOSANTS ENTIERS POSITIFS 1.6

La notation réduite a^n du produit de n facteurs égaux à a se justifie par la définition suivante:

DÉFINITION. Pour tout $a \in R$ et tout entier positif n,

$$a^1 = a$$
$$a^{n+1} = a^n a \qquad n = 2, 3, 4, \ldots$$

(1.30)

Par exemple,

$$a^2 = (a^1)a = aa \qquad \text{(deux facteurs)}$$
$$a^3 = (a^2)a = (aa)a = aaa \qquad \text{(trois facteurs)}$$
$$a^4 = (a^3)a = (aaa)a = aaaa \qquad \text{(quatre facteurs)}$$

Des applications successives de la définition à a^5, a^6, a^7, etc., conduisent à:

$$a^n = aaa \ldots a \qquad (n \text{ facteurs}) \qquad (1.31)$$

L'Égalité (1.31) sert souvent à définir a^n. La notation a^n se lit "a puissance n" ou "la $n$ième puissance de a". Le nombre a s'appelle la *base* et l'entier positif n l'*exposant* de puissance de la base. Ainsi dans l'expression $(\frac{3}{2})^5$, $\frac{3}{2}$ est la base et 5 est l'exposant de la puissance cinquième de la base.

Les preuves rigoureuses des théorèmes suivants s'appuient sur la Définition (1.30) et le principe d'induction mathématique que nous étudierons plus tard. Des preuves intuitives déduites de l'Égalité (1.31), de la commutativité et de l'associativité seront suffisamment convaincantes. Dans ces théorèmes a et b sont des nombres réels, m et n des entiers positifs.

xposant

THÉORÈME. $a^m a^n = a^{m+n}$ **(1.32)**

Preuve. $a^m = aaa \ldots a$ (m facteurs)

$\qquad\quad a^n = aaa \ldots a$ (n facteurs)

$$a^m a^n = \overbrace{(aaa \ldots a)}^{m \text{ facteurs}} \; \overbrace{(aaa \ldots a)}^{n \text{ facteurs}}$$

$$= \overbrace{aaa \ldots a}^{m + n \text{ facteurs}}$$

$$= a^{m+n}$$

EXEMPLES. $(3^2)(3^4) = 3^{2+4} = 3^6$

$\qquad\qquad\quad (-2)^3(-2)^4 = (-2)^{3+4} = (-2)^7$

THÉORÈME.   Pour tout $a \neq 0$,

$$\frac{a^m}{a^n} = a^{m-n} \quad \text{si } m \text{ est plus grand que } n$$

$$= 1 \qquad\quad \text{si } m = n \qquad\qquad\qquad \textbf{(1.33)}$$

$$= \frac{1}{a^{n-m}} \quad \text{si } m \text{ est plus petit que } n$$

Preuve de (1) $\dfrac{a^m}{a^n} = a^m \left(\dfrac{1}{a^n}\right)$

$$= a^{m-n} a^n \left(\frac{1}{a^n}\right) \quad \text{car } m \text{ est plus grand que } n$$

$$= a^{m-n} \left[a^n \left(\frac{1}{a^n}\right)\right] = a^{m-n}$$

La preuve de (2) est laissée en exercice.

Preuve de (3). $\dfrac{a^m}{a^n} = a^m \left(\dfrac{1}{a^n}\right) = a^m \left(\dfrac{1}{a^m a^{n-m}}\right)$

$$= a^m \left(\frac{1}{a^m} \, \frac{1}{a^{n-m}}\right) = \left[a^m \left(\frac{1}{a^m}\right)\right] \frac{1}{a^{n-m}}$$

$$= \frac{1}{a^{n-m}}$$

EXEMPLES. $\dfrac{3^5}{3^2} = 3^{5-2} = 3^3$

$$\frac{5^4}{5^4} = 1$$

$$\frac{7^2}{7^5} = \frac{1}{7^{5-2}} = \frac{1}{7^3}$$

Les preuves des théorèmes suivants sont laissées en exercices:

THÉORÈME. $(ab)^m = a^m b^m$ (1.34)

THÉORÈME. $\left(\dfrac{a}{b}\right)^m = \dfrac{a^m}{b^m}$ (1.35)

THÉORÈME. $(a^m)^n = a^{mn}$ (1.36)

EXEMPLES.
$$(-4y)^2 = (-4)^2 y^2$$
$$\left(\frac{2}{3}\right)^5 = \frac{2^5}{3^5}$$
$$(7^2)^2 = 7^{2(2)} = 7^4$$
$$(2a^2)^3 = 2^3 a^6$$

NOMBRES IRRATIONNELS 1.7

Nous avons défini un nombre rationnel comme un nombre réel qui peut être exprimé dans la forme a/b où a et b sont des entiers et $b \neq 0$. Donc, l'ensemble des nombres rationnels est un sous-ensemble des nombres réels.

Cependant tous les nombres réels ne sont pas des rationnels. Il existe un autre sous-ensemble important des nombres réels appelé *nombres irrationnels:* un nombre irrationnel ne peut s'exprimer dans la forme a/b, où $a, b \in Z$, $b \neq 0$. Nous nous rappelons la signification des racines carrées et cubiques de nombres en arithmétique. Ces nombres s'écrivent $\sqrt{2}$, $\sqrt{3}$, $\sqrt[3]{4}$, etc. Il arrive que ces racines soient des nombres rationnels. Par exemple, $\sqrt{4} = 2$ et $\sqrt[3]{27} = 3$. Mais il arrive aussi, comme pour $\sqrt{2}$, que nous donnions une réponse *approximative* sous forme décimale ou rationnelle, parce que ces nombres sont des nombres irrationnels qui ne peuvent être exprimés dans la forme a/b. Maintenant, nous devons prouver que $\sqrt{2}$ n'est pas un nombre rationnel. Pour cette preuve nous avons besoin du théorème suivant:

THÉORÈME. Pour tout entier p, si p^2 est divisible par 2, alors p est divisible par 2. (1.37)

Preuve: Lorsqu'on divise un entier p par 2, le reste est 0 ou 1. Donc p s'exprime sous l'une des deux formes:
$$p = 2k \quad \text{ou} \quad p = 2k + 1, \quad \text{où } k \text{ est un entier.}$$
En conséquence
$$p^2 = 4k^2 = 2(2k^2)$$
ou
$$p^2 = 4k^2 + 4k + 1 = 2(2k^2 + 2k) + 1$$

Puisque par hypothèse p^2 est divisible par 2, nous concluons que p^2 doit être égal à $4k^2$.

Donc, $p = 2k$ et p est divisible par 2.

THÉORÈME. $\sqrt{2}$ n'est pas un nombre rationnel   **(1.38)**

Preuve. La preuve consiste à montrer qu'il n'y a pas de nombre rationnel dont le carré est 2.

Admettons que p/q soit un nombre rationnel tel que $(p/q)^2 = 2$. Supposons aussi que p/q soit de la forme canonique, c'est-à-dire que p et q n'aient d'autre commun diviseur que 1 et -1. Alors

$$\frac{p^2}{q^2} = 2 \qquad \text{et} \qquad p^2 = 2q^2$$

Donc, p^2 est divisible par 2 et p l'est aussi d'après le Théorème (1.37). Écrivons $p = 2r$, $r \in Z$; alors $p^2 = 4r^2$. En remplaçant p^2 par $2q^2$, nous obtenons

$$2q^2 = 4r^2 \qquad \text{et} \qquad q^2 = 2r^2$$

Donc, q^2 est divisible par 2 et q l'est aussi d'après le Théorème (1.37).

Nous concluons que p et q ont un commun diviseur 2 contrairement à la supposition selon laquelle p et q n'ont pas d'autres diviseurs communs que 1 et -1; ce qui démontre le théorème.

On pourrait prouver que, si l'entier positif n n'est pas le carré d'un entier k, $\sqrt{n}$ n'est pas rationnel, mais irrationnel. Par exemple $\sqrt{7}$, $\sqrt{8}$, $\sqrt{10}$ sont des nombres irrationnels. Nous rencontrerons d'autres irrationnels dans les chapitres suivants.

DROITE NUMÉRIQUE RÉELLE 1.8

Admettons l'existence d'une correspondance biunivoque entre l'ensemble des nombres réels et l'ensemble des points sur une ligne droite. Nous rendrons cependant cette hypothèse plus plausible en montrant qu'une correspondance s'établit de fait entre l'ensemble des nombres rationnels et certains points de la droite.

Construction de la droite réelle

Traçons une droite horizontale sur laquelle nous choisissons un point Appelons ce point l'*origine*. Choisissons une unité de longueur convenable et portons sur la droite des segments égaux de part et d'autre de l'origine (voir fig. 1.1).

FIGURE 1.1 La droite numérique réelle

Attribuons le nombre zéro (0) à l'origine, le nombre 1 au premier point marqué à la droite de zéro, le nombre 2 au second point, et ainsi de suite. Attribuons le nombre − 1, qui est l'opposé de 1, au premier point marqué à la gauche de zéro, et ainsi de suite. Nous aurons alors une correspondance biunivoque entre l'ensemble des entiers et un ensemble de points placés sur la droite. Le segment de 0 à 1 sera le *segment unitaire*. De 0 à 2 le segment a deux unités de longueur. De 0 à 3 le segment a 3 unités de longueur, etc.

segment unitaire *(marge)*

Les nombres rationnels autres que les entiers peuvent être mis en correspondance avec d'autres points de la droite par la construction géométrique utilisée pour diviser un segment en un nombre de parties égales. Si le segment de 0 à 1 est divisé en quatre parties égales, le nombre rationnel ¼ sera représenté par le point qui est au quart de la distance de 0 à 1. Les points correspondants aux nombres rationnels ¾, 3⁄2, − 7⁄8, − 5⁄2 ont été portés sur la droite de la figure 1.1.

Certains points de la droite correspondant à des nombres irrationnels peuvent être localisés géométriquement. Par exemple, construisons le carré dont la base est le segment de 0 à 1, et soit OP sa diagonale (voir fig. 1.2).

D'après le théorème de Pythagore $OP = \sqrt{1^2 + 1^2} = \sqrt{2}$. En prenant O pour centre et OP pour rayon, traçons un arc coupant la droite en A. Le segment $OA = OP = \sqrt{2}$; et le point A correspond au nombre irrationnel $\sqrt{2}$.

nombres réels et droite numérique *(marge)*

Pour assurer enfin une correspondance biunivoque entre l'ensemble de tous les nombres réels et les points de la droite que nous appelons maintenant *droite numérique*, nous admettons l'hypothèse suivante:

> À tout nombre réel correspond un point sur la droite numérique, et à tout point sur la droite numérique correspond un nombre réel.   (**1.39**)

graphe d'un nombre *(marge)*

Le nombre réel x correspondant à un point de la droite numérique s'appelle l'*abscisse* du point; le point est le *graphe* du nombre. Nous nous référerons aux points (x) en admettant par convention qu'il n'y a pas de distinction verbale entre les points sur la droite numérique et les nombres réels correspondants. Ainsi, nous pouvons parler du point (3) comme s'il s'agissait du *nombre* 3 ou nous pouvons parler du nombre − 5 comme s'il s'agissait du point (− 5).

La représentation graphique des nombres réels comme points de la droite peut servir à diviser les nombres réels en trois sous-ensembles disjoints (ou mutuellement exclusifs). Les nombres réels correspondant

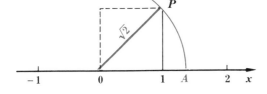

FIGURE 1.2
Le point A correspont à $\sqrt{2}$.

aux points de la droite numérique à droite de 0 sont les *nombres positifs*. Les opposés de ces nombres positifs correspondant aux points à gauche de 0 sont les *nombres négatifs*. Le nombre réel 0 n'est ni positif ni négatif.

LES AXIOMES D'ORDRE 1.9

Les six axiomes du corps ne se rapportent pas à la relation d'ordre "est inférieur à". Mais nous avons admis la compréhension intuitive de cette relation lorsque nous avons parlé de "l'ensemble des entiers positifs plus petits que 6".

Pour l'étude de la propriété d'ordre des nombres réels, nous emploierons les symboles :

$$< \qquad \text{"est inférieur à"}$$
$$> \qquad \text{"est supérieur à"}$$

La signification de ces symboles se trouve précisée dans la définition suivante :

DÉFINITION.   Si $a, b \in R$, alors $a < b$, si, et seulement si $b - a$ est un nombre positif ; $a > b$, si, et seulement si $b < a$.   **(1.40)**

On démontre que si $a < b$, le point (a) se trouve à gauche du point (b) sur la droite numérique. De même, si $a > b$, qui signifie $b < a$, alors (b) est à gauche de (a). Par suite, $a > 0$, si a est positif, et $a < 0$, si a est négatif.

Énonçons maintenant les axiomes d'ordre sur les nombres réels :

AXIOME 7. L'AXIOME DE TRIPARTITION.*   Si $a, b \in R$, alors une, et seulement une des relations suivantes est possible :   **(1.41)**

$$a < b \qquad a = b \qquad a > b$$

AXIOME 8. LOIS INTERNES DANS R+.   Si $a, b \in R$, $a > 0$ et $b > 0$, alors   **(1.42)**

$$a + b > 0 \qquad ab > 0$$

Donc, d'après l'Axiome 8, la somme et le produit de deux nombres positifs sont positifs.

THÉORÈME.   Si $a, b, c \in R$ et si $a < b$ et $b < c$, alors $a < c$.   **(1.43)**

Preuve.   Comme $a < b$ et $b < c$,

$$b - a > 0$$
et $$c - b > 0$$ **par définition**

---

*N. du T.: ou des trichotomies.

D'où: $(b - a) + (c - b) > 0$ loi interne dans R

Alors $c - a > 0$ pourquoi?

et $a < c$ par définition

THÉORÈME. Si $a, b, c \in R$ et si $a < b$, alors   **(1.44)**

$$a + c < b + c$$

La preuve est laissée à l'étudiant.

THÉORÈME. Si $a, b, c \in R$ et si $a > b$ et $c > 0$, alors $ac > bc$.   **(1.45)**

La preuve est laissée en exercice.

THÉORÈME. Si $a, b, c \in R$ et si $a > b$ et $c < 0$, alors $ac < bc$.   **(1.46)**

La preuve est laissée à l'étudiant.

Les exemples suivants sont des applications de ces théorèmes:

EXEMPLE 1. Trouver l'ensemble-solution de l'inégalité $6x - 3 > 21$, $x \in R$.

Solution. $(6x - 3) + 3 > 21 + 3$ Théo. **(1.44)**

et $6x > 24$ pourquoi?

D'où: $x > 4$ Théo. **(1.45)**

Donc l'ensemble-solution est $\{x : x > 4\}$.

EXEMPLE 2. Résoudre l'inégalité $4 + 6x > 17 - 4x$.

Solution. $(4 + 6x) + (4x - 4) > (17 - 4x) + (4x - 4)$ Théo. **(1.44)**

et $10x > 13$ pourquoi?

D'où: $x > \dfrac{13}{10}$ pourquoi?

L'ensemble-solution est $\{x : x > {}^{13}\!/_{10}\}$.

EXERCICES 1.2

1. À l'aide de la Définition (1.40), des Axiomes **7** et **8**, en admettant que a, b, c sont des nombres réels, prouver:

  (**a**) Si $a > b$ et $c > 0$, alors $ac > bc$.
  (**b**) Si $a > b$, alors $a + c > b + c$.
  (**c**) Si $a > 0$, alors $-a < 0$.
  (**d**) Si $a \neq 0$, alors $a^2 > 0$.
  (**e**) Si $a > b$, alors $a^2 > b^2$.

2. Prouver que $\frac{1}{4} < \frac{2}{5}$.

3. Prouver que le produit de deux nombres négatifs est un nombre positif.

4. Prouver que le produit d'un nombre négatif et d'un nombre positif est un nombre négatif.

TROUVER l'ensemble-solution des inégalités suivantes:

5. $2x + 3 > 4$

7. $6 - 2x < x - 3$

6. $5x - 7 < 1 - 3x$

8. $3 + 7x > 2x - 15$

LA PROPRIÉTÉ DE COMPLÉTUDE 1.10

Les nombres réels et les nombres rationnels possèdent les propriétés des ensembles ordonnés. Mais les nombres réels possèdent en plus la propriété importante de "complétude" que les rationnels ne possèdent pas. Nous discuterons cette propriété sans rigueur et intuitivement.

Examinons par exemple l'ensemble des approximations rationnelles successives obtenues par le procédé normal suivi pour extraire la racine carrée d'un nombre. Appelons S cet ensemble; alors

$$S = \{1, 1.4, 1.41, 1.414, 1.4142, \ldots\}$$

Deux propriétés importantes s'attachent à cet ensemble de nombres rationnels:

Borne supérieure

1. L'ensemble S a une *borne supérieure*. Autrement dit, il existe un nombre réel b tel que $x \in S$ et $x \leq b$. Le symbole $\leq$ se lit "est inférieur ou égal à" et $x \leq b$ s'identifie à $x < b$ ou $x = b$. Ainsi, $\sqrt{2}$ est une borne supérieure de l'ensemble S, mais, 1.5, 2, $\frac{5}{2}$, 7, ... sont aussi des bornes supérieures.

Borne supérieure la plus petite

2. L'ensemble S a une *borne supérieure la plus petite*. Cette borne est plus petite que toute autre borne supérieure. Intuitivement nous voyons que $\sqrt{2}$ est cette borne inférieure la plus petite de l'ensemble: $\sqrt{2}$ est une borne supérieure qui est plus petite que tout autre borne supérieure.

Ces deux propriétés appartiennent à tout sous-ensemble de nombres réels borné supérieurement. Ce qui s'énonce sous forme d'axiome:

AXIOME 9. AXIOME DE COMPLÉTUDE. Tout sous-ensemble borné supérieurement a une borne supérieure la plus petite.   **(1.47)**

Les nombres rationnels ne satisfont pas l'axiome de complétude. Par exemple, on démontre que la borne supérieure la plus petite de l'ensemble de tous les rationnels tel que $x^2 < 2$ n'est pas un nombre rationnel, mais le nombre réel $\sqrt{2}$.

Les exemples suivants illustrent la propriété de complétude de certains ensembles:

1. L'ensemble fini $\{-3, 2, 5, 7\}$ a pour borne supérieure la plus petite 7.

2. L'ensemble infini $\{0.3, 0.33, 0.333, \ldots\}$ a pour borne supérieure la plus petite $\frac{1}{3}$.

3. L'ensemble $\{x : x^2 < 9\}$ a une borne supérieure la plus petite 3.

4. L'ensemble $\{x : x^2 < 3\}$ a une borne supérieure la plus petite $\sqrt{3}$.

VALEUR ABSOLUE ET INÉGALITÉS 1.11

eur absolue
module

Par suite des propriétés d'ordre des nombres réels, si $a \in R$ et $a \neq 0$, alors un, et seulement un des nombres réels $a, -a$ est positif. Le symbole $|a|$ se lit "valeur absolue de a" ou "module de a" et exprime la valeur positive de a ou de $-a$.

> **DÉFINITION.** Pour tout $a \in R$, la valeur absolue de a satisfait les équations:
>
> $$|a| = a \quad \text{si } a > 0 \qquad\qquad (1.48)$$
> $$|a| = -a \quad \text{si } a < 0$$
> $$|0| = 0$$

Par exemple, $|23| = 23$, $|-36| = -(-36) = 36$.

Nous associons souvent les deux expressions $a < b$ et $b < c$ en écrivant $a < b < c$. Par exemple, $-2 < x < 3$ est équivalent aux deux inégalités $-2 < x$ et $x < 3$. L'inégalité où est portée une valeur absolue, fréquemment équivaut à deux inégalités. Par exemple $|x| < 3$ équivaut aux deux inégalités $-3 < x$ et $x < 3$ que nous réduisons à $-3 < x < 3$. En général, si $|x| < a$ et $a > 0$, alors

$$-a < x < a$$

Pour le prouver, nous raisonnons ainsi:

Si $x > 0$, alors $x = |x| < a$. Puisque $-a < 0$ et $0 < x$, nous avons $-a < x$. De $-a < x$ et $x < a$, il vient

$$-a < x < a$$

Si $x < 0$, alors $-x = |x| < a$. D'où, $x > -a$. Puisque $x < 0$ et $0 < a$, nous avons $x < a$. De $x > -a$ et $x < a$, il vient

$$-a < x < a$$

Puisque $-a < x < a$ implique que x satisfait les inégalités $-a < x$ et $x < a$. L'ensemble-solution de l'inégalité $|x| < a$ est

qui peut s'écrire en bref $\qquad \{x : -a < x\} \cap \{x : x < a\}$

EXEMPLE 1. Soit $|2x - 4| < 8$, exprimer cette inégalité sans le symbole de valeur absolue et trouver l'ensemble-solution:

Solution.

	$|2x - 4| < 8$	
signifie	$-8 < 2x - 4 < 8$	pourquoi?
Alors	$-8 + 4 < (2x - 4) + 4 < 8 + 4$	pourquoi?
et	$-4 < 2x < 12$	pourquoi?
D'où:	$-2 < x < 6$	pourquoi?

La solution est $\{x: -2 < x\} \cap \{x: x < 6\}$, qui s'écrit $\{x: -2 < x < 6\}$.

Le symbole $\leq$ se lit "est inférieur ou égal à" et $a \leq b$ signifie $a < b$ ou $a = b$. Donc, $6 \leq 7$, et $3 \leq 3$.

EXEMPLE 2. Résoudre l'inégalité $|2x - 9| \leq 5$.

Solution. $\qquad\qquad\qquad |2x - 9| \leq 5$

signifie $\qquad\qquad\qquad -5 \leq 2x - 9 \leq 5$

Alors $\qquad\qquad -5 + 9 \leq 2x - 9 + 9 \leq 5 + 9 \qquad$ **pourquoi?**

et $\qquad\qquad\qquad\quad 4 \leq 2x \leq 14$ _ $\qquad$ **pourquoi?**

D'où: $\qquad\qquad\qquad\quad 2 \leq x \leq 7 \qquad\qquad$ **pourquoi?**

L'ensemble-solution est $\{x: 2 \leq x \leq 7\}$.

Considérons maintenant l'inégalité $|x| > b$, $b > 0$.

Si $x > 0$, alors $\qquad x = |x| > b$

Si $x < 0$, alors $\qquad -x = |x| > b$

D'où: $\qquad\qquad\qquad x < -b$

La variable x doit satisfaire $x < -b$ ou $x > b$. Il n'y a pas de nombre qui satisfasse les deux inégalités. L'ensemble-solution sera donc l'union des deux ensembles:

$$\{x: x < -b\} \cup \{x: x > b\}$$

EXEMPLE. 3. Résoudre l'inégalité $|3 - 2x| > 7$.

Solution. $\quad 3 - 2x > 7 \qquad$ ou $\qquad 3 - 2x < -7$

D'où: $\qquad 3 > 7 + 2x \qquad$ ou $\qquad 3 < -7 + 2x \qquad$ **pourquoi**

et $\qquad\qquad -4 > 2x \qquad$ ou $\qquad 10 < 2x \qquad\quad$ **pourquoi**

Donc: $\qquad\quad -2 > x \qquad$ ou $\qquad 5 < x \qquad\qquad$ **pourquoi**

C'est-à-dire $\quad x < -2 \qquad$ ou $\qquad x > 5 \qquad\qquad$ **pourquoi**

La solution est $\{x: x < -2\} \cup \{x: x > 5\}$.

EXERCICES 1.3

1. TROUVER la valeur absolue de

(**a**) -9 $\qquad\qquad$ (**b**) -14 $\qquad\qquad$ (**c**) $3 - 7$ $\qquad\qquad$ (**d**) $5 - 9$

(**e**) $-5 - 8$ $\qquad\quad$ (**f**) $-4 - 7$ $\qquad\quad$ (**g**) $(-3)(8)$ $\qquad\;$ (**h**) $(-4)(-5)$

(**i**) $8(-7)$ $\qquad\qquad$ (**j**) $\left(\dfrac{-12}{5}\right)$ $\qquad$ (**k**) $\left(\dfrac{3}{-4}\right)$ $\qquad$ (**l**) $(-\frac{7}{5})(-1)$

2. Résoudre $\{x: x \in R$ et $|4x| = 8\}$. $\qquad$ **3.** Résoudre $\{x: x \in R$ et $|x - 2| = 4\}$.

4. Résoudre $\left\{ x : x \in R \text{ and } \left| \dfrac{x}{3} \right| = 1 \right\}$

5. DÉTERMINER les valeurs de x qui vérifient les conditions suivantes:

(a) $|x + 3| = 7$ (b) $|2x - 6| = 14$ (c) $|x - 1| < 3$ (d) $|x - 4| < 7$
(e) $|2x - 4| < 5$ (f) $|3x + 2| < 10$ (g) $|2x - 4| > 6$ (h) $|4x - 2| > 4$
(i) $|5x - 1| \le 4$ (j) $|3x - 7| \le 5$ (k) $|7x + 2| \le 12$ (l) $|2x + 3| \le 9$
(m) $|4x - 1| \ge 15$ (n) $|7x + 2| \ge 19$ (o) $|5 + 2x| \le 9$ (p) $|3 - 5x| \le 17$
(q) $|2 - 3x| \ge 1$ (r) $|5 + 9x| \ge 4$

PROUVER les théorèmes suivants:

6. $|ab| = |a| \cdot |b|$.   INDICATION: Cas 1, $a > 0$, $b > 0$. Ici $|a| = a$ et $|b| = b$. D'où,
$|a| \cdot |b| = ab = |ab|$.   Il y a trois autres cas à considérer.

7. $\left| \dfrac{a}{b} \right| = \dfrac{|a|}{|b|}$ $(b \neq 0)$ **8.** $|a - b| \le |a| + |b|$ **9.** $|a + b| \le |a| + |b|$

10. $|a - b| \ge |a| - |b|$ **11.** $|a + b| \ge |a| - |b|$

ADDITION DES EXPRESSIONS ALGÉBRIQUES   1.12

constante

Une variable est un symbole qui peut être remplacé par un élément quelconque du système des nombres (voir Section 0.9). Une *constante* est un élément du système des nombres. Dans un problème une variable peut avoir de nombreuses valeurs, mais la constante ne peut avoir qu'une valeur. Il est pratique de noter les variables par les lettres x, y, z, w, ... et les constantes par les lettres a, b, c, ...

expression

Une *expression* est une constante, une variable ou un nombre fini d'opérations, portant sur des variables et des constantes, exprimées à l'aide de symboles mathématiques. Ainsi, x, 3, $2x - 5$, et $3x - \sqrt{7y} + 2/z$ sont des expressions. Lorsqu'une expression s'écrit comme une somme d'autres expressions, chacune de ces dernières est un terme de l'expression considérée. Si une expression a seulement un terme, on l'appelle un *monôme*; si elle a plus d'un terme, on l'appelle un *polynôme*. Un polynôme qui a deux termes est un *binôme*. Un polynôme qui a trois termes est un *trinôme*. Par exemple, $3x$, $2x/z$, $(x + 2y)/3z$ sont des monômes. Remarquons que le numérateur du troisième monôme est un binôme.

monôme, polynôme ôme, ôme

facteur

Un produit de deux ou plusieurs expressions est un produit de *facteurs*. Un facteur formé de lettres est un *facteur littéral*; un facteur formé de nombres est un *facteur numérique*. Si un terme est un produit de deux facteurs, alors chacun de ces facteurs est un *coefficient* pour l'autre. Ainsi dans le terme $\frac{3}{2}x^3yz^2$, le coefficient de z^2 est $\frac{3}{2}x^3y$. Le coefficient de y est $\frac{3}{2}x^3z$ et le coefficient de x^3yz est $\frac{3}{2}$, et ainsi de suite. Si le coefficient est un facteur numérique, on l'appelle le *coefficient numérique*.

coefficient

termes semblables

Deux ou plusieurs termes d'une expression sont des *termes semblables*, si les facteurs littéraux de ces termes: (1) comportent les mêmes lettres (2) affectées des mêmes exposants. Ainsi, $4x^2y^3$ et $-9x^2y^3$ sont des termes semblables, alors que $4x^2y^3$ et $-9x^2y^2$ ne sont pas des termes semblables. Une somme de deux expressions prises comme termes consécutifs s'appelle

quelquefois leur *somme formelle*. Par exemple, la somme formelle de x et
$3x + 2y$ est $x + (3x + 2y)$. L'application des axiomes de commutativité,
d'associativité et de distributivité nous permettra souvent de réduire
une somme formelle à sa forme la plus simple. Les exemples suivants
illustrent cette application des axiomes:

EXEMPLE 1. Effectuer la somme de $3x^4y^2z$ et $8x^4y^2z$.

Solution.

$$3x^4y^2z + 8x^4y^2z \qquad \qquad \text{par hypothèse}$$
$$= (3 + 8)(x^4y^2z) \qquad \qquad \text{axiome de distributivité}$$
$$= 11x^4y^2z$$

EXEMPLE 2. Simplifier l'expression suivante en réduisant les termes
semblables: $3x^2y - 5z - 4x^2y + 7z + x^2y$.

Solution. $3x^2y - 5z - 4x^2y + 7z + x^2y \qquad \qquad \text{par hypothèse}$

$$= (3x^2y - 4x^2y + x^2y) + (-5z + 7z) \text{ axiomes de comm. et d'assoc.}$$
$$= (3 - 4 + 1)(x^2y) + (-5 + 7)z \qquad \qquad \text{axiome de distr.}$$
$$= 0(x^2y) + 2z$$
$$= 2z \qquad \qquad \text{axiome de l'élément neutre}$$

Il est souvent pratique de placer les termes semblables des expressions
à additionner en colonnes, et de calculer ensuite la somme des termes de
chaque colonne.

EXEMPLE 3. Effectuer la somme de $7y - x$, $5x - 3y$, $-2y + 8x$, $-2x - $

Solution.
$$
\begin{array}{r}
- x + 7y \\
5x - 3y \\
8x - 2y \\
-2x - y \\
\hline
10x + y
\end{array}
$$

La *différence* de deux expressions est la somme de la première et des
opposés de chaque terme de la seconde.

EXEMPLE 4. Soustraire $3x^2y + 2y^2$ de $5x^2y - 3y^2 + 2z$.

Solution. Placer les expressions de sorte que les termes semblables soient
dans la même colonne et faire la différence des termes de chaque colonne

$$
\begin{array}{r}
3x^2y + 2y^2 \\
5x^2y - 3y^2 + 2z \\
\hline
-2x^2y + 5y^2 - 2z
\end{array}
$$

Écrivez, si vous préférez, le signe de l'opposé de chaque terme et deuxième ligne entre parenthèses, juste au-dessus du signe original, pour additionner ensuite.

$$3x^2y + 2y^2$$
$$(-) \quad (+) \quad (-)$$
$$\underline{+ \ 5x^2y - 3y^2 + 2z}$$
$$- \ 2x^2y + 5y^2 - 2z$$

Si vous adoptez ce procédé, soyez sûr de ne jamais surcharger ou altérer les signes originaux de la seconde expression. Les nouveaux signes ne font pas partie du problème; ce sont des petits moyens qui vous aident à ne pas perdre de vue l'opposé d'un terme.

EXERCICES   1.4

RÉDUIRE les termes semblables:

1. $5x - 7 + 6x + 4 - 3x + 3 - 2x$
2. $a + b + c - 4a - 2b + 8c + 5a - 2b + 7c$
3. $3xy^2 - 4x^4 + 7x^2y^2 - 2x^2y + 6x^4 + x^2y^2 + 3x^2y - 2x^2y^2$
4. $x^2 + 2xy + y^2 + 6x^2 - 5xy - 2y^2 - 3x^2 + 4y^2$
5. $3ax + 3bxy - 4x^2 + 2bx - bx^2 + 2axy + 3x - 2y$
6. $5x^3 - 3x^2 + 4x - 11 - 8x^3 + 12x^2 - 15x - 7 + 6x^3 - 9x^2 + 10x + 14$

EFFECTUER la somme des expressions:

7. $x^3 - 7x + 1, 1 - x^3, 5x - 2$ 8. $x^4 - x^3, 3x^4 - 5x + 2, x^4 - 3, -(2x^4 + 3)$

SOUSTRAIRE la seconde expression de la première:

9. $2x^2 + 2x - 5, 2x^2 - 3x + 4$ 10. $3x^3 - 2x^2 + 7, 5x^3 - 2x^2 + 6$

ADDITIONNER

11. $\quad 14x + 5y$ 12. $\quad 6x^2 - 8x + 1$
$\quad -12x + 4y$ $\quad -3x^2 + 4x$
$\underline{\quad -2x - 6y}$ $\underline{\qquad - 2x - 1}$

13. $5x^4 - 3x^3 + 4x^2 - \ x - 4$ 14. $\quad 8x^2 - 3xy - 12y^2$
$\qquad \ 3x^3 \qquad - 2x + 8$ $\quad \ x^2 + 2xy - \ 4y^2$
$\underline{3x^4 + 6x^3 - 2x^2 \qquad}$ $\quad -8x^2 + 3xy + \ 5y^2$
                                          $\underline{\qquad - 2xy - 13y^2}$

SOUSTRAIRE

15. $3xy^2 - 4xy + 6z$ 16. $6x^2 + 6xy + \ y^2$
$\underline{5xy^2 \qquad - 3z}$ $\underline{4x^2 - 8xy + 3y^2}$

17. $\quad 5h^3 - 4hk + 3k^2$ 18. $x^3 - 3x^2y + 3xy^2 - y^3$
$\underline{-4h^3 + 5hk - \ k^2}$ $\underline{x^3 \qquad \ + 3xy^2 \qquad - 4}$

19. Soustraire $- 2x^3 + 3x^2 - 1$ de 0.   20. Soustraire $3xy - 4zy - 1$ de 1.
21. De la somme de $21x^2 - 4y$ et $- 18x^2 + 3y$ soustraire $14x^2 - 7x + 2y - 1$.

SUPPRESSION DES PARENTHÈSES *1.13*

Pour simplifier les expressions, il est souvent nécessaire d'éliminer les parenthèses de l'expression. Nous le faisons en ayant recours à la loi de distributivité. Puisque

$$+a = +1 \cdot a, \ +(a + b) = +1 \cdot (a + b) = +1 \cdot a + (+1) \cdot b = a + b$$

De même, puisque

$$-a = -1 \cdot a, \ -(a + b) = -1 \cdot (a + b) = -1 \cdot a + (-1) \cdot b = -a - b$$

Ainsi,

$$+(2x - 3y) = +1 \cdot (2x - 3y) = 2x - 3y$$
$$-(2x - 3y) = -1 \cdot (2x - 3y) = -1 \cdot (2x) + (-1) \cdot (-3y)$$
$$= -2x + 3y$$

Des expressions comme $3(2x - 3y), -5(7x + 4y - 2z)$ se transforment de la même façon. Par exemple, par la loi de distributivité au sens large,

$$-3(5x - 2y + 3) = -3 \cdot (5x) + (-3) \cdot (-2y) + (-3) \cdot (+3)$$
$$= -15x + 6y - 9$$

Ordre d'élimination

Lorsque des expressions algébriques entre parenthèses sont les termes d'une expression elle-même entre parenthèses, on élimine en premier les parenthèses intérieures.

EXEMPLE 1. Éliminer les parenthèses et les crochets, puis réduire les termes semblables:

$$2x^2 - [2x^2 - (x - 1) + 2x] - 5x + 3$$

Solution.

$2x^2 - [2x^2 - (x - 1) + 2x] - 5x + 3$

$= 2x^2 - [2x^2 - x + 1 + 2x] - 5x + 3$ **élimination des parenthèses**

$= 2x^2 - 2x^2 + x - 1 - 2x - 5x + 3$ **élimination des crochets**

$= -6x + 2$ **réduction des termes semblables**

Des termes peuvent être mis entre parenthèses sans en changer le signe si la parenthèse est précédée d'un signe plus; mais, si la parenthèse est précédée d'un signe moins, les signes de tous les termes devront être changés auparavant.

EXEMPLE 2. Mettre entre parenthèses en changeant de signe les deux derniers termes de l'expression $3x + 7y - 6z - 3w$

Solution. $3x + 7y - 6z - 3w = 3x + 7y - (6z + 3w)$

EXEMPLE 3. Mettre entre parenthèses en changeant de signe les trois derniers termes de $6 + x - y - z$

Solution. $6 + x - y - z = 6 - (-x + y + z)$

EXEMPLE 4. Mettre entre parenthèses sans changer de signe les deux derniers termes de $3a - 2b + 5c$.

Solution. $3a - 2b + 5c = 3a + (-2b + 5c)$

EXERCICES 1.5

SUPPRIMER les parenthèses et RÉDUIRE les termes semblables:

1. $x + y + z + (4x + 3y)$ **2.** $(2x - 3y + 8) - (4x - 2)$
3. $[5z - (3x - y)] + (2z - 3y)$ **4.** $6x^2 - 9x + 1 - (x^2 - 3x + 3)$
5. $(z - w) - (3z - 2w) - (2x + 3w)$ **6.** $\{[2x - (x - y)] - [(2y + 3) + 7]\} - 1$
7. $5x - (2y - 3x) - [(x + y) - 2]$ **8.** $[(x + y) - (4x + y)] - [2x - (7y + 3x)]$
9. $2x + y - [6x + 7y + (x - 4y) - (3x - y)]$
10. $x^2 - [(6x + 4) - (-3x^2 - 6x - 7)]$ **11.** $9 + \{z^2 - [5z^2 - 4 - (2z^2 - y)]\}$
12. $10x - \{3y + [4x - (6 - 6x)] - (x + 7y)\}$
13. $5n - \{8n - (3n + 6) - [-6n + (7n - 5)]\}$
14. $4a - (a - \{-7a - [8a - (5a + 3)] - [-6a - (2a - 9)]\})$

METTRE entre parenthèses les deux derniers termes sans changer de signe:

15. $2x + 7y + 16$ **16.** $a - 3b - 8 - c$ **17.** $2y - 5x - 10$
18. $4x - 5y + 6z + 7 - 8w$ **19.** $3k - 6 + 7m$ **20.** $2x - 4y - 4$

METTRE entre parenthèses les deux derniers termes en changeant de signe:

21. $-7x - 2y - 4$ **22.** $13 - 2x - 7y$ **23.** $8 - 2a + 3b$
24. $x - y + 2z$ **25.** $x^2 + 2xy + y^2$ **26.** $x^2 - y^2 - z^2$
27. $4a + 6b - 7c$ **28.** $3x + 2y + z$ **29.** $-a - 2b - 3c$
30. $-3x - 4y + 2$

31. Mettre entre parenthèses les trois derniers termes de $a + b - c + d - e$ en changeant de signe; puis, mettre les deux derniers termes du résultat entre parenthèses en changeant de signe.

MULTIPLICATION ET DIVISION 1.14

Pour effectuer le produit de deux monômes, on applique les axiomes de commutativité et d'associativité. Par exemple:

$$(7x^2y^3)(3xy^6) = (7 \cdot 3)(x^2 \cdot x)(y^3 \cdot y^6)$$
$$= 21x^3y^9$$

Il résulte de l'axiome de distributivité que le produit de deux polynômes est la somme des produits obtenus en multipliant les termes du premier par chacun des termes du second. Les termes semblables, s'ils existent, sont alors réduits. Par exemple:

$$(3x^2 + 7y)(2x^2 - 5y) = (3x^2 + 7y)(2x^2) + (3x^2 + 7y)(-5y)$$
$$= (3x^2)(2x^2) + (7y)(2x^2) + (3x^2)(-5y) + (7y)(-5y)$$

Chaque terme du second membre est maintenant le produit de deux monômes. D'où :

$$(3x^2 + 7y)(2x^2 - 5y) = 6x^4 + 14x^2y - 15x^2y - 35y^2$$
$$= 6x^4 - x^2y - 35y^2$$

Il est généralement pratique d'écrire l'une des expressions en dessous de l'autre et de placer les "produits partiels" de sorte que les termes semblables soient dans une même colonne. Pour multiplier $x + y$ et $x^2 - 2xy + y^2$ nous procédons comme suit :

$$
\begin{array}{l}
x^2 - 2xy + y^2 \\
\underline{x + y} \\
x^3 - 2x^2y + xy^2 \qquad\qquad \text{multiplication par } x \\
 x^2y - 2xy^2 + y^3 \qquad \text{multiplication par } y \\
\underline{} \\
x^3 - x^2y - xy^2 + y^3 \qquad\qquad\quad \text{addition}
\end{array}
$$

La division d'un monôme par un autre monôme différent de zéro peut s'effectuer en appliquant le principe fondamental des fractions. Ainsi :

$$\frac{36x^3y^4}{9x^2y} = \frac{4xy^3(9x^2y)}{1(9x^2y)} = \frac{4xy^3}{1} = 4xy^3$$

et

$$\frac{36x^3y^4}{14xy^5} = \frac{18x^2(2xy^4)}{7y(2xy^4)} = \frac{18x^2}{7y}$$

En application de l'axiome de distributivité nous pouvons diviser un polynôme par un monôme différent de zéro :

$$\frac{9x^2y^2 - 21x^4y^3 + 36x^2y}{3x^2y} = \frac{(3y - 7x^2y^2 + 12)(3x^2y)}{1(3x^2y)}$$
$$= 3y - 7x^2y^2 + 12$$

Remarquons que ceci revient à diviser chaque terme du polynôme par le monôme. Ainsi :

$$\frac{9x^2y^2 - 21x^4y^3 + 36x^2y}{3x^2y} = \frac{9x^2y^2}{3x^2y} - \frac{21x^4y^3}{3x^2y} + \frac{36x^2y}{3x^2y}$$
$$= 3y - 7x^2y^2 + 12$$

Polynômes

Un *polynôme* est une expression dont les termes sont des constantes, ou des variables à exposant entier positif, ou des produits de constantes et de variables à exposants entiers positifs. Ainsi, 8, $5x$, $3x^2$, $\frac{3}{2}x - 1$, $7x^2yz + 3z + 6$ sont des polynômes. L'expression $3x + (2/y^2)$ n'est pas un polynôme, puisque $2/y^2$ ne peut être écrit comme le produit d'une constante et d'une puissance entière positive de la variable y. Les expressions $3x^2$ et $\frac{3}{2}x - 1$ sont des polynômes parce que 3 et $\frac{3}{2}$ sont des constantes.

Degré d'un terme

Le *degré d'un terme* par rapport à un ensemble choisi de facteurs littéraux est le nombre de fois qu'interviennent ces facteurs littéraux dans le terme. Par exemple, $7x^3y^2z^5$ est de degré 3 par rapport à x, de degré 5 par rapport à x et y, de degré 10 par rapport à x, y et z, de degré 8 par rapport à x et z, etc.

Le **degré d'un polynôme** par rapport à un ensemble choisi de facteurs littéraux est le degré du terme de plus haut degré par rapport à ces facteurs littéraux. Ainsi, $5x^3y^2 + 2x^2y^4$ est de degré 3 par rapport à x, de degré 4 par rapport à y, de degré 6 par rapport à x et y.

Pour diviser un polynôme par un autre, nous utilisons un algorithme (méthode pratique) semblable à celle de la division en arithmétique:

1. Mettre les termes du dividende et du diviseur par puissance décroissante d'un facteur littéral commun.

2. Diviser le premier terme du dividende par le premier terme du diviseur; ce résultat est le premier terme du quotient.

3. Multiplier le diviseur entier par le premier terme du quotient trouvé en 2. Soustraire ce produit du dividende.

4. Le reste obtenu sert de nouveau dividende. En répétant les démarches 2 et 3, nous trouvons le deuxième terme du quotient.

5. La division est terminée, lorsque le reste est zéro ou de degré inférieur à celui du diviseur par rapport au facteur littéral commun.

Si le reste est 0, le résultat s'exprime par

$$\frac{\text{dividende}}{\text{diviseur}} = \text{quotient}$$

Si le reste $r \neq 0$, le résultat s'exprime par

$$\frac{\text{dividende}}{\text{diviseur}} = \text{quotient} + \frac{\text{reste}}{\text{diviseur}}$$

EXEMPLE 1. Diviser $2a^4 - 3a^3 - 7a^2 - 1$ par $a^2 + 3a - 1$.

Solution.

$$
\require{enclose}
\begin{array}{r}
2a^2 - 9a + 22 \\
a^2 + 3a - 1 \enclose{longdiv}{2a^4 - 3a^3 - 7a^2 \qquad - 1} \\
\underline{2a^4 + 6a^3 - 2a^2 \qquad} \\
-9a^3 - 5a^2 \qquad - 1 \\
\underline{-9a^3 - 27a^2 + 9a} \\
22a^2 - 9a - 1 \\
\underline{22a^2 + 66a - 22} \\
-75a + 21
\end{array}
$$

Donc,

$$\frac{2a^4 - 3a^3 - 7a^2 - 1}{a^2 + 3a - 1} = 2a^2 - 9a + 22 + \frac{-75a + 21}{a^2 + 3a - 1}$$

EXERCICES 1.6

MULTIPLIER:

1. $4x^5y^2$ by $-21x^2y^3$
2. $4x$ by $-2xy$
3. $-3x^4y^2z$ by $7xz$
4. $3xyz$ by $-x^2y$
5. $(5xy)(4xz)(-7x^3yz^2)$
6. $(-3x^2y)(-x)(5y^2)(6xy)$
7. $-4(2x - 7y + 3z)$
8. $-xy(5xy - x + 2)$
9. $6z(-3z^2 + 4wz + 1)$
10. $3a(2a^3 - 5ab - b^2)$
11. $(3a + 4)(2a + 1)$
12. $(3 + 2x)(x + 2)$
13. $(x^2 - 4x + 4)(x + 3)$
14. $(11 - 15x - 7x^2)(25 - 16x^2)$
15. $(x^2 - 5xy + 3y^2)(2x^2 + y)$
16. $(x^2 + y^2)(x^2 - y^2)$
17. $(x - 2y + 3z)(x - 2y + 3z)$
18. $(3m^3 + m^2 - 2m - 5)(m^2 - 5m - 6)$
19. $(x^2 - 8x - 1)(x^2 + 2x - 3)$
20. $(x^2 - xy + y^2)(x^2 + xy + y^2)$

EFFECTUER les opérations indiquées:

21. $(2x - y)^2$
22. $(3x + 4)^2$
23. $(x + y + z)^2$
24. $(a - b - c)^2$
25. $(x - 2y - 3z)^2$
26. $(x + y - 2z)^2$

TROUVER les quotients:

27. $\dfrac{16x^3}{8x}$
28. $\dfrac{-63x^3y^2}{-9x^2}$
29. $\dfrac{81xy^3}{-27x}$

30. $\dfrac{-25x^5y^2}{5x^5y^2}$
31. $(24x^4 - 16x^2) \div 4x$
32. $(x^4 - 5x^2y^2) \div x$

33. $(4x + 5y - 2z) \div -1$
34. $(9x^2y^2 - 27x^4y^3 + 21x^2y) \div 3x^2y$
35. $(12x^2y^2 + 48x^4y) \div -12x^3y$
36. $(-3xy^2 - 6xy + 18y) \div -3y$

37. $\dfrac{16x^2(a - b)}{4x(a - b)}$
38. $\dfrac{15(x + y - z)^2}{5(x + y - z)}$

39. $\dfrac{65(a + 2b - 3c)^2}{-9(a + 2b - 3c)}$
40. $\dfrac{-21x^2(4x - 9y)}{-2x(4x - 9y)}$

DIVISER et vérifier le résultat:

41. $x^3 + x^2 + 3x + 6$ by $x + 2$
42. $x^3 + 3x^2 + 6x - 9$ by $x - 3$
43. $x^3 - 3x + 4$ by $x - 4$
44. $2x^4 - 3x^3 - 7x^2 + 7x - 1$ by $x^2 + 3x -$
45. $(x^3 + 8y^3) \div (x^2 - 2xy + 4y^2)$
46. $(x^4 + x^2y^2 + y^4) \div (x^2 + xy + y^2)$
47. $(x + 8 - x^3) \div (x^2 + 4 + 2x)$
48. $(a^3 - 6a^2 + 12a - 8) \div (4 - 4a + a^2)$
49. $(x^4 - 4y^4) \div (x^2 + 2y^2)$
50. $(x^3 - b^3) \div (x - b)$
51. $(8y^3 + 64x^3) \div (8x + 2y)$
52. $(x^5 - y^5) \div (x - y)$
53. $(x^3 + y^3) \div (x + y)$
54. $(x^8 - y^8) \div (x^2 + y^2)$
55. $(9x^3 - 27x^2 + 14x + 8) \div (3x^2 - 5x - 2)$
56. $(x^2 + y^2 + z^2 + 2xy + 2xz + 2yz) \div (x + y - z)$

57. $\dfrac{6x^3 + 11x^2y - 25xy^2 + 9y^3}{2x - y}$
58. $\dfrac{x^3 - 8y^3}{x^2 + 2xy + 4y^2}$

59. $\dfrac{a^6 - b^6}{a + b}$
60. $\dfrac{125a^3 - 64}{5a - 4}$

ÉQUATIONS DU PREMIER DEGRÉ À UNE INCONNUE

Une équation est une proposition selon laquelle deux expressions données représentent le même nombre. Nous écrivons une équation en posant l'égalité des deux expressions. La proposition, selon laquelle ces deux expressions sont égales, peut être vraie ou fausse. Par exemple, des deux égalités $3 = 3$ et $9 = 13$, l'une est vraie, l'autre fausse.

L'équation

$$ax + b = 0, \text{ où } a \text{ et } b \text{ sont des constantes et } a \neq 0 \qquad (2.1)$$

est appelée équation du premier degré à une inconnue. L'ensemble de tous les éléments qui peuvent être substitués à la variable x en vérifiant ***mble-solution*** $ax + b = 0$ est l'ensemble-solution de l'équation. Si l'on se rappelle que le domaine d'une variable est l'ensemble de toutes les valeurs possibles de la variable, nous voyons que l'ensemble-solution est un sous-ensemble du domaine de x. Et, lorsqu'on détermine l'ensemble-solution d'une équation, il est important de garder à l'esprit le domaine de la variable. Par exemple, considérons deux équations du premier degré dont le domaine de définition est limité à $\{1,2,3,4,5,6\}$; l'ensemble-solution de l'équation $2x - 6 = 0$ est l'ensemble $\{3\}$; mais l'ensemble-solution de l'équation $2x - 5 = 0$ est l'ensemble vide $\varnothing$, parce qu'il n'y a pas d'élément du domaine qui fait de l'équation une proposition vraie.

Examinons maintenant l'équation

$$\frac{2x}{x - 2} = 4 \qquad x \in R$$

qui n'est pas dans la forme de l'Éq. (2.1) mais qui illustre un point négligé par les étudiants. Le nombre 2 n'est pas une valeur possible de x et ne fait pas partie du domaine. En effet, si on remplace x par 2, le côté gauche de l'équation devient $\frac{4}{0}$ et n'a plus de sens. On dit que le membre gauche de l'équation n'est pas défini pour $x = 2$.

Nous excluons toujours du domaine d'une variable tout élément pour lequel un des membres de l'équation n'est pas défini.

IDENTITÉS ET ÉQUATIONS 2.1

Identité

Une *identité* est une égalité posée entre deux formes équivalente d'une même expression. Dans les expressions algébriques figurent de nombres ou toute lettre tenant lieu de nombre. Lorsque dans une iden tité portant sur des expressions algébriques une des lettres est une variable l'identité est une équation à une inconnue dont l'ensemble-solution est] domaine de la variable. Par exemple, l'équation

$$(x + 3)(x - 3) = x^2 - 9$$

est une identité parce qu'elle est vérifiée pour toute valeur réelle de *x* l'ensemble-solution est donc le domaine de *x*. L'équation

$$\frac{x^3}{x} + 1 = x^2 + 1 \qquad x \neq 0$$

est aussi une identité parce qu'elle est vérifiée pour toutes les valeur réelles de $x \neq 0$; l'ensemble-solution est le domaine de *x*.

Équation

Mais une *équation* est une forme propositionnelle qui peut avoir pou ensemble-solution un sous-ensemble propre du domaine de la variable dans ce cas, l'équation n'est pas vérifiée pour certaines valeurs du domain de la variable. Pour $x \in R$, l'équation

$$x^2 - 5x = -6$$

est une équation qui n'est vérifiée que pour $x = 2$ ou $x = 3$. L'ensemble solution {2,3} est un sous-ensemble propre du domaine; si $x = 2$,] membre gauche de l'équation devient $(2)^2 - 5(2) = 4 - 10 = -6$: il es donc égal au membre de droite -6 Pour $x = 3$, la vérification sera semblable.

ÉQUATIONS ÉQUIVALENTES 2.2

Si l'ensemble-solution d'une équation est exactement le même qu celui d'une autre équation, les équations sont *équivalentes*. Par exemple les équations

$$3x^2 - 15x + 18 = 0 \qquad \text{et} \qquad 2x^2 - 10x = -12$$

sont équivalentes. Chacune est vérifiée pour l'ensemble {2,3}.

On se rappelle que si a, b, $c \in R$ et si $a = b$, alors $a + c = b + c$ e $ac = bc$. D'où, parce qu'un polynôme représente un nombre réel lorsqu les domaines des variables sont des nombres réels, on démontre les deu théorèmes ci-après (nous en avons omis les preuves):

THÉORÈME. Si on ajoute un polynôme aux deux membres d'une équation, l'équation résultante est équivalente à la première. **(2.2)**

THÉORÈME. Si on multiplie chaque membre d'une équation par une constante différente de zéro, l'équation résultante est **(2.3)** équivalente à la première.

N. du T. L'équation à une inconnue peut être définie comme l'égalité de deux fonctions d'un variable $f(x)$ et $g(x)$; résoudre l'équation $f(x) = g(x)$, c'est trouver les valeurs de la variable x po lesquelles $f(x)$ prend une valeur égale à la valeur prise par $g(x)$. Cette définition englobe toutes le équations à une inconnue, identités ou non.

Il est important de comprendre les implications de ces deux théorèmes. Le Théorème (2.2) implique que, si nous ajoutons aux deux membres d'une équation une expression qui n'est pas un polynôme, l'équation résultante peut être ou ne pas être équivalente à l'équation donnée. Par exemple, l'équation

$$x^2 - 7x = -12$$

est vérifiée pour {3,4}. Si nous ajoutons $1/(x-4)$ à chacun des membres, l'équation transformée

$$x^2 - 7x + \frac{1}{x-4} = -12 + \frac{1}{x-4}$$

n'a pas 4 dans ses solutions parce que 4 n'est pas du domaine de la variable. Et les deux équations ne sont pas équivalentes.

Le théorème (2.3) implique que si nous multiplions chacun des membres d'une équation par autre chose qu'une constante, nous pouvons ne pas obtenir une équation équivalente. Par exemple, l'équation

$$x - 3 = 0$$

a pour solution {3}. Si nous multiplions chaque côté par $(x-5)$, l'équation résultante

$$x^2 - 8x + 15 = 0$$

a pour solution {3,5}. Ainsi l'équation transformée n'est pas équivalente à l'équation donnée.

Encore à titre d'exemple, pour montrer ce qui peut arriver lorsqu'on multiplie chaque membre d'une équation par une expression comprenant la variable, soit l'équation

$$x^2 - 4x - 21 = 0$$

qui a pour solution { $-3,7$ }. Si nous multiplions chaque membre par $1/(x-7)$, l'équation transformée

$$x + 3 = 0$$

a pour solution { -3 }, et par conséquent n'est pas équivalente à l'équation donnée.

EXEMPLE 1. Trouver l'ensemble-solution de $x + (3x - 7) = 4x - (x + 2)$.

Solution.

$$x + (3x - 7) = 4x - (x + 2) \qquad \textbf{donnée}$$
$$x + 3x - 7 = 4x - x - 2 \quad \textbf{élimination des parenthèses}$$
$$4x - 7 = 3x - 2 \quad \textbf{réduction des termes semblables}$$
$$4x = 3x + 5 \quad \textbf{addition de 7 à chaque membre}$$
$$x = 5 \quad \textbf{soustraction de } 3x \textbf{ à chaque membre}$$

Vérification. Si $x = 5$,

Membre de gauche	Membre de droite
$5 + (15 - 7)$ $= 13$	$20 - (5 + 2)$ $= 13$

EXEMPLE 2. Trouver l'ensemble-solution de

$$\frac{x + 10}{6} + \frac{1}{3} - \frac{x}{4} = \frac{4 + 5x}{6} - x$$

Solution.

$$12\left(\frac{x + 10}{6}\right) + 12\left(\frac{1}{3}\right) - 12\left(\frac{x}{4}\right) = 12\left(\frac{4 + 5x}{6}\right) - 12(x) \qquad \text{pourquoi}$$

$$2x + 20 + 4 - 3x = 8 + 10x - 12x \qquad \text{simplification des term}$$

$$-x + 24 = -2x + 8 \quad \text{réduction des termes semblabl}$$

$$x + 24 = 8 \qquad \text{addition de } 2x \text{ à chaque memb}$$

$$x = -16 \text{ soustraction de 24 à chaque memb}$$

Vérification. Si $x = -16$,

Membre de gauche	Membre de droite
$\dfrac{-16 + 10}{6} + \dfrac{1}{3} - \dfrac{-16}{4}$	$\dfrac{4 + 5(-16)}{6} - (-16)$
$= -1 + \dfrac{1}{3} + 4$	$= -\dfrac{76}{6} + 16$
$= \dfrac{10}{3}$	$= \dfrac{10}{3}$

Note. Dans cet exemple nous aurions pu multiplier chaque membre d l'équation donnée par 24, 36, 48, ou par un autre nombre divisible par l dénominateurs 6,3,4. Nous avons choisi le multiple 12 parce qu'il est ! plus petit de ces nombres. On l'appelle le plus *petit commun multip* des dénominateurs.

EXERCICES 2.1

TROUVER l'ensemble-solution des équations suivantes:

1. $5x + 7 = 3(x + 1)$

2. $4(5x + 1) - 6(3x + 2) = 4x$

3. $12\left(\frac{3x}{4} - 2\right) = 12\left(\frac{x}{6} + \frac{1}{3}\right)$

4. $(2x + 4)^2 + 5x = (x + 5)(4x + 3) + 9$

5. $\frac{2(x + 3)}{3} - \frac{4(2x + 5)}{5} + \frac{16}{15} = 0$

6. $\frac{y - 5}{4} = 2 - \frac{y + 5}{14}$

7. $\dfrac{y + 7}{3} - \dfrac{y - 2}{5} = \dfrac{7y - 3}{10} - 9$

RÉSOUDRE pour la variable indiquée:

8. $nE = I(R + nr)$ pour r

9. $F = \dfrac{kmM}{d^2}$ pour m

10. $V = \frac{1}{3}\pi h^2(3r - h)$ pour r

RÉSOUDRE pour la parenthèse complète. (Les variables sont entre parenthèses. Pour le moment, ne pas considérer leur signification. Elles seront définies plus tard.)

11. $4(\tan \theta) = (\tan \theta) + 9$
13. $3(\sin \alpha) - 3 = 2 - 7(\sin \alpha)$
15. $4[9 - 5(\ln x)] + 3[3(\ln x) - 1] = 0$

12. $9(\sec \phi) - 4 = 3(\sec \phi) - 16$
14. $2[(\ln x) + 1] + 1 = (\ln x)$
16. $6[4(\cot \theta) - 7] = 3 + 5[2(\cot \theta) + 5]$

17. $2(\cos x) + \frac{3}{2} = 3(\cos x) + 1$

18. $\dfrac{3(\sin \beta) + 2}{2} = 2 - \dfrac{3(\sin \beta) - 2}{3}$

19. $\dfrac{8(\log x) - 11}{9} - \dfrac{7(\log x) + 4}{12} - \dfrac{3(\log x) - 8}{8} = 0$

20. $\dfrac{2(\log x) - 1}{3} + \dfrac{3(\log x) + 1}{4} = \dfrac{3(\log x) - 1}{6} + 1$

PROBLÈMES DU PREMIER DEGRÉ À UNE INCONNUE   2.3

    Les problèmes de cette section mènent à des équations du premier degré. Ce ne sont pas au sens exact du mot des problèmes pratiques qui s'appliquent à la vie de tous les jours. Mais, depuis des siècles, les hommes s'intéressent par jeu aux problèmes et pour cette raison nous en avons conservé quelques-uns qui sont classiques.

    Il n'y a pas de règles fixes pour trouver l'ensemble-solution d'un problème à thème; vous devez le "vivre". Lisez-le plusieurs fois, si nécessaire, en prenant votre temps pour organiser les données. Vous pouvez même calculer des quantités inutiles en apparence, faire sans raison un tableau, tracer des figures et prendre un mauvais départ. En agissant ainsi, vous pouvez épargner du temps. De plus vous comprendrez votre problème tout en étant sûr d'avoir raisonné juste. Des problèmes donnés peuvent être classés en diverses catégories: problèmes d'intérêt ou de pourcentage, de mélanges, de variation de temps, de pièces de monnaie, etc. Les techniques de résolution peuvent être stéréotypées pour chaque catégorie. Les exemples suivants illustrent quelques méthodes.

EXEMPLE 1. Monsieur Lafleur a investi \$7,500, une partie à 3% et le reste à 4%. Le revenu annuel des deux investissements est de \$260. Quelles sommes respectives sont investies à ces taux?

Solution. Soit x le nombre de dollars investis à 4%; alors $(7,500 - x)$ est le nombre de dollars investis à 3%. Donc,

$$0.04x = \text{intérêts de } \$x \text{ à } 4\%$$

et $0.03 \ (7{,}500 - x) = \text{intérêts de } \$ \ (7{,}500 - x) \text{ à } 3\%$

Donc, $0.04x + 0.03 \ (7{,}500 - x) = \text{revenu annuel}$
$$= \$260$$

La solution de cette équation est $x = 3{,}500$. D'où, \$3,500 sont investi█
à 4%, et $(7{,}500 - x) = 4{,}000$ dollars sont investis à 3%.

Vérification.   Intérêts de \$3,500 à 4%   \$140

Intérêts de \$4,000 à 3% $\underline{\quad 120 \quad}$

Intérêt total   \$260

EXEMPLE 2.   Deux avions de transport quittent le même aéroport et volen█
dans des directions opposées.   Au bout de 2 heures ils sont à 1,560 mille█
l'un de l'autre.   Si l'un vole à 30 mi/h de plus que l'autre, trouver leur█
vitesses ou taux de déplacement respectifs.

Solution.   Soit x la vitesse de l'avion le plus lent; alors $x + 30$ est la vitess█
du plus rapide.   Comme distance = vitesse × temps,

$2x = $ distance parcourue par l'avion lent en 2 heures.

et $2(x + 30) = $ distance parcourue par le plus rapide

Donc, $2x + 2 \ (x + 30) = 1{,}560$ milles qui les séparent l'un de l'autre a█
bout de 2 heures.   La solution de l'équation est :

$x = 375$ vitesse de l'avion lent

et $x + 30 = 405$ vitesse de l'avion rapide

Dans cet exemple, nous prenons les vitesses pour des vitesses moyennes█

Vérification.   La vérification est laissée à l'étudiant.

EXEMPLE 3.   Un robinet peut remplir un réservoir en 15 heures et un autr█
peut le vider en 20 heures.   Si le réservoir est vide et qu'on ouvre les ▌
robinets, en combien de temps le réservoir sera-t-il rempli ?

Solution.   Soit x le nombre d'heures nécessaires pour remplir le réservoi█
vide lorsque les deux robinets sont ouverts.   Donc $\frac{1}{15}$ du réservoir ser█
rempli par le gros robinet en 1 h, et $\frac{1}{20}$ du réservoir sera vidé par le peti█
robinet en 1 h.   D'où, $\frac{1}{15} - \frac{1}{20}$ sera la portion du réservoir remplie e█
1 h. si les deux robinets sont ouverts.   C'est-à-dire que $x \ (\frac{1}{15} - \frac{1}{20}) = $ ▌
réservoir plein.

et $x = 60$ heures de durée de remplissage

Vérification.   En 60 heures, le robinet d'arrivée remplirait le réservoi█
quatre fois et le robinet de sortie le viderait trois fois.   Donc, si les deu█
robinets étaient ouverts 60 h le réservoir serait plein.

EXEMPLE 4. La somme des chiffres d'un nombre de deux chiffres est 7. Si on soustrait 9 du nombre, les chiffres seront inversés. Quel est ce nombre ?

Solution. Soit x le chiffre des dizaines; $7 - x$ est donc le chiffre des unités. Le nombre est donc $10x + (7 - x)$. Si les chiffres du nombre sont inversés, il devient $10(7 - x) + x$. Donc,

$$10x + (7 - x) - 9 = 10(7 - x) + x$$

De là
$$x = 4 \qquad \text{chiffre des dizaines}$$
$$7 - x = 3 \qquad \text{chiffre des unités}$$

Le nombre demandé est 43.

Vérification. $43 - 9 = 34$. La somme des chiffres de 43 est 7. Si on retranche 9 de 43, le nombre obtenu a les mêmes chiffres, mais leur ordre est inversé.

EXERCICES 2.2

1. Supposons que vous avez investi \$8,000 à un certain taux d'intérêt et \$6,000 à un taux d'intérêt double du premier. Le revenu du premier investissement est de \$80 par an inférieur au revenu du second. Quels sont les taux d'intérêt ?

2. Monsieur Pitre investit une partie de \$6,000 à 4% et le reste à 8%. Le revenu annuel des deux investissements serait égal au revenu du montant total placé à 5%. Quelle est la répartition des sommes investies ?

3. Partie de \$4,300 est placée à 2.50% et le reste à 3.50%. Les intérêts rapportés par l'investissement à 2.50% dépassent de 8% les intérêts rapportés par le montant placé à 3.50%. Quelles sommes sont investies à chacun des taux ?

4. Quels sont les deux nombres consécutifs impairs dont la somme des carrés dépasse de 32 le double du carré du plus petit ?

5. Quels sont les trois entiers consécutifs tels que la somme de deux fois le premier plus trois fois le second plus cinq fois le troisième soit égale à 183 ?

6. Quels sont les deux nombres impairs entiers consécutifs dont les carrés diffèrent de 96 ?

7. Quels sont les trois nombres impairs consécutifs tels que les $^4/_7$ de la somme du premier et du second soient égaux au troisième nombre moins un ?

8. On a un tas de pièces de 5, de 10 et de 25 sous. Il y a 4 fois plus de 10 que de 5 sous et 2 fois plus de 25 sous que de 10 sous. Si le tas de pièces vaut \$6.95, combien avons-nous de pièces ?

9. Combien d'alcool pur devons-nous ajouter à 1 gallon d'alcool à 40% pour faire une solution d'alcool à 80% ?

10. Combien de pintes d'une solution d'acide nitrique à 25% doivent être ajoutées à 10 pintes d'acide nitrique à 6% pour obtenir une solution d'acide nitrique à 10% ?

11. Combien de livres de crème à 30% de matières grasses doivent être ajoutées à 100 livres de lait à 30% de matières grasses pour obtenir du lait à 4% de matières grasses ?

12. Combien d'eau doit être ajouté à 1 gallon d'alcool pour avoir une solution à 18% d'alcool ?

13. Un radiateur d'une contenance de 16 pintes est rempli d'une solution à 30% d'alcool. Quelle quantité de solution doit être retirée et remplacée par de l'alcool pur pour que le contenu de ce radiateur soit à 55% d'alcool ?

14. Une automobile parcourt 300 milles en un certain temps. Si elle avait roulé à 15 mi/h plus vite, elle aurait été 90 milles plus loin. Quelle est sa vitesse ?

15. Deux avions à réaction séparés de 2,900 milles volent l'un vers l'autre. Si l'un vole à 100 mi/h de plus que l'autre et qu'ils se croisent 2 h après le décollage, quelle est leur vitesse respective ?

16. Deux automobiles roulent respectivement à 50 mi/h et 30 mi/h. Ayant roulé 2 h de plus, la plus rapide va 140 milles plus loin. Quelle est la distance parcourue par chacune ?

17. Un avion vole 810 milles contre un vent debout de 30 mi/h. Si le vol dure 3 h, quelle est la vitesse de l'avion dans l'air calme ?

18. Deux athlètes courent sur une piste ovale de 440 verges, l'un à une vitesse de 10 verges/s et l'autre à une vitesse de 8 verges/s. En combien de temps le plus rapide gagnera-t-il un tour sur le plus lent ?

19. Une automobile, à une vitesse donnée, met 5 h pour se rendre à la ville voisine. À une vitesse plus grande de 14 mi/h, le voyage durerait une heure de moins. Quelle est la distance entre les deux villes ?

20. En combien de minutes, après avoir marqué 2 heures, les aiguilles d'une pendule formeront pour la première fois un angle droit ?

21. À quelle heure, après avoir indiqué 11 heures, les aiguilles d'une horloge feront pour la première fois un angle de 30° entre elles ?

22. Guy et André peuvent ensemble faire un certain travail en 12 jours; Guy commence le travail mais après 6 jours il abandonne et André prend le travail en main. Il le termine en 24 jours; combien de temps cela prendrait-il à chacun d'eux pour faire seul le travail ?

23. Un robinet peut remplir un réservoir en 12 h et un autre le vider en 18 h. Si le réservoir est vide lorsqu'on ouvre les robinets, en combien de temps le réservoir est-il rempli ?

24. Monsieur Ruel et Monsieur Lalumière travaillant ensemble peuvent peindre une maison en 8 jours. Monsieur Lalumière est un peintre plus rapide et peut terminer seul en 14 jours. Combien de temps faudrait-il à Monsieur Ruel pour peindre, seul, la maison ?

25. Une piscine peut être remplie par un robinet en 18 h ou par un second en 14 h. La piscine peut être vidée par le robinet de vidange en 16 h. Si les trois robinets sont ouverts lorsque le bassin est vide, en combien de temps sera-t-il plein ?

26. Pierre et Paul travaillant ensemble font un travail en 10 jours. Si Pierre travaille 3 jours et Paul 4 jours, ils termineront ⅓ du travail. Combien de temps faudrait-il à chacun d'eux pour faire le travail seul ?

27. Vincent et Paul ensemble peuvent peindre une salle en 10 h. Ils travaillent ensemble 3 h; ensuite Paul abandonne et Vincent termine en 21 h additionnelles. Combien de temps faudrait-il chacun d'eux pour peindre la salle ?

28. Vincent, seul, peut faire un travail en 10 jours. Jacques, seul, peut le faire en 15 jours. Vincent Jacques et Paul travaillant ensemble peuvent faire ce travail en 5 jours. En combien de temps Paul pourrait-il le faire seul ?

29. Le chiffre des dizaines d'un nombre de deux chiffres moins 4 donne le chiffre des unités. Le nombre lui-même vaut 21 fois le chiffre des unités. Quel est ce nombre ?

30. Le chiffre des unités d'un nombre de deux chiffres moins 6 donne le chiffre des dizaines; si les chiffres sont inversés, le nombre obtenu est inférieur de 24 au nombre original multiplié par Quel est le nombre original ?

31. La somme des chiffres d'un nombre à trois chiffres est 14. Le chiffre des dizaines vaut deux fois celui des unités. Si l'ordre des chiffres est inversé, le nombre obtenu est supérieur de 198 au nombre original ?

32. Deux adolescents se balancent sur une bascule. Si l'un pèse 120 lb et s'assied à 4 pi de l'axe de rotation, quel est le poids du deuxième adolescent s'il s'assied de l'autre côté de l'axe à 5 pi ?

33. Un homme utilise un levier de carrier de 8 pi de long pour lever une pierre. Si le poids de la pierre s'exerce à une extrémité du levier à 1 pi en avant du point d'appui, l'homme exerce de l'autre côté de ce point d'appui une force de 150 lb. Quel poids peut-il lever ?

34. Lorsque des clous sont arrachés avec un arrache-clous, la tête du clou est à 2 po du point d'appui. La poignée est à 18 po de l'autre côté du point d'appui. Quelle est la force d'arrachement exercée sur le clou, si on appuie sur la poignée avec une force de 60 lb ?

35. Monsieur Couture est deux fois plus âgé que son neveu. Huit ans plus tôt, il était trois fois plus âgé que son neveu. Quels sont leurs âges ?

36. Henri a 9 ans de plus que Jean. Quatre ans plus tôt la somme de leurs âges était 17 ans. Dans combien d'années Jean aura-t-il 18 ans ?

37. Marc est deux fois plus âgé que Jean. Dans deux ans, la somme de leurs âges sera cinq fois l'âge de Jean quatre ans plus tôt. Quel est l'âge de chacun ?

38. La longueur d'un rectangle vaut trois fois sa largeur. Si on diminue sa longueur de 2 po et augmente sa largeur de 4 po, la surface augmente de 52 po². Quelles sont les dimensions originales du rectangle ?

39. Un des côtés égaux d'un triangle isocèle a 2 po de plus que la longueur de la base multipliée par 3. Si le périmètre est de 53 po, quelle est la longueur de la base et celle d'un des côtés égaux ?

40. Une cour rectangulaire est trois fois plus longue que large; elle est entourée d'une allée de 2 pi de large. La surface de l'allée est de 176 pi². Quelles sont les dimensions de la cour ?

$$5x = (14 + x)4$$
$$5x = 56 + 4x$$
$$5x - 4x = 56$$
$$x = 56$$

$$56 \times 5 = (14 + 56)4$$
$$280 = 56 + 224$$
$$280 = 280$$

3 FONCTIONS ET GRAPHES

SOUS-ENSEMBLES DE R × R   3.1

Dans l'introduction, nous avons défini le produit cartésien de deux ensembles A et B comme l'ensemble des couples (x,y) tels que x est un élément de A et y un élément de B; ce qui s'écrit

$$A \times B = \{(x,y) : x \in A, y \in B\} \tag{3.1}$$

Si R est l'ensemble des nombres réels, $R \times R = \{(x,y) : x, y \in R\}$. Donc si A et B sont des sous-ensembles de R, $A \times B$ est un sous-ensemble de $R \times R$. Nous nous proposons, à ce point, d'étudier la construction de graphes des sous-ensembles de $R \times R$, en établissant une correspondance biunivoque entre l'ensemble des couples de nombres réels et les point du plan.

SYSTÈME DE COORDONNÉES RECTANGULAIRES   3.2

On établit une correspondance biunivoque entre l'ensemble des point du plan et l'ensemble des couples de nombres réels en reportant les point de la droite numérique sur deux droites perpendiculaires, l'une horizontale l'autre verticale, se coupant en un point O que l'on choisit pour origine Généralement la même unité de longueur sert à normer* les deux droite sans que ceci soit une pratique obligatoire. Sur la droite horizontal tout point à droite de l'origine correspond à un réel positif; tout point à gauche de l'origine correspond à un réel négatif. Sur la droite verticale tout point au-dessus de l'origine correspond à un nombre positif; tou point en dessous de l'origine correspond à un réel négatif. L'origin correspond à 0 sur les deux droites (voir fig. 3.1).

Les symboles des nombres de la droite horizontale seront les élément notés x des couples (x,y) et les symboles des nombres de la droite verti cale, les éléments notés y de ces couples. D'où les énoncés suivants

1. La première coordonnée d'un couple (x,y) représente la distance orientée d'un point à la droite numérique verticale. La distance es

*N. du T.   Le plan ainsi défini est un plan cartésien orthonormé.

mesurée vers la droite si la première coordonnée du couple est positive, et vers la gauche si elle est négative.

2. La deuxième coordonnée d'un couple représente la distance d'un point à la droite horizontale. Cette distance est mesurée vers le haut si la deuxième coordonnée est positive et vers le bas si elle est négative.

Donc, dans le plan déterminé par les droites numériques sécantes chaque point correspond à un couple de nombres réels, le premier représentant la distance orientée du point à la droite numérique verticale et le second représentant la distance orientée du point à la droite numérique horizontale. Réciproquement, chaque couple de nombres réels correspond à un point du plan. Il y a donc une correspondance biunivoque entre les points du plan et les couples de nombres réels.

Nous appelons la droite numérique horizontale, l'axe des x et la droite numérique verticale, l'axe des y. La première coordonnée d'un couple de nombres réels est l'*abscisse* du point dans le plan qui correspond au couple de nombres réels. La deuxième coordonnée du couple est l'*ordonnée* du point.

Les axes des x et des y séparent le plan en quatre parties, appelées *quadrant*. La partie du plan qui est au-dessus de l'axe des x et à droite de l'axe des y forme le premier quadrant ou quadrant I. La partie du plan située au-dessus de l'axe des x et à gauche de l'axe des y forme le deuxième quadrant ou quadrant II. Le troisième quadrant est la partie du plan situé au-dessous de l'axe des x et à gauche de l'axe des y, et le quadrant IV la portion du plan située au-dessous de l'axe des x et à droite de l'axe des y. Voir l'emplacement des quadrants dans la figure 3.1.

D'après la figure, il est évident qu'un point correspondant à un couple (x,y) se trouve dans:

1. Le quadrant I, si x et y sont positifs.

2. Le quadrant II, si x est négatif et y positif.

FIGURE 3.1 Les axes des coordonnées

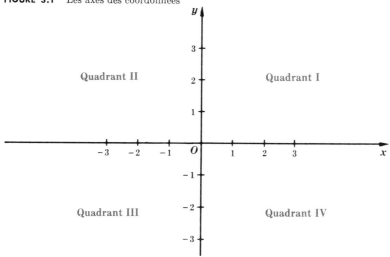

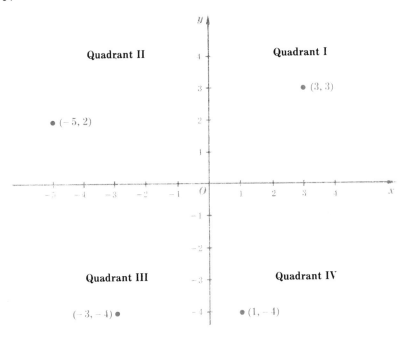

FIGURE 3.2 Le système de coordonnées rectangulaires

3. Le quadrant III, si x et y sont négatifs.

4. Le quadrant IV, si x est positif et y négatif.

Les axes des x et des y déterminent le plan des *coordonnées rectangu* *laires* (ou plan cartésien). Le système décrit pour établir une corres pondance biunivoque entre les couples ordonnés de nombres réels et le

Système de coordonnées rectangulaires

points du plan des coordonnées constitue le *système de coordonnées rectan gulaires.*

Un point du plan cartésien est situé lorsque ses coordonnées son données. Par exemple, le point $(-5,2)$ est à 5 unités à gauche de l'ax des y et à 2 unités au-dessus de l'axe des x. Réciproquement, les coor données d'un point situé à des distances données des axes sont déter minées. Par exemple, le point qui est à 3 unités à gauche de l'axe des et à 4 unités au-dessous de l'axe des x a pour coordonnées $(-3,-4)$.

Porter les points dans le plan

Lorsqu'on marque des points sur un plan cartésien on dit qu'on por *les points dans le plan.* Les points $(-5,2)$, $(-3,-4)$, $(3,3)$, $(1,-4$ ont été portés dans la fig. 3.2.

GRAPHE D'UN SOUS-ENSEMBLE DE $R \times R$ 3.3

Soit $A = \{0,1,2\}$ et $B = \{3,4\}$; $A \times B = \{(0,3),\ (0,4),\ (1,3),\ (1,4$ $(2,3),\ (2,4)\}$ est donc un sous-ensemble de $R \times R$. Si on prend les couple de $A \times B$ comme coordonnées de points dans un système de coordonnée rectangulaires, l'ensemble de ces points, et pas d'autres, s'appelle *grap* de $A \times B$. (voir fig. 3.3).

La discussion se résume dans la définition ci-après:

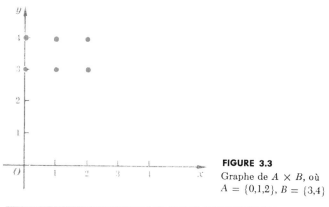

FIGURE 3.3
Graphe de $A \times B$, où
$A = \{0,1,2\}$, $B = \{3,4\}$

DÉFINITION. Le graphe de $A \times B$ est l'ensemble des points, et seulement de ces points, dont les coordonnées sont les couples de $A \times B$. **(3.2)**

Notons que si $N^* = \{1,2,3, \ldots \}$, le graphe de $N^* \times N^*$ est l'ensemble de tous les points du premier quadrant dont les coordonnées sont les entiers positifs. Si $Z = \{ \ldots, -3, -2, -1,0,1,2,3, \ldots \}$, le graphe de $Z \times Z$ est l'ensemble des points dans le plan dont les coordonnées sont des entiers. Si R est l'ensemble des réels, le graphe de $R \times R$ comprend tous les points du plan.

SOLUTIONS DES ÉQUATIONS À DEUX INCONNUES   3.4

Soit la proposition

$$y = 3x + 5$$

Si $x = 1$ et $y = 8$, l'assertion est vraie. Si $x = 1$ et $y = 7$, l'assertion est fausse. Tout couple de nombres, $(2,11)$ par exemple, qui rend la proposition vraie est une solution de cette équation à deux inconnues. L'ensemble de toutes ces solutions est l'ensemble-solution de l'équation. Nous notons cet ensemble

$$\{(x,y) : y = 3x + 5\}$$

et nous lisons "l'ensemble de tous les couples (x,y) tels que $y = 3x + 5$". Tout couple de l'ensemble-solution correspond à un point du plan. L'ensemble de ces points est le *graphe de l'équation*. Il y a une infinité de couples de nombres réels qui satisfont l'équation si le domaine de chaque variable est l'ensemble des nombres réels. On montrera plus tard que dans le cas où le domaine de x et celui de y est l'ensemble R des réels, le graphe de $y = 3x + 5$ est une ligne droite.

DÉFINITION. L'ensemble-solution d'une équation ou d'une inéquation à deux inconnues x et y est l'ensemble de tous les couples **(3.3)** (x,y) dont les coordonnées satisfont l'équation ou l'inéquation.

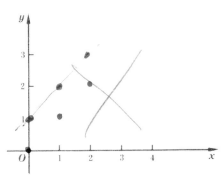

FIGURE 3.4 Graphe de $y = x + 1$,
$x \in \{0,1,2,3\}$

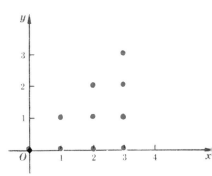

FIGURE 3.5 Graphe de $y < x +$
$x \in \{0,1,2,3\}$

Supposons, par exemple, que x et y aient pour domaine commu
l'ensemble $\{0,1,2,3\}$. Alors l'ensemble solution de l'équation

$$y = x + 1$$

est l'ensemble $\{(0,1),\ (1,2),\ (2,3)\}$. Le graphe de cette équation e
l'ensemble des points portés dans la figure 3.4.

Pour ce même domaine, commun à x et à y, l'ensemble-solution (
l'inéquation $y < x + 1$ est l'ensemble $\{(0,0),\ (1,0),\ (1,1),\ (2,0),\ (2,1$
$(2,2),\ (3,0),\ (3,1),\ (3,2)\}$. Le graphe de cette inéquation est porté da
la figure 3.5.

RELATIONS ET FONCTIONS   3.5

Dans cette section nous définirons le mot *relation* et, à l'aide d
relations, nous présenterons les fonctions, qui sont l'une des notio
essentielles des mathématiques.

DÉFINITION. Une relation est un ensemble de couples.   **(3.4**

Si $S = \{(1,1),(1,2),(3,7)\}$

Domaine d'une
relation

S est une relation. L'ensemble de toutes les coordonnées premièr
d'une relation est le domaine de la relation. Et nous notons le domai
de la relation S par $D(S)$. D'où,

$$D(S) = \{x : (x,y) \in S\}$$

Dans l'exemple présent, $D(S) = \{1,3\}$.

Champ d'une
relation

La seconde coordonnée d'un couple d'une relation est l'*image* de
première coordonnée. L'ensemble des images (secondes coordonnée
de tous les couples est le *champ*, ou *ensemble-image*, de la relation.

nous notons le champ, ou ensemble-image, de la relation S par $I(S)$. Donc,

$$I(S) = \{y : (x,y) \in S\}$$

Dans le présent exemple, $I(S) = \{1,2,7\}$.

À titre d'exemple, examinons une autre relation

$$T = \{(0,3),(2,5),(4,7)\}$$

Ici $\qquad D(T) = \{0,2,4\} \qquad$ et $\qquad I(T) = \{3,5,7\}$

Nous notons que la deuxième coordonnée des couples de T s'obtient en ajoutant 3 à la première. Donc, T est l'ensemble des doublets (x,y) vérifiant l'équation $y = x + 3$, où $x = 0, 2, 4$. On décrit cette relation par

$$T = \{(x,y) : y = x + 3,\ x = 0,2,4\}$$

Au moment de définir la relation

$$S = \{(2,8),(3,27),(4,64)\}$$

par une équation, nous constatons que la relation puissance troisième lie la première coordonnée de chaque doublet à la deuxième. La relation s'écrit

$$S = \{(x,y) : y = x^3,\ x = 2,3,4\}$$

La relation

$$Q = \{(1,1),(2,4),(5,7)\}$$

scription d'une
ation
est plus difficile à définir par une équation. Les coordonnées des couples sont liées par le fait que, si le premier terme est 1, le second est 1; lorsque le premier terme est 2, le second est 4; et lorsque le premier terme est 5, le second est 7; mais il n'est pas évident que la relation Q soit définie par

$$Q = \{(x,y) : 2y = -x^2 + 9x - 6,\ x = 1,2,5\}$$

Lorsqu'une relation est définie par une équation, le domaine est, soit spécifié, comme dans les exemples précédents, soit implicite. Si le domaine n'est pas spécifié, nous comprenons qu'il est formé de tous les nombres pour lesquels l'équation peut être satisfaite. Par exemple, la relation

$$R = \{(x,y) : y = \sqrt{4 - x}\}$$

a pour domaine tous les nombres réels inférieurs ou égaux à 4.

Puisque $A \times B$ est un ensemble de doublets, tout sous-ensemble de $A \times B$ est une relation dont le domaine fait partie de l'ensemble A et dont le champ fait partie de B. Un sous-ensemble de $A \times B$ est une relation de A vers B. Si $A = B$, on dit que la relation est sur A plutôt qu'entre A et lui-même. Ainsi, une relation sur A est un sous-ensemble de $A \times A$. Soit par exemple, un univers

$$U = \{0,1,2,3\}$$

et la relation

$$S = \{(x,y) : (x,y) \in U \times U \text{ et } y = x + 1\}$$

S est une relation sur U définie par l'équation $y = x + 1$. Par cette équation on obtient la deuxième coordonnée de chaque couple en ajoutant 1 à la première. Donc,

$$S = \{(0,1),(1,2),(2,3)\}$$

Le domaine d'une relation sera spécifié ou implicite, ou on l'obtiendra des conditions qui définissent la relation.

EXEMPLE 1. Si $U = \{0,1,2,3\}$ et si

$$T = \{(x,y) : (x,y) \in U \times U \text{ et } y = 2x + 1\}$$

énumérer les éléments à l'aide des symboles logiques.

Solution. $T = \{(0,1),(1,3)\}$

EXEMPLE 2. Si $U = \{0,1,2,3\}$ et si

$$W = \{(x, y) : (x,y) \in U \times U \text{ et } y > x + 1\}$$

utiliser les symboles logiques et énumérer les éléments de W.

Solution. $U \times U = \{(0,0),(0,1),\mathbf{(0,2)},\mathbf{(0,3)},(1,0),(1,1),(1,2),\mathbf{(1,3)},(2,0),(2,1),$ $(2,2),(2,3),(3,0),(3,1),(3,2),(3,3)\}$. D'où,

$$W = \{(0,2),(0,3),(1,3)\}$$

Notez que nous avons écrit en caractères gras les trois doublets qui ont une deuxième coordonnée plus grande que la somme de la première plus 1.

À ce point nous sommes prêts à définir cette catégorie de relations si importante que sont les fonctions. Beaucoup de définitions ont été déjà formulées dans les siècles passés. La suivante semble actuellement satisfaisante.

Fonction

DÉFINITION. Une fonction est une relation dans laquelle aucun couple n'a la même abscisse. (3.5)

La relation $L = \{1,1), (2,3), (4,6)\}$ est une relation qui est aussi une fonction. Son domaine est $D(L) = \{1,2,4\}$. Aucun couple distinct n'a la même première coordonnée.

La relation $M = \{(1,1), (2,4), (1,6)\}$ n'est pas une fonction, parce que les couples distincts $(1,1)$ et $(1,6)$ ont des abscisses identiques.

Les fonctions seront notées par une lettre telle que f, F, g, G, h, H, etc.

Si f est une fonction et si $(x,y) \in f$, nous notons l'ordonnée y du doublet par le symbole $f(x)$. Ainsi,

$$y = f(x)$$

signifie que y est l'ordonnée du couple dont l'abscisse est x. Grâce à cette convention nous pouvons écrire le couple (x,y):

$$(x,f(x))$$

Nous lisons $f(x)$ "f de x".

Si la condition qui définit l'ensemble des couples d'une fonction H peut être exprimée algébriquement, cette expression fournit la relation qui fait correspondre aux éléments x du domaine de définition des valeurs $y = H(x)$ de la fonction. Par exemple,

$$H(x) = x^2 - 5x + 6$$

est la relation qui détermine les doublets de H. Cette relation établit que $(x, x^2 - 5x + 6)$ est un couple de H pour tout x. Ainsi pour trouver un couple d'une fonction H, nous procédons en remplaçant les x de l'expression par un élément x du domaine de définition de la relation

$$H(x) = x^2 - 5x + 6$$
Pour $x = 1$, $\qquad H(1) = 1^2 - 5(1) + 6$
$$= 2$$
D'où, $\qquad (x,f(x)) = (1,2)$

est un couple de la fonction. Si $x = -3$, alors

$$H(-3) = (-3)^2 - 5(-3) + 6 = 30$$
D'où, $\qquad (x,y) = (x,f(x)) = (-3,30)$

est un couple de H. Si $x = k$, alors

$$H(k) = k^2 - 5(k) + 6$$

D'où, $(k, k^2 - 5k + 6)$ est un couple de la fonction.

EXEMPLE 1. Soit $f(x) = 3x^2 - 2$, calculer (1) $f(3)$; (2) $f(-2)$; (3) $f(u + 3v)$; (4) $f(h) + f(2h + 1)$.

Solution.

(1) $\qquad\qquad\qquad f(3) = 3(3)^3 - 2 = 79$
(2) $\qquad\qquad\qquad f(-2) = 3(-2)^3 - 2 = -26$
(3) $\qquad\qquad f(u + 3v) = 3(u + 3v)^3 - 2$
(4) Puisque $\quad f(h) = 3h^3 - 2 \qquad$ et $\qquad f(2h + 1) = 3(2h + 1)^3 - 2$
$$f(h) + f(2h + 1) = 3h^3 - 2 + 3(2h + 1)^3 - 2$$
$$= 3h^3 + 3(2h + 1)^3 - 4$$

Les multiplications en (3) et (4) sont laissées à l'étudiant.

Le graphe d'une fonction dans le plan des coordonnées est l'ensemble de tous les points, et seulement ceux-ci, dont les coordonnées sont les doublets de la fonction.

Dans la figure 3.6, nous avons construit le graphe de la fonction

$$f = \{(-2,1),(-1,0),(0,-1),(1,2),(2,3)\}$$

C'est une pratique normale d'écrire les fonctions en indiquant la méthode à suivre pour trouver l'ordonnée des doublets. Par exemple, $f(x) = x^3$ signifie que f est une fonction dont les doublets sont (x,x^3), et $h(x) = 3x^2 + 5x$ signifie que h est une fonction dont les couples sont $(x,3x^2 + 5x)$.

EXEMPLE 2. Si le domaine de la fonction $f(x) = x^3$ est l'ensemble de tous les entiers x tel que $-2 \leq x \leq 2$, énumérer les doublets de la fonction f et tracer le graphe.

Solution. $f(-2) = (-2)^3 = -8; f(-1) = -1; f(0) = 0; f(1) = 1;$ $f(2) = 8$. D'où, les doublets sont $(-2,-8)$, $(-1,-1)$, $(0,0)$, $(1,1)$, $(2,8)$. Le graphe est reproduit dans la figure 3.7.

La plupart du temps il sera impossible d'énumérer tous les couples d'une fonction donnée et, de plus, impossible de porter tous les points dans le graphe de la fonction. Dans ce cas nous calculons quelques couples et portons les points correspondants que nous relions par une courbe continue.

EXEMPLE 3. Tracer le graphe de la fonction $f(x) = x^2 - x - 6$, $x \in R$.

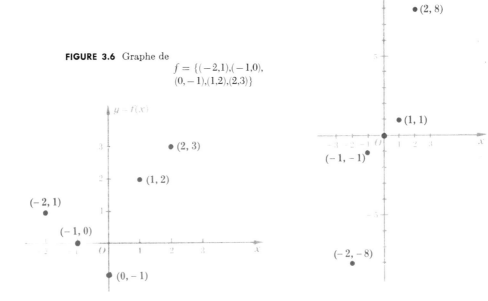

FIGURE 3.7 Graphe de $f(x) = x^3$, $x \in \{-2,-1,0,1,2\}$

FIGURE 3.6 Graphe de $f = \{(-2,1),(-1,0),(0,-1),(1,2),(2,3)\}$

Solution. Donnons à x quelques valeurs pratiques, calculons les valeurs correspondantes de $y = f(x)$ et portons l'ensemble de toutes ces valeurs dans le tableau ci-dessous :

x	-3	-2	-1	0	1	2	3	4
$y = f(x)$	6	0	-4	-6	-6	-4	0	6

Reportons dans le graphe les points dont les coordonnées sont les couples du tableau et traçons la courbe en reliant ces points dans l'ordre de gauche à droite. Voir le graphe tracé à la figure 3.8.

Les fonctions nécessitent souvent plus d'une équation pour être définies. Par exemple,

$$f(x) = x + 2 \qquad \text{si } x \geq 0$$
$$= -x + 2 \qquad \text{si } x < 0$$

définit une fonction. Pour en tracer le graphe, inscrivons dans le tableau ci-dessous quelques couples :

x	-2	-1	0	1	2
$f(x)$	4	3	2	3	4

Voir le graphe tracé à la figure 3.9.

Il est important de comprendre que dans les exemples précédents, nous avons choisi, dans le domaine de la fonction, des nombres pour calculer

FIGURE 3.8 Graphe de
$$f(x) = x^2 - x - 6,\ x \in R$$

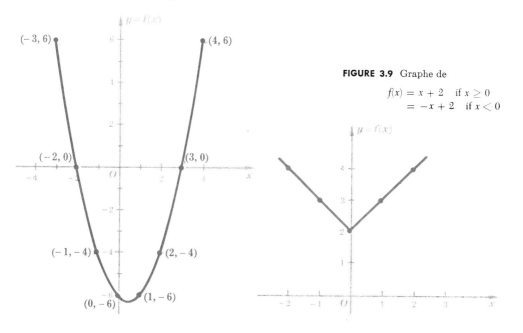

FIGURE 3.9 Graphe de
$$f(x) = x + 2 \quad \text{if } x \geq 0$$
$$= -x + 2 \quad \text{if } x < 0$$

facilement les couples. À moins d'indication contraire, nous prendron
pour acquis que le domaine de définition des fonctions est l'ensemble d
tous les nombres réels.

EXERCICES 3.1

1. Lesquelles des relations suivantes sont des fonctions ?

   (a) $\{(2,3),(3,1),(4,3),(5,7)\}$ (b) $\{(-2,-1),(-3,-2),(-8,-6$
   (c) $\{(1,4),(2,6),(1,5),(3,9)\}$ (d) $\{(3,3),(2,1),(1,2),(2,3)\}$
   (e) $\{(-2,-3),(-4,-2),(-3,-2),(1,3)\}$

2. Énumérer les éléments du domaine de chaque fonction:

   (a) $\{(-3,2),(-2,3),(-1,4),(0,5),(1,6)\}$ (b) $\{(½,0),(3/2,-1),(2,-2),(5/3,4/3)\}$
   (c) $\{(5,-1),(4,-2),(0,1),(-2,3),(-3,-3)\}$ (d) $\{(7,a),(5,b),(3,b),(2,c),(4,d)\}$
   (e) $\{(p,3),(r,4),(v,-2),(w,2)\}$ (f) $\{(a,b),(d,f),(h,j),(n,p)\}$

3. Énumérer les éléments du champ de chaque fonction de l'exercice 2.

4. Si $S = \{(3,4),(2,-1),(1,0),(x,2)\}$ est une fonction, énumérer les entiers que x ne peut représenter

5. Si $T = \{(-2,-1),(0,3),(x-1),(3,7)\}$ est une fonction, énumérer les valeurs exclues de x.

6. Est-ce que la relation $R = \{(4,2),(3,3),(2,y),(1,5)\}$, est une fonction pour toute valeur réelle de y

7. Quand une fonction réelle est définie par une équation, nous considérons que le domaine es
   l'ensemble de tous les nombres réels pour lesquels l'équation a une signification. Soit f un
   fonction définie par la relation:

   $$f(x) = \frac{x}{x-1}$$

   Déterminer le domaine de la fonction.

8. Déterminer le domaine de la fonction $f(x) = \sqrt{1/x}$.

9. Déterminer le domaine de $f(x) = \sqrt{x^2 - 5x + 6}$.

10. Déterminer le domaine de $f(x) = \sqrt{7x - x^2 - 12}$.

11. Le domaine de la fonction $f(x) = 2x + 8$ est $\{-3,-2,0\}$. Quel est le champ de f?

12. Prenons le domaine de $f(x) = 1/(x-1)$ comme étant $\{0,2,3\}$. Quel est le champ de f?

13. Si $g(x) = x^2 - 3x$, calculer

   (a) $g(0)$ (b) $g(2)$ (c) $g(-1)$ (d) $g(\sqrt{3})$ (e) $g(a^2)$ (f) $g(x -$

14. Si $h(x) = x + 4$, calculer

   (a) $h(4) + h(1)$ (b) $h(6) - h(2)$ (c) $h(a+1) - h(a)$ (d) $[h(a+t) - h(a)]/$

15. Si $f(x) = 4^x$, calculer

   (a) $f(0)$ (b) $f(2)$ (c) $f(-1)$ (d) $f(-3)$ (e) $f(½)$ (f) $f(-2)$

16. Si $f(x) = 9^{-x}$, calculer

   (a) $f(-1)$ (b) $f(-2)$ (c) $f(0)$ (d) $f(1)$

17. Déterminer une équation de la forme $y = f(x)$ qui définit une fonction dont les couples numé
   riques sont $\{(1,1),(2,4),(3,9),(4,16)\}$.

18. Déterminer une équation de la forme $y = f(x)$ qui définit une fonction dont le domaine est l'en
   semble des entiers positifs et dont font partie les doublets $(7,0)$, $(8,1)$, $(10,3)$, $(12,5)$.

19. Déterminer une équation de la forme $y = f(x)$ qui définit une fonction dont le domaine es
   l'ensemble des entiers positifs et dont font partie les doublets

TRACER le graphe des fonctions suivantes:

20. $f(x) = x^2 + 2$

21. $f(x) = x^2 - 4x + 5$

22. $f(x) = x^3 - x$

23. $f(x) = -x^2 + x - 1$

24. $f(x) = x^2 - 3x - 3$

25. $f(x) = x^3 - 2x^2 + 3$

26. $f(x) = \begin{cases} x \text{ if } x \geq 0 \\ -x \text{ if } x < 0 \end{cases}$

27. $f(x) = \begin{cases} x + 1 \text{ if } x \geq 0 \\ -x - 1 \text{ if } x < 0 \end{cases}$

28. $g(x) = \begin{cases} x \text{ if } x < 0 \\ \frac{1}{2} \text{ if } x = 0 \\ x + 1 \text{ if } x > 0 \end{cases}$

RELATIONS ET FONCTIONS RÉCIPROQUES 3.6

Une relation T sur l'ensemble des nombres réels R est un sous-ensemble de $R \times R$. Soit la relation

$$T = \{(-1,-2),(0,0),(1,2),(2,4),(3,6)\}$$

dont le domaine est $D(T) = \{-1,0,1,2,3\}$ et dont le champ est

$$I(T) = \{-2,0,2,4,6\}$$

Si nous inversons l'ordre des coordonnées de chaque couple de T, nous avons la relation

$$S = \{(-2,-1),(0,0),(2,1),(4,2),(6,3)\}$$

Domaine et champ

Nous voyons que *le domaine de T est le champ de S et que le champ de T est le domaine de S.* Donc, $D(T) = I(S)$, et $I(T) = D(S)$. Nous appelons S la relation réciproque de T et nous écrivons

$$S = T^{-1}$$

DÉFINITION. La réciproque de la relation T est $\{(y,x):(x,y) \in T\}$, notée T^{-1}. **(3.6)**

EXEMPLE 1. Quelle est la relation réciproque de $f = \{(0,3), (2,7), (3,9), (-1,1)\}$.

Solution. En inversant l'ordre des coordonnées de chaque couple de f, nous avons

$$f^{-1} = \{(3,0),(7,2),(9,3),(1,-1)\}$$

La relation réciproque d'une fonction peut être ou ne pas être une fonction. Par exemple $f = \{(1,2), (2,3), (3,4), (6,4)\}$ est une fonction, mais la relation réciproque $f^{-1} = \{(2,1), (3,2), (4,3), (4,6)\}$ n'est pas une fonction parce que les doublets $(4,3)$ et $(4,6)$ ont même abscisse. Par contre,
$$h = \{(-1,2),(0,3),(1,4),(2,5)\}$$
et
$$h^{-1} = \{(2,-1),(3,0),(4,1),(5,2)\}$$

sont toutes deux des fonctions.

Notons que si f est une fonction qui a pour propriété de ne jamais avoir la même *ordonnée* pour deux couples distincts la f^{-1} aura pour propriété de ne jamais avoir la même abscisse pour deux couples. Donc f^{-1} est une fonction. Dans ce cas, où f^{-1} est aussi une fonction, on l'appelle la *fonction réciproque* de f.

Lorsqu'une relation est définie par une équation, la relation réciproque s'obtient en interchangeant les variables dans l'équation. Ainsi,

$$f = \left\{ (x,y) : y = \frac{4x + 3}{2} \right\}$$

et
$$f^{-1} = \left\{ (y,x) : x = \frac{4y + 3}{2} \right\}$$

En résolvant l'équation $x = (4y + 3)/2$ pour y, nous avons $y = (2x - 3)/4$ La relation réciproque peut s'écrire

$$f^{-1} = \left\{ (x,y) : y = \frac{2x - 3}{4} \right\}$$

La relation réciproque écrite dans cette forme est utile pour en tracer le graphe.

Nous notons généralement la fonction $f = \{(x,y) : y = f(x)\}$ par son équation $y = f(x)$. Par exemple, la fonction

$$f = \left\{ (x,y) : y = \frac{1}{2} x + 5 \right\}$$

s'abrège en $y = \frac{1}{2}x + 5$.

EXEMPLE 1. Soit la fonction f définie par l'équation

$$y = f(x) = \frac{1}{3} x - 7$$

(1) Trouver $f^{-1} = (x)$. (2) Montrer que $f(f^{-1}(x)) = x$. (3) Montrer qu $f^{-1}(f(x)) = x$.

Solution. (1) Interchangeons x et y dans l'équation $y = \frac{1}{3}x - 7$,

$$x = \frac{1}{3} y - 7$$

Alors $\qquad\qquad y = 3x + 21$

Donc $\qquad\qquad f^{-1}(x) = 3x + 21$

(2) $\qquad\qquad f(f^{-1}(x)) = f(3x + 21)$

$$= \frac{1}{3} (3x + 21) - 7$$

$$= x$$

(3) $\qquad f^{-1}(f(x)) = f^{-1} \left(\frac{1}{3} x - 7 \right)$

$$= 3 \left(\frac{1}{3} x - 7 \right) + 21$$

$$= x$$

L'existence de la fonction réciproque d'une fonction est vérifiée, lorsque

$$f(f^{-1}(x)) = x$$

et

$$f^{-1}(f(x)) = x$$

EXERCICES 3.2

1. Soit la fonction $T = \{(0, -3), (1,3), (2,2), (3,5), (4,2)\}$. Écrire les couples de f^{-1}; f^{-1} est-elle la fonction réciproque de f?

2. Soit la fonction $f = \{(1,3), (2,2), (3,3), (4,0)\}$; f^{-1} est-elle la fonction réciproque de f?

3. Est-ce que la réciproque de la fonction $g = \{(-2,1), (-1,3), (0,5), (2,7)\}$ est la fonction réciproque de g?

4. Si $f(x)$ est la fonction définie par $y = 4x + 3$, écrire l'équation qui définit $f^{-1}(x)$ dans la forme abrégée $y = g(x)$.

5. Écrire l'équation qui définit $f^{-1}(x)$, si $f(x)$ est défini par l'équation $y = 1/(2x + 3)$.

6. Écrire l'équation qui définit la fonction réciproque de $y = 3/x$.

7. La fonction $f(x) = |x|$ est appelée la fonction-*valeur absolue*, son domaine est l'ensemble des nombres réels. Le graphe est celui de la fig. 3.10a. Écrire les couples de $f(x) = |x|$ qui ont pour abscisses:

   (a) $-2, -1, 0, 1, 2$ (b) $-5, -3, 2, 6$

   Est-ce que $f^{-1}(x)$ est une fonction?

8. La fonction $f(x) = [x]$ de tout nombre réel x est la fonction partie entière ou du plus grand entier qui n'excède pas x. Ainsi, $[x] = n$, pourvu que $n \leq x < n + 1$, où n est un entier. La figure 3.10b en est le graphe.

FIGURE 3.10 (*a*) Graphe de $f(x) = |x|$, $x \in R$
            (*b*) Graphe de $f(x) = [x]$, $x \in R$

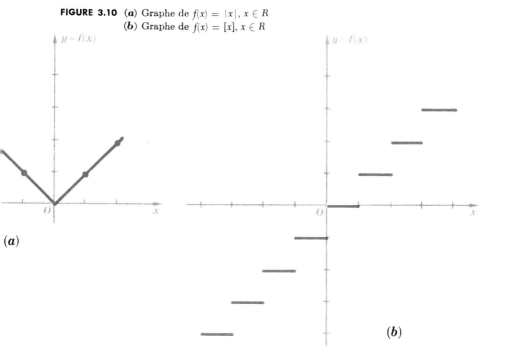

(*a*)

(*b*)

Écrire les couples de la fonction partie entière $f(x) = [x]$ qui ont pour abscisses:

(a) 5, 5.1, 5.4, 5.8, 5.99   (b) 3, 3.2, 3.5, 3.9, 3.99

$f^{-1}(x)$ est-elle une fonction?

9.   Si $f(x) = x - [x]$, calculer $f(-5)$ et $f(3.6)$.

10. Si $g(x) = [x] + [3 - x] - 2$, calculer $f(0)$ et $f(4)$.

FORMULE DE LA DISTANCE   3.7

Soit deux points distincts $A(x_1,0)$ et $B(x_2,0)$ de l'axe des x. P convention la distance d entre A et B est toujours positive. Donc,

$$d = x_2 - x_1 \quad \text{ou} \quad d = x_1 - x_2$$

Ceci veut dire que la distance entre deux points quelconques de l'axe c x est la valeur absolue de la différence entre les abscisses des points

$$d = |x_2 - x_1|$$

Maintenant, soit deux points quelconques du plan cartésien $P_1(x_1,$ et $P(x_2,y_0)$ qui ont la même ordonnée. La distance entre P_1 et P_2 est même que la distance entre $A(x_1,0)$ et $B(x_2,0)$ (figure 3.11a). No notons cette distance $|P_1P_2|$. Alors

$$|P_1P_2| = |x_2 - x_1|$$

Par un raisonnement similaire, nous pouvons montrer que la distan entre deux points $Q_1(x_0,y_1)$ et $Q_2(x_0,y_2)$ ayant les mêmes abscisses est

$$|Q_1Q_2| = |y_2 - y_1|$$

Et la formule générale de la distance entre deux points quelconqu $P_1(x_1,y_1)$ et $P_2(x_2,y_2)$ du plan s'établit comme ci-après, lorsque la mêr unité de longueur sert à normer les deux axes:

FIGURE 3.11   (a) $|P_1P_2| = x_2 - x_1$
                  (b) $|P_1P_2| = \sqrt{(x_2 - x_1)^2 + (y_2 - y_1)^2}$

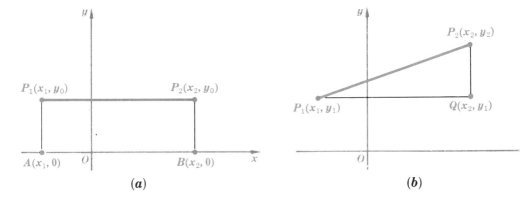

(a)   (b)

Soit Q le point de la figure 3.11b dont les coordonnées sont $(x_2 y_1)$. Alors $P_1 Q P_2$ est un triangle rectangle d'hypothénuse $P_1 P_2$.

D'après le théorème de Pythagore,

$$|P_1 P_2|^2 = |P_1 Q|^2 + |Q P_2|^2 = |x_2 - x_1|^2 + |y_2 - y_1|^2$$

et $\qquad |P_1 P_2| = \sqrt{(x_2 - x_1)^2 + (y_2 - y_1)^2}$ (3.7)

Formule de la distance

Cette formule s'appelle _formule de la distance_, et nous nous y référerons souvent dans ce livre.

EXEMPLE 1. Trouver la distance entre les points $(-5,2)$ et $(6,-1)$.

Solution. Il n'y a aucune importance à choisir l'un des points comme P_1. Soit le premier indiqué P_1 et le second P_2; alors

$$|P_1 P_2| = \sqrt{(6 - [-5])^2 + (-1 - 2)^2} = \sqrt{130}$$

Équation du cercle

La formule de la distance sert à établir l'équation du cercle dans sa forme courante. Soit le point $C(h,k)$ centre du cercle de rayon r. Soit $P(x,y)$ un point du cercle. Donc,

$$|CP| = r \qquad \text{et} \qquad \sqrt{(x - h)^2 + (y - k)^2} = r$$

D'où, $\qquad (x - h)^2 + (y - k)^2 = r^2$

Si le centre est à l'origine, de sorte que les coordonnées de C soient $(0,0)$, l'équation devient

$$x^2 + y^2 = r^2$$

EXEMPLE 2. Quelle est l'équation d'un cercle de centre $(3,-5)$ et de rayon 6 ?

Solution. Ici $h = 3$, $k = -5$. Donc,

$$(x - 3)^2 + (y - [-5])^2 = 6^2$$
et $\qquad (x - 3)^2 + (y + 5)^2 = 36$

est l'équation du cercle.

EXERCICES 3.3

1. Quelle est la distance entre les points:

(a) $(0,0)$ et $(3,4)$
(b) $(1,2)$ et $(4,6)$
(c) $P(-1,3)$ et $Q(4,15)$
(d) $R(-5,-2)$ et $S(-2,6)$

2. Quelle est la longueur du segment de droite joignant les points:

(a) $P(2,1)$ et $Q(14,6)$
(b) $S(-1,-7)$ et $T(4,5)$
(c) $P(-9,-8)$ et $Q(-1,-2)$
(d) $P(5,-6)$ et $Q(-1,4)$

3. Montrer que les trois points $P(-3,1)$, $Q(1,3)$, $R(9,7)$ sont en ligne droite. INDICATION: Admett▮ que les points sont en ligne droite si $|PQ| + |QR| = |PR|$.

4. Montrer que les points $A(2,2)$, $B(6,4)$, $C(5,6)$ sont les sommets d'un triangle rectangle.

√ 5. Quelle est l'équation des cercles qui ont respectivement pour centre et pour rayon:

　　√(a) $C(4,5)$, $r = 3$　　　　　　　　　　　√(b) $C(-1, -3)$, $r = 2$

6. Quelle est l'équation du cercle dont le centre est $(1,4)$ et qui est tangent à l'axe des x?

4

FONCTIONS TRIGONOMÉTRIQUES

À l'origine, la trigonométrie se consacrait à la résolution des problèmes d'astronomie et de géométrie. Par exemple, nous savons que les angles aigus d'un triangle rectangle sont complètement déterminés par le rapport des longueurs de deux côtés du triangle; et, si deux des côtés du triangle (ou un côté et un angle aigu) sont donnés, nous pouvons calculer les autres parties du triangle rectangle.

Depuis peu, la trigonométrie s'est étendue considérablement au-delà de la résolution des triangles. L'étude des phénomènes périodiques, tels que le courant alternatif ou les vibrations d'une machine montée sur des supports en caoutchouc, nécessite l'usage de fonctions périodiques dites *fonctions trigonométriques* (ou *fonctions circulaires*). Les fonctions trigonométriques sont nécessaires à l'ingénieur, aux sciences physiques et à l'analyse mathématique.

POINTS TRIGONOMÉTRIQUES   4.1

Un cercle dont le rayon est l'unité et dont le centre est l'origine d'un système à coordonnées rectangulaires est un *cercle trigonométrique*. Soit t un nombre quelconque. En partant du point $A(1,0)$ sur le cercle trigonométrique, mesurons sur la circonférence une longueur d'arc de (t) unités. Si t est négatif, nous mesurons l'arc dans le sens de rotation des aiguilles d'une montre et, dans le sens inverse si t est positif. Ainsi, nous portons un point unique sur le cercle trigonométrique (figure 4.1).

Le point ainsi porté est le *point trigonométrique $P(t)$*. Le nombre réel t et le point $P(t)$ forment un couple. Par ce procédé, on définit une fonction dont le domaine est l'ensemble des réels et dont le champ est l'ensemble des points sur le cercle trigonométrique. Les couples de cette fonction sont de la forme $(t, P(t))$.

Certains de ces doublets peuvent être trouvés facilement. Lorsque $t = 0$, $P(t) = P(0)$ est le point trigonométrique $A(1,0)$. Comme le cercle trigonométrique a une conférence de 2π unités (6.28 unités approximati-

vement), la demi-circonférence sera de π unités, le quart de la circonférenc
de $\pi/2$ unités, etc. Lorsque $t = \pi/2$, $P(t) = P(\pi/2)$ est donc le point $(0,1)$
$P(\pi)$ est le point $(-1,0)$; $P(3\pi/2)$ est le point $(0,-1)$ (figure 4.2).

Par un raisonnement similaire, $P(-\pi/2)$ est le point $(0-1)$; $P(-\pi$
est le point $(-1,0)$; $P(-3\pi/2)$ est le point $(0,1)$.

Pour situer les points trigonométriques $P(\pi/4)$, $P(3\pi/4)$, $P(5\pi/4)$
$P(7\pi/4)$, nous raisonnons ainsi: le point trigonométrique $P(t)$ a pou
coordonnées le couple (x,y). Comme $P(t)$ est distant de l'origine d
1 unité, de la formule de la distance nous tirons

$$x^2 + y^2 = 1 \tag{4.1}$$

Si une des coordonnées du point $P(t)$ est connue, nous pouvons utilise
l'Ég. (4.1) pour calculer l'autre coordonnée à l'exception du signe.

De la géométrie plane nous savons que le point trigonométriqu
$P(\pi/4)$ est le point-milieu de l'arc de cercle trigonométrique $A(1,0)$ $B(0,1$
et qu'il est équidistant des axes, c'est-à-dire $x = y$ (voir figure 4.3). En
substituant x à y dans l'égalité $x^2 + y^2 = 1$, on obtient

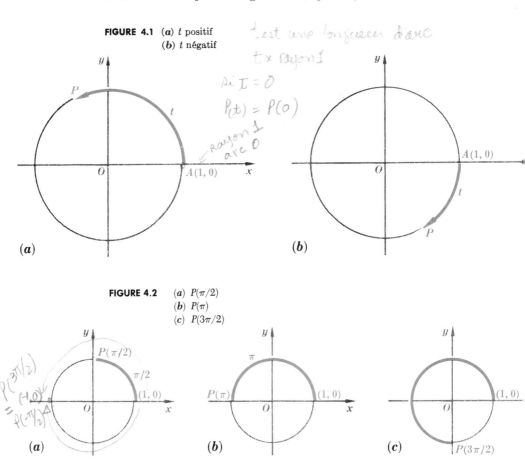

FIGURE 4.1 (**a**) t positif
(**b**) t négatif

(**a**)   (**b**)

FIGURE 4.2 (**a**) $P(\pi/2)$
(**b**) $P(\pi)$
(**c**) $P(3\pi/2)$

(**a**)   (**b**)   (**c**)

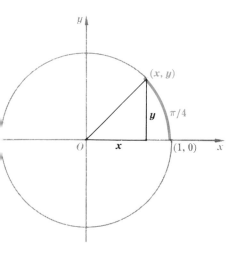

FIGURE 4.3 $P(\pi/4) = (\sqrt{2}/2, \sqrt{2}/2)$

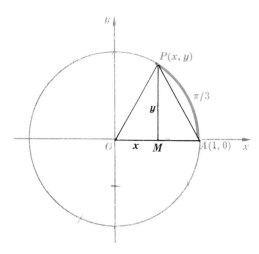

FIGURE 4.4 $P(\pi/3) = (\frac{1}{2}, \sqrt{3}/2)$

$$x^2 + x^2 = 1$$

D'où,

$$x = \frac{1}{\sqrt{2}} = \frac{\sqrt{2}}{2}$$

et

$$y = x = \frac{\sqrt{2}}{2}$$

Donc, les coordonnées du point trigonométrique $P(\pi/4)$ sont

$$\left(\frac{\sqrt{2}}{2}, \frac{\sqrt{2}}{2} \right)$$

Le calcul des coordonnées de $P(3\pi/4)$, $P(5\pi/4)$, etc., est laissé en exercice.

Pour calculer les coordonnées de $P(\pi/3)$, examinons le cercle trigonométrique de la figure 4.4. L'arc AP = un sixième de la circonférence du cercle = $\pi/3$. D'après la géométrie plane, le triangle AOP est équilatéral. Soit PM perpendiculaire à OA. Alors, d'après la géométrie, $OM = \frac{1}{2}OA = \frac{1}{2}$. D'où, $x = \frac{1}{2}$. Puisque $x^2 + y^2 = 1$, nous avons

$$\left(\frac{1}{2} \right)^2 + y^2 = 1$$

et

$$y = \frac{\sqrt{3}}{2}$$

Les cordonnées de $P(2\pi/3)$, $P(4\pi/3)$, etc., se calculent de la même manière.

Cherchons les coordonnées de $P(\pi/6)$. Dans la figure 4.5, l'arc $QP = \pi/3$. Alors, arc $AP = \pi/6$, et OM est perpendiculaire à la corde QP en son point-milieu.

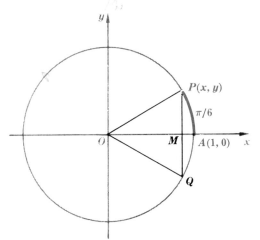

FIGURE 4.5
$P(\pi/6) = (\sqrt{3}/2, \frac{1}{2})$

Puisque le triangle QOP est équilatéral, on a

$$QP = OP = 1$$

et
$$MP = \frac{1}{2} QP = \frac{1}{2}$$

D'où,
$$y = \frac{1}{2}$$

En substituant cette valeur à y dans $x^2 + y^2 = 1$, nous obtenons

$$x = \frac{\sqrt{3}}{2}$$

Donc, le point $P(\pi/6)$ est $(\sqrt{3}/2, \frac{1}{2})$. Les coordonnées de $P(5\pi/6)$ $P(7\pi/6)$, $P(-\pi/6)$, etc., se calculent sans trop de difficultés. Les exer-cices suivants donneront la pratique nécessaire pour déterminer les coor-données de $P(t)$ pour la plupart des valeurs particulières de t.

EXERCICES 4.1

1. Calculer les coordonnées des points trigonométriques:

    (a) $P(-2\pi)$ (b) $P(-3\pi)$ (c) $P(4\pi)$
    (d) $P(-\pi)$ (e) $P(-3\pi/2)$ (f) $P(-4\pi)$
    (g) $P(-5\pi/2)$ (h) $P(-7\pi/2)$

2. Calculer les coordonnées des points trigonométriques:

    (a) $P(-\pi/4)$ (b) $P(3\pi/4)$ (c) $P(-3\pi/4)$
    (d) $P(5\pi/4)$ (e) $P(-5\pi/4)$ (f) $P(-7\pi/4)$

3. Calculer les coordonnées des points trigonométriques:

(a) $P(-\pi/3)$ (b) $P(2\pi/3)$ (c) $P(-2\pi/3)$
(d) $P(4\pi/3)$ (e) $P(5\pi/3)$ (f) $P(7\pi/3)$

4. Calculer les coordonnées de $P(t)$ lorsque t est égal à

(a) $5\pi/6$ (b) $-\pi/6$ (c) $-5\pi/6$
(d) $7\pi/6$ (e) $11\pi/6$ (f) $-11\pi/6$

5. Le point trigonométrique $P(t)$ a pour coordonnées $(\sqrt{3}/2, \frac{1}{2})$ et $0 < t < \pi/2$. Quel est t?

6. Déterminer la valeur de t si le point $P(t)$ est:

(a) $(\sqrt{2}/2, -\sqrt{2}/2)$ et $3\pi/2 < t < 2\pi$
(b) $(-\frac{1}{2}, \sqrt{3}/2)$, et $\pi/2 < t < \pi$

FONCTIONS TRIGONOMÉTRIQUES 4.2

Soit t un nombre réel et (x,y) les coordonnées de $P(t)$. Nous définissons la *fonction cosinus* de t (noté cos t) et la *fonction sinus* de t (notée sin t) comme étant les coordonnées du point trigonométrique.

> **DÉFINITION.** Si le point trigonométrique $P(t)$ a pour coordonnées (x,y), alors **(4.2)**
>
> $$\cos t = x \qquad \sin t = y$$

Le point $P(x,y)$ du cercle trigonométrique peut s'écrire maintenant $P(\cos t, \sin t)$. Puisque $x^2 + y^2 = 1$, d'après l'Ég. (4.1), nous avons l'identité fondamentale

$$(\sin t)^2 + (\cos t)^2 = 1 \qquad \textbf{pour tout } t \qquad (4.3)$$

Puisque $P(t)$ se trouve sur le cercle trigonométrique, ses coordonnées ne peuvent jamais dépasser 1 en valeur absolue. D'où $|x| \le 1$ et $|y| \le 1$. C'est-à-dire

$$-1 \le \cos t \le 1 \qquad \text{et} \qquad -1 \le \sin t \le 1$$

pour tout nombre réel t.

Quatre fonctions additionnelles sont définies ci-après. Notons les abréviations attribuées à chacune.

$$\textbf{tangente } t = \tan t = \frac{\sin t}{\cos t} \qquad \cos t \ne 0$$

$$\textbf{cotangente } t = \cot t = \text{ctn } t = \frac{\cos t}{\sin t} \qquad \sin t \ne 0$$

$$\textbf{sécante } t = \sec t = \frac{1}{\cos t} \qquad \cos t \ne 0 \qquad (4.4)$$

$$\textbf{cosécante } t = \csc t = \frac{1}{\sin t} \qquad \sin t \ne 0$$

N. du T. À la demande des Éditeurs, il nous a semblé préférable de conserver les abréviations nord-américaines puisque cela ne pose aucun problème.

En termes de x et y, ces fonctions deviennent

$$\tan t = \frac{y}{x} \qquad x \neq 0$$

$$\cot t = \frac{x}{y} \qquad y \neq 0$$

$$\sec t = \frac{1}{x} \qquad x \neq 0$$ (4.5

$$\csc t = \frac{1}{y} \qquad y \neq 0$$

Les six fonctions de t définies par les Ég. (4.2) et (4.4) sont le *fonctions trigonométriques* de t ou *fonctions circulaires* de t.

FONCTIONS TRIGONOMÉTRIQUES DES NOMBRES RÉELS CARACTÉRISTIQUES 4.3

Les fonctions trigonométriques des nombres réels caractéristique peuvent maintenant être calculées à partir des définitions de ces fonction Par exemple, si $t = \pi/4$, les coordonnées de $P(\pi/4)$ sont $(\sqrt{2}/2, \sqrt{2}/2$ Puisque $x = \cos t$ et $y = \sin t$, nous avons

$$\sin \frac{\pi}{4} = \frac{\sqrt{2}}{2} \qquad \text{et} \qquad \cos \frac{\pi}{4} = \frac{\sqrt{2}}{2}$$

Puisque
$$\tan \frac{\pi}{4} = \frac{\sin \pi/4}{\cos \pi/4}$$

alors,
$$\tan \frac{\pi}{4} = 1$$

Également, $\cot \dfrac{\pi}{4} = 1 \qquad \sec \dfrac{\pi}{4} = \sqrt{2} \qquad \csc \dfrac{\pi}{4} = \sqrt{2}$

Les fonctions des multiples de $\pi/2$ se calculent de la même manièr Par exemple, si $t = 3\pi/2$, les coordonnées de $P(3\pi/2)$ sont $(0, -1)$. D'o

$$\sin \frac{3\pi}{2} = -1 \qquad\qquad \cos \frac{3\pi}{2} = 0$$

$$\tan \frac{3\pi}{2} \text{ n'est pas définie} \quad \cot \frac{3\pi}{2} = 0$$

$$\sec \frac{3\pi}{2} \text{ n'est pas définie} \quad \csc \frac{3\pi}{2} = -1$$

Si $t = 0$, les coordonnées de $P(t) = P(0)$ sont $(1,0)$. D'où,

$$\sin 0 = 0 \qquad \cos 0 = 1$$
$$\tan 0 = 0 \qquad \cot 0 \text{ n'est pas définie}$$
$$\sec 0 = 1 \qquad \csc 0 \text{ n'est pas définie}$$

Si le point $Q(a,b)$ se trouve sur la droite qui joint l'origine au point trigonométrique $P(t)$, nous pouvons aussi calculer les fonctions trigonométriques de t: l'utilité en est grande; et nous espérons que l'étudiant tracera des figures pour se convaincre lui-même de la validité du raisonnement.

Par la formule de la distance, $OQ = \sqrt{a^2 + b^2}$. Si on abaisse de P et Q des perpendiculaires sur l'axe des x, on forme deux triangles rectangles semblables.

Alors

$$\frac{x}{1} = \frac{a}{\sqrt{a^2 + b^2}} \qquad \text{et} \qquad \frac{y}{1} = \frac{b}{\sqrt{a^2 + b^2}}$$

D'où,
$$\sin t = y = \frac{b}{\sqrt{a^2 + b^2}}$$

et
$$\cos t = x = \frac{a}{\sqrt{a^2 + b^2}}$$

EXERCICES 4.2

1. Calculer les valeurs des six fonctions trigonométriques de

   (a) $\pi/2$ (b) $\pi/3$ (c) $\pi/6$
   (d) $-3\pi/2$ (e) $5\pi/6$ (f) $2\pi/3$

2. Calculer la valeur des fonctions suivantes:

   (a) $\sin 3\pi/4$ (b) $\cos 11\pi/6$ (c) $\sec 7\pi/4$
   (d) $\tan(-5\pi/6)$ (e) $\sec(-2\pi/3)$ (f) $\csc(-\pi/3)$
   (g) $\sin(-\pi/2)$ (h) $\tan(-3\pi/2)$ (i) $\cos(-5\pi/6)$
   (j) $\sec(-\pi/6)$ (k) $\tan 5\pi/4$ (l) $\sin 11\pi/6$

3. Étant donné $t = \tfrac{1}{2}$ et $\cos t < 0$, calculer

   (a) $\cos t$ (b) $\sec t$ (c) $\tan t$

4. Étant donné $\cos t = -\sqrt{3}/2$ et $\sin t < 0$, calculer

   (a) $\sin t$ (b) $\tan t$ (c) $\csc t$

5. Étant donné $\tan t = -1$ et $\sec t > 1$, calculer

   (a) $\cot t$ (b) $\sin t$ (c) $\cos t$

6. Étant donné $\cot t = -1/\sqrt{3}$ et $\sin t > 0$, calculer

   (a) $\cos t$ (b) $\sec t$ (c) $\csc t$

7. Compléter le tableau ci-après montrant les signes des fonctions trigonométriques dans les différents quadrants.

Quadrant dans lequel $P(t)$ se trouve	$\sin t$	$\cos t$	$\tan t$	$\cot t$	$\sec t$	$\csc t$
I	+	+	+			+
II		−			−	+
III	−	−				
IV		+	−			−

8. Déterminer le quadrant dans lequel se trouve $P(t)$ si t est un nombre réel, et si

(a) $\sin t < 0$ (b) $\tan t < 0$ (c) $\cos t <$

(d) $\cot t > 0$ (e) $\sec t > 0$ (f) $\csc t >$

9. Soit $P(t)$ sur la droite qui joint l'origine au point $(5,12)$. Calculer les valeurs des fonction trigonométriques de t. INDICATION: La distance de l'origine au point $(5,12)$ est 13. D'où point $P(t)$ du cercle trigonométrique a pour coordonnées $(\frac{5}{13}, \frac{12}{13})$ et $\sin t \frac{12}{13}$.

10. Calculer les valeurs des fonctions trigonométriques de t si $P(t)$ se trouve sur le segment droite joignant l'origine au point indiqué:

(a) $(3,4)$ (b) $(4,3)$ (c) $(24,7)$

(d) $(12,-5)$ (e) $(8,-15)$ (f) $(-8,15)$

(g) $(-10,-8)$ (h) $(0,-2)$ (i) $(15,-8)$

11. Calculer les valeurs de $\sin t$, $\cos t$, $\tan t$ si

(a) $\sin t = \frac{12}{13}$, $P(t)$ dans le quadrant I   (b) $\cos t = -\frac{5}{13}$, $P(t)$ dans le quadrant III

(c) $\tan t = \sqrt{3}$, $P(t)$ dans le quadrant III   (d) $\sin t = -\frac{4}{5}$, $P(t)$ dans le quadrant IV

(e) $\sin t = \frac{7}{24}$, $P(t)$ dans le quadrant II   (f) $\cos t = \frac{3}{4}$, $P(t)$ dans le quadrant I

(g) $\sin t = \frac{5}{6}$, $P(t)$ dans le quadrant II

12. Montrer que $\sin(-\pi/4) = -\sin \pi/4$

13. Montrer que $\cos(-3\pi/4) = \cos 3\pi/4$

14. Montrer que $\tan(-5\pi/6) = -\tan 5\pi/6$

15. Dire lesquelles des équations suivantes se vérifient:

(a) $\sin(-t) = -\sin t$ (b) $\cos(-t) = -\cos t$ (c) $\tan(-t) = -\tan$

(d) $\cot(-t) = \cot t$ (e) $\sec(-t) = \sec t$ (f) $\csc(-t) = \csc t$

16. Dans quels quadrants $\sin t$ et $\cos t$ ont le même signe ?

17. Dans quels quadrants $\sin t$ et $\cos t$ ont des signes opposés ?

FONCTIONS TRIGONOMÉTRIQUES DES NOMBRES RÉELS   4.4

Nous accepterons sans preuve que le nombre irrationnel π ne pe s'exprimer comme le quotient de deux entiers. Soit 3.14, une app ximation rationnelle de la valeur de ce nombre que nous indiquons écrivant: $\pi = 3.14$ (approx.). Alors $\pi/2 = 1.57$ (approx.), $\pi/4 = 0.$ (approx.), $\pi/6 = 0.53$ (approx.), etc. Et nous pouvons dire que fonctions trigonométriques de 1.57, 0.78, 0.53 sont égales approximativ ment aux fonctions trigonométriques respectives de $\pi/2$, $\pi/4$, $\pi/6$. I exemple,

$$\sin 0.53 = \sin \frac{\pi}{6} = 0.5000 \text{ (approx.)}$$

Des tables donnent les valeurs approximatives des fonctions trigo métriques de t pour des valeurs de t de 0 à 1.60 espacées de 0.01. table I de l'appendice donne ces valeurs à trois ou quatre décimales pr L'usage en est facile. Par exemple, pour trouver $\tan 1.32$, nous cherch 1.32 dans la colonne t et sur la même ligne dans la colonne $\tan t$, nous tr vons 3.903, alors nous écrivons:

$$\tan 1.32 = 3.903$$

La table I sert aussi à trouver les valeurs des fonctions pour $t > 1.60$. Pour les besoins de la démonstration, soit $P(t)$ le point trigonométrique correspondant à une valeur réelle de t et soit t_1 la longueur de l'arc le *plus court* qui joint le point $P(t)$ à l'axe des x (figure 4.6). Le nombre t_1 est **bre associé** le *nombre associé* de t. Portons le point $P(t_1)$ en mesurant la longueur de l'arc t_1 dans le sens contraire des aiguilles d'une montre à partir du point (1.0). $P(t_1)$ est dans le quadrant I. Soit (x,y) les coordonnées de $P(t)$ et (x_1,y_1) les coordonnées de $P(t_1)$. Alors, comme le montre la figure

$$|x| = x_1 \qquad |y| = y_1$$

Il suit des définitions des fonctions trigonométriques et de ces deux égalités que les valeurs des fonctions trigonométriques de t et de t_1 sont numériquement identiques mais diffèrent de signe. Nous résumons la discussion par l'égalité

$$|\text{une fonction de } t| = \text{même fonction de } t_1$$

Les valeurs absolues des fonctions trigonométriques d'un nombre réel t sont déterminées lorsque le nombre associé t_1 est connu. Il nous suffit donc de connaître le quadrant de $P(t)$ (pour déterminer les signes des fonctions trigonométriques de t) et la valeur de t_1 (pour déterminer leurs valeurs absolues).

Si $t > \pi/2 = 1.57$ (approx.), la valeur de t_1 se détermine comme dans les exemples suivants; puis, nous déduisons des valeurs des fonctions de t_1 celles des fonctions correspondantes de t. Par exemple, si $t = 3$, $t_1 = \pi - 3 = 0.14$ (figure 4.7a).

EXEMPLE 1. Calculer $\tan 4$ et $\sec 4$.

Solution. Puisque $t = 4$, et $\pi < 4 < 3\pi/2$, nous savons que $P(4)$ est dans le troisième quadrant. D'où, $\tan 4$ est positive et $\sec 4$ est négative (figure 4.7b). Le nombre associé $t_1 = 4 - \pi = 0.86$; d'où

$$|\tan 4| = \tan 0.86 = 1.162 \qquad \text{d'après la Table I}$$

et $$|\sec 4| = \sec 0.86 = \frac{1}{\cos 0.86} = \frac{1}{0.6524} = 1.533$$

D'où, $$\tan 4 = 1.162 \qquad \text{and} \qquad \sec 4 = -1.533$$

FIGURE 4.6 $(a)\ t_1 = \pi - t;\ (b)\ t_1 = t - \pi;\ (c)\ t_1 = 2\pi - t$

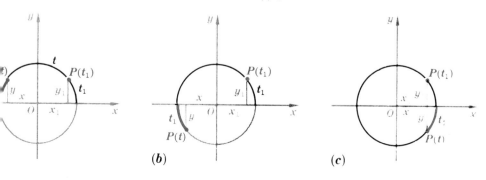

(b) **(c)**

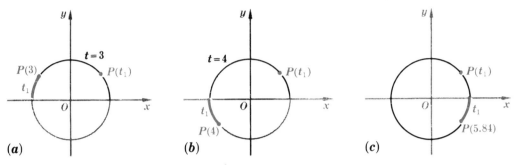

FIGURE 4.7   (a) $t_1 = \pi - 3$; (b) $t_1 = 4 - \pi$; (c) $t_1 = 2\pi - 5.84$

EXEMPLE 2.   Calculer sin 5.84.

Solution.   Puisque $3\pi/2 < 5.84 < 2\pi$, $P(5.84)$ est dans le quatrièm
quadrant et sin 5.84 est négatif.   Le nombre associé $t_1 = 2\pi - 5.84 = 0.4$
(figure 4.7c).

$$|\sin 5.84| = \sin 0.44 = 0.4259$$ **D'après la Table**

D'où $\sin 5.84 \doteq -0.4259$

EXEMPLE 3.   Calculer sin (− 16).

Solution.   Situons le point $P(-16)$ en reportant sur le cercle trigono
métrique 16 unités dans le sens négatif à partir de $(1,0)$.   Puisque

$$-16 = -[2(6.28) + 3.44] = -2(6.28) - 3.44$$

nous devons parcourir deux tours de cercle trigonométrique et 3.44 unité
additionnelles dans le sens négatif.   Donc, le point $P(-16)$, confond
avec le point $P(-3.44)$ est dans le deuxième quadrant et sin (− 16)
est positif.
    Le nombre associé $t_1 = |-3.44 - (-\pi)| = 0.30$.

D'où $|\sin (-16)| = \sin 0.30 = 0.2955$ d'après la Table

et $\sin (-16) = 0.2955$

EXERCICES 4.3

1. Calculer à l'aide de la Table I et en prenant $\pi = 3.14$ (approx.):

    (a) sin 1   (b) cos 1.3   (c) tan 2.83   (d) cos 4.87
    (e) sin 2.12   (f) sin (−3.48)   (g) cos (−5.48)   (h) tan (−2.3

2. Calculer:

    (a) sin 7.2   (b) sin (−8.28)   (c) tan 9.42   (d) tan (−9.4
    (e) cos 12.56   (f) cos 6.66   (g) cos (−8.38)   (h) tan 15
    (i) sin 24   (j) cos 18   (k) tan 35   (l) cot 21
    (m) sec (−30)   (n) sec 48   (o) cot 59   (p) csc (−45)

3. Si $\pi/2 < t < \pi$ et $\cos t = -\sqrt{3}/2$, trouver t.

4. Si $\pi/2 < t < \pi$ et $\tan t = -\sqrt{3}$, trouver t.

5. Si $3\pi/2 < t < 2\pi$ et $\tan t = -0.5994$, trouver t.

6. Trouver t si $\sin t = -0.9044$ et $3\pi/2 < t < 2\pi$.

7. Si $0 < t < \pi/2$ et $100\sin t - 103\cos t = 0$, trouver t.

8. Trouver t si $100\sin t + 301\cos t = 0$ et $\pi/2 < t < \pi$.

IDENTITÉS TRIGONOMÉTRIQUES 4.5

Identités
fondamentales

Il existe entre les fonctions trigonométriques du nombre réel t des relations si importantes que nous les appelons *identités fondamentales*. Ces identités fondamentales sont des formules valables pour toutes les valeurs réelles de t pour lesquelles les fonctions sont définies. La première se déduit du fait que $P(t)$ est un point du cercle trigonométrique. Si (x,y) sont les coordonnées de $P(t)$, alors $x^2 + y^2 = 1$. Puisque $x = \cos t$ et $y = \sin t$, il suit que $(\cos t)^2 + (\sin t)^2 = 1$. Par convention, nous écrivons:

$$\cos^2 t + \sin^2 t = 1 \qquad \text{pour tout réel } t \qquad (4.6)$$

Les puissances positives des fonctions trigonométriques s'écrivent habituellement ainsi. Par exemple, $(\tan t)^3$ s'écrit $\tan^3 t$; $(\sec t)^2$ s'écrit $\sec^2 t$, etc. Cette convention ne s'applique pas aux puissances négatives des fonctions trigonométriques. Ainsi, $(\cos t)^{-1}$ ne s'écrit pas $\cos^{-1} t$; le symbole $\cos^{-1} t$ a un sens précis et sera défini dans un chapitre ultérieur.

Si $\cos t \neq 0$, nous pouvons diviser les deux nombres de l'Ég. (4.6) par $\cos^2 t$:

$$1 + \frac{\sin^2 t}{\cos^2 t} = \frac{1}{\cos^2 t}$$

D'où,
$$1 + \left(\frac{\sin t}{\cos t}\right)^2 = \left(\frac{1}{\cos t}\right)^2$$

Puisque
$$\frac{\sin t}{\cos t} = \tan t \qquad \text{et} \qquad \frac{1}{\cos t} = \sec t$$

nous avons l'identité

$$1 + \tan^2 t = \sec^2 t \qquad (4.7)$$

De même, si $\sin t \neq 0$, nous pouvons diviser les deux membres de l'Ég. (4.6) par $\sin^2 t$ et en appliquant d'autres identités nous obtenons

$$1 + \cot^2 t = \csc^2 t \qquad (4.8)$$

Puisque $\tan t = \sin t/\cos t$ et $\cot t = \cos t/\sin t$, on a

$$\tan t \cot t = 1 \qquad (4.9)$$

Nous laissons l'étudiant démontrer que

$$\sin t \csc t = 1 \qquad (4.10)$$

et
$$\cos t \sec t = 1 \qquad (4.11)$$

Ces six identités fondamentales et les définitions des fonctions nou
permettent de prouver beaucoup d'autres identités. Nous disons qu'un
identité est prouvée lorsque (1) le membre de gauche est réduit (ou trans
formé) dans la forme exacte du membre de droite, (2) le membre de droit
est réduit à la forme exacte du membre de gauche ou (3) si les deux membre
sont réduits à la même forme.

Les réductions (ou transformations) se font en effectuant des opération
algébriques valables, jugées utiles, et des substitutions à l'aide des identité
fondamentales.   Généralement, nous cherchons à transformer le membr
de l'égalité qui semble le plus compliqué pour le réduire à la forme d
second membre.   Lorsque nous ne savons comment procéder, nous pou
vons exprimer les fonctions en termes de sinus ou de cosinus et simplifier
Mais cette méthode peut introduire des radicaux qui apportent l'ambi
guïté du signe $\pm$.

EXEMPLE 1.   Exprimer chacune des cinq autres fonctions trigonométrique
de t en termes de $\cos t$.

Solution.   (1) Puisque $\cos^2 t + \sin^2 t = 1,$

$$\sin t = \pm \sqrt{1 - \cos^2 t}$$

où le signe du radical est fixé par le quadrant où se trouve $P(t)$.

(2) $$\tan t = \frac{\sin t}{\cos t} = \frac{\pm \sqrt{1 - \cos^2 t}}{\cos t}$$

(3) $$\cot t = \frac{1}{\tan t} = \frac{\cos t}{\pm \sqrt{1 - \cos^2 t}}$$

(4) $$\sec t = \frac{1}{\cos t}$$

(5) $$\csc t = \frac{1}{\sin t} = \frac{1}{\pm \sqrt{1 - \cos^2 t}}$$

EXEMPLE 2.   Réduire le membre de gauche à la forme exacte du membr
de droite en prouvant ainsi l'identité:

$$\frac{1 - \cos t}{\sin t} = \frac{\sin t}{1 + \cos t}$$

Solution.   (1) Multiplions numérateur et dénominateur de $(1 - \cos t)/\sin$
par $1 + \cos t$.   Alors

$$\frac{1 - \cos t}{\sin t} = \frac{(1 - \cos t)(1 + \cos t)}{(\sin t)(1 + \cos t)}$$

$$= \frac{1 - \cos^2 t}{(\sin t)(1 + \cos t)}$$

(2) $$= \frac{\sin^2 t}{(\sin t)(1 + \cos t)} \qquad \text{par Ég. (4.}$$

(3) $$= \frac{\sin t}{1 + \cos t} \qquad \begin{array}{l} \text{en divisant numérateur} \\ \text{dénominateur par } \sin \end{array}$$

EXEMPLE 3. Transformer le membre de droite dans la forme exacte du membre gauche pour prouver que

$$2 \sin^2 t - 1 = \frac{\tan t - \cot t}{\tan t + \cot t}$$

est une identité.

Solution.

$$\frac{\tan t - \cot t}{\tan t + \cot t} = \frac{\dfrac{\sin t}{\cos t} - \dfrac{\cos t}{\sin t}}{\dfrac{\sin t}{\cos t} + \dfrac{\cos t}{\sin t}}$$

$$= \frac{\sin^2 t - \cos^2 t}{\sin^2 t + \cos^2 t}$$

$$= \frac{\sin^2 t - \cos^2 t}{1}$$

$$= \sin^2 t - (1 - \sin^2 t)$$

$$= 2 \sin^2 t - 1$$

EXEMPLE 4. Réduire chaque membre à la même forme en prouvant ainsi l'identité (où α est un nombre réel):

$$2 \sec^2 \alpha = \frac{1}{1 + \sin \alpha} + \frac{1}{1 - \sin \alpha}$$

Solution.

Membre de gauche	Membre de droite
$2 \sec^2 \alpha$	$\dfrac{1}{1 + \sin \alpha} + \dfrac{1}{1 - \sin \alpha}$
	$= \dfrac{(1 - \sin \alpha) + (1 + \sin \alpha)}{(1 + \sin \alpha)(1 - \sin \alpha)}$
$= 2\left(\dfrac{1}{\cos^2 \alpha}\right)$	$= \dfrac{2}{1 - \sin^2 \alpha}$
$= \dfrac{2}{\cos^2 \alpha}$	$= \dfrac{2}{\cos^2 \alpha}$

EXERCICES 4.4

1. Exprimer chacune des fonctions suivantes du nombre réel t en termes de $\sin t$:

(a) $\cos^2 t$ (b) $\cos t$ (c) $\tan t$
(d) $\sec^2 t$ (e) $\sec t$ (f) $\cot t$
(g) $\csc t$ (h) $\cot^2 t$ (i) $\tan^2 t$

2. Exprimer chacune des fonctions suivantes en termes de cos ϕ:

 (**a**) sin ϕ (**b**) tan ϕ (**c**) cot ϕ

 (**d**) sec ϕ (**e**) csc ϕ (**f**) $\tan^2 \phi$

3. Exprimer chacune des fonctions suivantes en termes de tan β:

 (**a**) cot β (**b**) $\sec^2 \beta$ (**c**) sin β

 (**d**) csc β (**e**) cos β

PROUVER chacune des identités suivantes:

4. $\tan t \cdot \cos t = \sin t$ **5.** $\tan t + \cot t = \sec t \cdot \csc t$

6. $\dfrac{\sin t}{\csc t} = 1 - \dfrac{\cos t}{\sec t}$ **7.** $1 - 2 \sin^2 t = 2 \cos^2 t - 1$

8. $(\sin \alpha)(\cot \alpha) + (\sin \alpha)(\csc \alpha) = \cos \alpha + 1$

9. $\dfrac{1}{\tan \phi + \cot \phi} = (\sin \phi)(\cos \phi)$ **10.** $\dfrac{\csc^2 \beta}{\cot^2 \beta} - 1 = \tan^2 \beta$

11. $\tan^2 \beta - \sin^2 \beta = \tan^2 \beta \sin^2 \beta$ **12.** $\dfrac{\cot x - \tan x}{\tan x + \cot x} = 1 - 2 \sin^2 x$

13. $\dfrac{1 - \cos \alpha}{\sin \alpha} - \dfrac{\sin \alpha}{1 + \cos \alpha} = 0$ **14.** $\cot x + \tan x = \cot x \cdot \sec^2 x$

15. $\dfrac{1 - \cos t}{1 + \cos t} = (\csc t - \cot t)^2$ **16.** $(\sin x - \cos x)^2 + 2 \sin x \cos x = 1$

17. $\sec \phi - \dfrac{\cos \phi}{1 + \sin \phi} = \tan \phi$ **18.** $(\sec y - \tan y)^2 = \dfrac{1 - \sin y}{1 + \sin y}$

19. $\dfrac{2}{\sin t + 1} - \dfrac{2}{\sin t - 1} = 4 \sec^2 t$ **20.** $\dfrac{3}{2 - 2 \csc t} + \dfrac{3 \cos t}{2 + 2 \csc t} = -3 \sin t \tan$

21. $(\tan t + \cot t)^2 (\sin^2 t) - \tan^2 t = 1$ **22.** $\dfrac{(\sec t - \tan t)^2 + 1}{\sec t \csc t - \tan t \csc t} = 2 \dfrac{\sin t}{\cos t}$

ANGLES PLANS   4.6

   Dans un cours de géométrie nous pourrions définir un angle plan comme
la figure géométrique formée par deux demi-droites qui ont leurs origines
en commun. Mais, pour notre étude, nous étendrons cette notion d'angle.

FIGURE 4.8 (*a*) L'angle plan formé par deux demi-droites ayant leurs origines O en commun.
     (*b*) OA est le côté origine, OB le côté extrémité.
     (*c*) OB est le côté origine, OA le côté extrémité.

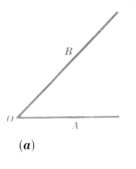
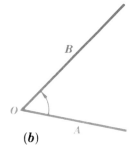
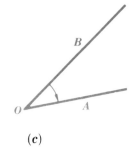

  (*a*)   (*b*)   (*c*)

Soit O l'extrémité commune aux deux demi-droites OA et OB (figure 4.8a). Les demi-droites OA et OB sont les *côtés* d'un angle et le point O le sommet de l'angle.

Nous attribuerons maintenant à cet angle un nombre qui correspond à la rotation dans la portion de plan (OA, OB) d'une des demi-droites .ure d'un angle jusqu'à coïncidence avec l'autre. Ce nombre est la *mesure* de l'angle, ou simplement l'angle. Si OA est mis en coïncidence avec OB par rotation, OA est le *côté origine* de l'angle et OB le côté extrémité. Le sens de rotation est généralement indiqué par un arc orienté allant du côté origine au côté extrémité. Dans la figure 4.8b OA est le côté origine de l'angle et dans la figure 4.8c OA est le côté extrémité. D'où la définition:

> **DÉFINITION.** Un angle est la portion de plan mesurée par la rotation d'une demi-droite du plan autour de son origine d'une **(4.12)** position origine à une position extrême.

Lorsque l'origine d'un système de coordonnées rectangulaires est le sommet d'un angle et que le côté origine coïncide avec le demi-axe des
e polaire abscisses positives, l'angle est un *angle polaire**. Un angle polaire est dit du quadrant dans lequel son extrémité se trouve. Ainsi, dans la figure 4.9, ϕ est du premier quadrant et β du troisième quadrant. Des
es coterminaux angles polaires sont *coterminaux* si leurs côtés extrémité coïncident. Dans la figure 4.9c, γ et θ sont des angles coterminaux.

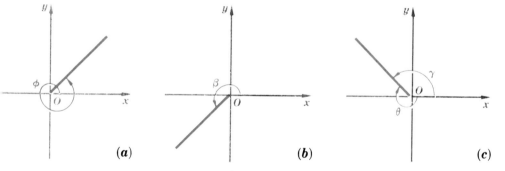

FIGURE 4.9 Angles polaires

MESURE DES ANGLES 4.7

La mesure d'un angle est positive si la rotation se fait dans le sens inverse des aiguilles d'une montre et négative dans l'autre cas. Pour noter la mesure d'angle, nous utilisons deux sortes d'unités, le *degré* et le *radian*.

*N. du T. Précisément, on appelle angle polaire la mesure de l'angle que fait une demi-droite OA avec le demi-axe des abscisses positives Ox.

Mesure en degrés   Le *degré* est défini comme l'angle formé par une demi-droite effectuant autour de son extrémité $^1/_{360}$ de rotation complète.   Pour noter l■
degré, on se sert du symbole ° écrit juste à la droite du nombre qui mesur■
l'angle.   Ainsi,

$$360° = 1 \text{ rotation complète}$$

$$180° = \frac{1}{2} \text{ rotation complète}$$

$$90° = \frac{1}{4} \text{ de rotation complète}$$

etc.
        Une *minute*, notée ' est l'angle formé par une rotation de $^1/_{60}$ de u■
degré.   Ainsi, 60' = 1°. Une *seconde* est l'angle formé par une rotatio■
de $^1/_{60}$ de minute; elle est notée ''.   Ainsi, 60'' = 1'.

Mesure en radians   Le radian, autre unité utilisée pour décrire la mesure d'un angle, es■
de beaucoup plus important pour les cours futurs de mathématiques.

DÉFINITION. Le radian est l'angle formé par une demi-droite (**4.13**)
effectuant autour de son extrémité ½π de rotation complète.

        De cette définition, nous voyons que

$$1 \text{ radian} = 1 \text{ rad} = \frac{1}{2\pi} \text{ rotations complètes}$$

$$2 \text{ rad} = 2\left(\frac{1}{2\pi}\right) \text{ rotations complètes}$$

$$3 \text{ rad} = 3\left(\frac{1}{2\pi}\right) \text{ rotations complètes}$$

$$2\pi \text{ rad} = 2\pi\left(\frac{1}{2\pi}\right) \text{ rotations complètes}$$

$$= 1 \text{ rotation complète}$$

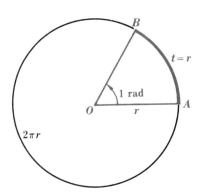

FIGURE 4.10
Un angle au centre de 1 radian
intercepte un arc dont la longueur
est égale au rayon.

Le radian peut également se définir géométriquement. Soit un angle au centre AOB (figure 4.10) d'un cercle de rayon r unités de longueur. Admettons en outre que cet angle soit de 1 rad et que l'arc intercepté a t unités de longueur. Puisque le rapport des mesures de deux angles au centre d'un cercle est égal au rapport des arcs respectifs interceptés, nous avons

$$\frac{1/2\pi \text{ rotations complètes}}{1 \text{ rotation complète}} = \frac{t}{2\pi r}$$

d'où $\qquad\qquad\qquad t = r$

Donc

gle de un radian

> Un angle de un radian est un angle qui intercepte un arc de longueur égale au rayon du cercle.

nversion des ʼians en degrés

Puisque $360° =$ une rotation complète et 2π rad $=$ une rotation complète, nous avons la relation

$$2\pi \text{ rad} = 360°$$
$$\pi \text{ rad} = 180°$$
$$\frac{\pi}{2} \text{ rad} = 90°$$
$$\frac{\pi}{3} \text{ rad} = 60°$$

Alors,

etc. En outre

$$1 \text{ rad} = \left(\frac{180}{\pi}\right)° = 57.295° \text{ (approx.)}$$

Ensuite, du fait que $180° = \pi$ rad, nous avons

$$1° = \frac{\pi}{180} \text{ rad} = 0.01745 \text{ rad (approx.)}$$
$$1' = 0.00029 \text{ rad (approx.)}$$
$$1'' = 0.00000485 \text{ rad (approx.)}$$

EXEMPLE 1. Convertir $7\pi/4$ rad en degrés.

Solution. Puisque π rad $= 180°$, $7\pi/4$ rad $= (7\pi/4)(180°) = 315°$

EXEMPLE 2. Exprimer 2.6 rad en degrés, minutes et secondes.

Solution. (1) Puisque 1 rad $= 57.295°$, 2.6 rad $= 2.6(57.295°) = 148.967°$ D'où, 2.6 rad $= 148° + 0.967°$.

(2) Alors, $0.967° = 0.967(60') = 58.02' = 58' + 0.02'$.

(3) De même, $0.02' = 0.02(60'') = 1.2''$.

(4) D'où, 2.6 rad $= 148°58'1.2''$.

EXEMPLE 3.   Exprimer $240°$ en radians.

Solution.   Puisque $1° = \pi/180$ rad, $240° = 240(\pi/180) = 4\pi/3$ rad.

EXEMPLE 4.   Exprimer $31°$ en radians.

Solution. $31° = 31(\pi/180) = 31\pi/180$ rad.

EXERCICES   4.5

EXPRIMER les angles en degrés:

1.	$\pi/4$	2.	$\pi/5$	3.	$\pi/6$	4.	$3\pi/4$
5.	$2\pi/5$	6.	$5\pi/6$	7.	$-7\pi/6$	8.	$-13\pi/6$
9.	$-\pi/15$	10.	$-13\pi/15$	11.	$\pi/36$	12.	$5\pi/36$
13.	$7\pi/6$	14.	$-\pi/18$	15.	$-13\pi/18$	16.	$5\pi/12$
17.	$\frac{4}{9}\pi$	18.	$-\frac{3}{5}\pi$	19.	6π	20.	-7π
21.	36π	22.	4.3	23.	-21	24.	-7

EXPRIMER les angles en termes de π radians:

25.	$30°$	26.	$45°$	27.	$120°$	28.	$-240°$
29.	$-270°$	30.	$-12°$	31.	$-330°$	32.	$150°$
33.	$72°$	34.	$225°$	35.	$108°$	36.	$9°$
37.	$-10°$	38.	$-315°$	39.	$300°$		

EXPRIMER en radians (mais pas en termes de π radians):

40.	$38°$	41.	$220°$	42.	$94°$	43.	$390°$
44.	$23°40'$	45.	$48°24'$	46.	$32°10'$	47.	$27°20'40$
48.	$54°00'50''$						

LONGUEUR DES ARCS,
SURFACE D'UN SECTEUR CIRCULAIRE   4.8

Si, dans un cercle dont le rayon OA a pour longueur r (figure 4.11a
l'arc AB a pour longueur r, l'angle AOB est alors un angle de 1 rad.   Soⅰ
l'arc AC un arc de longueur s et θ le nombre de radians de l'angle AOC
Puisque le rapport des mesures de deux angles au centre est égal au rappor
des arcs interceptés respectifs,

$$\frac{\text{mesure de } \measuredangle\ AOB}{\text{mesure de } \measuredangle\ AOC} = \frac{\text{longueur de l'arc } AB}{\text{longueur de l'arc } AC}$$

D'où
$$\frac{1}{\theta} = \frac{r}{s}$$

et
$$s = r\theta \qquad\qquad (4.14$$

Ainsi, la longueur d'un arc de cercle peut être calculée en multipliant le nombre d'unités de longueur du rayon par le nombre de radians de l'angle au centre qui l'intercepte.

EXEMPLE 1. Un cercle a un rayon de 15 po. Quelle est la longueur d'un arc de ce cercle intercepté par l'angle au centre de 60°?

Solution. L'angle au centre $\theta = 60° = \pi/3$ rad. D'où,

$$s = r\theta = 15\left(\frac{\pi}{3}\right) = 5\pi = 15.7 \text{ po. (approx.)}$$

EXEMPLE 2. Calculer le rayon d'un cercle dont un angle au centre de 2.5 rad intercepte un arc de 25 pi de long.

Solution. Puisque $s = r\theta$, $25 = r(2.5)$; d'où $r = 10$ pi.

Dans la figure 4.11*b*, les rayons du cercle OP et OQ forment un angle de θ rad. Si A est la surface du secteur circulaire POQ, le rapport de la surface du secteur à la surface du cercle est égal au rapport de la mesure de θ à la mesure de l'angle qui intercepte le cercle entier. Comme l'angle de 2π rad intercepte le cercle entier, nous avons

$$\frac{A}{\pi r^2} = \frac{\theta}{2\pi}$$

et $$A = \frac{1}{2}r^2\theta \qquad (4.15)$$

Note. Nous devons garder à l'esprit que dans les Ég. (4.14) et (4.15) l'angle θ doit être mesuré en radians. Sinon les égalités n'ont plus de valeur.

FIGURE 4.11 (*a*) Longueur de l'arc $= r\theta$; (*b*) surface du secteur circulaire $= \frac{1}{2}r^2\theta$.

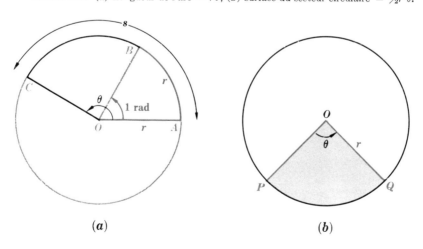

(*a*)   (*b*)

EXEMPLE 3. Un cercle a un rayon de 8 cm. Quelle est la surface d'u secteur de 30° d'angle au centre ?

Solution. L'angle au centre $\theta = 30° = \pi/6$ rad. D'où

$$A = \frac{1}{2} (8^2) \frac{\pi}{6} = \frac{16}{3} \pi = 16.75 \text{ cm}^2. \text{ (approx.)}$$

EXERCICES 4.6

1. Un cercle a un rayon de 50 po. Calculer la longueur des arcs interceptés par des angles don la mesure en radians est

   (**a**) $\pi/4$ (**b**) $3\pi/2$ (**c**) $\pi/10$ (**d**) $\pi/5$
   (**e**) 2   (**f**) 7   (**g**) 50   (**h**) 1.2

2. Un cercle a un rayon de 30 pi. Quels angles au centre en radians interceptent des arcs de

   (**a**) 30 pi   (**b**) 60 pi   (**c**) 15 pi   (**d**) 5 pi
   (**e**) 120 pi   (**f**) 2,400 pi   (**g**) 15π pi   (**h**) $105\pi/2$ p

3. Un angle au centre de $7\pi/4$ rad intercepte un arc s d'un cercle de rayon r. Calculer r si l'arc est égal à

   (**a**) 7π pi   (**b**) 35π pi   (**c**) 105π pi   (**d**) 210π pi
   (**e**) π pi   (**f**) 7 pi   (**g**) 3 pi   (**h**) 28 pi

4. Un cercle a un rayon de 10 po. Calculer la surface du secteur circulaire dont l'angle au centr en radians est

   (**a**) 2   (**b**) 3   (**c**) 5   (**d**) 2.3
   (**e**) $\pi/4$ (**f**) $\pi/3$ (**g**) $\pi/2$ (**h**) $3\pi/5$

5. Un secteur circulaire a 162 po² de surface. Calculer les rayons pour des angles au centre e radians de

   (**a**) 1   (**b**) 4   (**c**) 1,296   (**d**) 5,184

6. Un secteur circulaire a 144 po² de surface. Calculer l'angle au centre pour des rayons de

   (**a**) 2 pi   (**b**) 3 pi   (**c**) 9 pi   (**d**) 18 pi

7. Une roue a un rayon de 2 pieds. Si elle roule sur une distance de 6 pi sans glisser, de combie de radians a-t-elle tourné ?

8. Un volant a un diamètre de 20 po. S'il tourne à la vitesse de 60 rpm, de combien de radiar tourne-t-il en 15 min ?

9. Une poulie a un diamètre de 20 po. Elle est entraînée par une courroie qui se déplace à 2 pi/s. De combien de radians la poulie tourne-t-elle par seconde ?

10. Une roue d'un diamètre de 2 pi tourne à 200 rpm. Quelle surface est balayée par un rayo de la roue en 3 min. Supposons que le rayon va du centre de l'axe de la roue au bord extérieu de la jante.

11. Un satellite est lancé en orbite circulaire autour de la terre. Si la distance du satellite a centre de la terre est de 5000 mi, de combien se déplace-t-il en balayant un angle de 60° ?

12. L'électron d'un atome d'hydrogène tourne autour du noyau sur un cercle de rayon r. Quel distance parcourt-il en balayant un angle de 150° ?

13. La terre suit autour du soleil une orbite approximativement circulaire de rayon 93,000,000 m Si elle balaie environ 1° par jour, quelle distance parcourt-elle en 1 jour ?

FONCTIONS TRIGONOMÉTRIQUES D'ANGLE 4.9

Considérons le point $P(t)$ sur le cercle trigonométrique (figure 4.12a). Soit θ la mesure en radian de l'angle au centre qui intercepte t. Alors, puisque $s = r\theta$,

$$t = 1(\theta) = \theta$$

Ainsi, le nombre réel t est le même nombre que la mesure en radian de l'angle. Si $t = 1$, alors $\theta = 1$ rad; si $t = 2$, $\theta = 2$ rad, etc. Également, si $\theta = 1.52$ rad, alors $t = 1.52$; si $\theta = 2.81$ rad, $t = 2.81$, etc. Il semble donc logique de définir les fonctions trigonométriques d'un angle comme étant les fonctions de sa mesure en radians.

> **DÉFINITION.** Toute fonction trigonométrique d'un angle dont la mesure est θ radians est égale à cette même fonction du nombre **(4.16)** réel θ.

Ainsi, $\sin (t \text{ rad}) = \sin t$; $\cos (x \text{ rad}) = \cos x$; $\tan (\theta \text{ rad}) = \tan \theta$, etc. Par exemple, si $\theta = 1.39$ rad, alors $\sin \theta = \sin 1.39 = 0.9837$, d'après la Table I. Si $x = 0.55$ rad, $\tan x = 0.6131$.

Un angle est fréquemment désigné par sa mesure. Ainsi nous écrivons $\theta = 30°$ pour dire "la mesure en degré de l'angle est 30°". Nous écrivons $\sin 30°$ pour dire $\sin \theta$ où la mesure de θ est 30°. Nous écrivons $\sin \pi/4$ pour dire la fonction trigonométrique $\sin$ (d'un angle dont la mesure est $\pi/4$ rad).

Puisque les coordonnées de $P(t)$ en termes de t sont $(\cos t, \sin t)$, il suit que les coordonnées de $P(t)$ en termes de θ sont $(\cos \theta, \sin \theta)$. Soit maintenant $R(x,y)$ un point du côté extrémité de l'angle AOR (figure 4.12b) et r la longueur de OR; des propriétés des triangles semblables de la figure, nous tirons

$$\frac{\sin \theta}{1} = \frac{y}{r} \qquad \text{et} \qquad \frac{\cos \theta}{1} = \frac{x}{r}$$

FIGURE 4.12 (*a*) Relation entre θ (en radians) et t
(*b*) Relation entre θ et ses fonctions trigonométriques

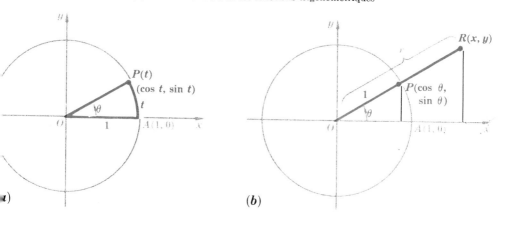

(*b*)

Et les relations suivantes sont valables si elles n'impliquent pas la division par zéro :

$$\sin \theta = \frac{y}{r} \qquad\qquad \cot \theta = \frac{\cos \theta}{\sin \theta} = \frac{x}{y}$$

$$\cos \theta = \frac{x}{r} \qquad\qquad \sec \theta = \frac{1}{\cos \theta} = \frac{r}{x} \qquad\qquad (4.17)$$

$$\tan \theta = \frac{\sin \theta}{\cos \theta} = \frac{y}{x} \qquad \csc \theta = \frac{1}{\sin \theta} = \frac{r}{y}$$

Lorsque $x = 0$, ni tan θ ni sec θ ne sont définies; lorsque $y = 0$, cot θ et csc θ ne sont pas définies.

Les Égalités (4.17) définissent donc les fonctions trigonométriques d'un angle polaire dont le côté extrémité passe par le point (x,y) du plan des coordonnées. Pour tout angle donné, nous pourrions tracer des axes de sorte que l'angle soit placé dans la position d'un angle polaire ou déplacer l'angle sur des axes convenables.

Nous pouvons maintenant représenter les fonctions trigonométriques d'angles par des segments de droite orientés. Soit $P(t)$ un point sur le cercle trigonométrique. Construisons une tangente au cercle au point $A(1,0)$ et traçons la droite passant par l'origine et le point $P(t)$: elle coupe la droite tangente au point $T(x,y)$. Abaissons la perpendiculaire PM sur l'axe des x (figure 4.13). Si θ est la mesure en radians de l'angle AOP, alors puisque $P(t)$ est sur le cercle trigonométrique.

$$\sin \theta = MP \qquad \text{et} \cos \theta = OM \qquad \text{pour tout } \theta$$

FIGURE 4.13 Fonctions trigonométriques d'un angle (**a**) du premier quadrant (**b**) du deuxième quadrant

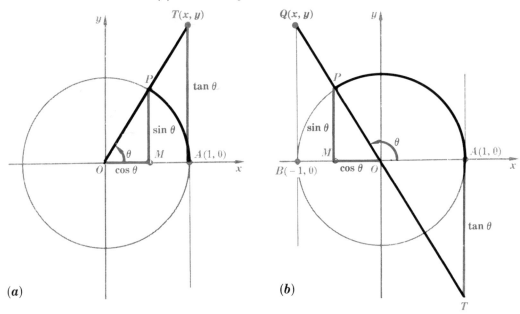

(**a**)   (**b**)

Si θ est du premier ou du quatrième quadrant, nous avons d'après les Ég. (4.17).

$$\tan \theta = \frac{y}{x} = \frac{AT}{OA} = \frac{AT}{1} = AT$$

Si θ est du deuxième ou du troisième quadrant, construire une seconde droite tangente au cercle trigonométrique en $B(-1,0)$ qui coupe OP en $Q(x,y)$. La droite OP prolongée au-delà de l'origine coupe la première tangente en T. Alors, les coordonnées (x,y) de Q sont les opposées des distances orientées OA et AT respectivement. De nouveau, nous avons $\tan \theta = AT$.

Les seuls angles auxquels ce raisonnement ne s'applique pas sont les angles $\pi/2 + 2k\pi$ et $(3\pi/2) + 2k\pi$, k un entier, pour lesquels $\tan \theta$ n'est pas définie.

D'où: $\qquad\qquad \tan \theta = AT \qquad$ pour tout θ

La longueur des segments représente les valeurs des fonctions de θ et le sens des segments donne le signe de ces fonctions. Par exemple, lorsque θ est dans le second ou le quatrième quadrant, AT se dirige vers le bas et $\tan \theta$ est négative.

Comme les radians peuvent être convertis en degrés et réciproquement, la discussion précédente s'applique aux angles mesurés en degrés.

Nous pouvons estimer la valeur de $\sin \theta$, $\cos \theta$, $\tan \theta$ par la mesure de la longueur des segments respectifs MP, OM, AT. Alors $\cot \theta$, $\sec \theta$, $\csc \theta$ peuvent se calculer par les identités convenables. Par exemple, estimer les valeurs des fonctions de $122°$ (figure 4.13). Pour rendre cette estimation plus précise, nous traçons la figure à plus grande échelle sur une feuille de papier millimétrique. Puisque $P(t)$ est du deuxième quadrant, le sinus de l'angle est positif, le cosinus et la tangente sont tous deux négatifs. D'où:

$$\sin 122° = MP = 0.84 \qquad\qquad \csc 122° = \frac{1}{\sin 122°} = 1.19$$

$$\cos 122° = OM = -0.53 \qquad\qquad \sec 122° = \frac{1}{\cos 122°} = -1.9$$

$$\tan 122° = AT = -1.60 \qquad\qquad \cot 122° = \frac{1}{\tan 122°} = -0.63$$

Certaines valeurs trouvées pour des fonctions trigonométriques d'angles sont des valeurs exactes.

EXEMPLE 1. Soit l'angle polaire θ, dont le côté extrémité contient le point $P(-3,4)$. Quelles sont les valeurs des fonctions trigonométriques de θ.

Solution. Puisque $x = -3$ et $y = 4$, $r = OP = 5$. D'où, $\sin \theta = y/r = \frac{4}{5}$, $\cos \theta = x/r = -\frac{3}{5}$, $\tan \theta = y/x = -\frac{4}{3}$, $\cot \theta = x/y = -\frac{3}{4}$, $\sec \theta = r/x = -\frac{5}{3}$, $\csc \theta = r/y = \frac{5}{4}$.

EXERCICES 4.7

Dans tous les problèmes suivants se servir de papier millimétrique et d'un rapporteur.   Construir■
soigneusement le cercle trigonométrique et la tangente en A (1,0).

1.   Construire les angles demandés et dire quelles sont les estimations erronnés:

(a) $\sin 20° = 0.34$ (b) $\cos 20° = 0.94$
(c) $\tan 20° = 0.36$ (d) $\sin 170° = 0.49$
(e) $\cos 170° = -0.63$ (f) $\tan 170° = -0.56$
(g) $\sin 250° = -0.94$ (h) $\cos 250° = -0.84$
(i) $\tan 250° = -2.75$ (j) $\sin 88° = 1.20$

2.   Construire les segments de longueur demandée et vérifier les valeurs estimées de θ:

(a) Si $OM = 0.64$, alors $\theta = 50°$.
(b) Si $AT = 5.7$, alors $\theta = 80°$.
(c) Si $MP = 0.50$, alors $\theta = 30°$.

3.   Tracer des figures et estimer les valeurs de:

(a) $\sin 50°$ (b) $\cos 50°$ (c) $\tan 50°$ (d) $\sin 150°$
(e) $\cos 150°$ (f) $\tan 150°$ (g) $\sin 230°$ (h) $\cos 230■$
(i) $\tan 230°$ (j) $\sin 340°$ (k) $\cos 340°$ (l) $\tan 340■$

CALCULER les fonctions trigonométriques des angles polaires suivants tels que les points donné■
se trouvent sur le côté extrémité de chacun d'eux:

4.   (12,5)   5.   (9,12)   6.   (3,5)   7.   (8,8)
8. $(-15,-8)$ 9.   (6,4)   10. $(12,-16)$ 11. $(2\sqrt{6},■$
12. $(-\sqrt{6},-\sqrt{10})$

DÉTERMINER dans chaque cas le quadrant dans lequel se trouve le côté extrémité de l'angle si

13.   Le sinus et la tangente sont positifs.   14.   Le sinus et la tangente sont négatif■
15.   La sécante et la cosécante sont positives.   16.   Le sinus et le cosinus sont négatifs.
17.   Le sinus et la sécante sont positifs.

CALCULER les quantités demandées dans chaque cas.   L'angle θ est un angle polaire et le côt■
extrémité passe par $P(x,y)$:

18.   Si $y = 6$ et $\sin \theta = \frac{3}{5}$, calculer x et r.
19.   Si $x = 4$ et $\cos \theta = \frac{5}{6}$, calculer y et r.
20.   Si $y = 5$ et $\tan \theta = 1.5$, calculer x et r.

TABLES DES FONCTIONS D'ANGLES 4.10

Si un angle est mesuré en degrés, nous pouvons convertir les degré■
en radians.   Par exemple, si $\theta = 40°$, alors $\theta = 40(\pi/180) = 0.70$ ra■
(approx.).   D'où, $\sin 40° = \sin 0.70 \, \text{rad} = \sin 0.70 = 0.6442$ (approx.) d'aprè■
la Table I.   Cependant lorsqu'un angle est mesuré en degrés, il est bo■
d'avoir une table telle la Table II de l'appendice.   Cette table est fait■
pour donner les valeurs approximatives des fonctions trigonométrique■

des angles de 0 à 90°. Son application aux angles de plus de 90° sera considérée plus tard.

Pour nous servir de la Table II, nous procédons ainsi:

1. Pour un angle inférieur à 45°, nous cherchons l'angle dans la colonne de gauche intitulée θ et suivons la ligne jusqu'à la colonne correspondant au nom de la fonction cherchée.

Par exemple, pour trouver cos 33°20′, cherchons 33°20′ dans la colonne de gauche et suivons la ligne jusqu'à la colonne intitulée *cos* θ. Le nombre entré à cet endroit est 0.8355; donc cos 33°20′ = 0.8355.

2. Pour un angle supérieur à 45°, nous cherchons l'angle dans la colonne de l'extrême droite de la page qui se lit de bas en haut et s'intitule θ dans le coin inférieur droit. Nous suivons la ligne vers la gauche jusqu'à la colonne intitulée en bas du nom de la fonction cherchée. Par exemple, pour trouver tan 67°50′, lisons de bas en haut la colonne d'extrême droite jusqu'à 67°50′. En suivant la ligne horizontale jusqu'à la colonne intitulée *tan* θ en bas, nous trouvons l'entrée 2.455; donc tan 67°50′ = 2.455.

EXEMPLE 1.

(1) sin 37°10′ = 0.6041

(2) sec 28°40′ = 1.140

(3) tan 15°20′ = 0.2742

(4) csc 71°30′ = 1.054

(5) sin 84°50′ = 0.9959

Lorsque la valeur d'une fonction trigonométrique d'un angle est donnée, la Table II nous permet de trouver l'angle correspondant. En supposant que l'angle soit aigu, l'exemple suivant illustre la méthode à suivre.

EXEMPLE 2. Si $0 < \theta < 90°$ et tan $\theta = 0.7954$, trouver θ.

Solution. Cherchons 0.7954 dans la colonne intitulée *tan* θ en haut ou en bas. Dans ce cas nous trouvons 0.7954 dans la colonne intitulée *tan* θ en haut. Nous lisons donc l'angle correspondant 38°30′ dans la colonne de gauche. Donc, si tan $\theta = 0.7954$, $\theta = 38°30′$.

EXEMPLE 3. Étant donné sin $\theta = 0.9304$, trouver θ si $0 < \theta < 90°$.

Solution. Trouver 0.9304 dans une colonne intitulée *sin* θ en bas ou en haut. Dans ce cas nous trouvons 0.9304 dans la colonne intitulée *sin* θ en bas. Nous lisons donc l'angle correspondant, 68°30′, dans la colonne de droite. Donc, si sin $\theta = 0.9304$, $\theta = 68°30′$.

Les deux points à se rappeler en se servant de la Table II sont:

1. Pour un angle inférieur à 45°, lire de haut en bas les colonnes intitulées en haut.

2. Pour un angle supérieur à 45°, lire de bas en haut les colonnes intitulées en bas.

EXERCICES 4.8

TROUVER les valeurs des fonctions données en se servant des tables de valeurs naturelles:

1.	$\sin 28°$	**2.**	$\cos 37°$	**3.**	$\tan 21°$
4.	$\cot 20°$	**5.**	$\sec 17°$	**6.**	$\csc 32°$
7.	$\cos 20°10'$	**8.**	$\sin 43°30'$	**9.**	$\tan 41°40'$
10.	$\sec 25°50'$	**11.**	$\tan 18°20'$	**12.**	$\sin 44°40'$
13.	$\cos 10°30'$	**14.**	$\sin 15°50'$	**15.**	$\tan 22°10'$
16.	$\sin 47°$	**17.**	$\cos 62°$	**18.**	$\tan 75°$
19.	$\csc 82°$	**20.**	$\sec 65°$	**21.**	$\cos 89°$
22.	$\sin 48°10'$	**23.**	$\cos 52°50'$	**24.**	$\sin 74°30'$
25.	$\sin 68°50'$	**26.**	$\sin 89°50'$	**27.**	$\cos 89°10'$
28.	$\tan 1°10'$	**29.**	$\sin 2°40'$	**30.**	$\tan 89°50'$
31.	$\cot 72°20'$	**32.**	$\csc 45°10'$	**33.**	$\sec 64°30'$

TROUVER la valeur de θ, si $0 \leq \theta \leq 90°$, si:

34.	$\sin \theta = 0.6583$	**35.**	$\cos \theta = 0.7916$	**36.**	$\tan \theta = 0.7355$
37.	$\sec \theta = 1.241$	**38.**	$\tan \theta = 0.6088$	**39.**	$\csc \theta = 1.812$
40.	$\sin \theta = 0.3692$	**41.**	$\cos \theta = 0.8704$	**42.**	$\cos \theta = 0.9911$
43.	$\tan \theta = 0.0787$	**44.**	$\csc \theta = 2.323$	**45.**	$\sec \theta = 1.121$
46.	$\cos \theta = 0.7294$	**47.**	$\sin \theta = 0.7030$	**48.**	$\tan \theta = 0.9942$
49.	$\tan \theta = 1.124$	**50.**	$\sin \theta = 0.7470$	**51.**	$\cos \theta = 0.5688$

TROUVER l'angle, s'il est aigu et si:

52.	$\sin \phi = 0.9838$	**53.**	$\cot \alpha = 6.561$	**54.**	$\tan \beta = 4.989$
55.	$\cot \beta = 0.9490$	**56.**	$\tan \phi = 1.054$	**57.**	$\cot \phi = 1.303$
58.	$\sec \alpha = 1.722$	**59.**	$\sin \phi = 0.8936$	**60.**	$\cos \phi = 0.130$

INTERPOLATION LINÉAIRE 4.11

Nous pouvons, à ce point, aborder le problème des fonctions trigono
métriques de nombres, ou d'angles, intermédiaires à ceux mentionnés dan
les tables. Par exemple, si $t = 1.485$, nous ne pouvons pas trouver sin
directement dans la Table 1. Mais, comme 1.485 se trouve à mi-chemi
entre 1.480 et 1.490, nous soupçonnons que sin 1.485 se trouve (approx
à mi-chemin entre sin 1.480 et sin 1.490. Pour déterminer les valeu
approximatives des fonctions de ces nombres, nous adoptons à l'usage
proposition suivante:

Faibles variations de t

> La variation de valeur d'une fonction trigonométrique de t résultant
> d'une faible variation de t est approximativement proportionnelle à la
> variation de t.

L'usage courant montre que les approximations obtenues sont raison
nablement précises. Les approximations de la cotangente et de la cosécan
deviennent plus inexactes pour des valeurs de t près de zéro, et les approx
mations pour la tangente et la sécante deviennent plus inexactes pour de
valeurs de t proches de $\pi/2$.

Nous considérons comme faible variation une variation du nombre t de 0.01 ou une variation de 10' de l'angle θ.

EXEMPLE 1. Trouver sin 1.483

Solution. Le nombre 1.483 est aux 0.003/0.010 = 3/10 de la différence entre 1.480 et 1.490. D'après la proposition adoptée, la valeur approximative de sin 1.483 est aux 3/10 de la différence entre sin 1.480 et 1.490. D'après la Table I,

$$\sin 1.480 = 0.9959 \quad \text{et} \quad \sin 1.490 = 0.9967$$

Donc, la différence entre 0.9959 et 0.9967 (dite *différence tabulaire*) étant 0.0008, les 3/10 de cette différence tabulaire à quatre décimales près est 0.0002. D'où;

$$\sin 1.483 = \sin 1.480 + 0.0002$$
$$= 0.9959 + 0.0002 = 0.9961$$

La disposition tabulaire suivante est souvent adoptée:

$$0.01 \left\{ 0.003 \begin{cases} \sin 1.480 = 0.9959 \\ \sin 1.483 = 0.9959 + d \end{cases} d \right\} 0.0008$$
$$\sin 1.490 = 0.9967$$

Par la proposition adoptée, la variation de sin t est approximativement proportionnelle à la variation de t.

$$\frac{0.003}{0.01} = \frac{d}{0.0008}$$

et $\qquad\qquad d = 0.00024 = 0.0002$ (approx.)

Donc: $\qquad \sin 1.483 = 0.9959 + 0.0002$
$$= 0.9961 \text{ (approx.)}$$

EXEMPLE 2. Trouver cos 1.413

Solution. Puisque cos 1.413 est entre cos 1.410 et cos 1.420, nous utilisons la disposition tabulaire suivante, en gardant en mémoire que cos t *décroît* lorsque t croît de 0 à $\pi/2 = 1.57$. (Voir Table I l'illustration de ce fait).

$$0.01 \left\{ 0.003 \begin{cases} \cos 1.410 = 0.1601 \\ \cos 1.413 = 0.1601 - d \end{cases} d \right\} 0.0099$$
$$\cos 1.420 = 0.1502$$

D'où $\qquad\qquad \dfrac{0.003}{0.01} = \dfrac{d}{0.0099}$

et $\qquad\qquad d = 0.00297 = 0.0030$ (approx.)

Donc $\qquad \cos 1.413 = 0.1601 - 0.0030 = 0.1571$ (approx.)

Lorsqu'une fonction trigonométrique de t est donnée, nous pouvons utiliser une disposition semblable pour trouver la valeur approximative de t.

EXEMPLE 3.   Trouver t si $\tan t = 1.892$ et $0 < t < \pi/2$.

Solution.   D'après la Table I, $\tan 1.08 = 1.871$ et $\tan 1.09 = 1.967$. D'où nous concluons que t est entre 1.08 et 1.09.

$$0.01 \left\{ d \left\{ \begin{array}{l} \tan 1.08 = 1.871 \\ \tan (1.08 + d) = 1.892 \\ \tan 1.09 = 1.917 \end{array} \right\} 0.021 \right\} 0.046$$

D'où,
$$\frac{d}{0.01} = \frac{0.021}{0.046}$$

et
$$d = 0.005 \text{ (approx.)}$$

Alors, $\tan (1.08 + 0.005) = 1.892$ (approx.)

Donc, $t = 1.08 + 0.005 = 1.085$ (approx.)

L'emploi de la Table II est similaire.

EXEMPLE 4.   Trouver $\sec 40°13'$.

Solution.   Disposons nos valeurs :

$$10' \left\{ 3' \left\{ \begin{array}{l} \sec 40°10' = 1.309 \\ \sec 40°13' = 1.309 + d \end{array} \right\} d \right\} 0.003$$

$$\sec 40°20' = 1.312$$

Alors,
$$\frac{3}{10} = \frac{d}{0.003}$$

et
$$d = 0.0009 = 0.001 \text{ (approx.)}$$

Donc, $\sec 40°13' = 1.309 + 0.001 = 1.310$ (approx.)

EXERCICES   4.9

TROUVER les valeurs des fonctions données (se servir de la Table I et interpoler) :

1.	$\sin 1.035$	2.	$\cos 0.685$	3.	$\tan 0.565$
4.	$\tan 1.326$	5.	$\cot 1.564$	6.	$\sec 1.172$
7.	$\csc 0.616$	8.	$\sin 0.928$	9.	$\tan 1.064$
10.	$\cos 0.352$	11.	$\tan 0.157$	12.	$\sin 0.108$
13.	$\sin 1.116$	14.	$\cos 1.024$	15.	$\tan 1.538$

TROUVER les valeurs des fonctions données (se servir de la Table II et interpoler) :

16.	$\sin 28°32'$	17.	$\cos 25°44'$	18.	$\tan 18°56'$
19.	$\sec 21°21'$	20.	$\sin 38°28'$	21.	$\cos 10°17'$
22.	$\sin 32°38'$	23.	$\cos 19°06'$	24.	$\tan 4°08'$
25.	$\tan 47°18'$	26.	$\sin 73°22'$	27.	$\cos 72°43'$
28.	$\cos 63°33'$	29.	$\tan 84°24'$	30.	$\sin 87°16'$
31.	$\sec 63°02'$	32.	$\cot 55°56'$	33.	$\csc 71°23'$

34. cot $49°22'$	**35.** csc $52°27'$	**36.** sin $49°48'$
37. cos $51°37'$	**38.** sin $67°01'$	**39.** cos $70°02'$

TROUVER le nombre réel, inférieur à $\pi/2$, dont la fonction trigonométrique est donnée (se servir de la Table I et interpoler):

40. $\sin t = 0.1320$	**41.** $\tan t = 0.2200$	**42.** $\cos t = 0.9371$
43. $\tan x = 6.120$	**44.** $\cos x = 0.2415$	**45.** $\cot y = 0.2480$
46. $\sec z = 2.938$	**47.** $\csc z = 1.036$	**48.** $\sec x = 1.688$
49. $\sin x = 0.8698$	**50.** $\cos x = 0.8746$	**51.** $\tan z = 0.2592$

TROUVER l'angle inférieur à $90°$ dont la fonction trigonométrique est donnée (se servir de la Table

52. $\tan \phi = 0.4100$	**53.** $\cos \phi = 0.9540$	**54.** $\sin \phi = 0.5350$
55. $\sin x = 0.6887$	**56.** $\sin y = 0.7988$	**57.** $\cos x = 0.3190$
58. $\tan x = 1.3268$	**59.** $\cos x = 0.6441$	**60.** $\sin \phi = 0.8879$
61. $\cos \phi = 0.2954$	**62.** $\sin \beta = 0.9911$	**63.** $\tan \beta = 2.7575$

FONCTIONS TRIGONOMÉTRIQUES D'ANGLES QUELCONQUES 4.12

Pour trouver les fonctions trigonométriques d'un nombre réel t supérieur à $\pi/2$, il a été utile de définir le nombre t_1 associé à t (voir Sect. 4.4). De même, pour trouver les fonctions trigonométriques d'un angle θ lorsque θ est supérieur à $\pi/2$ rad $= 90°$, nous définirons l'angle θ_1 associé à l'angle θ. L'angle θ_1 associé à l'angle θ est *l'angle positif aigu formé par l'axe des x et le côté extrémité de θ* (figure 4.14). Ainsi, si θ est dans le second quadrant, alors $\theta_1 = 180° - \theta$. Si θ est dans le quadrant III, $\theta_1 = \theta - 180°$. Si θ est dans le quatrième quadrant, alors $\theta_1 = 360° - \theta$.

FIGURE 4.14 (*a*) $\theta_1 = 180° - \theta$
(*b*) $\theta_1 = \theta - 180°$
(*c*) $\theta_1 = 360° - \theta$

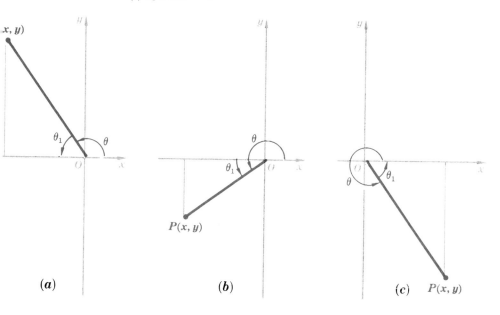

(*a*)   (*b*)   (*c*) $P(x, y)$

Par un raisonnement similaire à celui de la Section 4.4, on montr
que les fonctions trigonométriques d'un angle θ sont numériquemer
égales aux fonctions identiques de l'angle associé θ_1, mais peuvent différe
en signe. Donc, si $F(\theta)$ est une fonction trigonométrique de θ et si
est l'angle associé à l'angle θ, alors

$$|F(\theta)| = F(\theta_1)$$

Par exemple, si $\theta = 154°$, alors θ est dans le second quadrant et $\theta_1 = 26$
Donc, sin 154° est positif. Comme

$$|\sin 154°| = \sin 26° = 0.4384$$

nous avons sin 154° = 0.4384.

En outre, cos 154° est négatif. Alors, comme

$$|\cos 154°| = \cos 26° = 0.8988$$

nous avons cos 154° = − 0.8988

De même, tan 154° est négative. Par conséquent, nous avons

$$|\tan 154°| = \tan 26° = 0.4877$$

et $$\tan 154° = -0.4877$$

EXEMPLE 1. Trouver sin θ et tan θ si $\theta = 242°$.

Solution. Le côté extrémité de θ se trouve dans le $3^{\text{ème}}$ quadran
D'où sin θ est négatif et tan θ est positive. L'angle associé $\theta_1 = 62$

Comme, $$|\sin 242°| = \sin 62° = 0.8829$$

et $$|\tan 242°| = \tan 62° = 1.881$$

nous avons $$\sin 242° = -0.8829$$

et $$\tan 242° = 1.881$$

EXEMPLE 2. Trouver cos β et cot β si $\beta = -147°$.

Solution. Comme β est dans le troisième quadrant, cos β est négatif
cot β est positive. L'angle associé $\beta_1 = 33°$. Donc,

$$\cos(-147°) = -\cos 33° = -0.8387$$

et $$\cot(-147°) = \cot 33° = 1.540$$

Ainsi, pour trouver la valeur d'une fonction trigonométrique d'u
angle, par exemple θ, (1) trouver le quadrant dans lequel θ se trouv
(2) déterminer le signe de la fonction donnée; (3) trouver l'angle associé θ
(4) d'après la table, trouver la valeur de la fonction donnée de θ_1; (5) app
quer le signe déterminé en (2).

EXERCICES 4.10

TROUVER la valeur de chacune des fonctions, en interpolant si nécessaire, d'après la Table II:

1. sin 150°	**2.** cos 120°	**3.** tan 172°
4. sec 106°50′	**5.** csc 123°10′	**6.** cot 133°20′
7. cos 117°40′	**8.** sin 174°30′	**9.** cos 96°30′
10. tan 212°	**11.** cot 243°	**12.** sin 268°
13. cos 215°20′	**14.** sin 244°50′	**15.** tan 258°30′
16. cot 225°10′	**17.** sec 195°50′	**18.** cos 182°40′
19. sin 275°	**20.** cos 314°	**21.** tan 325°
22. tan 344°10′	**23.** sin 358°20′	**24.** tan 280°30′
25. sin (− 115°)	**26.** cos (− 225°)	**27.** tan (− 320°)
28. tan (− 278°)	**29.** cot (− 123°)	**30.** sec (− 154°)
31. cos 117°23′	**32.** sin 229°47′	**33.** cot 138°06′
34. sec 227°33′	**35.** cos 318°42′	**36.** sin 344°17′

TROUVER toutes les valeurs d'angle entre 0° et 360° qui satisfont les équations. Exprimer les résultats à la minute près. Interpoler, si nécessaire.

37. $\tan \phi = 0.4100$	**38.** $\cos \phi = 0.9540$
39. $\sin x = 0.5350$	**40.** $\sin x = -0.6887$
41. $\sin y = -0.7988$	**42.** $\cos z = -0.3190$
43. $\tan \beta = -1.3268$	**44.** $\cos \alpha = -0.6441$
45. $\sin w = -0.8879$	**46.** $\cos x = -0.2954$
47. $\sin \gamma = -0.9911$	**48.** $\tan \gamma = -2.7575$
49. $\sec A = 1.130$	**50.** $\csc B = -2.156$
51. $\cos y = -2.088$	**52.** $\cot B = 1.247$
53. $\cos \gamma = -0.6616$	**54.** $\sin \alpha = -0.7478$

VARIATION DES FONCTIONS TRIGONOMÉTRIQUES 4.13

Considérons de nouveau le point $P(t)$ du cercle trigonométrique (fig. 4.15) et observons les variations de longueur de MP lorsque t varie continuellement de 0 à 2π. Comme $\sin t = MP$, nous voyons que pour $t = 0$, $\sin t = 0$. Lorsque t croît de 0 à $\pi/6$, $\sin t$ croît de 0 à $\sin \pi/6 = 0.5$. Lorsque t continue à croître de $\pi/6$ à $\pi/3$, $\sin t$ continue de croître jusque 0.87 (approx.). En $t = \pi/2$, $\sin t$ atteint une valeur maximum de 1.

Lorsque t croît de $\pi/2$ à π, $\sin t$ décroît de 1 à 0. Dans le troisième quadrant, $\sin t$ est négatif et décroît de 0 à − 1 lorsque t croît de π à $3\pi/2$. Lorsque t croît de $3\pi/2$ à 2π, $\sin t$ croît de − 1 à 0.

En observant les variations de longueur de OM, nous trouvons que lorsque t augmente de 0 à $\pi/2$, $\cos t = OM$ décroît de 1 à 0. Lorsque t croît de $\pi/2$ à π, $\cos t$ continue de décroître de 0 à − 1. Ensuite, lorsque t croît de π à $3\pi/2$, $\cos t$ croît de − 1 à 0. Puis, dans le quatrième quadrant, si t varie de $3\pi/2$ à 2π, alors $\cos t$ croît de 0 à 1.

Comme $\tan t = AT$, nous remarquons que lorsque t croît à partir de 0, $\tan t$ croît à partir de 0. Plus t se rapproche de $\pi/2$ plus $\tan t$ augmente.

Nous décrivons ce comportement en disant: *Lorsque $0 < t < \pi/2$, tan t est positive et croît sans limite lorsque t se rapproche de $\pi/2$.*

Lorsque t est dans le deuxième quadrant, AT' est orienté vers le bas et tan t est négative. Lorsque t décroît vers $\pi/2$, la longueur de AT' s'accroît dans le sens inférieur; ce qui signifie que tan t décroît algébriquement. Plus t se rapproche de $\pi/2$, plus tan t devient petite (algébriquement). En choisissant t assez près de $\pi/2$, nous pouvons rendre tan t aussi petite que l'on veut. Nous décrivons ce résultat en disant: *Lorsque $\pi/2 < t < \pi$ tan t est négative et décroît sans limite lorsque t se rapproche de $\pi/2$.*

De ce raisonnement nous voyons que lorsque t, d'une valeur légèrement plus grande que $\pi/2$ croît vers π, tan t croît vers 0. Puis, lorsque

FIGURE 4.15 Variation des fonctions trigonométriques

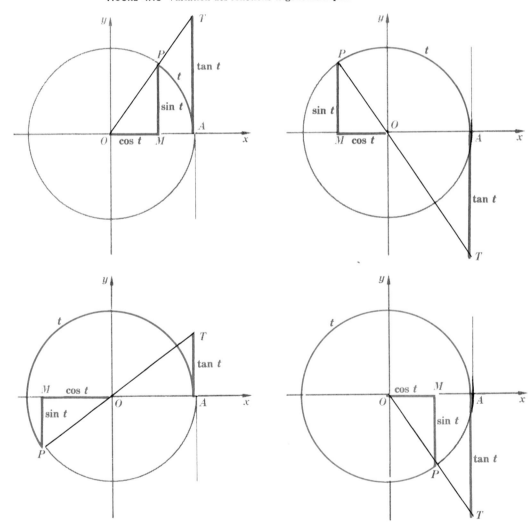

croît de π à $3\pi/2$, tan t croît à partir de 0 et suit le comportement de tan t dans le premier quadrant. Lorsque t croît de $3\pi/2$ à 2π, tan t suit le comportement de la fonction dans le deuxième quadrant.

Les relations inverses nous permettent de déterminer la variation des trois autres fonctions. Par exemple, si $t = 0$, cot $t = 1/$tan t n'est pas définie. Lorsque t varie de 0 à $\pi/2$, cot t décroît vers 0. Dans le second quadrant cot t est négative. Lorsque t se rapproche de π par valeurs inférieures, cot t décroît sans limite. Lorsque t croît de π à $3\pi/2$ et, ensuite, de $3\pi/2$ à 2π, cot t reproduit le comportement de la fonction dans les premier et deuxième quadrants respectivement. Le tableau 1 résume les variations des fonctions sinus, cosinus et tangente.

Table 1   Variation des fonctions trigonométriques

Si t varie de	sin t varie de	cos t varie de	tan t varie
0 à $\dfrac{\pi}{2}$	0 à 1	1 à 0	de 0 suivant toutes les valeurs positives
$\dfrac{\pi}{2}$ à π	1 à 0	0 à -1	suivant toutes les valeurs négatives jusqu'à 0 compris
π à $\dfrac{3\pi}{2}$	0 à -1	-1 à 0	de 0 suivant toutes les valeurs positives
$\dfrac{3\pi}{2}$ à 2π	-1 à 0	0 à 1	suivant toutes les valeurs négatives jusqu'à 0 compris

Nous laissons à l'étudiant le soin de construire un tableau semblable montrant les variations de cot t, sec t et csc t lorsque t varie de 0 à 2π.

EXERCICES   4.11

1. Soit dans le premier quadrant $P(t)$ un point du cercle trigonométrique. Construire la tangente au cercle en $B(0,1)$; la droite passant par $P(t)$ et l'origine coupe cette tangente en Q. Vérifier sur la figure que cot t a pour mesure le nombre d'unités de longueur du segment BQ.

2. Se servir de la figure du Problème 1 pour déterminer la variation de cot t lorsque t varie de 0 à $\pi/2$.

3. Se servir de la figure du Problème 1 pour déterminer la variation de cot t lorsque t varie de $\pi/2$ à π.

4. Soit dans le premier quadrant un point $P(t)$ du cercle trigonométrique. Construire la tangente au cercle en $A(1,0)$; la droite passant par l'origine et $P(t)$ coupe la tangente en T. Vérifier sur cette figure que sec t a pour mesure le nombre d'unités de longueur du segment OT.

5. Se servir de la figure du Problème 4 pour étudier la variation de sec t lorsque t varie de 0 à 2π.

6. Soit dans le premier quadrant un point $P(t)$ du cercle trigonométrique. Construire la tangente au cercle en $B(0,1)$; la droite joignant l'origine à $P(t)$ coupe la tangente en R. Montrer que csc t a pour mesure le nombre d'unités de longueur du segment OR.

7. Se servir de la figure du Problème 6 pour étudier la variation de csc t lorsque t varie de 0 à 2π.

8. Faire un tableau semblable à celui de la section précédente montrant la variation de cot t, sec t et csc t lorsque t varie de 0 à 2π.

GRAPHE DE y = sin x   4.14

Si x est un nombre réel, la fonction définie par $y = \sin x$ est la fonction dont les couples sont $(x, \sin x)$. En considérant le point trigonométrique $P(x)$ lorsqu'il se déplace le long du cercle, dans l'un ou dans l'autre sens il est évident que $\sin 2k\pi = 0$, où k est un entier. Donc les couples

$$\ldots, (-2\pi, 0), (-\pi, 0), (0, 0), (\pi, 0), (2\pi, 0), \ldots$$

sont des couples de la fonction. Les points dont les coordonnées sont ces couples sont donc les points communs au graphe de $y = \sin x$ et à l'axe des x.

De la variation de la fonction sinus, nous savons que $\sin (\pi/2) = 1$ et que $\sin x = 1$ seulement si x et $\pi/2$ sont coterminaux. Aussi, $\sin x$ n'est jamais plus grand que 1. D'autre part, $\sin (3\pi/2) = -1$, et $\sin x = -1$ seulement si x et $3\pi/2$ sont coterminaux. La valeur la plus petite de $\sin x$ est -1. De cette information nous pourrions tracer un graphe sommaire de la fonction. Avec quelques points additionnels portés nous obtiendrons un graphe plus précis. Voici un tableau de couples de $y = \sin x$ pour des valeurs de x entre -2π et 2π:

x	$-\dfrac{7\pi}{4}$	$-\dfrac{3\pi}{2}$	$-\dfrac{5\pi}{4}$	$-\pi$	$-\dfrac{3\pi}{4}$	$-\dfrac{\pi}{2}$	$-\dfrac{\pi}{4}$
y	0.71	1	0.71	0	-0.71	-1	-0.71

x	0	$\dfrac{\pi}{4}$	$\dfrac{\pi}{2}$	$\dfrac{3\pi}{4}$	π	$\dfrac{5\pi}{4}$	$\dfrac{3\pi}{2}$	$\dfrac{7\pi}{4}$
y	0	0.71	1	0.71	0	-0.71	-1	-0.71

Pour un graphe bien proportionné, nous utilisons la même échelle pour les 2 axes et marquons le point π de l'axe des x le plus près possible de 3.14. Nous supposons que les graphes des fonctions trigonométriques sont des courbes unies continues (sans angles ou discontinuités).

Lorsque les couples ordonnés $(x, \sin x)$ sont reportés et joints par une courbe continue, nous avons la portion du graphe de $y = \sin x$ comprise entre $x = -2\pi$ et $x = 2\pi$ (voir figure 4.16).

FIGURE 4.16 Graphe de $y = \sin x$, $-2\pi \leq x \leq 2\pi$

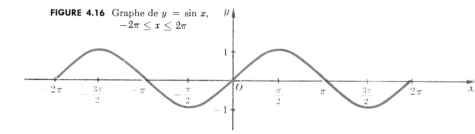

GRAPHE DE y = a sin x 4.15

Considérons la fonction définie par $y = a \sin x$, où a et x sont des nombres réels. Les couples de cette fonction $(x, a \sin x)$ montrent le rôle du nombre réel a comme multiplicateur. Par exemple, soit $a = 2$, de sorte que $y = 2 \sin x$. Lorsque $x = \pi/6$, $y = 2 \sin (\pi/6) = 2(0.5) = 1$. Quand $x = \pi/2$, $y = 2 \sin (\pi/2) = 2(1) = 2$.

Puisque la plus grande valeur de $\sin x$ est 1, la plus grande valeur de $a \sin x$ est $|a|$. La plus petite valeur de $a \sin x$ est $-|a|$. Les valeurs maximum et minimum se présentent lorsque x est un multiple impair de $\pi/2$. Nous appellerons le nombre $|a|$ l'*amplitude* de la fonction.

> **DÉFINITION.** L'amplitude d'une fonction $y = f(x)$ est la plus grande distance de tout point du graphe de $f(x)$ à une droite hori- **(4.18)** zontale qui passe à mi-chemin entre les valeurs maximum et minimum de la fonction.

Ainsi l'amplitude de $y = \sin x$ est 1, l'amplitude de $y = 3 \sin x$ est 3 et l'amplitude de $y = \frac{1}{3} \sin x$ est $\frac{1}{3}$.

La figure 4.17 montre la portion du graphe de $y = 2 \sin x$ pour $-2\pi \leq x \leq 2\pi$.

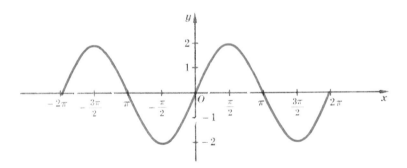

FIGURE 4.17 Graphe de $y = 2 \sin x$, $-2\pi \leq x \leq 2\pi$

PÉRIODICITÉ DES FONCTIONS TRIGONOMÉTRIQUES 4.16

Les fonctions trigonométriques appartiennent à la vaste classe des fonctions qu'on appelle périodiques et qui présentent une répétition régulière des valeurs de la fonction sur un intervalle donné. Par exemple, lorsque t croît de 0 à 2π, le point trigonométrique $P(t)$ fait le tour du cercle trigonométrique. Alors, si t continue de croître, $P(t)$ commence un second tour du cercle trigonométrique et les fonctions trigonométriques retrouvent dans le même ordre leurs variations précédentes. Ainsi, la variation de sin t lorsque t croît de 0 à 2π se répète lorsque t croît de 2π à 4π.

DÉFINITION. Une fonction $f(x)$ est dite périodique s'il existe un nombre p différent de zéro tel que $f(x + p)$ est défini et $f(x + p) = f(x)$ pour toutes les valeurs de x dans le domaine de $f(x)$. Le nombre p est appelé une période de $f(x)$. **(4.19)**

Si p est le plus petit nombre différent de zéro pour lequel $f(x + p) = f(x)$, alors on dit que p est la période de $f(x)$.

Comme $P(t)$ et $P(t + 2\pi)$ représentent le même point sur le cercle trigonométrique, nous voyons qu'une fonction de $(t + 2\pi)$ a même valeur que la fonction de t. Nous énonçons ce fait comme un théorème.

THÉORÈME. Toute fonction trigonométrique de $(t + 2\pi)$ a même valeur que la fonction correspondante de t. **(4.20)**

Donc 2π est une période de toutes les fonctions trigonométriques. En examinant les variations de ces fonctions, Section 4.13, nous voyons que 2π est la période des fonctions sinus, cosinus, sécante et cosécante. La période des fonctions tangente et cotangente est π.

L'important de cette conclusion est que, si les valeurs d'une fonction trigonométrique sont connues pour une période de la variable, alors les valeurs de la fonction sont connues pour toutes les valeurs de la variable. D'où, pour tracer le graphe de toute fonction trigonométrique de x, il suffit de tracer le graphe pour les valeurs de x sur un intervalle maximum de 2π de longueur. Le graphe complet sera la répétition de cette partie.

GRAPHE DE $y = a \sin bx$ 4.17

Comme la valeur maximum sin bx est $+ 1$, la valeur maximum de $a \sin bx$ est a. Déterminons maintenant la période. Pour la fonction sinus, le plus petit nombre p différent de zéro pour lequel sinus $(bx + p) = \sin bx$ est $p = 2\pi$. Ceci revient à sin $(bx + 2\pi) = \sin bx$ pour tout x. Ou encore

$$\sin b \left(x + \frac{2\pi}{b} \right) = \sin bx \qquad \text{pour tout } x$$

Soit s le plus petit nombre pour lequel

$$\sin b(x + s) = \sin bx \qquad \text{pour tout } x$$

La valeur de s est donc $\quad s = \dfrac{2\pi}{b}$

Ainsi, $2\pi/b$ est la période de sin bx. Ce qui revient à dire que si bx varie sur un intervalle de 2π, x varie sur l'intervalle $2\pi/b$. Par exemple, l'ampli-

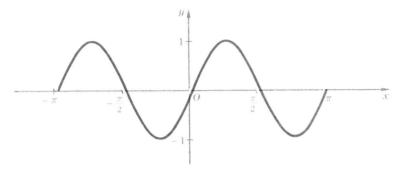

FIGURE 4.18 Graphe de $y = \sin 2x$, $-\pi \leq x \leq \pi$

tude de $y = 3 \sin 2x$ est 3, sa période est $2\pi/2 = \pi$. L'amplitude de $y = \sin(\frac{1}{2}x)$ est 1, et la période est $2\pi/\frac{1}{2} = 4\pi$.

EXEMPLE 1.   Tracer le graphe de $y = \sin 2x$.

Solution.   L'amplitude est $a = 1$ et la période $s = 2\pi/2 = \pi$. L'amplitude est atteinte quand $\sin 2x = 1$, c'est-à-dire, lorsque

$$2x = \pm \frac{\pi}{2}, \pm \frac{3\pi}{2}, \pm \frac{5\pi}{2}, \ldots$$

et
$$x = \pm \frac{\pi}{4}, \pm \frac{3\pi}{4}, \pm \frac{5\pi}{4}, \ldots$$

Une partie de ce graphe se trouve à la figure 4.18.

GRAPHE DE $y = a \cos bx$ 4.18

Le graphe de $y = a \cos bx$, $a > 0$, $b > 0$, peut être construit par la méthode employée pour la fonction sinus et que nous suivons dans les exemples suivants.

EXEMPLE 1.   Tracer le graphe de la fonction $y = \cos x$.

Solution.   La période de $y = \cos x$ est 2π. La valeur de y oscille entre 1 et -1. Donc, l'amplitude de la fonction est 1. L'amplitude maximum est atteinte pour $\cos x = 1$, c'est-à-dire lorsque

$$x = 0, \pm 2\pi, \pm 4\pi, \ldots$$

La valeur minimum se présente pour $x = \pm \pi, \pm 3\pi, \pm 5\pi, \ldots$
Le graphe coupe l'axe des x lorsque $\cos x = 0$, c'est-à-dire lorsque

$$x = \pm \frac{\pi}{2}, \pm \frac{3\pi}{2}, \pm \frac{5\pi}{2}, \ldots$$

Une partie de ce graphe est tracée à la figure 4.19.

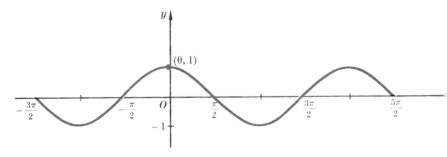

FIGURE 4.19 Graphe de $y = \cos x$, $-3\pi/2 \leq x \leq 5\pi/2$

EXEMPLE 2. Tracer le graphe de $y = 3 \cos (\tfrac{1}{2}x)$.

Solution. L'amplitude est 3 et la période est 4π. L'amplitude maximur est atteinte pour $\cos (\tfrac{1}{2}x) = 1$, c'est-à-dire, lorsque

$$\frac{1}{2}x = 0, \pm 2\pi, \pm 4\pi, \cdots$$

et $$x = 0, \pm 4\pi, \pm 8\pi, \cdots$$

Les points de valeur minimum du graphe se présentent lorsque

$$\frac{1}{2}x = \pm \pi, \pm 3\pi, \pm 5\pi, \cdots$$

et $$x = \pm 2\pi, \pm 6\pi, \pm 10\pi, \cdots$$

Le graphe coupe l'axe des x chaque fois que $y = 3 \cos (\tfrac{1}{2}x) = ($ Ces points se présentent lorsque

$$\frac{1}{2}x = \pm \frac{\pi}{2}, \pm \frac{3\pi}{2}, \pm \frac{5\pi}{2}, \cdots$$

et $$x = \pm \pi, \pm 3\pi, \pm 5\pi, \cdots$$

Une partie du graphe est tracé à la figure 4.20.

FIGURE 4.20 Graphe de $y = 3 \cos (\tfrac{1}{2}x)$, $-4\pi \leq x \leq 4\pi$

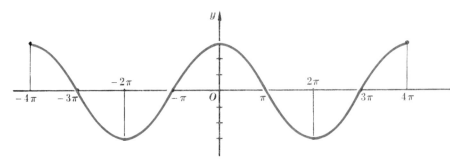

GRAPHES DES AUTRES FONCTIONS TRIGONOMÉTRIQUES 4.19

Pour construire le graphe de $y = \tan x$, rappelons-nous que la période de cette fonction est π. Lorsque $x = 0$, $\tan x = 0$. Lorsque x croît de 0 à $\pi/2$, $\tan x$ est positive et croît sans limite lorsque x s'approche de $\pi/2$. Lorsque x croît de $\pi/2$ à π, $\tan x$ est négative et tend vers 0.

Si nous construisons ce graphe pour $0 \leq x < \pi/2$ et pour $\pi/2 < x \leq \pi$, nous pourrons ensuite l'étendre à d'autres valeurs en reproduisant les parties construites comme le montre la figure 4.21.

Pour tracer le graphe de $y = \cot x$, rappelons-nous que $\cot x = 1/\tan x$. D'où, lorsque $\tan x = 0$, $\cot x$ n'est pas définie, et lorsque $\tan x$, n'est pas définie, $\cot x = 0$. Le graphe de $y = \cot x$ coupe l'axe des x en $\pm (\pi/2)$, $\pm (3\pi/2)$, $\cdots$. Une partie de ce graphe est tracé à la figure 4.22.

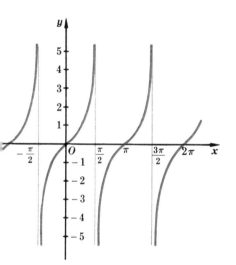

FIGURE 4.21 Graphe de $y = \tan x$, $-\pi < x < 2\pi$

FIGURE 4.22 Graphe de $y = \cot x$, $-\pi/2 < x < 5\pi/2$

EXERCICES 4.12

1. Tracer le graphe de $y = \sec x$ de $x = -(\pi/2)$ à $x = 2\pi$. INDICATION: La période de $\sec x$ est 2π. Comme $\sec x = 1/\cos x$, nous savons que $\sec x$ n'est pas définie pour $x = \pi/2$ et pour $x = 3\pi2$.
2. Tracer le graphe de $y = \csc x$.

TRACER le graphe des fonctions pour l'intervalle allant de $x - (\pi/2)$ à $x = 2\pi$:

3. $y = \sin(-x)$	4. $y = \cos(-x)$	5. $y = \tan(-x)$
6. $y = 3\sin x$	7. $y = \frac{1}{2}\cos x$	8. $y = \frac{1}{3}\tan x$
9. $y = \sin 4x$	10. $y = \cos 3x$	11. $y = \tan 2x$
12. $y = 3\sin(\frac{1}{2}x)$	13. $y = 2\cos 4x$	14. $y = 3\tan 3x$
15. $y = \cos[x - (\pi/2)]$	16. $y = \tan(x - \pi)$	

17. Utiliser les graphes des fonctions trigonométriques pour évaluer les nombres suivants:

   (a) sin 2   (b) sin ½   (c) sin (-1.5)
   (d) tan (-1) (e) cos 4   (f) sin 5

18. Le ou lesquels des énoncés suivants est (sont) vrai(s) ?

   (a) Si $0 < x_1 < x_2 < \pi$, alors cos x_1 < cos x_2.
   (b) Si $-\pi/2 < x_1 < x_2 < \pi/2$, alors sin x_1 < sin x_2.
   (c) Si $0 < x_1 < x_2 < \pi/2$, alors tan x_1 < tan x_2.

TRANSFORMATION DES POLYNÔMES EN PRODUITS. OPÉRATIONS SUR LES FRACTIONS

Dans ce chapitre, nous présentons une brève revue des méthodes fondamentales de mise en facteurs de certains polynômes et des opérations sur les fractions. Mettre en facteurs un polynôme, c'est exprimer ce polynôme comme un produit d'autres polynômes appelés facteurs du polynôme donné.

FACTEURS COMMUNS 5.1

Par la loi de distributivité, nous savons que

$$ab + ac + ad \cdots + am = a(b + c + d + \cdots + m)$$

Cette loi peut s'appliquer à tout polynôme, si, pour chacun de ses termes, il y a un facteur commun à tous les termes.

EXEMPLE 1. Mettre en facteur $5x^3 - 15x^2y + 20xy^2$.

Solution. Chaque terme de l'expression admet $5x$ pour facteur. Ainsi,
$$5x^3 - 15x^2y + 20xy^2 = 5x(x^2) - 5x(3xy) + 5x(4y^2) = 5x(x^2 - 3xy + 4y^2)$$
par distributivité.

EXEMPLE 2. Mettre en facteur $a(3x - 2y) + b(3x - 2y) - 2c(3x - 2y)$.

Solution. Le facteur commun est $(3x - 2y)$. D'où, par la loi de distributivité,

$$a(3x - 2y) + b(3x - 2y) - 2c(3x - 2y) = (3x - 2y)\ (a + b - 2c)$$

ation
·mes

Il est souvent utile d'*associer les termes* d'une expression pour trouver ses facteurs. Par exemple,

$$ad + bc + ac + bd = (ac + ad) + (bc + bd) \qquad \text{par commutativité} $$
$$\text{et associativité}$$

$$= a(c + d) + b(c + d) \qquad \text{pourquoi}$$
$$= (c + d)(a + b) \qquad \text{pourquoi}$$

EXEMPLE 3. Décomposer en facteurs $ax + 9by - 3ay - 3bx$.

Solution. $ax + 9by - 3ay - 3bx = ax - 3ay - 3bx + 9by \quad$ pourquoi?
$$= a(x - 3y) - 3b(x - 3y) \quad \text{pourquoi?}$$
$$= (x - 3y)(a - 3b). \qquad \text{pourquoi?}$$

Vérification de la mise en facteur   Nous vérifions un exercice de décomposition en facteurs en multiplian les facteurs trouvés. Si leur produit conduit à l'expression donnée, nou sommes sûrs d'avoir trouvé au moins un ensemble de facteurs valables.

EXERCICES   5.1

METTRE en facteurs, si possible:

1. $5x^2 - 10x$
2. $18a^2 - 54a^2b$
3. $54x^2y^2 - 9xy$
4. $49xy - 98y^2$
5. $3a(2x - y) + 4(2x - y)$
6. $5a(x - 2y) - 3b(x - 2y)$
7. $2x(2a - b) + 3y(2a - b)$
8. $5x(x - y) - 2y(x - y)$
9. $a^2(x + y)^3 - 3b^2(x + y)^3$
10. $2x^2(x - 2) + 3x(x - 2) + x - 2$
11. $xy(x^2 + y^2) + yz(x^2 + y^2) + zw(x^2 + y^2)$
12. $x^2(2x - y) + x(2x - y) + x - y$
13. $m^2(x + 2y - 1) + 2m(x + 2y - 1) + 3(x + 2y - 1)$
14. $3(\tan \phi)^2 + 4 \tan \phi$
15. $2(\sin \beta)^3 - 3(\sin \beta)^2 + \sin \beta$
16. $3x^2(\ln x - 1) + 2x(\ln x - 1) + \ln x - 1$
17. $4xe^x + e^x$
18. $5a\sqrt{x} - 7\sqrt{x}$
19. $2xy\sqrt{3} + 2y\sqrt{3} + \sqrt{3}$
20. $4a(x - \sqrt{y}) + 2b(x - \sqrt{y})$
21. $7x(2x - \sqrt{7}) - 3y(2x - \sqrt{7})$
22. $4a^2(x - \sqrt{5}) + 3a(x - \sqrt{5}) + x - \sqrt{5}$

ASSOCIER les termes et décomposer en facteurs:

23. $x^2 + xy + px + py$
24. $rs + vs + rt + vt$
25. $8x^2 + 4xy - 6x - 3y$
26. $6x^3 - 2 - 4x^2 + 3x$
27. $9 + 12x^2 - 8x^3 - 6x$
28. $x^2 + 2xy + y^2 + 4x + 4y + 4$
29. $8xy + 12ay + 10bx + 15ab$
30. $6 - 10a + 27a^2 - 45a^3$
31. $m^4 + 6m^3 - 7m - 42$
32. $20ab - 28ad - 5bc + 7cd$
33. $ax - ay + az - bx + by - bz$
34. $3am - 6an + 4bm - 8bn + cm - 2cn$
35. $ax + ay - az - bx - by + bz + cx + cy - cz$

DÉCOMPOSITION DES POLYNÔMES EN FACTEURS 5.2

Nous nous rappelons qu'une expression de la forme

$$ax^n + bx^{n-1} + cx^{n-2} + \cdots + lx + m$$

où $a \neq 0$, n est un entier non négatif, et $b, c, \cdots , m$ sont des constante

ôme en x

est un *polynôme en x*. Dans un *polynôme à coefficients rationnels** les coefficients $a, b, c, \cdots$, m sont des nombres rationnels.

Un polynôme en x et en y est une expression dont les termes sont de la forme

$$ax^m y^n$$

où $a \neq 0$ et m, n sont des entiers non négatifs, et où un des facteurs x^m ou y^n peut ne pas apparaître. Par exemple, $3x^4 - 2y^2 + 4y^3$ et $x - 7 + 4xy$ sont des polynômes en x et y.

La décomposition en facteur se limite habituellement en algèbre élémentaire à la transformation des polynômes à coefficients rationnels en produits de polynômes à coefficients rationnels. Par exemple, nous pouvons vérifier par la multiplication que

$$x^2 - 16 = (x - 4)\ (x + 4)$$

Nous pouvons aussi vérifier que

$$x - 16 = (\sqrt{x} - 4)\ (\sqrt{x} + 4)$$

mais, dans ce cas, $(\sqrt{x} - 4)$ et $(\sqrt{x} + 4)$ ne sont pas des polynômes en x.

Il est possible d'exprimer $x - 2$ dans la forme

$$x^2 - 2 = (x - \sqrt{2})\ (x + \sqrt{2})$$

Nous voyons ici que les polynômes $(x - \sqrt{2})$ et $(x + \sqrt{2})$ n'ont pas des coefficients rationnels. D'où, nous disons que $x^2 - 2$ n'est pas décomposable dans le système des nombres rationnels.

ôme premier
mentaire

Si un polynôme à coefficients rationnels ne peut être décomposé et que, seulement, une constante peut être mise en évidence, on dit qu'il est premier ou élémentaire sur le corps des nombres rationnels. Si un polynôme à coefficients rationnels se décompose en facteurs, on dit qu'il est décomposable. Un polynôme décomposable est *décomposé en facteurs* s'il est exprimé sous la forme de facteurs premiers ou élémentaires.

DÉCOMPOSITIONS PARTICULIÈRES 5.3

TYPE 1. TRINÔME CARRÉ PARFAIT. Puisque $(a \pm b)^2 = a^2 \pm 2ab + b^2$, nous appelons l'expression $a^2 \pm 2ab + b^2$ un *trinôme carré parfait* et nous nous servons de l'identité comme d'un guide pour décomposer en facteurs des expressions du même genre.

EXEMPLE 1. $25a^2 + 40ab + 16b^2 = (5a + 4b)^2$

EXEMPLE 2. $x^2 + 2xy + y^2 + x + y = (x + y)^2 + (x + y)$
$$= (x + y)(x + y + 1)$$

TYPE 2. LA DIFFÉRENCE DE DEUX CARRÉS. Rappelons-nous que

$$(a + b)\ (a - b) = a^2 - b^2$$

Ainsi, la différence des carrés de deux nombres pris dans un ordre donné

*N. du T.   Un polynôme à coefficients rationnels ainsi défini prend ses valeurs dans les rationnels pour tout x partie des rationnels: nous définissons ainsi une fonction polynomiale sur le corps des rationnels. À tout polynôme correspond une fonction de ce type. Mais la réciproque n'est pas vraie; à une fonction polynomiale peuvent correspondre plusieurs polynômes distincts. Par exemple, aux polynômes $P(x) = x^2 + x^3 \in Z/6$ et $P_1(x) = x + x^2 \in Z/6$ pour tout $x \in Z/6$ est associée une seule fonction.

est le produit de leur somme par leur différence prise dans l'ordre donn

EXEMPLE 3. $25x^2 - 64y^2 = (5x)^2 - (8y)^2$
$$= (5x + 8y)(5x - 8y)$$

EXEMPLE 4.
$$(x + y)^2 - (z - w)^2 = [(x + y) + (z - w)][(x + y) - (z - w)]$$
$$= (x + y + z - w)(x + y - z + w)$$

TYPE 3. LE TRINÔME GÉNÉRAL. Il n'est pas possible de décomposer to
les trinômes; mais, lorsqu'un trinôme a pour facteurs des polynômes
coefficients rationnels, les facteurs peuvent être trouvés par une métho
d'essai et erreur. Puisque

$$(ax + b)(cx + d) = acx^2 + (ad + bc)x + bd$$

(un trinôme général), nous cherchons des facteurs binomiaux qui satisfo
les conditions suivantes:

1. Leur premier terme est un facteur du premier terme du trinôm
2. Leur second terme est un facteur du dernier terme du trinôm
3. La somme des produits croisés des termes de ces binômes est
    terme médian du trinôme.

Ainsi, pour décomposer $3x^2 + 7x - 6$, nous pouvons essayer $(3x +$
$(x - 1)$, $(3x + 1)(x - 6)$ et $(3x - 6)(x + 1)$. Aucun de ces produits
facteurs ne donne $3x^2 + 7x - 6$. Mais, lorsque nous essayons $(3x -$
$(x + 3)$, nous retrouvons dans ce produit le polynôme donné. Do
$3x^2 + 7x - 6 = (x + 3)(3x - 2)$.

TYPE 4. LA SOMME OU LA DIFFÉRENCE DE DEUX CUBES. Par multi
cation nous pouvons vérifier les identités

$$a^3 + b^3 = (a + b)(a^2 - ab + b^2)$$
$$a^3 - b^3 = (a - b)(a^2 + ab + b^2)$$

qui nous permettent de décomposer la somme ou la différence de deux cub

EXEMPLE 5. $27a^3 + 8b^3 = (3a)^3 + (2b)^3$
$$= (3a + 2b)[(3a)^2 - (3a)(2b) + (2b)^2]$$
$$= (3a + 2b)(9a^2 - 6ab + 4b^2)$$

EXEMPLE 6. $125x^6 - 64y^3 = (5x^2)^3 - (4y)^3$
$$= (5x^2 - 4y)(25x^4 + 20x^2y + 16y^2)$$

Certains polynômes qui ne sont pas décomposables par les métho
précédentes peuvent quelquefois être décomposés en facteurs par
méthode de l'exemple suivant.

EXEMPLE 7. Décomposer en facteurs $9x^4 - 37x^2 + 4$.

Solution. Nous remarquons que si le terme du milieu était $- 12x^2$

polynôme serait un trinôme parfait. Donc, nous ajoutons au terme du milieu $25x^2$ que nous soustrayons ensuite de l'expression du carré parfait : ceci transforme le polynôme donné mais ne modifie pas sa valeur.

$$\begin{aligned}
9x^4 - 37x^2 + 4 &= 9x^4 - 37x^2 + 25x^2 + 4 - 25x^2 \\
&= (9x^4 - 12x^2 + 4) - 25x^2 \\
&= (3x^2 - 2)^2 - (5x)^2 \\
&= (3x^2 - 2 + 5x)(3x^2 - 2 - 5x) \\
&= (x + 2)(3x - 1)(3x + 1)(x - 2)
\end{aligned}$$

Il est intéressant de noter que ce polynôme pourrait tout aussi bien être décomposé en ajoutant, pour le soustraire ensuite, $49x^2$. Nous laissons à l'étudiant le soin de montrer qu'on obtient ainsi les mêmes facteurs.

EXERCICES 5.2

DÉCOMPOSER en facteurs, où ceci est possible :

1. $81x^2 + 144x + 64$
2. $49x^6 - 168x^3y^4 + 144y^8$
3. $9x^2 - 6x(y + z) + (y + z)^2$
4. $-25x^2 - 60xy - 36y^2$
5. $25(a - b)^2 + 40(a - b)c + 16c^2$
6. $(a + b)^2 + 4(a + b)(a - b) + 4(a - b)^2$
7. $49a^2 - 36b^2$
8. $169x^4 - 81y^8$
9. $25 - x^6$
10. $a^2b^4 - 16c^6$
11. $\dfrac{x^2}{100} - \dfrac{1}{49}$
12. $\dfrac{1}{4}a^4 - \dfrac{1}{16}b^2$
13. $(a + b)^2 - 16$
14. $(x - y)^2 - 25$
15. $x^2 - (2y - 1)^2$
16. $a^2 - (b + 2)^2$
17. $(3x - 2y)^2 - 4$
18. $(2x + 3y)^2 - 16z^2$
19. $x^2 - 2xy + y^2 - 16$
20. $x^2 + 2xy + y^2 - 25$
21. $x^2 - y^2 - 2yz - z^2$
22. $6np + 16m^2 - 9p^2 - n^2$
23. $16a^2 - 8ab + b^2 - c^2 - 10cd - 25d^2$
24. $28xy - 36z^2 + 49y^2 + 60z - 25 + 4x^2$
25. $x^2 - 10x - 75$
26. $105 + 8a^3 - a^6$
27. $y^4 - 21y^2 + 104$
28. $68x^2y^4 + 36xy^2 + 1$
29. $77 - 4x - x^2$
30. $84 + 5n - n^2$
31. $a^2 - 6ab - 91b^2$
32. $70x^2 + 17x + 1$
33. $1 + 5ab - 14a^2b^2$
34. $3x^2 - 11x - 34$
35. $x^2 - (2m + 3n)x + 6mn$
36. $x^2 - (a - b)x - ab$
37. $4x^2 + 28x + 45$
38. $6x^2 + x - 2$
39. $25x^2 - 25ax - 6a^2$
40. $12x^2 + 11x + 2$
41. $36x^2 + 12x - 35$
42. $6 - x - 15x^2$
43. $7(x - y)^2 - 30(x - y) + 8$
44. $12(x + y)^2 + 17(x + y) - 7$
45. $x^6 - 27y^9z^3$
46. $x^6 + y^6$
47. $8a^3 - b^9$
48. $a^6 + 64$
49. $x^3y^3 + 125z^3$
50. $216x^3y^6 - 343z^9$
51. $x^3 - (x + y)^3$
52. $(x + y)^3 + (x - y)^3$
53. $(2x + y)^3 - (x + 2y)^3$
54. $(x - y)^3 - (x + y)^3$

DÉCOMPOSER en facteurs par la méthode du carré parfait incomplet :

55. $a^4 + 5a^2 + 9$
56. $x^4 - 21x^2y^2 + 36y^4$
57. $4x^4 - 33x^2 + 4$
58. $25a^2 + 6a^2b^2 + b^4$
59. $16x^4 - 81x^2 + 16$
60. $9x^4 + 6x^2y^2 + 49y^4$

DÉCOMPOSER en facteurs chaque expression par deux méthodes différentes:

61. $16 - 17x^2 + x^4$ **62.** $64x^4 - 148x^2 + 9$

63. $16a^4 - 104a^2b^2 + 25b^4$ **64.** $36x^4 - 97x^2y^2 + 36y^4$

DÉCOMPOSER les expressions trigonométriques en se servant des identités indiquées:

65. $3\sin^2\theta - 5\sin\theta + \cos^2\theta - 4$, using the identity $\sin^2\theta + \cos^2\theta = 1$

66. $6\sec^2\beta - 2\tan\beta - 26$, using $1 + \tan^2\beta = \sec^2\beta$

67. $\cos\alpha - 15\sin^2\alpha + 13$

68. $6\csc^2 t - 17\cot t + 6$

SOLUTION DES ÉQUATIONS PAR LA MISE EN FACTEURS 5.◄

L'ensemble-solution de quelques équations peut se trouver par décom
position en facteurs comme le montrent les exemples suivants. Nous nou
rappelons que l'ensemble-solution d'une équation en x est l'ensemble e
tous les nombres du domaine de x qui vérifient l'équation.

EXEMPLE 1. Résoudre l'équation $2x^2 = 12 - 5x$. C'est-à-dire trouv
$\{x:2x^2 = 12 - 5x\}$.

Solution. Écrivons l'équation dans la forme équivalente:

$$2x^2 + 5x - 12 = 0$$

Équation-produit   Puis, dans la forme appelée *équation-produit*:

$$(x + 4)(2x - 3) = 0$$

Nous voyons que si $x = -4$ ou si $x = \frac{3}{2}$, un des facteurs est nul et
produit est nul. Pour ces deux valeurs de x, l'équation $(x + 4)(2x - 3) =$
est satisfaite. D'autre part, si $x \neq -4$ et $x \neq \frac{3}{2}$, aucun des facteurs n'e
nul et le produit est différent de zéro. Ainsi, les deux seules valeurs q
satisfont l'équation, mise en produit de facteur, sont $x = -4$ et $x = \frac{3}{2}$
Donc, l'ensemble-solution de l'équation $(x + 4)(2x - 3) = 0$ est l'ensemb

$$\left\{-4, \frac{3}{2}\right\}$$

Nous soupçonnons fortement que cet ensemble est l'ensemble-solution
l'équation originale. Il est possible cependant que nous ayons fait u
erreur. En conséquence, nous devons vérifier chaque nombre de c
ensemble pour voir s'il satisfait l'équation.

Vérification. Si $x = -4$,

Membre de gauche	Membre de droite
$2(-4)^2$	$12 - 5(-4) = 12 + 20$
$= 32$	$= 32$

Nous laissons à l'étudiant le soin de vérifier que ³⁄₂ est aussi une solution de l'équation donnée.

EXEMPLE 2.   Résoudre $y^2 - 2y + 1 = 0$.

Solution.   Comme

$$y^2 - 2y + 1 = 0 \qquad \text{donnée}$$
$$(y - 1)(y - 1) = 0 \qquad \text{équation-produit équivalente}$$

Alors $\qquad\qquad y - 1 = 0 \qquad y - 1 = 0 \qquad$ zéros des facteurs

Donc, $\qquad\qquad\quad y = 1 \qquad\qquad y = 1$

L'ensemble-solution est

$$\{1,1\}$$

Nous laissons la vérification à l'étudiant.

Remarquons dans ces exemples qu'il y a autant de racines (solutions) de l'équation qu'il y a de facteurs dans l'équation-produit équivalente. Notons également que dans l'exemple 2 les deux racines sont égales: nous appelons $y = 1$ une *racine double* de l'équation donnée.   L'ensemble-solution $\{1,1\}$ est le plus souvent noté $\{1\}$.

EXEMPLE 3.   Trouver θ si $0 \leq \theta \leq \pi/2$ et $2 \sin^2 \theta - 3 \sin \theta + 1 = 0$.

Solution.   Comme

$$2 \sin^2 \theta - 3 \sin \theta + 1 = 0 \qquad \text{donnée}$$
$$(2 \sin \theta - 1)(\sin \theta - 1) = 0 \qquad \text{équation-produit}$$

D'où, $\qquad\qquad \sin \theta = \dfrac{1}{2} \qquad \sin \theta = 1 \qquad$ pourquoi?

et $\qquad\qquad\qquad \theta = \dfrac{\pi}{6} \qquad\qquad \theta = \dfrac{\pi}{2}$

Donc, $\{\pi/6, \ \pi/2\}$ est l'ensemble-solution.   La vérification est laissée à l'étudiant.

EXERCICES   5.3

TROUVER l'ensemble-solution des équations suivantes par les zéros de l'équation-produit et vérifier les solutions.

1. $4x^2 - 20x = 0$ 2. $3x^3 - 108x = 0$
3. $(2x - 4)(x^2 - 25) = 0$ 4. $(7x + 3)(x^2 - 9) = 0$
5. $x^2 + 23x + 102 = 0$ 6. $y^2 + 4y - 96 = 0$
7. $y^2 - 17y - 110 = 0$ 8. $(x - 1)(x^2 + 22x + 121) = 0$
9. $y^4 - 18y^3 + 32y^2 = 0$ 10. $6y^2 + 7y + 2 = 0$
11. $-7x + 10x^2 = 12$ 12. $x - 2 = 15x^2$
13.   Trouver la valeur de $\sin \phi$ pour laquelle $20 \sin^2 \phi - 3 \sin \phi - 2 = 0$.
14.   Trouver la valeur de $\cos \phi$ pour laquelle $16 \cos^2 \phi + 2 \cos \phi - 3 = 0$.
15.   Résoudre pour $\tan t$: $2 \tan^2 t - 15 \tan t + 7 = 0$.

Dans certains types d'équations, nous pouvons utiliser la mise en facteurs pour trouver quelqu
racines seulement. Par exemple, nous pouvons décomposer

$$x^3 - 8 = 0$$

en
$$(x - 2)(x^2 + 2x + 4) = 0$$

Alors $x = 2$ est une racine. Les deux autres racines ne sont pas des nombres réels et ne peuvent ê
déterminées à ce point-ci.

TRANSFORMER en équation-produit pour déterminer, autant que possible, les racines:

16. $x^3 - 1 = 0$

17. $x^3 + 8 = 0$

18. $8y^3 - 64 = 0$

19. $27y^3 - 8 = 0$

RÉSOUDRE les problèmes suivants en les ramenant à des équations-produit:

20. Trouver deux entiers positifs consécutifs dont le produit est 272. INDICATION: Soit $x =$
plus petit entier et $x + 1$ le plus grand.

21. Trouver deux entiers positifs consécutifs dont le produit est 552.

22. Trouver deux entiers positifs pairs consécutifs dont le produit est 224.

23. Trouver deux entiers positifs impairs consécutifs dont le produit est 195.

24. Un côté de l'angle droit d'un triangle rectangle a 12 po de long. L'hypothénuse a 3 po de p
que le double de la longueur de l'autre côté. Quelle est la longueur de l'hypothénuse?

25. Un côté de l'angle droit d'un triangle rectangle a 24 pi de long. L'hypothénuse a 3 pi de mo
que le quadruple de la longueur de l'autre côté. Quelle est la longueur de l'hypothénuse

26. La somme des chiffres d'un nombre de deux chiffres est 13. Le nombre lui-même est 25
plus grand que le produit de ses chiffres. Quel est le nombre?

27. La quatrième puissance d'un nombre rationnel moins 96 donne 10 fois le carré du nomb
Quel est le nombre?

28. Trouver les valeurs de t telles que $0 \leq t < 2\pi$, $t \in R$ et $2\sin^2 t - 3\sin t + 1 = 0$.

29. Trouver toutes les valeurs réelles de t telles que $\sin^2 t + \sin t = 0$, $0 \leq t < 2\pi$.

30. Si $\cos\phi - \cos^2\phi = 0$, $0 \leq \phi < 2\pi$, trouver ϕ.

31. Si $\tan^2 x - 1 = 0$, $0 \leq x < 2\pi$, trouver x.

32. Trouver ϕ si $\sec^2\phi - 3\sec\phi + 2 = 0$, $0 \leq \phi < 2\pi$.

33. Trouver la plus petite valeur non négative de t qui satisfait $2\sin^2 t + 9\sin t - 5 = 0$.

34. Trouver à deux décimales près les deux valeurs de t, $0 \leq t < \pi$, qui satisfont $3\sin^2 t + 2$
$t - 1 = 0$.

35. Trouver à deux décimales près les valeurs de x, $0 < x < 2\pi$, qui satisfont $5\cos^2 x + 4 c$
$- 1 = 0$.

SIMPLIFICATION DES FRACTIONS   5.5

Dans le chapitre 1, nous avons prouvé que $ac/bc = a/b$, $b \neq 0$, $c \neq$
Nous nous servons de ce théorème pour simplifier les nombres rationn
Par exemple,

$$\frac{6}{8} = \frac{3 \cdot 2}{4 \cdot 2} = \frac{3}{4}$$

Nous pouvons aussi simplifier les quotients de polynômes. Pour ce fa
nous décomposons le numérateur et le dénominateur en facteurs élém
taires (polynômes premiers); puis, nous divisons le numérateur et
dénominateur par le produit de facteurs communs (ou plus grand comm
diviseur). Nous supposerons que le dénominateur de la fraction est di
rent de zéro.

EXEMPLE 1.   Simplifier la fraction

$$\frac{8x^2 - 2x - 15}{12x^2 + 23x + 10}$$

Solution. $\dfrac{8x^2 - 2x - 15}{12x^2 + 23x + 10} = \dfrac{(2x - 3)(4x + 5)}{(3x + 2)(4x + 5)}$

$$= \frac{2x - 3}{3x + 2}$$

EXEMPLE 2. $\dfrac{2x^3 + 2x^2 - 3x - 3}{2x^3 - 2x^2 - 3x + 3} = \dfrac{2x^2(x + 1) - 3(x + 1)}{2x^2(x - 1) - 3(x - 1)}$

$$= \frac{(x + 1)(2x^2 - 3)}{(x - 1)(2x^2 - 3)}$$

$$= \frac{x + 1}{x - 1}$$

Par la commutativité et la distributivité, $- (y - x) = (- 1)(y - x) = - y + x = x - y$. Par exemple, $4 - x = (- 1)(x - 4)$. Nous utilisons souvent cette idée dans les simplifications des fractions comme le montre l'exemple suivant.

EXEMPLE 3.   Simplifier $\dfrac{2(x - 4)}{4 - x}$.

Solution.   Le dénominateur $4 - x$ peut s'écrire $(- 1)(x - 4)$. D'où,

$$\frac{2(x - 4)}{4 - x} = \frac{2(x - 4)}{(- 1)(x - 4)} = \frac{2}{- 1} = -2$$

EXERCICES   5.4

SIMPLIFIER les fractions suivantes:

1. $\dfrac{2x^2 - 5x + 3}{2x^2 - x - 3}$

2. $\dfrac{7xy + 7y}{14xy^2 - 14y^2}$

3. $\dfrac{x^3 - 3x^2 + x - 3}{9 - x^2}$

4. $\dfrac{x - y - x^2 + 2xy - y^2}{y^2 - xy}$

5. $\dfrac{12y^2 + y - 1}{6y^2 - y - 1}$

6. $\dfrac{2x + 5}{8x^3 + 125}$

7. $\dfrac{4y^2 + 4y - 9x^2 + 1}{2y - 3x + 1}$

8. $\dfrac{8x^3 - 27}{4x^2 - 14x + 12}$

9. $\dfrac{16a^2 + 64ab + 64b^2 - c^2}{4a + 8b - c}$

10. $\dfrac{x^2 - 9y^2 - z^2 + 6yz}{x^2 - 9y^2 + z^2 - 2xz}$

11. $\dfrac{8x^3 - 125}{2x^3 + x^2 - 15x}$

12. $\dfrac{21 - x - 10x^2}{15xy - 20x - 21y + 28}$

13. $\dfrac{4x^2 + 4x - 24}{2x^3 + 6x^2 - 8x - 24}$

14. $\dfrac{6a - 11a^2 - 10a^3}{12a^2 - 38a^3 + 20a^4}$

15. $\dfrac{(x^2 - 49)(x^2 - 16x + 63)}{(x^2 - 14x + 49)(x^2 - 2x - 63)}$

16. $\dfrac{a^6 + 28a^3b^3 + 27b^6}{a^4 + 9a^2b^2 + 81b^4}$

17. $\dfrac{x^3 + 64}{(x^2 - 4x + 16)(x^2 + 4)}$

18. $\dfrac{x^4 + 2x^2y^2 + 9y^4}{x^2 + 2xy + 3y^2}$

19. $\dfrac{x^4 + 2x^2y^2 + 9y^4}{x^2 - 2xy + 3y^2}$

20. $\dfrac{4x^3 - 12x^2 - x + 3}{1 - 4x^2}$

ADDITION DES FRACTIONS 5.6

D'après le Théorème (1.25),

$$\frac{a}{p} + \frac{b}{p} + \frac{c}{p} + \cdots + \frac{m}{p} = \frac{a + b + c + \cdots + n}{p}$$

$p \neq 0$. Nous appliquons ce théorème lorsque nous additionnons des frac tions qui ont même dénominateur.

EXEMPLE 1. $\dfrac{4x}{3y + 2} + \dfrac{2}{3y + 2} = \dfrac{4x + 2}{3y + 2}$

EXEMPLE 2. $\dfrac{3x}{x^2 + 1} - \dfrac{2y}{x^2 + 1} + \dfrac{3}{x^2 + 1} = \dfrac{3x - 2y + 3}{x^2 + 1}$

Pour additionner des fractions qui ont des dénominateurs différents nous transformons les fractions données en fractions équivalentes qui on un dénominateur commun et procédons comme dans les exemples 1 et 2 Il est souhaitable, mais non essentiel, de se servir comme dénominateu commun du *plus petit commun multiple* (PPCM) des dénominateurs Pour le trouver:

Calculer le plus petit commun dénominateur

> On décompose en facteurs premiers les dénominateurs. Puis, on prend le produit de tous les facteurs premiers trouvés, communs ou non, chacun d'eux étant pris avec son plus grand exposant.

Lorsqu'on a calculé le dénominateur commun des fractions à add tionner, on réduit les fractions au dénominateur commun (de préférenc au plus petit commun dénominateur). Au simple examen d'une fractio on peut souvent la réduire: on cherche quels facteurs du dénominateu commun ne sont pas dans le dénominateur de la fraction, puis on multipli numérateur et dénominateur par ces facteurs.

EXEMPLE 3. Effectuer la somme algébrique de:

$$\frac{1}{4x^2 - 12x + 9} + \frac{2}{2x + 3} - \frac{1 + 6x}{4x^2 - 9}$$

Solution. Lorsque les dénominateurs sont décomposés en facteurs élémentaires, l'expression donnée s'écrit :

$$\frac{1}{(2x-3)^2} + \frac{2}{2x+3} - \frac{1+6x}{(2x-3)(2x+3)}$$

Puisque le PPCM des dénominateurs est le produit de tous les facteurs trouvés, communs ou non, affectés du plus fort exposant, il est dans ce cas :

$$(2x-3)^2(2x+3)$$

En transformant chaque fraction en une fraction équivalente de dénominateur commun, nous avons

$$\frac{1(2x+3)}{(2x-3)^2(2x+3)} + \frac{2(2x-3)^2}{(2x+3)(2x-3)^2} - \frac{(1+6x)(2x-3)}{(2x-3)(2x+3)(2x-3)}$$

$$= \frac{(2x+3) + (8x^2 - 24x + 18) - (12x^2 - 16x - 3)}{(2x-3)^2(2x+3)}$$

$$= \frac{-4x^2 - 6x + 24}{(2x-3)^2(2x+3)}$$

Toute expression algébrique qui n'est pas déjà une fraction est considérée comme une fraction de dénominateur 1. Par exemple :

$$3x^2 + 4 - \frac{x^3}{2x-1}$$

équivaut à

$$\frac{3x^2 + 4}{1} - \frac{x^3}{2x-1}$$

EXERCICES 5.5

ΞFFECTUER les opérations indiquées et simplifier le résultat :

1. $\dfrac{x+2y}{x^2-9y^2} + \dfrac{4x-y}{(x+3y)(x-3y)} - \dfrac{2x+y}{x^2-9y^2}$

2. $\dfrac{x-2}{x^2-16x+48} - \dfrac{x-9}{(x-4)(x-12)} + \dfrac{2x+12}{x^2-16x+48}$

3. $\dfrac{1}{4x-6} - \dfrac{2}{6-4x}$

4. $\dfrac{2}{x^2-y^2} + \dfrac{x}{y^2-x^2} + \dfrac{y}{x^2-y^2}$

5. $\dfrac{1}{1-2x} + \dfrac{2}{2x-1} - \dfrac{x}{2x-1}$

6. $\dfrac{7x^2}{6+x-x^2} - \dfrac{5}{(x-3)(2+x)}$

7. $\dfrac{4x^2}{x^4-y^4} - \dfrac{1}{x^2+y^2} - \dfrac{2}{x^2-y^2}$

8. $\dfrac{x+4}{x^2+4x} - \dfrac{x+3}{x^2+7x+12}$

9. $\dfrac{36}{2+x-6x^2} - \dfrac{1}{1+x-2x^2}$

10. $\dfrac{2}{a^2-2a+1} - \dfrac{4}{a^2+2a+1}$

11. $\dfrac{b}{6+5b+b^2} + \dfrac{3}{8+6b+b^2} - \dfrac{1}{12+7b+b^2}$

12. $\dfrac{2}{x^2 - 5x + 6} - \dfrac{2x}{x^2 - 4} + \dfrac{6}{x^2 - x - 6}$

13. $\dfrac{x + y}{2x - 3y} + \dfrac{x - y}{4(2x + 3y)}$

14. $\dfrac{2 - y}{y^2 - y - 6} + \dfrac{4 - y}{y^2 - 7y + 12}$

15. $\dfrac{x}{x^3 - y^3} - \dfrac{y}{x^2 + xy + y^2}$

16. $2x + \dfrac{2x + 4}{x - 1} + 3$

17. $\dfrac{14}{4 - x^2} - \dfrac{x - 6}{x + 2}$

18. $\dfrac{x + 2}{5(x + 3)} - \dfrac{3x + 9}{9 - x^2}$

19. $3x + 4 - \dfrac{5x + 7}{2x - 3}$

20. $\dfrac{2}{x + 3} - \dfrac{3}{x - 3} - \dfrac{4}{x + 4} + \dfrac{5}{x - 4}$

21. $\dfrac{3}{2n + 1} + \dfrac{3}{1 - 2n} - \dfrac{5n^2}{8n^3 + 1} - \dfrac{5n^2}{1 - 8}$

22. $\dfrac{2a - 1}{a - 2} - \dfrac{2a + 1}{a + 2} + \dfrac{6a - 1}{a(2 - a)} - \dfrac{11}{4 - a^2} - \dfrac{8}{a(a^4 - 16)}$

23. $\dfrac{3}{x + 3} + \dfrac{x}{-3 - x} - \dfrac{2x^2}{x + 3}$

24. $2x - 3 + \dfrac{4x}{x - 1}$

25. $7y - \dfrac{y + 2}{y - 1} + 3$

26. $\dfrac{\sin \theta}{1 + \sin \theta} + \dfrac{1}{\cos^2 \theta}$ (INDICATION: Exprimer $\cos^2 \theta$ dans la forme $1 - \sin^2 \theta$.)

27. $\dfrac{1}{\sec \theta - 1} + \dfrac{3}{2 \sec^2 \theta + \sec \theta - 3}$

MULTIPLICATION ET DIVISION DES FRACTIONS 5.7

Nous avons prouvé que

$$\frac{a}{b} \cdot \frac{c}{d} = \frac{ac}{bd} \qquad b \neq 0, d \neq 0$$

Ce Théorème (1.23) implique que le produit de deux ou plusieurs fraction
est la fraction dont le numérateur est le produit des numérateurs et dont
dénominateur est le produit des dénominateurs. Il est généralement con
seillé de simplifier chaque fraction à la forme irréductible avant de mul
tiplier.

EXEMPLE 1.

$$\frac{x^2 - 6x - 16}{x^2 - 2x - 8} \cdot \frac{x^2 - 8x + 15}{x^2 - x - 6} = \frac{(x - 8)(x + 2)}{(x + 2)(x - 4)} \cdot \frac{(x - 3)(x - 5)}{(x + 2)(x - 3)}$$

$$= \frac{x - 8}{x - 4} \cdot \frac{x - 5}{x + 2} = \frac{(x - 8)(x - 5)}{(x - 4)(x + 2)}$$

D'après le Théorème (1.29), nous avons l'identité

$$\frac{a}{b} \div \frac{c}{d} = \frac{a}{b} \cdot \frac{d}{c} \qquad b, c, d \neq 0$$

Donc, pour diviser a/b par c/d, nous multiplions a/b par l'inverse de c/d.

EXEMPLE 2.

$$\frac{a^2 - 7a + 12}{a^2 + 9a + 14} \div \frac{a^2 + 4a - 21}{a^2 - 6a - 16} = \frac{a^2 - 7a + 12}{a^2 + 9a + 14} \cdot \frac{a^2 - 6a - 16}{a^2 + 4a - 21}$$

$$= \frac{(a - 3)(a - 4)}{(a + 2)(a + 7)} \cdot \frac{(a - 8)(a + 2)}{(a + 7)(a - 3)}$$

$$= \frac{(a - 4)(a - 8)}{(a + 7)^2}$$

EXERCICES   5.6

EFFECTUER les produits et simplifier:

1. $\dfrac{x^2 - 64}{x^2 - 4} \cdot \dfrac{x - 2}{x + 8}$

2. $\dfrac{x - 4}{x^2 - 4} \cdot \dfrac{x + 2}{x^2 - 16}$

3. $\dfrac{x^2 - 3x - 10}{x^2 + 2x - 35} \cdot \dfrac{x^2 + 4x - 21}{x^2 + 9x + 14}$

4. $\dfrac{2y^2 - y - 3}{4y^2 - 9} \cdot \dfrac{3 - 3y}{1 - y^2}$

5. $\dfrac{6x - 3y}{4x + 2y} \cdot \dfrac{4x^2 - y^2}{4x^2 - 4xy - y^2}$

6. $\dfrac{4y^2 - 4y - 3}{3y^2 + 7y - 6} \cdot \dfrac{2y^2 + 9y - 5}{2y^2 + 3y + 1} \cdot \dfrac{3y^2 + y - 2}{4y^2 - 8y + 3}$

7. $\dfrac{x^2y^2 - 3xy}{x^2y + xy^2} \cdot \dfrac{x^2y + xy^2 + x + y}{x^2y^2 - 2xy - 3}$

8. $\left(\dfrac{x^3 - 8y^3}{x^2 - 64y^2}\right)\left(\dfrac{x^2 - 11xy + 24y^2}{x^2 - 2xy + 4y^2}\right)\left(\dfrac{x^3 + 512y^3}{x^2 - xy - 6y^2}\right)$

9. $\left(\dfrac{a^3 + a^2 + a + 1}{2a^2 - 5a + 3}\right)\left(\dfrac{a - 1}{a^2 + 1}\right)\left(\dfrac{2a^2 - 3a}{a^2 - 1}\right)$

10. $\left(\dfrac{27a^3 + 1}{25a^2 - 4}\right)\left(\dfrac{25a^2 - 20a + 4}{15a^2 - a - 2}\right)$

11. $\dfrac{x^2 - y^2 + x - y}{y^2 - 2yz + z^2} \cdot \dfrac{y - z}{x - y}$

12. $\dfrac{a^2 - b^2}{a^2 + b^2} \cdot \dfrac{a^4 - b^4}{a^2 + 2ab + b^2}$

EFFECTUER les opérations indiquées et simplifier:

13. $\dfrac{3x^2 + 9x}{16y^2} \div \dfrac{x + 3}{4xy}$

14. $\dfrac{b^2 + 4b}{2b^2 + 9b + 4} \div \dfrac{b^2 - 4}{2b^2 + 5b + 2}$

15. $\left(\dfrac{a^2 - 2a}{a^2 + a} \cdot \dfrac{a^2 + 2a}{a^2 - a}\right) \div \dfrac{a^2 - 4}{a^2 - 1}$

16. $\left(\dfrac{2b^2 + 11b + 5}{2b^2 + 3b + 1} \div \dfrac{3b^2 + b - 2}{4b^2 - 8b + 3}\right) \cdot \dfrac{3b^2 + 7b - 6}{4b^2 - 4b - 3}$

17. $\left(\dfrac{x^2y^2}{3x^2y - 3xy^2} \cdot \dfrac{x^2 + xy}{x^4 - y^4}\right) \div \dfrac{y}{x^2 - 2xy + y^2}$

18. $\dfrac{4y^2 - 9}{4y - 4} \div \left(\dfrac{2y^2 - y - 3}{4y - 7} \cdot \dfrac{2y + 3}{4y^2 - 4}\right)$

19. $\dfrac{x^2 - x - 20}{x^2 - 25} \cdot \left(\dfrac{x^2 - x - 2}{x^2 + 2x - 8} \div \dfrac{x + 1}{x^2 + 5x}\right)$

20. $\left(\dfrac{x^2 + x - 12}{4x^2 - 1} \div \dfrac{x^2 - 2x - 3}{6x^2 + x - 2}\right)\left(\dfrac{2x + 1}{3x + 2}\right)$

ÉQUATIONS FRACTIONNAIRES 5.8

Élimination des fonctions fractionnaires

Une équation dans laquelle une inconnue à exposant entier positif intervient au dénominateur d'une fraction est une *équation fractionnaire** pour cette inconnue. Une équation fractionnaire peut être transformée en équation non fractionnaire en éliminant l'inconnue du ou des dénominateurs en multipliant chaque membre de l'équation par le dénominateur commun aux fractions impliquées (de préférence le PPCM).

Nous devons nous rappeler que la multiplication de chaque membre d'une équation en x par un polynôme en x n'aboutit pas toujours à une équation équivalente. La discussion des Théorèmes (2.2) et (2.3) a mis ce fait en évidence. D'où il sera nécessaire de vérifier chaque solution en la transportant dans l'équation originale. Cette vérification *doit* être faite dans tous les cas. Nous examinerons ce point en détail dans la section prochaine.

EXEMPLE 1. Résoudre pour x et vérifier:

$$\frac{3x + 4}{6x - 5} - \frac{2x + 5}{4x - 1} = 0$$

Solution. Le PPCM des dénominateurs est $(6x - 5)(4x - 1)$. En multipliant chaque membre de l'équation par ce dénominateur commun

$$\frac{3x + 4}{6x - 5}(6x - 5)(4x - 1) - \frac{2x + 5}{4x - 1}(6x - 5)(4x - 1) = 0$$

D'où $$(3x + 4)(4x - 1) - (2x + 5)(6x - 5) = 0$$

Alors $$12x^2 + 13x - 4 - (12x^2 + 20x - 25) = 0$$

et $$-7x + 21 = 0$$

Donc $$x = 3$$

Vérification. Si $x = 3$

Membre de gauche	Membre de droite
$\dfrac{3(3) + 4}{6(3) - 5} - \dfrac{2(3) + 5}{4(3) - 1}$	
$= \dfrac{13}{13} - \dfrac{11}{11}$	
$= 0$	$= 0$

EXEMPLE 2. Résoudre et vérifier:

$$\frac{4x + 2}{x^2 - 1} - \frac{1}{x + 1} - \frac{1}{x -- 1} = 0$$

Solution. Le membre de gauche de l'équation n'est pas défini pour $x = -1$ ou $x = 1$.

---

*N. du T.   À ce point, des auteurs préfèrent l'appellation équation fractionnaire rationnelle. Ces équations seraient bien définies après l'étude des fonctions rationnelles.

À chaque étape de la résolution, nous indiquerons que ces valeurs de x ne satisfont pas l'équation. En multipliant chaque membre par le plus petit dénominateur commun $(x - 1)(x + 1) = x^2 - 1$, nous avons

$$4x + 2 = (x - 1) + (x + 1) \qquad x \neq -1, x \neq 1$$
$$4x + 2 = 2x \qquad x \neq -1, x \neq 1$$
$$2x = -2 \qquad x \neq -1, x \neq 1$$

Donc $\qquad x = -1$

Vérification. Puisque $x = -1$ ne satisfait pas l'équation donnée, nous concluons que l'équation n'a pas de solution.

EXERCICES 5.7

1. Énumérer $\left\{ x : x \in R \text{ et } \dfrac{x - 1}{5x} + \dfrac{4}{x} = \dfrac{3}{x} + 1 \right\}$.

2. Énumérer $\left\{ y : y \in R \text{ et } \dfrac{3}{y + 1} = \dfrac{2}{y + 2} + \dfrac{1}{y - 2} \right\}$.

ÉNUMÉRER l'ensemble-solution des équations suivantes et vérifier dans l'équation originale chaque solution possible:

3. $\dfrac{1}{x^2 - 16} = \dfrac{2}{2x^2 - 7x + 3}$

4. $\dfrac{1}{x + 1} + \dfrac{1}{2x + 2} = \dfrac{1}{x + 2}$

5. $\dfrac{2}{z - 3} + \dfrac{7}{z - 2} = \dfrac{5}{z - 1}$

6. $\dfrac{5}{y} = \dfrac{3}{y - 1} + \dfrac{2}{y + 1}$

7. $\dfrac{1}{x^2 - 4} - \dfrac{2}{2x^2 + 5x + 2} = 0$

8. $\dfrac{3}{y - 2} = \dfrac{7}{y - 1} + \dfrac{5}{2 - y}$

9. $\dfrac{x - 3}{2x} = \dfrac{x - 2}{2x + 1}$

10. $\dfrac{3}{z + 1} + \dfrac{1}{1 - z} = \dfrac{2}{z^2 - 1}$

11. $\dfrac{3}{\cos t + 1} + \dfrac{1}{1 - \cos t} = \dfrac{2}{\cos^2 t - 1}$.   Trouver $\cos t$.

12. Résoudre pour $\tan t$, si $\dfrac{3}{\tan^2 t - \tan t - 6} = \dfrac{\tan t}{\tan t + 2} - 1$.

13. $\dfrac{x + 1}{x - 1} + \dfrac{x + 4}{x - 4} = \dfrac{x + 2}{x - 2} + \dfrac{x + 3}{x - 3}$

14. $\dfrac{x + 2}{x - 3} + \dfrac{x - 3}{x + 4} + \dfrac{x + 4}{x + 2} = 3$

15. Marc peut peindre sa chambre en 8 heures. Mathieu a besoin de 10 h pour faire le même travail. Combien d'heures mettront-ils pour faire le travail ensemble? INDICATION: Si x est le nombre d'heures nécessaires pour faire le travail à deux, alors $1/x$ est la partie du travail faite en 1 heure.

16. Le deuxième chiffre d'un nombre de deux chiffres excède de 2 le premier. Si le nombre est divisé par la somme de ses chiffres on obtient $^{34}/_7$. Quel est ce nombre?

17. Le dénominateur d'une fraction excède de 7 le numérateur. Si on ajoute 6 au numérateur, la fraction devient $^{18}/_{19}$. Quelle est la fraction originale?

18. En combien de temps deux machines feront-elles le travail, si la première peut l'accomplir seule en 6 h et la deuxième en 9 h?

19. Le coût de fabrication d'un radio transistor est de \$72. Quel serait le prix de détail si le manufacturier peut accorder une remise de 10% et faire encore un bénéfice de 10% du prix de détail?

20. Une personne a quatre montants d'argent égaux placés à 6, 5, 4 et 3% respectivement. Le revenu annuel des 4 placements est de \$144. Quel est le montant de chaque placement?

SOLUTIONS ÉTRANGÈRES 5.9

Pour résoudre certaines équations à une inconnue x, il est quelquefois nécessaire de multiplier chaque membre par un polynôme en x. Cette démarche, toutefois, peut ne pas conduire à une équation équivalente. Un exemple simple va le démontrer. Soit $f(x) = 0$ une équation donnée et $g(x)$ un polynôme. Si nous multiplions chaque membre de $f(x) = 0$ par $g(x)$, nous obtenons l'équation transformée

$$f(x) \cdot g(x) = 0$$

Cette équation est satisfaite pour toute valeur de x pour laquelle $f(x) = 0$ mais, elle est aussi satisfaite pour toute valeur de x pour laquelle $g(x) = 0$ si $f(x)$ est défini. D'où l'ensemble des solutions de $f(x) \cdot g(x) = 0$ comprend tous les éléments des solutions de l'équation $g(x) = 0$ en plus des éléments de l'ensemble-solution de $f(x)$, pourvu que $f(x)$ soit définie. D'où l'ensemble des solutions de $f(x) \cdot g(x) = 0$ peut comprendre des éléments qui ne sont pas des solutions de l'équation donnée $f(x) = 0$. Les solutions de l'équation transformée qui ne sont pas des solutions de l'équation donnée s'appellent les *solutions* ou *racines étrangères*.

Racines étrangères

EXEMPLE 1. L'équation $x - 4 = 0$ a une seule solution, $x = 4$. Si on multiplie chaque membre par $(x + 7)$, l'équation transformée

$$(x + 7)(x - 4) = 0$$

a deux solutions, $x = 4$ et $x = -7$. D'où $x = -7$ est une solution étrangère.

Le fait que des solutions étrangères apparaissent quelquefois, lorsqu'on résoud une équation fractionnaire, nous oblige à vérifier toute solution de l'équation transformée en les transportant dans l'équation initiale.

L'élévation au carré des deux nombres d'une équation peut introduire également des racines étrangères. Nous exposerons ce cas à l'occasion de la résolution des équations quadratiques.

Si nous divisons chaque nombre d'une équation par un polynôme de l'inconnue, l'équation transformée peut ne pas avoir autant de solutions que l'équation initiale.

EXEMPLE 2. L'équation $(x + 3)(x - 8) = 0$ a deux solutions, $x = -3$ et $x = 8$. Si nous divisons chaque membre par $x + 3$, l'équation transformée $x - 8 = 0$ a seulement une solution, $x = 8$.

Dans l'exemple précédent, nous avons "perdu" la solution $x = 3$ en divisant par le polynôme $(x + 3)$. Les solutions perdues de cette façon ne peuvent être retrouvées par l'équation transformée. D'où, au lieu de diviser par un facteur commun à chaque terme d'une équation, nous mettons en évidence comme dans l'exemple suivant.

EXEMPLE 3.   Résoudre pour x: $(x + 3)(x - 4) = 5(x + 3)$.

Solution.   Écrivons l'équation dans la forme

$$(x + 3)(x - 4) - 5(x + 3) = 0$$

Alors $$(x + 3)[(x - 4) - 5] = 0$$

D'où $$(x + 3)(x - 9) = 0$$

et l'ensemble des solutions est $\{ - 3,9\}$.   La vérification est laissée en exercice.

EXERCICES   5.8

ÉNUMÉRER l'ensemble des solutions de chacune des équations suivantes.   Pour quelques-unes, l'ensemble des solutions sera vide.

1. $\dfrac{y - 9}{y - 2} + \dfrac{y}{y - 2} = \dfrac{y - 8}{y - 6} + \dfrac{y + 1}{y - 6}$

2. $\dfrac{1}{x^2 + x - 12} + \dfrac{1}{x^2 - x - 6} = \dfrac{2}{x^2 - 2x - 3}$

3. $\dfrac{4}{x^2 - 1} - \dfrac{5}{x + 1} = \dfrac{2}{x - 1}$

4. $\dfrac{2y}{y - 3} - \dfrac{6}{y - 3} = 0$

5. $\dfrac{9 - 5y}{2y - 3} + 3 = \dfrac{3y - 3}{2y - 3}$

6. $\dfrac{3x - 2}{5x + 2} = \dfrac{3x}{5x + 2}$

7. $\dfrac{10}{x^2 - 25} + \dfrac{4}{x + 5} = \dfrac{1}{x - 5}$

8. $\dfrac{4x + 2}{x^2 - 2x - 3} + \dfrac{3x - 1}{3(x + 1)} = \dfrac{2x + 1}{2x - 6}$

9. $\dfrac{y + 10}{2y^2 - 3y - 35} - \dfrac{3y}{(y - 5)(2y + 7)} = 0$

10. $\dfrac{2x}{(2x + 3)(x - 2)} = \dfrac{2 + x}{2x^2 - x - 6}$

11. Résoudre pour x en termes de y: $8x + 2y - 7 = 3y - 2x + 5$.

12. Résoudre pour x en termes de y: $12x - 2y - 24 = 0$.

13. Résoudre pour y en termes de x: $10 - 6y + x = 0$.

14. Résoudre pour y en termes de x: $3x + 5(y + 2) - 7 = 0$.

15. Trouver toutes les valeurs de t entre 0 et 2π qui vérifient

$$\cos t = \frac{1}{2 \tan t}$$

FRACTIONS À TERMES FRACTIONNAIRES   5.10

Si le numérateur ou et le dénominateur d'une fraction est formé d'autres fractions, on l'appelle une *fraction à termes fractionnaires.*   Pour simplifier une telle fraction, nous pouvons effectuer les opérations indiquées dans le numérateur et le dénominateur, puis diviser le numérateur par le dénominateur.

EXEMPLE 1.

$$\frac{\dfrac{x}{4} + \dfrac{2x}{7}}{\dfrac{x^2}{14}} = \frac{\dfrac{7x + 8x}{28}}{\dfrac{x^2}{14}} = \frac{15x}{28} \div \frac{x^2}{14}$$

$$= \frac{15x}{28} \cdot \frac{14}{x^2} = \frac{15}{2x}$$

Une autre méthode, quelquefois plus pratique, serait de multiplier le numérateur et le dénominateur de la fraction par un dénominateur commun à toutes les fractions comprises dans le numérateur et le dénominateur de la fraction à termes fractionnaires.

EXEMPLE 2.

$$\frac{x}{1 - \dfrac{1-x}{1+x}} = \frac{x(1+x)}{\left(1 - \dfrac{1-x}{1+x}\right)(1+x)} = \frac{x(1+x)}{1+x-(1-x)}$$

$$= \frac{x(1+x)}{2x} = \frac{1+x}{2}$$

EXERCICES   5.9

SIMPLIFIER les fractions à termes fractionnaires:

1. $\dfrac{x - \dfrac{1}{x}}{1 + \dfrac{1}{x}}$

2. $\dfrac{\dfrac{x^2 - 25y^2}{y^3 + 1}}{\dfrac{x - 5y}{y^2 - y + 1}}$

3. $\dfrac{1 - \dfrac{a^2}{b^2}}{1 - \dfrac{a}{b}}$

4. $\dfrac{\dfrac{3}{x^2} - \dfrac{4}{x} + 1}{x - \dfrac{9}{x}}$

5. $\dfrac{\dfrac{2}{x - y} - \dfrac{3}{x + y}}{\dfrac{2}{x^2 - y^2}}$

6. $\dfrac{\dfrac{x-2}{x-3} - \dfrac{x-3}{x-2}}{\dfrac{1}{x-2} - \dfrac{1}{x-3}}$

7. $\dfrac{a + \dfrac{b}{a + b}}{a - \dfrac{a}{a + b} + b}$

8. $\dfrac{x + 1}{\dfrac{1}{x} + 1}$

9. $\dfrac{\dfrac{a + b}{b}}{\dfrac{1}{a} + \dfrac{1}{b}} \div \dfrac{a^2 - b^2}{a + b}$

10. $\left(1 - \dfrac{b^2}{a^2}\right) \div \left(1 - \dfrac{2b}{a} + \dfrac{b^2}{a^2}\right)$

11. $\dfrac{\dfrac{3}{x^2 - y^2}}{\dfrac{1}{x + y} - \dfrac{1}{x - y}}$

12. $\dfrac{\dfrac{x-3}{x-4} - \dfrac{x-4}{x-3}}{\dfrac{1}{x-3} - \dfrac{1}{x-4}}$

13. $2 - \dfrac{1}{2 - \dfrac{1}{2 - \frac{1}{2}}}$

14. $\dfrac{x}{1 - \dfrac{1}{1 + \dfrac{1}{x - 1}}}$

PROBLÈMES D'ÉQUATION FRACTIONNAIRE   5.11

Beaucoup de problèmes "vécus" sont résolus grâce à des équations fractionnaires et nous devrons nous rappeler que la vérification est partie essentielle de la résolution de ces problèmes. Chaque solution potentielle doit satisfaire les conditions posées dans le problème.

EXEMPLE 1. Le numérateur d'une fraction est inférieur de 4 au dénominateur. Si on soustrait 2 du numérateur et ajoute 15 au dénominateur, la fraction résultante est $\frac{1}{2}$. Quelle est la fraction initiale?

Solution. Soit x le dénominateur de la fraction initiale, alors $x - 4 = $ le numérateur. D'où

$$\frac{x - 4}{x}$$

est la fraction initiale. Si on diminue le numérateur de 2 et augmente de 15 le dénominateur, alors

$$\frac{(x - 4) - 2}{x + 15}$$

est la fraction résultante. D'où

$$\frac{x - 6}{x + 15} = \frac{1}{2}$$

$x = 27$ est le dénominateur de la fraction initiale et $x - 4 = 23$ le numérateur. Donc, $^{23}\!_{27} = $ la fraction initiale.

Vérification. $\dfrac{23 - 2}{27 + 15} = \dfrac{21}{42} = \dfrac{1}{2}$

EXERCICES 5.10

1. Trouver deux entiers positifs consécutifs tels que le quart du plus petit excède de 3 le cinquième du plus grand.

2. Soit deux nombres dont le plus petit vaut les ¾ du plus grand, la somme de leurs inverses vaut ⁷⁄₂₄. Quels sont les nombres?

3. Le dénominateur d'une fraction excède de 2 le numérateur. Si on ajoute 3 au dénominateur et 9 au numérateur, la fraction résultante est l'inverse de la fraction initiale. Quelle est la fraction?

4. Le dénominateur d'une fraction excède de 2 le numérateur. Si on ajoute 30 au numérateur et 40 au dénominateur, la valeur de la fraction n'est pas changée. Quelle est la fraction?

5. Le dénominateur d'une fraction excède de 4 le numérateur. Si on ajoute 14 au numérateur et retranche 9 au dénominateur la valeur de la fraction résultante est l'inverse de ³⁄₇. Quelle est la fraction initiale?

6. Le deuxième chiffre d'un nombre de deux chiffres excède le premier de 5. Si on augmente le nombre de 1 et qu'on divise ce résultat par la somme des chiffres plus 2, le quotient est 3. Quel est le nombre?

7. Un bateau à moteur navigue à 35 mi/h en eau calme. Cela lui prend ⁴⁄₃ fois plus d'heures pour remonter le courant à 35 mi/h que pour le descendre. Quelle est la vitesse du courant?

8. Avec un vent arrière de 30 mi/h, un avion met pour parcourir 570 mi les ⁹⁄₁₀ du temps qu'il aurait mis à parcourir la même distance contre le vent. Quelle est la vitesse de l'avion par temps calme?

9. On remplit un réservoir avec un gros tuyau d'amenée en ¾ du temps requis par un plus petit. Les deux tuyaux ensemble remplissent le réservoir en 36 mn. En combien de minutes le petit tuyau remplit le réservoir?

10. Si Marc peut faire ses travaux en 45 mn et si Marc et Jean peuvent les faire ensemble en 30 mn. En combien de temps Jean peut-il les faire seul?

11. Le plus gros de deux tuyaux d'arrivée peut remplir une cuve en 40 mn et le plus petit en 50 mn. Les deux tuyaux ensemble le remplissent en 36 mn lorsque la cuve se vide par un tuyau

d'écoulement. Trouver le temps nécessaire au tuyau d'écoulement pour vider la cuve si ell▮ est pleine aux ¾ quand les arrivées sont coupées.

12. Le chiffre des dizaines d'un nombre de 2 chiffres vaut 3 de moins que le chiffre des unités. S▮ le nombre est divisé par la somme de ses chiffres, le quotient est 4 et le reste 6. Quel est l▮ nombre?

13. La largeur d'un rectangle est le ⅓ de sa longueur. Si on augmente chaque dimension de 3 pi▮ la surface augmente de 117 pi². Quelles sont les dimensions du rectangle?

14. Le périmètre d'un rectangle est de 268 po. Si on diminue chaque dimension de 12 po une de▮ dimensions devient les ⅜ de l'autre. Quelles sont les dimensions du rectangle?

15. Les chiffres d'un nombre de trois chiffres sont trois entiers consécutifs. Le chiffre du milie▮ est le plus grand et le premier est le plus petit. Si le nombre est divisé par la somme de se▮ chiffres, le quotient est ²²⁹⁄₇. Quel est le nombre?

16. La vitesse d'un petit bateau à moteur est de 11⅔ mi/h. Il se déplace dans un même temps d▮ 23 mi contre le courant ou de 47 mi dans le sens du courant. Quelle est la vitesse du courant▮

EXPOSANTS. FONCTIONS EXPONENTIELLES

Dans la Section 1.6 nous avons défini les exposants entiers positifs et présenté quelques théorèmes fondamentaux sur les opérations les concernant. Nous définirons maintenant l'exposant zéro, les exposants négatifs et rationnels pour étendre à ceux-ci l'application des théorèmes fondamentaux que nous présentons ici comme *lois des exposants*. Par la notation $n \in N^*$ nous entendons que n n'est un élément de l'ensemble N^* des entiers positifs ou nombres naturels $\{0\}$.

LOI 1. LOI DE LA MULTIPLICATION. Soit $m, n \in N^*$, pour tout nombre a

$$a^m \cdot a^n = a^{m+n} \tag{6.1}$$

Pour une preuve de cetre loi, voir Section 1.6.

LOI 2. LOI DE LA DIVISION. Soit $m, n, \in N^*$ et $a \neq 0$, alors

$$
\begin{aligned}
\frac{a^m}{a^n} &= a^{m-n} && \text{if } m > n \\
&= 1 && \text{if } m = n \\
&= \frac{1}{a^{n-m}} && \text{if } m < n
\end{aligned} \tag{6.2}
$$

Une preuve a été donnée dans la Section 1.6.

LOI 3. LOI DE LA PUISSANCE D'UN PRODUIT. Soit $m \in N^*$, pour tous nombres a et b

$$(ab)^m = a^m b^m \tag{6.3}$$

Preuve. $\quad (ab)^m = (ab)(ab)\cdots(ab) \qquad m$ facteurs de ab
$$= (aa\cdots a)(bb\cdots b) \qquad m \text{ facteurs de } a$$

suivis de m facteurs de b, en vertu de la commutativité et de l'associativité de la multiplication.
D'où $(ab)^m = a^m b^m$ par définition.

LOI 4. LOI DE LA PUISSANCE D'UN QUOTIENT. Soit $m \in N^*$, pour tou■
nombres a et b, $b \neq 0$

$$\left(\frac{a}{b}\right)^m = \frac{a^m}{b^m} \tag{6.4}$$

La preuve de cette loi est laissée à l'étudiant.

LOI 5. LOI D'UNE PUISSANCE DE PUISSANCE. Soit m, $n \in N^*$, pour tou▪
nombre a

$$(a^m)^n = a^{mn} \tag{6.5}$$

La preuve sera omise.

EXPOSANT ZÉRO 6.1

Jusque-là, nous avons défini a^n pour $n \in N^*$. Si nous étendons notr■
définition aux cas où le nombre n est nul, entier négatif, ou rationnel, nou▪
avons le choix entre plusieurs définitions de ces exposants. Cependant▪
il est logique de les définir de sorte que les cinq lois des exposants entier▪
positifs demeurent valables. Nous définissons donc l'exposant zéro e▪
raisonnant comme suit:

Si la Loi 1 doit être conservée alors qu'un des exposants, par exemple▪
est nul, on a

$$a^m \cdot a^0 = a^{m+0} = a^m$$

or $a^m \cdot 1 = a^m$ **pourquoi?**

donc $a^m \cdot a^0 = a^m \cdot 1$

et $a^0 = 1$ **pourquoi?**

Ainsi, la définition suivante est acceptable:

DÉFINITION. Soit $a \in R$, $a \neq 0$, alors
$$a^0 = 1 \tag{6.6}$$

Avec cette définition, toutes les cinq lois des exposants entiers positif▪
sont conservées pour tout exposant zéro. La preuve de la véracité d▪
l'affirmation est laissée en exercice.

EXEMPLES.
$$3^0 = 1$$
$$2(3x - 7y)^0 = 2(1) = 2$$
$$[7(x + 2y - 1)^2]^0 = 1$$

EXPOSANTS ENTIERS NÉGATIFS   6.2

Soit a un nombre réel, m et n des entiers positifs. Supposons aussi que $m > n$. Alors, si la Loi 1 doit être conservée,

$$a^m \cdot a^{-n} = a^{m+(-n)} = a^{m-n}$$

Si la Loi 2 doit rester valable, alors

$$a^m \cdot \frac{1}{a^n} = \frac{a^m}{a^n} = a^{m-n}$$

D'où $$a^m \cdot a^{-n} = a^m \cdot \frac{1}{a^n}$$

et $$a^{-n} = \frac{1}{a^n}$$

Cette conclusion suggère la définition d'un exposant entier négatif.

DÉFINITION.   Soit $a \in R$, $a \neq 0$, et $n \in N^*$, alors

$$a^{-n} = \frac{1}{a^n} \tag{6.7}$$

Les cinq lois des exposants pour les entiers positifs restent valables pour cette définition. La preuve de la conservation des cinq lois est laissée en exercice.

EXEMPLES.
$$7^{-2} = \frac{1}{7^2} = \frac{1}{49}$$

$$x^3 y^{-3} z^4 = x^3 \left(\frac{1}{y^3}\right) z^4 = \frac{x^3 z^4}{y^3}$$

$$\frac{x^{-2} z^4}{y^{-3}} = \frac{(1/x^2) \cdot z^4}{1/y^3} = \frac{y^3 z^4}{x^2}$$

$$\left(\frac{a}{b}\right)^{-1} = \frac{1}{a/b} = \frac{b}{a}$$

EXERCICES   6.1

EFFECTUER les opérations en appliquant les lois des exposants.   Simplifier en supprimant tous les exposants négatifs et réduire les fractions à termes fractionnaires.

1. $x^{4m} \cdot x^{3m}$
2. $a^{5x} \cdot a^x$
3. $20a^{x+y} \div 5a^y$
4. $10^7 \div 10^6$

RÉDUIRE à une puissance d'une quantité simple:

5. $(x + y)^3 (x + y)^2$
6. $(2x + 3y)^m (2x + 3y)^{2m}$
7. $5^4 \cdot 2^4 \cdot 3^4$
8. $[(x + y)^2 (x + y)^3] \div (x + y)^4$
9. $(x^{-2})^3$
10. $(y^{-3})^{-4}$

11. $(x^{-4}y^{-2}z^0)^{-1}$

12. $(\frac{2}{3})^{-3}(\frac{5}{2})^0$

13. $(3^{-2})(3^2)(7^0)(6)$

14. $(x^0y^{-3}z^{-2})^2$

15. $\dfrac{x^{-2}y^{-5}}{x^{-3}}$

16. $\dfrac{a}{b^{-1}} + \dfrac{b}{a^{-1}}$

17. $x^{-1} + y^{-1}$

18. $z^{-2} + w^{-2}$

19. $(x^n y^3)(x^{n+1}y^2)^{-2}$

20. $\dfrac{4^{-2}x^{-3}}{(2x)^{-4}}$

21. $\dfrac{[(2x + 3y)^2]^0}{(2x + 3y)^2}$

22. $\dfrac{(x^2y^{-2})^3(x^{-2}y)^2}{(xy^{-1})^6}$

23. $\dfrac{a^{-2}}{a^{-2} - b^{-2}}$

24. $(x^{-1} + y^{-1})^{-1}$

25. $(a^{-1} + b^{-1})(a^{-1} - b^{-1})$

26. $(a^y + b^{-y})(a^{-y} + b^y)$

27. $\dfrac{b^{-x}}{b^{-y}} + \dfrac{b^{-y}}{b^{-x}}$

28. $\dfrac{x^3}{y^{-2}} \div \dfrac{x^{-2}}{y^3}$

29. $\dfrac{1 - x^{-3}}{1 + x^{-3}}$

30. $\dfrac{x^{-1} + y^{-1}}{(x + y)^{-1}}$

31. $\dfrac{3 + 3x^2}{1 + x^{-2}}$

32. $\dfrac{9x^3 - x^{-1}}{3 - x^{-2}}$

EXPOSANTS RATIONNELS   6.3

Avant d'attribuer une signification aux puissances à exposants ra tionnels, considérons, d'abord, la définition suivante:

DÉFINITION.   Soit $a^n = b$, $n \in N^*$, alors a est une racine $n^{\text{ième}}$ de b.   **(6.8)**

Par exemple, puisque $2^4 = 16$, 2 est une racine quatrième de 16. Puisqu $(-2)^4 = 16$, il suit que -2 est aussi une racine quatrième de 16. D même, 2 est une racine cinquième de 32, et -2 une racine cinquième de -3:

Les propriétés suivantes des nombres réels peuvent être établies, ma les preuves ne sont pas faciles. Pour le moment, nous devrons les accepte de confiance.

1.   Soit $b \in R$, $b \neq 0$, alors il existe exactement n racine $n^{\text{ième}}$ dis tinctes de b. Plusieurs de ces racines de b (ou toutes) peuvent ne pas êtr des nombres réels. Par exemple, il y a deux racines réelles quatrièmes d 16 (2 et -2) mais deux autres racines quatrièmes ne sont pas réelles. L nombre réel -16 n'a pas de racine réelle quatrième, mais quatre racine quatrièmes qui ne sont pas réelles. Nous étudierons ces racines non réelle dans un chapitre ultérieur.

2.   Si b est un nombre positif réel et n est un entier positif pair, il y deux racines réelles $n^{\text{ième}}$ de b. L'une d'elles est positive et l'autre es

Racine principale $n^{\text{ième}}$ négative. La racine positive $n^{\text{ième}}$ est notée $\sqrt[n]{b}$ et on l'appelle la *racin principale $n^{\text{ième}}$ de b*. La racine $n^{\text{ième}}$ négative de b est notée $-\sqrt[n]{b}$. L deux racines réelles sont souvent groupées et notées $\pm \sqrt[n]{b}$. Ainsi, $\sqrt[4]{16} =$ (la racine principale quatrième) et $-\sqrt[4]{16} = -2$. Les deux racines réelle peuvent être groupées et notées $\pm\sqrt[4]{16}$. Nous demandons de bien r marquer que $\sqrt[4]{16}$ ne signifie pas ± 2.

3. Si b est un nombre négatif et n un entier positif pair, alors b n'a pas de racine réelle $n^{\text{ième}}$. Le fait est évident, car une puissance paire d'un nombre réel est toujours positive, jamais négative. Par exemple, aucun nombre réel x n'existe tel que $x^2 = -16$. Par conséquent, le nombre réel -16 n'a pas de racine réelle deuxième.

4. Si b est un nombre positif et n est un entier positif impair, alors il existe une, et seulement une, racine réelle $n^{\text{ième}}$ de b. Cette racine positive est la racine principale $n^{\text{ième}}$ de b, notée $\sqrt[n]{b}$. Par exemple, $\sqrt[3]{8} = 2$. Les deux autres racines cubiques de 8 ne sont pas des nombres réels.

5. Si b est un nombre négatif et n un entier positif impair, ici encore, une seule et seulement une racine réelle $n^{\text{ième}}$ de b existe. Elle est négative. Par exemple $\sqrt[3]{-27} = -3$. Les deux autres racines de -27 ne sont pas réelles.

6. Si $b = 0$, et $n \in N^*$, la racine $n^{\text{ième}}$ est nulle.

Nous sommes prêts maintenant à définir le symbole $b^{1/n}$ pour tout b et n positif entier. Pour conserver la Loi 5 dans le cas où $m = 1/n$, alors nous devons avoir

$$(b^{1/n})^n = b^{(1/n) \cdot n} = b^1 = b$$

D'où il paraît logique de définir $b^{1/n}$ comme la racine principale $n^{\text{ième}}$ unique de b.

DÉFINITION. Soit $b \in R$, $n \in N^*$, alors

$$b^{1/n} = \sqrt[n]{b} \qquad (6.9)$$

exception faite du cas où b est négatif et n pair.

Le symbole $\sqrt[n]{b}$ est un *radical*. L'entier positif n en est l'*indice* et b le *radicande*. Si n est 2, nous n'écrivons pas l'indice du radical. Ainsi, $\sqrt[2]{b}$ s'écrit $\sqrt{b}$.

EXEMPLES.

(1) $\qquad\qquad 9^{1/2} = \sqrt{9} = 3$
(2) $\qquad\qquad 27^{1/3} = \sqrt[3]{27} = 3$
(3) $\qquad (-125)^{1/3} = \sqrt[3]{-125} = -5$

Notons que des symboles tels que $(-9)^{1/2}$, $(-64)^{1/4}$ ne sont pas définis dans l'ensemble des nombres réels.

De la Définition (6.9) et de la Loi 5, il suit que si m, $n \in N^*$, alors nous devons avoir

$$b^{m/n} = (b^{1/n})^m = (\sqrt[n]{b})^m$$
$$b^{m/n} = (b^m)^{1/n} = \sqrt[n]{b^m}$$

Ce qui suggère immédiatement la définition suivante:

DÉFINITION. Soit $m, n \in N^*$, alors

$$b^{m/n} = (\sqrt[n]{b})^m = \sqrt[n]{b^m} \qquad\qquad (6.10)$$

exception faite du cas où b est négatif et n pair.

Si $m = kp$ et $n = kq$, où p et q n'ont pas de diviseur commun autre que 1 ou -1, et où $k > 0$, nous pourrions montrer qu'aucune contradiction ne résultera, si nous prolongeons cette définition par

$$b^{m/n} = b^{kp/kq} = b^{p/q} \qquad b > 0$$

Ainsi, $(16)^{3/12} = 16)^{1/4} = \sqrt[4]{16} = 2.$ Également

$$(27)^{8/6} = (27)^{4/3} = (\sqrt[3]{27})^4 = 81$$

Si $b > 0$, et $m, n \in N^*$, nous définissons $b^{-m/n}$ ainsi:

$$b^{-m/n} = \frac{1}{b^{m/n}}$$

Pour que les définitions de cette section soient acceptables, nous devons montrer que ces définitions conservent toutes les lois des exposants. La preuve que tel en est le cas est laissée en exercice.

Simplification des racines

Lorsqu'on simplifie ou effectue des opérations sur des racines de nombres réels, on peut se servir indifféremment de la notation exponentielle ou des radicaux. Quelquefois, une notation est plus pratique que l'autre. Dans les exemples suivants, nous supposons que les racines indiquées existent et qu'aucun dénominateur n'est nul.

EXEMPLE 1. Trouver la valeur de $(^{27}\!/_{64})^{2/3}$.

Solution. $\left(\dfrac{27}{64}\right)^{2/3} = \left(\dfrac{3^3}{4^3}\right)^{2/3} = \left[\left(\dfrac{3}{4}\right)^3\right]^{2/3} = \left(\dfrac{3}{4}\right)^2 = \dfrac{9}{16}$

EXEMPLE 2. Réduire à un seul radical le produit $\sqrt{3} \cdot \sqrt[3]{4}$.

Solution. $\sqrt{3} \cdot \sqrt[3]{4} = 3^{1/2} \cdot 4^{1/3} = 3^{3/6} \cdot 4^{2/6} = (3^3 \cdot 4^2)^{1/6}$
$$= (432)^{1/6} = \sqrt[6]{432}$$

Simplification des radicaux

Nous pouvons, souvent, simplifier un radical en le mettant dans des formes équivalentes que nous jugeons plus pratiques.

EXEMPLE 3. Simplifier le radical $\sqrt{98x^3y^{-4}}$.

Solution. $\sqrt{98x^3y^{-4}} = (2 \cdot 7^2x^3y^{-4})^{1/2} = 2^{1/2} \cdot 7 \cdot x^{3/2} \cdot y^{-2}$
$$= 7xy^{-2}(2^{1/2}x^{1/2}) = 7xy^{-2}\sqrt{2x}$$

Le radical de l'exemple précédant peut se simplifier sans recours à notation exponentielle. Nous nous rappelons que si $a > 0$ et $b > 0$, alors

$$\sqrt[n]{ab} = (ab)^{1/n} \qquad \text{par définition}$$
$$= a^{1/n}b^{1/n} \qquad \text{d'après la Loi 5}$$

D'où
$$\sqrt[n]{ab} = \sqrt[n]{a} \cdot \sqrt[n]{b} \qquad \text{par définition}$$

Si $\sqrt[n]{a}$ ou $\sqrt[n]{b}$ est rationnel, nous disons que $\sqrt[n]{ab}$ a été simplifié. Ainsi,

$$\sqrt{98x^3y^{-4}} = \sqrt{49x^2y^{-4} \cdot 2x} = \sqrt{49x^2y^{-4}} \cdot \sqrt{2x} = 7xy^{-2}\sqrt{2x}$$
$$\sqrt[3]{250} = \sqrt[3]{125 \cdot 2} = \sqrt[3]{125} \cdot \sqrt[3]{2} = 5\sqrt[3]{2}$$

Certains radicaux ont des radicandes fractionnaires et peuvent être simplifiés sans la notation exponentielle. Soit $a > 0$ et $b > 0$, alors

$$\sqrt[n]{\frac{a}{b}} = \left(\frac{a}{b}\right)^{1/n} = \frac{a^{1/n}}{b^{1/n}} = \frac{\sqrt[n]{a}}{\sqrt[n]{b}}$$

Si $\sqrt[n]{b}$ est rationnel, nous disons que le radical $\sqrt[n]{a/b}$ a été simplifié. Par exemple,

$$\sqrt[4]{\frac{7}{16}} = \frac{\sqrt[4]{7}}{\sqrt[4]{16}} = \frac{\sqrt[4]{7}}{2} = \frac{1}{2}\sqrt[4]{7}$$

Si une expression contient plus d'un terme irrationnel, nous utilisons la loi de distributivité pour grouper des radicaux qui ont même indice et même radicande.

EXEMPLE 4. Réduire les termes semblables: $\sqrt{98} + 2\sqrt{2} - \sqrt{32}$.

Solution.
$$\sqrt{98} + 2\sqrt{2} - \sqrt{32} = \sqrt{49 \cdot 2} + 2\sqrt{2} - \sqrt{16 \cdot 2}$$
$$= 7\sqrt{2} + 2\sqrt{2} - 4\sqrt{2}$$
$$= (7 + 2 - 4)\sqrt{2}$$
$$= 5\sqrt{2}$$

EXEMPLE 5. Réduire: $\sqrt[3]{5x^2} + 3\sqrt[6]{25x^4}$.

Solution.
$$\sqrt[3]{5x^2} + 3\sqrt[6]{25x^4} = (5x^2)^{1/3} + 3(5^2x^4)^{1/6}$$
$$= 5^{2/6}x^{4/6} + 3(5^{2/6}x^{4/6})$$
$$= (1 + 3)5^{2/6}x^{4/6}$$
$$= 4(5^{1/3}x^{2/3})$$
$$= 4\sqrt[3]{5x^2}$$

Si une fraction comprend un radical au dénominateur, il peut être utile de chercher une fraction équivalente qui ne comprend pas de radical au dénominateur. On dit qu'on *rend rationnel le dénominateur.* Si le dénominateur ne comporte qu'un radical, nous procédons comme suit:

EXEMPLE 6. Rendre rationnel le dénominateur de $\dfrac{3}{\sqrt[7]{2x^2}}$.

Solution. $\dfrac{3}{\sqrt[7]{2x^2}} = \dfrac{3}{2^{1/7}x^{2/7}} = \dfrac{3}{2^{1/7}x^{2/7}} \cdot \dfrac{2^{6/7}x^{5/7}}{2^{6/7}x^{5/7}}$

$$= \dfrac{3(2^{6/7}x^{5/7})}{2x} = \dfrac{3\sqrt[7]{2^6x^5}}{2x} = \dfrac{3\sqrt[7]{64x^5}}{2x}$$

Si le dénominateur d'une fraction est une somme ou une différenc▪ comportant des radicaux, nous procédons comme suit:

EXEMPLE 7. Rendre rationnel le dénominateur de $\dfrac{3}{6 + \sqrt{3}}$.

Solution. Nous savons que $(a + b)(a - b) = a^2 - b^2$. D'où

$$(6 + \sqrt{3})(6 - \sqrt{3}) = (6)^2 - (\sqrt{3})^2 = 36 - 3 = 33$$

Si nous multiplions le numérateur et le dénominateur de la fractio▪ donnée par $6 + \sqrt{3}$, le radical sera éliminé du dénominateur. Donc

$$\dfrac{3}{6 + \sqrt{3}} = \dfrac{3}{6 + \sqrt{3}} \cdot \dfrac{6 - \sqrt{3}}{6 - \sqrt{3}} = \dfrac{3(6 - \sqrt{3})}{36 - 3} = \dfrac{3(6 - \sqrt{3})}{33}$$

EXEMPLE 8. Effectuer $(25 - x^2)^{3/2} + 2x^2(25 - x^2)^{1/2}$.

Solution. $(25 - x^2)^{1/2}$ est un facteur commun à chaque terme de l'ex▪ pression donnée; d'où

$$(25 - x^2)^{3/2} + 2x^2(25 - x^2)^{1/2} = (25 - x^2)^{1/2}[(25 - x^2) + 2x^2]$$
$$= (25 - x^2)^{1/2}(25 + x^2)$$

EXERCICES 6.2

TROUVER les valeurs rationnelles des expressions suivantes:

1. $25^{1/2}$; $64^{1/3}$; $125^{1/3}$; $16^{3/2}$ **2.** $4^{3/2}$; $4^{5/2}$; $8^{2/3}$; $9^{3/2}$
3. $27^{2/3}$; $85^{5/3}$; $32^{1/5}$; $4^{7/2}$; $(16\!\!/\!_{49})^{1/2}$; $(4\!\!/\!_{81})^{1/2}$ **4.** $81^{1/4}$; $64^{2/3}$; $(1\!\!/\!_{27})^{2/3}$; $(1\!\!/\!_{32})^{3/5}$; $(4\!\!/\!_{49})^{3/2}$; $(27\!\!/\!_8)^{5/▪}$

SIMPLIFIER autant que possible les radicaux et rendre rationnels les dénominateurs, si besoin es▪

5. $\sqrt{x^6}$ 6. $(\sqrt[3]{x})^6$ 7. $\sqrt{24x^3}$
8. $\sqrt{50x^4}$ 9. $\sqrt{147}$ 10. $\sqrt{162x^4y}$
11. $\sqrt{45} \cdot \sqrt{5}$ 12. $\sqrt{7} \cdot \sqrt{28}$ 13. $\sqrt[3]{4} \cdot \sqrt[3]{1}$
14. $\sqrt[3]{108} \cdot \sqrt[3]{4}$ 15. $\sqrt[3]{3} \cdot \sqrt[3]{9}$ 16. $\sqrt[4]{2} \cdot \sqrt[4]{8}$
17. $\dfrac{\sqrt{72}}{\sqrt{18}}$ 18. $\dfrac{\sqrt[3]{5}}{\sqrt[3]{8}}$ 19. $\dfrac{\sqrt[3]{108}}{\sqrt[3]{4}}$
20. $\dfrac{\sqrt[3]{56}}{\sqrt[3]{-7}}$ 21. $\sqrt{7\!\!/\!_{21}}$ 22. $\sqrt[3]{3\!\!/\!_8}$
23. $\sqrt[3]{2\!\!/\!_5}$ 24. $\sqrt{\dfrac{3x}{2y^3}}$ 25. $\sqrt[3]{\dfrac{3x^2}{2y^2}}$

26. $\sqrt[4]{\dfrac{4xy^5}{81z^4}}$ **27.** $\dfrac{6x\sqrt{2xy^3}}{x\sqrt{8x^3y}}$ **28.** $\dfrac{\sqrt[4]{8}}{\sqrt[4]{3}}$

29. $(4 + x^{-1/2})(4 - x^{-1/2})$ **30.** $(x^{-1/2} + y^{-1/2})^2$

31. $(x^{1/2} - y^{1/2})(x^{1/2} + y^{1/2})$ **32.** $\dfrac{y^{1/2} + y^{-1/2}}{y^{1/2} - x^{-1/2}}$

33. $\dfrac{2}{2 - \sqrt{3}}$ **34.** $\dfrac{1}{\sqrt{6} - 2}$

35. $\dfrac{3}{\sqrt{5} - 1}$ **36.** $\dfrac{1}{\sqrt{2} - \sqrt{3}}$

37. $\dfrac{a}{a - \sqrt{a^2 - 16}}$ **38.** $\dfrac{b + \sqrt{b^2 - 9}}{b - \sqrt{b^2 - 9}}$

39. $\dfrac{\sqrt{a} - \sqrt{a + 1}}{\sqrt{a} + \sqrt{a + 1}}$ **40.** $\dfrac{\sqrt{a} + \sqrt{a^2 - b^2}}{\sqrt{a} - \sqrt{a^2 - b^2}}$

41. $\dfrac{x^{1/(1-m)-1} - x^{1/(1-m)}}{x^{m/(1-m)}}$ **42.** $\sqrt{4x - x^2} + \dfrac{x(1 - x)}{\sqrt{4x - x^2}}$

43. $\dfrac{(x^2/\sqrt{a - x^2}) + \sqrt{a - x^2}}{a - x^2}$ **44.** $\dfrac{\sqrt{1 + x^2} - (x^2/\sqrt{1 + x^2}) + 1}{1 + \sqrt{1 + x^2}}$

45. $(a^2 + b^2)^{3/2} + a^2(a^2 + b^2)^{1/2}$ **46.** $(4 - x^2)^{5/2} + x^2(4 - x^2)^{3/2} - (4 - x^2)$

47. $(x^2 - 25)^{1/2} - x^2(x^2 - 25)^{-3/2}$

ÉQUATIONS IRRATIONNELLES 6.4

Une équation dont la variable est affectée d'un exposant fractionnaire (ou se trouve sous un radical) est une *équation irrationnelle*. Par exemple,

$$x^{1/3} - 8 = 0 \qquad \text{et} \qquad \sqrt{x + 1} = 3$$

sont deux équations irrationnelles. La méthode de résolution de ces équations est suggérée par le théorème suivant:

> **THÉORÈME.** Soit $a = b$ et un nombre rationnel n, alors
>
> $$a^n = b^n \qquad\qquad \textbf{(6.11)}$$

La preuve vient du fait que $a = b$ signifie que a et b représentent le même nombre. Donc, les expressions a^n et b^n représentent le même nombre.

Une erreur fréquente consiste à prendre pour vraie la réciproque du Théorème (6.11). La réciproque n'est pas vraie, car $a^n = b^n$ n'implique pas que $a = b$. Par exemple,

$$(-2)^2 = (+2)^2$$

mais $$-2 \neq +2$$

Lorsque les deux membres d'une égalité $a = b$ sont élevés à la puissance $n^{\text{ième}}$, l'équation $a^n = b^n$ en résulte, et des solutions étrangères ont pu

être introduites. Il est donc nécessaire de vérifier chaque solution d
l'équation transformée $a^n = b^n$ pour dire si elle satisfait, ou non, l'équatio
donnée.

EXEMPLE 1. Résoudre pour x: $\sqrt{x-6} + 3 = \sqrt{x+9}$.

Solution. Si nous élevons au carré chaque membre de l'équation, nou
avons
$$(\sqrt{x-6})^2 + 6\sqrt{x-6} + 9 = (\sqrt{x+9})^2$$
Alors
$$x - 6 + 6\sqrt{x-6} + 9 = x + 9$$
$$6\sqrt{x-6} = 6$$
et
$$\sqrt{x-6} = 1$$

Si nous élevons au carré chaque membre de cette équation, nou
avons
$$x - 6 = 1$$
D'où
$$x = 7$$

Vérification. Si $x = 7$,

Membre de gauche	Membre de droite
$\sqrt{7-6} + 3$ $= 4$	$\sqrt{7+9} = \sqrt{16}$ $= 4$

EXEMPLE 2. Résoudre pour x: $\sqrt{30-3x} + \sqrt{23-2x} = 0$.

Solution. Écrire l'équation de sorte qu'un seul des radicaux demeu
du côté gauche de l'équation:
$$\sqrt{30-3x} = -\sqrt{23-2x}$$
Alors
$$30 - 3x = 23 - 2x$$
et
$$x = 7$$

Vérification. Si $x = 7$, le membre de gauche vaut
$$\sqrt{30-21} + \sqrt{23-14} = \sqrt{9} + \sqrt{9} = 3 + 3 = 6$$

Puisque le membre de droite est 0, nous voyons que $x = 7$ n'est pas u
solution de l'équation donnée. Puisque $x = 7$ est la seule solution possib
de l'équation transformée, nous devons conclure que l'équation initia
n'a pas de solution. Donc, l'ensemble-solution est l'ensemble vide $\varnothing$

Si, en résolvant des équations, on élève chaque membre à la mêr
puissance, on suppose vrai que *l'ensemble-solution de l'équation air
transformée contient toutes les solutions de l'équation originale.* P

exemple, si $x = 5$, l'ensemble-solution de $x^2 = 25$ contient 5. Si $x = 2$, alors l'ensemble-solution de $x^3 = 8$ contient 2.

EXERCICES 6.3

RÉSOUDRE et vérifier. Se rappeler que l'ensemble-solution de toute équation transformée peut être l'ensemble-solution de l'équation donnée ou ne pas l'être; donc, qu'une vérification est essentielle.

1.	$(x + 4)^{1/2} - 3 = 0$	2.	$(3x - 6)^{1/2} - 6 = 0$
3.	$(x + 5)^{1/2} + 4 = 0$	4.	$x - (x^2 - 1)^{1/2} = 1$
5.	$\sqrt{4x^2 - 5} - 2x = 4$	6.	$2 + \sqrt{3x + 6} = 0$
7.	$\sqrt{16y^2 + 25} - 4y = 2$	8.	$\sqrt{9x^2 + 4} = 3x - 2$
9.	$(x + 2)^{1/3} = 2$	10.	$(2x - 1)^{1/3} = 3$
11.	$(x^2 + 1)^{1/2} + x - 1 = 0$	12.	$4x + (16x^2 - 5)^{1/2} = 2$
13.	$(9x - 4)^{1/3} = 3(x - 1)^{1/3}$	14.	$\sqrt{x} + \sqrt{x - 5} = 3$
15.	$\sqrt{x - 4} = \sqrt{x + 11} - 3$	16.	$\sqrt{2x - 1} = \sqrt{2x + 11}$
17.	$\sqrt{x - 5} + \sqrt{x + 10} + 3 = 0$	18.	$\sqrt{x + 4} = 2 - \sqrt{x + 16}$
19.	$\sqrt{\sqrt{x - 4}} - 2 = 0$	20.	$\sqrt[3]{\sqrt{3x + 1}} = 2$
21.	$\sqrt{\sqrt{400}} = \sqrt{5 + \sqrt{x}}$	22.	$\sqrt{(x/2) - 1} - 3 = 0$
23.	$\sqrt{(x/4) + 1} - 6 = 0$	24.	$\dfrac{5}{3} = \sqrt{(x/3) - 1}$
25.	$\sqrt{3 + (x/2)} = \sqrt{(5x/2) - 13}$	26.	$\sqrt[3]{(2x/3) + 23} = \sqrt[3]{(3x/2) + 18}$
27.	$\sqrt[3]{(3x^2 - 7x + 8)/4} = x^{2/3}$	28.	$(x - 1)^{2/3} = (2x)^{1/3}$

FONCTIONS EXPONENTIELLES 6.5

sants
onnels

Pour un nombre réel, $b > 0$, nous avons défini b^n pour toute les valeurs rationnelles de n. Pour $b < 0$ et n un nombre rationnel irréductible à dénominateur pair, b^n n'est pas défini dans l'ensemble des nombres réels.

Pour b positif, il est aussi possible de définir b^n pour un nombre irrationnel n. La définition nécessite l'emploi d'approximations successives rationnelles de l'exposant irrationnel et ne peut pas être discutée complètement dans un livre élémentaire. Par exemple, considérons la signification de $2^{\sqrt{2}}$. Une première approximation grossière de $\sqrt{2}$ est donnée par le nombre rationnel 1.4. Ainsi, $2^{\sqrt{2}}$ est égal approximativement à $2^{1.4}$ qui est défini. 1.41 est une meilleure approximation de $\sqrt{2}$. D'où $2^{\sqrt{2}}$ sera plus près de $2^{1.41}$ qui est défini. Si nous prenons de meilleures approximations rationnelles de $\sqrt{2}$, nous obtenons de meilleures approximations de $2^{\sqrt{2}}$. De cette façon, nous donnons une signification à $2^{\sqrt{2}}$.

Pour donner un sens au symbole b^n, $b > 0$ et pour tout nombre réel, n, nous acceptons l'énoncé suivant:

omme un
bre réel
f unique

Si $b \in R$, $b > 0$, et $x \in R$, le symbole b^x ne représente qu'un nombre réel positif et un seul, tel que toutes les lois des exposants sont conservées.

L'attribution d'une valeur réelle, et une seule, à b^x pour tout réel définit une fonction.

> **DÉFINITION.** Soit $b > 0$ et $x \in R$, alors
>
> $$f(x) = b^x \qquad\qquad (6.12)$$
>
> s'appelle une fonction exponentielle.

Graphe de la fonction exponentielle

Une étude du graphe de la fonction exponentielle nous aide à com prendre le comportement de la fonction. Pour construire ce graphe, pr nons un sous-ensemble de l'ensemble des couples (x,b^x) de la fonctio Portons ensuite dans le plan les points dont les coordonnées sont l couples trouvés, et joignons-les dans l'ordre, de gauche à droite, par u courbe continue. Cette courbe représente alors approximativement graphe de la fonction.

EXEMPLE 1. Tracer le graphe de $f(x) = 2^x$.

Solution. L'ensemble suivant des couples $(x,2^x)$ de la fonction a é trouvé en attribuant des valeurs arbitraires à x.

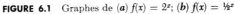

$$\left\{ \left(-3,\frac{1}{8}\right), \left(-2,\frac{1}{4}\right), \left(-1,\frac{1}{2}\right), (0,1), (1,2), (2,4), (3,8) \right\}$$

Ces points ont été reportés pour tracer le graphe de la figure 6.1a.

EXEMPLE 2. Tracer le graphe de $f(x) = \frac{1}{2}^x$.

FIGURE 6.1 Graphes de (*a*) $f(x) = 2^x$; (*b*) $f(x) = \frac{1}{2}^x$

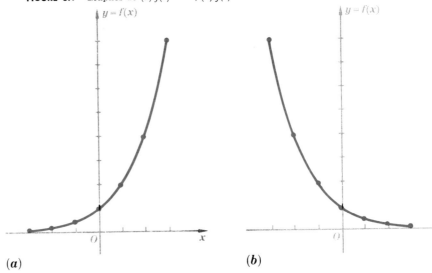

(*a*)   (*b*)

Solution.   Soit un sous-ensemble des couples $(x, \frac{1}{2}^x)$

$$\left\{ (-3,8), (-2,4), (-1,2), (0,1), \left(1, \frac{1}{2}\right), \left(2, \frac{1}{4}\right), \left(3, \frac{1}{8}\right) \right\}$$

Le graphe est tracé à la figure 6.1*b*.

Si $b > 1$, le graphe de la fonction exponentielle b^x a même allure générale que le graphe de la fonction 2^x et présente les propriétés suivantes : (1) la valeur de la fonction est positive ; donc, le graphe se trouve en entier au-dessus de l'axe de x ; (2) la valeur de la fonction croît lorsque x croît ; (3) la fonction vaut 1 pour $x = 0$; (4) $x_2 > x_1$ entraîne $b^{x_2} > b^{x_1}$; (5) $x < 0$ entraîne $b^x < 1$.

Si $b < 1$, le graphe de la fonction b^x a la même forme générale que le graphe de la fonction $\frac{1}{2}^x$ et la fonction présente les propriétés suivantes : (1) la valeur de la fonction est positive et le graphe se trouve en entier au-dessus de l'axe des x ; (2) la valeur de la fonction décroît lorsque x croît ; (3) la fonction vaut 1 pour $x = 0$; (4) $x_2 > x_1$ entraîne $b^{x_2} < b^{x_1}$; (5) $x < 0$ entraîne $b^x > 1$.

Comment décririez-vous la fonction $f(x) = b^x$ et son graphe lorsque $b = 1$?

Les propriétés précédentes de la fonction exponentielle sont établies dans des cours plus avancés. Ici nous les acceptons sans démonstration. Nous acceptons aussi deux théorèmes du calcul intégral que nous citons ci-après :

THÉORÈME. Si $b > 0$, $b \neq 1$ et $y > 0$, il existe un et un seul nombre réel x tel que   **(6.13)**

$$b^x = y$$

THÉORÈME. Soit $b > 0$, $b \neq 1$, et des nombres x_1 et x_2 tels que

$$b^{x_1} = b^{x_2}$$

alors   **(6.14)**
$$x_1 = x_2$$

EXEMPLE 3.   Montrer que la fonction 2^{-x} est identique à la fonction $\frac{1}{2}^x$.

Solution. $\frac{1}{2}^x = 1^x / 2^x = 1/2^x = 2^{-x}$

EXEMPLE 4.   Si $9^x = 5$, trouver la valeur de 3^{4x}.

Solution.   Puisque $9^x = 5$,

$$(3^2)^x = 5 \qquad \text{et} \qquad 3^{2x} = 5$$

D'où $(3^{2x})^2 = 5^2$

et $3^{4x} = 25$

EXEMPLE 5. Soit (3,216), un des couples de la fonction exponentielle b^x. Quelle est la base b ?

Solution. Puisque $f(x) = b^x$, nous avons

$$f(3) = b^3 = 216$$

Comme $$216 = 2^3 \cdot 3^3 = (2 \cdot 3)^3 = 6^3$$

nous voyons que $$b^3 = 6^3$$

et $b = 6$ remplit la condition.

ÉQUATIONS EXPONENTIELLES 6.6

Une équation de la forme $b^x = a$, $b \neq 1$, est une *équation exponentielle*. Les équations de ce type peuvent se résoudre comme dans les exemples suivants, mais après l'étude des fonctions logarithmiques dans un chapitre suivant, nous pourrons résoudre des problèmes plus difficiles.

EXEMPLE 1. Résoudre $3^{x+1} = 243$.

Solution. Comme

$$3^{x+1} = 243 \qquad \text{et} \qquad 243 = 3(3)(3)(3)(3) = 3^5$$

nous avons $$3^{x+1} = 3^5$$

Donc $$x + 1 = 5$$

et $$x = 4$$

Vérification. La vérification servira d'exercice.

EXEMPLE 2. Résoudre x: $2^{4x+1} = 512$.

Solution. $$2^{4x+1} = 512 = 2^9$$
$$4x + 1 = 9$$
$$x = 2$$

Vérification. La vérification est laissée aux soins de l'étudiant.

EXERCICES 6.4

1. Tracer le graphe de la fonction $f(x) = 3^x$ pour trouver les valeurs approximatives de:

   (a) $\sqrt{3}$ (b) $\sqrt[4]{3}$ (c) $\sqrt[3]{3}$
   (d) $3^{\pi/2}$ (e) $3^{\pi/3}$ (f) $3^{\pi/6}$
   (g) $3^{\sqrt{2}}$ (h) $3^{\sqrt{3}}$ (i) $3^{-\sqrt{3}}$

2. D'après le graphe du Prob. 1, trouver les valeurs approximatives de x pour:

   (a) $f(x) = 2$ (b) $f(x) = 4$ (c) $f(x) = 6$
   (d) $f(x) = \frac{1}{2}$ (e) $f(x) = \frac{1}{4}$ (f) $f(x) = 0.$

3. Se servir du graphe du Prob. 1 pour montrer que les inégalités suivantes sont vraies:

   (a) $3^{\sqrt{2}} < 3^{\sqrt{3}}$ (b) $3^{-\sqrt{8}} > 0$

4. À l'aide des lois sur les exposants, trouver les valeurs demandées:

   (a) Si $8^x = 3$, trouver la valeur de 2^{6x}.   (b) Si $27^y = 4$, trouver la valeur de 3^{9y}.

5. Montrer la véracité des égalités:

   (a) $3^{x-3} = \frac{1}{27}(3^x)$ (b) $4^{3-2x} = 64(4^{-2x})$

6. D'après les propriétés des graphes des fonctions exponentielles, montrer que les inégalités suivantes sont exactes:

   (a) $4^{-\sqrt{8}} > 0$ (b) $2^5 < 4^{\sqrt{5}}$

7. Le taux de désintégration d'une substance radioactive est tel qu'au bout d'une heure seulement la moitié de la quantité originale demeure, combien restera-t-il de 50 g de substance au bout de t heures? INDICATION: Soit $f(t)$ le nombre de grammes au bout de t h. Alors $f(0) = 50$, $f(1) = 50(\frac{1}{2})$, $f(2) = 50(\frac{1}{2})(\frac{1}{2}) = 50(\frac{1}{2})^2$, etc.

8. S'il y a 32 mg de la substance du Prob. 7 a 13 h 30, combien restera-t-il à 17 h 30?

9. Lorsqu'un condensateur est déchargé dans une résistance, le courant (en ampères) qui passe dans le circuit au temps t secondes est donné par

$$I = 0.5(2.7)^{-t/120}$$

Tracer le graphe de cette fonction et trouver le courant passant dans le circuit après 60 secondes.

10. Si $f(x) = b^x$, prouver que $f(u - v) = f(u)/f(v)$.

11. Si $f(x) = b^x$, prouver que $f(uv) = [f(u)]^v = [f(v)]^u$.

12. Si $f(x) = b^x$, prouver que $f(u/v) = [f(u)]^{1/v}$.

RÉSOUDRE les équations exponentielles suivantes:

13. $7^{2x} = 49$	14. $3^{x+1} = 81$	15. $4^x = \frac{1}{256}$
16. $2^{3x} = \frac{1}{64}$	17. $(\frac{2}{3})^x = \frac{27}{8}$	18. $8^{-x} = \frac{1}{4}$
19. $6^{-x} = \frac{1}{216}$	20. $16^x = \frac{1}{8}$	21. $3^{2x} = \frac{1}{81}$
22. $5^{5x-2} = 125$	23. $3^{x-7} = \frac{1}{27}$	24. $2^{x-1} = \frac{1}{16}$
25. $36^{x-3} = 216$	26. $(49)^{x-3} = 343$	27. $16^{2x+4} = 256$
28. $25^{2x-4} = \frac{1}{625}$		

LOGARITHMES. FONCTIONS LOGARITHMIQUES

Nous avons étudié dans la Section 6.5 la fonction exponentie $f(x) = b^x$, $x \in R$. La relation réciproque est-elle aussi une fonctio Si elle est une fonction, quelles en sont les propriétés et quelles sont s applications? Voici les questions auxquelles nous essaierons de répond dans les prochains exposés.

FONCTION LOGARITHMIQUE 7.1

La fonction exponentielle définie par l'équation $y = b^x$, $b > 0$, $b \neq$ est un sous-ensemble de $R \times R$, c'est-à-dire $f = \{(x, b^x) : x \in R\}$, dont voi par exemple, quelques-uns des couples:

$$(1, b), (2, b^2), \left(\frac{3}{2}, b^{3/2}\right), (\sqrt{10}, b^{\sqrt{10}})$$

Comme aucun couple de f n'a la même ordonnée, d'après le Théorè (6.13), la relation réciproque $f^{-1} = \{(b^x, x) : x \in R\}$ est une fonction; voici quelques-uns des couples de f^{-1}

$$(b, 1), (b^2, 2), \left(b^{3/2}, \frac{3}{2}\right), (b^{\sqrt{10}}, \sqrt{10})$$

Fonction logarithmique de base b

Nous appelons f^{-1} la *fonction logarithmique de base b*.

Pour déterminer les couples de f^{-1} rappelons-nous (Section 3.6) qu' peut trouver l'équation d'une fonction réciproque en interchange l'abscisse et l'ordonnée de chaque couple de f. Donc, pour la foncti exponentielle définie par $y = b^x$, nous dirons que

$$x = b^y$$

est l'équation de définition de la fonction réciproque. Il est important noter que pour la fonction $x = b^y$ seulement une valeur de y correspon chaque valeur positive de x. Nous appelons cette valeur unique de y *logarithme de x dans la base b* que nous écrivons $\log_b x$.

> **DÉFINITION.** Soit $x = b^y$, $b > 0$, $b \neq 1$, alors
> $$y = \log_b x$$ (7.1)

On lit le symbole $\log_b x$ "le logarithme de x dans la base b" ou simplement "log b de x".

Les deux équations $x = b^y$ et $y = \log_b x$ sont équivalentes et nous pouvons nous servir de celle qui est la plus pratique à l'usage. Dans le tableau suivant, l'équation exponentielle de gauche est équivalente à l'équation logarithmique de droite.

Forme exponentielle	Forme équivalente logarithmique
$2^4 = 16$	$\log_2 16 = 4$
$9^{3/2} = 27$	$\log_9 27 = \frac{3}{2}$
$8^{-2} = \frac{1}{64}$	$\log_8 \frac{1}{64} = -2$
$b^0 = 1$	$\log_b 1 = 0$
$b^1 = b$	$\log_b b = 1$

EXEMPLE 1. Quelle est la valeur de b si $\log_b 9 = \frac{2}{3}$?

Solution. Écrire $\log_b 9 = \frac{2}{3}$ dans la forme équivalente

$$b^{2/3} = 9$$

Alors
$$(b^{2/3})^{3/2} = 9^{3/2}$$

et
$$b = 27$$

EXEMPLE 2. Quelle est la valeur de $\log_{1/4} 32$?

Solution. Soit $x = \log_{1/4} 32$.

Alors
$$\left(\frac{1}{4}\right)^x = 32$$

Comme $\frac{1}{4} = 2^{-2}$, nous avons

$$(2^{-2})^x = 32 = 2^5$$

Donc
$$-2x = 5 \qquad \text{et} \qquad x = -\frac{5}{2}$$

De la Définition (7.1) découle une propriété utile de la fonction logarithmique: si $y = \log_b x$, alors

$$b^y = x$$

D'où
$$b^{\log_b x} = x$$ (7.2)

Par exemple,
$$5^{\log_5 N} = N$$
$$13^{\log_{13} p} = p$$
$$8^{\log_8 (x^2 - 2x - 3)} = x^2 - 2x - 3$$

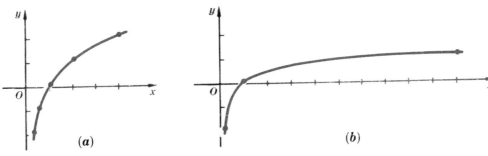

FIGURE 7.1 Graphes de (*a*) $y = \log_2 x$; (*b*) $y = \log_{10} x$

Graphe des fonctions logarithmiques

Pour tracer le graphe d'une fonction logarithmique, par exemple $y = \log_2 x$, nous traçons le graphe de la fonction exponentielle équivalente dans le cas présent $x = 2^y$. Choisissons un sous-ensemble pratique de couples $(x, 2^y)$ de la fonction exponentielle:

$$\left\{\left(\frac{1}{4}, -2\right), \left(\frac{1}{2}, -1\right), (1,0), (2,1), (4,2)\right\}$$

Lorsque nous relions par une courbe continue les points reportés dont les coordonnées sont les couples ci-dessus, nous avons le graphe approximatif de la figure 7.1*a*.

Par la même méthode, on a construit le graphe de $y = \log_{10} x$ (figure 7.1*b*.)

Le graphe de la fonction logarithmique de toute base b, $b > 1$ a la même allure caractéristique des graphes de la figure 7.1. Ces graphes illustrent deux propriétés de ces fonctions:

1. Si $x > 1$, alors $\log_b x > 0$. Par exemple, $\log_2 3 > 0$.
2. Si $x < 1$, alors $\log_b x < 0$. Par exemple, $\log_2 (½) < 0$.

PROPRIÉTÉS DES LOGARITHMES   7.2

Les trois propriétés de base des logarithmes sont souvent appelées *lois des logarithmes*:

1. LOGARITHMES D'UN PRODUIT

$$\log_a (MN) = \log_a M + \log_a N$$

Preuve. Soit $x = \log_a M$ et $y = \log_a N$. Alors

$$M = a^x \qquad \text{et} \qquad N = a^y \qquad\qquad \text{Définition (7.1)}$$

$$\text{et} \qquad\qquad MN = a^x \cdot a^y = a^{x+y} \qquad\qquad \text{pourquoi}$$

$$\text{D'où} \qquad \log_a (MN) = x + y \qquad\qquad \text{Définition (7.1)}$$

$$= \log_a M + \log_a N \qquad\qquad \text{par substitution}$$

EXEMPLE 1. Trouver la valeur de $\log_2 (8)(32)$.

Solution. $\log_2 (8)(32) = \log_2 8 + \log_2 32 = 3 + 5 = 8$

EXEMPLE 2. Si $\log_a 5 = 0.6990$ et $\log_a 6 = 0.7782$, que vaut $\log_a 30$?

Solution. $\log_a 30 = \log_a (5)(6) = \log_a 5 + \log_a 6$
$$= 0.6990 + 0.7782$$
$$= 1.4772$$

2. LE LOGARITHME D'UN QUOTIENT

$$\log_a \frac{M}{N} = \log_a M - \log_a N$$

Preuve. La preuve est laissée en exercice.

EXEMPLE 3. Trouver la valeur de $\log_4 100 - \log_4 50$.

Solution. $\log_4 100 - \log_4 50 = \log_4 {}^{100}\!/_{50} = \log_4 2 = \frac{1}{2}$

EXEMPLE 4. Si $\log_a 24 = 1.3802$ et $\log_a 6 = 0.7782$, que vaut $\log_a 4$?

Solution. $\log_a 4 = \log_a {}^{24}\!/_6 = \log_a 24 - \log_a 6$
$$= 1.3802 - 0.7782 = 0.6020$$

3. LOGARITHME D'UNE PUISSANCE

$$\log_a M^p = p \log_a M$$

Preuve. Soit $x = \log_a M$. Alors
$$M = a^x \qquad \text{pourquoi?}$$
et
$$M^p = (a^x)^p = a^{px} \quad \text{pourquoi?}$$

D'où, d'après la Définition (7.1),

$$\log_a M^p = px$$
$$= p \log_a M \quad \text{pourquoi?}$$

EXEMPLE 5. $\log_{10} (15)^{20} = 20 \log_{10} 15$

EXEMPLE 6. Exprimer $3 - \log_4 9$ sous la forme du logarithme d'un nombre.

Solution. Comme $3 = 3 \log_4 4 = \log_4 4^3$,

$$3 - \log_4 9 = \log_4 4^3 - \log_4 9 = \log_4 \frac{4^3}{9} = \log_4 \frac{64}{9}$$

EXEMPLE 7. Exprimer $3 \log_{10} 5 - 4 \log_{10} x + \log_{10} y^2$ sous la forme du logarithme d'un nombre.

Solution.

$$3 \log_{10} 5 - 4 \log_{10} x + \log_{10} y^2 = \log_{10} 5^3 + \log_{10} y^2 - \log_{10} x^4$$
$$= \log_{10} (5^3 \cdot y^2) - \log_{10} x^4$$
$$= \log_{10} \left(\frac{5^3 \cdot y^2}{x^4} \right) = \log_{10} \left(\frac{125y^2}{x^4} \right).$$

Nous avons toujours supposé $b > 0$, $b \neq 1$. Puisque $b^z > 0$ pour tou
nombre réel, l'équation $b^y = x$ n'a pas de solution si $x \leq 0$. Donc, ni l
logarithme de zéro ni le logarithme d'un nombre négatif ne sont définis

D'autres propriétés de la fonction logarithmique apparaîtront a
cours des problèmes de la prochaine série d'exercices. Parmi celles-ci
faut comprendre:

1. Pour $x = 1$, $\log_b x = 0$.

2. Pour $x = b$, $\log_b x = 1$.

EXERCICES 7.1

1. Transformer chacune des équations exponentielles suivantes en équations logarithmique équi
valente:

(**a**) $10^2 = 100$　　　　　　(**b**) $3^5 = 243$　　　　　　(**c**) $7^{-1} = \frac{1}{7}$

(**d**) $16^{1/2} = 4$　　　　　　(**e**) $8^{-2/3} = \frac{1}{4}$　　　　(**f**) $81^{3/4} = 27$

(**g**) $x = 4^y$　　　　　　　(**h**) $10^y = x$　　　　　　(**i**) $10^{\log_{10} y} = x$

2. Transformer chacune des équations logarithmiques suivantes en équation exponentielle équi
valente:

(**a**) $\log_5 125 = 3$　　　　(**b**) $\log_2 128 = 7$　　　　(**c**) $\log_8 4 = \frac{2}{3}$

(**d**) $\log_2 \frac{1}{64} = -6$　　　(**e**) $\log_4 8 = \frac{3}{2}$　　　　(**f**) $\log_7 343 = 3$

(**g**) $\log_{10} 0.001 = -3$　　(**h**) $\log_9 729 = 3$

3. Calculer les valeurs rationnelles des logarithmes suivants:

(**a**) $\log_2 8$　　　　　　　(**b**) $\log_4 2$　　　　　　　(**c**) $\log_6 6$

(**d**) $\log_{10} 0.01$　　　　　(**e**) $\log_3 81$　　　　　　(**f**) $\log_4 \frac{1}{16}$

4. Résoudre pour x les équations suivantes:

(**a**) $\log_3 81 = x$　　　　　(**b**) $\log_2 \frac{1}{8} = x$　　　　(**c**) $\log_x 64 = 3$

(**d**) $\log_2 x = 8$　　　　　(**e**) $\log_{1/4} x = 2.5$　　　(**f**) $\log_x 0.1 = -$

(**g**) $\log_x x = 2$　　　　　(**h**) $\log_{64} x = \frac{7}{6}$

5. Trouver la valeur des logarithmes suivants, étant donné $\log_b 2 = 0.3010$, $\log_b 3 = 0.477$
$\log_b 5 = 0.6990$ et $\log_b 7 = 0.8451$.

(**a**) $\log_b 9$　　　　　　　(**b**) $\log_b 25$　　　　　　(**c**) $\log_b 18$

(**d**) $\log_b 10$　　　　　　(**e**) $\log_b 1.5$　　　　　(**f**) $\log_b 7.5$

(**g**) $\log_b 1.2$　　　　　　(**h**) $\log_b 3.6$　　　　　(**i**) $\log_b 10b$

(**j**) $\log_b \sqrt{6}$　　　　　(**k**) $\log_b \sqrt{\frac{4}{5}}$　　　　(**l**) $\log_b \sqrt[3]{2.5}$

(m) $\log_b \sqrt{50}$ **(n)** $\log_b 7^6$ **(o)** $\log_b 75^{7/4}$

(p) $\log_b \dfrac{\sqrt[3]{63}}{72^{2/5}}$ **(q)** $\log_b \sqrt[7]{98}$ **(r)** $\log_b (2^{2/3})(15^{1/2})$

ÉCRIRE les expressions suivantes sous forme d'un logarithme unique en appliquant les lois des logarithmes:

6. $\log_b 3 + \log_b 4 - 2 \log_b 5$ **7.** $\log_b 4 + \log_b \pi + 3 \log_b r - \log_b 3$

8. $\log_b \pi + 2 \log_b r$ **9.** $\frac{1}{3} \log_b 8 + \frac{2}{3} \log_b 5 + \frac{2}{3} \log_b 4$

10. $-2 \log_b 5 + \log_b 13 + \log_b 2^3$ **11.** $-2 \log_b 4 + \frac{1}{3} \log_b 9 + \frac{1}{2} \log_b 7$

12. $\log_b x - \frac{1}{2} \log_b (x + \sqrt{x^2 - a^2}) + \frac{1}{2} \log_b (x - \sqrt{x^2 - a^2})$

PROUVER les assertions suivantes, étant donné $b > 0$, $b \neq 1$:

13. $\log_b (M/N) = \log_b M - \log_b N$, $N \neq 0$.   **14.** Si $\log_b \sqrt[q]{x^p} = p/q \log_b x$.

15. $\log_b 1 = 0$. INDICATION: Puisque $b^0 = 1$, le résultat cherché vient de la Définition (7.1).

16. $\log_b b = 1$.   **17.** Si $x_1 = x_2$, alors $\log_b x_1 = \log_b x_{.2}$

18. Si $\log_b x_1 = \log_b x_2$, alors $x_1 = x_2$.   **19.** Si $x_2 > x_1$, alors $\log_b x_2 > \log_b x_1$.

LOGARITHMES DÉCIMAUX 7.3

Tout nombre positif réel à l'exception de 1 peut servir de base à un système de logarithmes. Dans la pratique, cependant, deux nombres servent surtout, le nombre rationnel 10 et le nombre irrationnel $e = 2.718 \ldots$

arithme mal

Le logarithme d'un nombre dans la base 10 s'appelle le *logarithme décimal* du nombre. Dans ce livre, lorsque la base n'est pas indiquée dans l'écriture du logarithme d'un nombre, nous comprenons que la base est 10, c'est-à-dire nous considérons le symbole *log x* comme équivalent de $\log_{10} x$. Donc, d'après la Définition (7.1).

$$\text{Si } 10^y = x \quad \textbf{alors} \quad y = \log x \tag{7.3}$$

Nous nous servirons aussi du mot "log" dans le sens de "logarithme décimal".

De l'Ég. (7.3), nous déduisons

$$\log 10 = 1$$

et

$$\log 1 = 0$$

rithme rel

Le logarithme d'un nombre dans la base e s'appelle le *logarithme naturel* du nombre, que nous étudierons dans une section ultérieure. Pour le moment, considérons le problème de la détermination du logarithme d'un nombre dans la base 10.

Tout nombre réel r peut s'écrire sous la forme $10^c \cdot M$, où $c \in Z$ et $1 \leq M < 10$. Par exemple,

$$
\begin{aligned}
0.000484 &= 10^{-4}(4.84)\\
0.00484 &= 10^{-3}(4.84)\\
0.0484 &= 10^{-2}(4.84)\\
0.484 &= 10^{-1}(4.84)\\
4.84 &= 10^{0}(4.84)\\
48.4 &= 10^{1}(4.84)\\
484 &= 10^{2}(4.84)\\
4,840 &= 10^{3}(4.84)
\end{aligned}
$$

etc. De cette façon, les nombres sont écrits dans la *notation scientifique*
Alors, si $r > 0$ et r est exprimé dans la notation scientifique,

$$r = 10^c \cdot M \qquad c \in I, 1 \leq M < 10$$

alors
$$\log r = \log 10^c + \log M$$
$$= c \log 10 + \log M$$
$$= c + \log M$$

Si $m = \log M$, nous écrivons alors
$$\log r = c + m \tag{7.4}$$

**Caractéristique
et mantisse**
Nous appelons l'entier c la *caractéristique* de $\log r$ et le nombre m l
mantisse de $\log r$. Lorsque $\log r$ est écrit dans la forme donnée par l'Ég
(7.4), il est donné dans la *forme générale*.

Comme $1 \leq M < 10$, on peut montrer que

$$\log 1 \leq \log M < \log 10$$
D'où : $$0 \leq m < 1$$

La caractéristique c de $\log r$ se détermine à l'examen, comme le
exemples suivants le montreront. On cherche la mantisse m dans une tabl
des mantisses approchées. La Table III donne les mantisses approchées de
logarithmes de tous les nombres de 1.00 à 9.99 (à des intervalles de 0.01
et à quatre décimales près.

Notons bien que la mantisse m est irrationnelle dans la plupart de
cas et que *les valeurs portées dans la table pour m ne sont que des valeur
approchées rationnelles.*

On se servira de la Table III dans les exemples suivants :

EXEMPLE 1. Calculer $\log 4,840$.

Solution. Comme $4,840 = 10^3 \, (4.84)$,

$$\log 4,840 = 3 + \log 4.84$$
D'où $$c = 3$$

Pour chercher $m = \log 4.84$ dans la Table III, trouver 4.8 dans l
colonne intitulée n et suivre la ligne à droite jusqu'à la colonne intitulée 4
L'entrée qui s'y trouve .6848 est la mantisse cherchée. Donc,

$$m = .6848 \text{ (approx.)}$$

et nous écrivons

$$\log 4,840 = 3 + .6848$$
$$= 3.6848 \text{ (approx.)}$$

Les exemples suivants illustrent la méthode utilisée pour trouver l
logarithme d'un nombre entre 0 et 1. Les logarithmes de ces nombr
ont des caractéristiques négatives.

EXEMPLE 2. Calculer log 0.00484

Solution. Comme $0.00484 = 10^{-3}$ (4.84),

$$\log 0.00484 = -3 + \log 4.84$$
$$= -3 + .6848 \qquad \textbf{d'après la Table III}$$

Nous pourrions, maintenant, réduire les deux termes du binôme en écrivant $-3 + .6848 = -2.3152$. Mais la partie décimale de -2.3152 n'est certainement pas la mantisse de log 0.00484. Pour garder la même mantisse (et éviter des difficultés), nous recourons habituellement à une pratique qui consiste à ajouter à ce binôme, pour le soustraire simultanément, un multiple de 10; puis on applique la loi d'associativité des nombres réels. Ainsi

$$\log 0.00484 = -3 + .6848 + 10 - 10$$
$$= (10 - 3) + .6848 - 10$$
$$= 7.6848 - 10$$

Nous pourrions aussi écrire

$$\log 0.00484 = 17.6848 - 20$$
$$= 27.6848 - 30$$

etc.

EXEMPLE 3. Calculer ⅓ log 0.0768

Solution. Comme $0.0768 = 10^{-2}$ (7.68),

$$\log 0.0768 = -2 + .8854 \text{ (approx.)} \qquad \textbf{d'après la Table III}$$
$$= 28.8854 - 30 \text{ (approx.)}$$

D'où, $\quad \dfrac{1}{3} \log 0.0768 = 9.6285 - 10$ (approx.)

Nous avons choisi la forme $28.8854 - 30$ de sorte que -30 soit divisible exactement par 3, ce qui nous évite une caractéristique fractionnaire.

Notons que la mantisse de l'exemple précédent a été arrondie à 4 décimales lors de la division par 3. Tout chiffre à la cinquième décimale résultant de la division est sans valeur.

EXEMPLE 4. Quelles sont la caractéristique et la mantisse de $\log (0.000935)^3$?

Solution. $\qquad \log (0.000935)^3 = 3 \log 0.000935 = 3 (-4 + .9708)$
$$= 3(6.9708 - 10)$$
$$= 20.9124 - 30 \text{ (approx.)}$$

Donc, la caractéristique est -10 et la mantisse est 0.9124.

Nous nous référons au nombre correspondant à un logarithme comme étant *le nombre du logarithme donné.* Ainsi, si $\log r = c + m$, alors r est le

mbre d'un
thme

nombre dont le logarithme est $c + m$. Comme $\log 50 = 1.6990$, 50 est
nombre dont le logarithme est 1.6990.

Les exemples suivants illustrent la façon de déterminer avec la Tab
III un nombre dont le logarithme est donné.

EXEMPLE 5. Trouver x, si $\log x = 2.8669$.

Solution. Nous cherchons .8669, la mantisse donnée, dans la Table II
Elle est entrée dans la colonne intitulée 6 et à la droite du 7.3 de la colonn
intitulée n. Ce qui signifie $\log 7.36 = 0.8669$ (approx.), et comme la cara
téristique est 2

$$\log x = 2.8669 = 2 + .8669$$
$$= \log 10^2 + \log 7.36$$
$$= \log 10^2(7.36)$$

D'où
$$\log x = \log 736$$
et
$$x = 736 \text{ (approx.)}$$

EXEMPLE 6. Trouver le nombre dont le logarithme est $8.5988 - 10$.

Solution. La mantisse du logarithme est .5988 qui correspond au nombr
3.97 de la Table III. Comme la caractéristique est $- 2$

$$\log x = -2 + .5988 = \log 10^{-2} + \log 3.97$$
$$= \log (10^{-2})(3.97) = \log 0.0397$$

Donc
$$x = 0.0397$$

Si la mantisse d'un logarithme donné n'est pas dans la Table II
nous pouvons trouver une valeur approchée du nombre (à trois chiffr
significatifs près) en prenant le nombre dont la mantisse est la plus proch
de la mantisse donnée. Par exemple, si $\log x = 3.9453$, la mantisse la plu
proche est .9455 plutôt que .9450.

$$\log 8.820 = 3.9455$$
$$= 3.9453 \text{ (approx.)}$$

Dans l'exemple suivant, on applique les logarithmes à la résolutio
d'une équation exponentielle.

EXEMPLE 7. Calculer la valeur approchée de x si $10^{3x-2} = 40.7$.

Solution. Puisque $10^{3x-2} = 40.7$.

$$(3x - 2) \log 10 = \log 40.7$$

Donc

$$3x - 2 = 1.6096$$

$$3x = 3.6096$$

et

$$x = 1.2032 \text{ (approx.)}$$

EXERCICES 7.2

1. Déterminer la caractéristique des logarithmes décimaux des nombres suivants:

  (a) 27.3   (b) 4.58   (c) 758
  (d) 7240   (e) 97,600   (f) 52,374
  (g) 92,786   (h) 0.0794   (i) 0.305
  (j) 0.0008   (k) 0.842   (l) 0.28569
  (m) $\sin 30°$ (n) $\cos 45°$ (o) $\tan 60°$
  (p) $\tan 89°50'$ (q) $\cot 3°10'$ (r) $\sec 0°$
  (s) $\log 3,240$ (t) $\log 934,000$ (u) $\log 3,898,000$

2. Trouver le logarithme des nombres suivants étant donné $\log 5.76 = 0.7604$:

  (a) 57.6   (b) 57,600   (c) 0.576
  (d) 0.000576   (e) 5,760,000   (f) 0.00576

3. Placer le point des décimales de la suite des chiffres 4265 de sorte que le nombre formé ait pour caractéristique:

  (a) 1   (b) 3   (c) -2
  (d) 0   (e) $9 - 10$ (f) $7 - 10$
  (g) $5 - 10$ (h) $4 - 10$ (i) -6

4. Chercher le logarithme des nombres suivants à l'aide de la Table III:

  (a) 273   (b) 4.53   (c) 0.951
  (d) 0.379   (e) 87.5   (f) 7,210
  (g) 0.00539   (h) 0.0008   (i) 101
  (j) $\cos 60°$ (k) $\tan 45°$ (l) $\sin 30°$
  (m) $27(380)$ (n) $\sqrt[4]{25/275}$ (o) $(47)^3$
  (p) $(24)^{1/3}$ (q) $(16)^{2/5}$ (r) $(48)^{1/4}$

5. Trouver à l'aide de la Table III les nombres dont les logarithmes sont:

  (a) 0.6021   (b) 1.6170   (c) 2.7218
  (d) 3.6609   (e) $9.5539 - 10$ (f) $9.4857 - 10$
  (g) $8.8876 - 10$ (h) $7.9004 - 10$ (i) $9.7973 - 10$
  (j) $9.8756 - 10$ (k) $8.8899 - 10$ (l) 1.0043
  (m) 3.0170   (n) 2.0086   (o) 0.0212

6. Calculer les valeurs approchées de x dans chacune des équations suivantes. Pour trouver les nombres dans la Table III, choisir les mantisses les plus proches des mantisses données:

  (a) $10^x = 5$ (b) $10^x = 75$ (c) $10^{3x} = 4.02$
  (d) $10^{4x} = 32$ (e) $x = 10^{2/5}$ (f) $x = 10^{1/4}$
  (g) $x = 10^{1+\sqrt{3}}$ (h) $x = 10^\pi$ (i) $x = 10^{1.4}$
  (j) $10^{2x+1} = 8.89$ (k) $10^{3x-2} = 5.12$ (l) $10^{-x} = 0.0074$
  (m) $10^{-x} = 0.82$ (n) $10^{-x/2} = 969$ (o) $10^{-x/3} = 74,600$

INTERPOLATION   7.4

La Table III est une table des mantisses à quatre décimales et avec elle nous pouvons trouver directement la valeur approchée de la mantisse du logarithme de tout nombre positif à trois chiffres significatifs. Le logarithme d'un nombre négatif n'est pas défini (Section 7.2). Lorsqu'un nombre comprend quatre chiffres significatifs, la mantisse de son logarithme peut être approchée par interpolation. Le principe est le même que celui utilisé pour trouver les valeurs des fonctions trigonométriques par interpolation.

EXEMPLE 1.   Trouver log 0.04786.

Solution.   Puisque $0.04786 = 10^{-2}(4.786)$,

$$\log 0.04786 = -2 + \log 4.786$$

D'où
$$c = -2$$

Pour trouver $m = \log 4.786$ par interpolation, étant donnée que 4.786 est aux .006/.010 = 6/10 de la différence tabulaire entre 4.780 et 4.790, nous dirons que log 4.786 est aux 6/10 de la différence tabulaire entre log 4.780 et log 4.790. D'où

$$\log 4.786 = \log 4.780 + \frac{6}{10}(\log 4.790 - \log 4.780)$$

$$= 0.6794 + \frac{6}{10}(0.6803 - 0.6794)$$

$$= 0.6799 \text{ (approx.)}$$

Comme $c = -2$ et $m = .6799$, nous avons

$$\log 0.04786 = -2 + .6799$$
$$= 8.6799 - 10 \text{ (approx.)}$$

Si l'on préfère, nous pouvons adopter la disposition suivante:

$$.010 \left\{ .006 \left\{ \begin{matrix} \text{Nombre} & \text{Mantisse} \\ 4.780 & .6794 \\ 4.786 & .6794 + d \end{matrix} \right\} d \\ 4.790 \quad .6803 \right\} .0009$$

En supposant que $\dfrac{.006}{.010} = \dfrac{d}{.0009}$

$$d = .00054 = .0005 \qquad \text{(à quatre décimales près)}$$

D'où
$$m = .6794 + .0005 = .6799 \text{ (approx.)}$$

et
$$\log 0.04786 = -2 + .6799 = 8.6799 - 10 \text{ (approx.)}$$

Dans l'exemple précédent, la supposition .006/.010 = d/.0009 est assez juste pour donner log 0.04786 = 8.6799 − 10 à quatre décimales près, mais *jamais à plus de quatre*. Le résultat de calculs faits avec des nombres approchés ne peuvent pas être plus précis que les nombres employés. C'est pourquoi nous arrondissons $d = .00054$ à $d = .0005$.

Toute mantisse trouvée dans la Table III par interpolation doit être arrondie à quatre décimales et tout nombre doit être arrondi à un maximum de quatre chiffres significatifs.

Pour trouver le logarithme d'un nombre qui a plus de quatre chiffres significatifs, nous devons arrondir le nombre d'abord à quatre chiffres significatifs, ensuite interpoler. Par exemple, pour trouver log 71,492 nous arrondissons le nombre à 71,490 et nous interpolons comme dans l'exemple précédent.

EXEMPLE 2. Chercher log 56,984.

Solution. Arrondissons 56,984 à 56,980. Alors

$$\log 56{,}980 = \log (10^4)(5.698) = 4 + \log 5.698$$

D'où $\qquad c = 4$

Pour trouver log 5.698, nous pouvons disposer notre calcul ainsi:

$$.010 \left\{ .008 \begin{cases} 5.690 \\ 5.698 \\ 5.700 \end{cases} \begin{array}{l} .7551 \\ .7551 + x \\ .7559 \end{array} \right\} x \right\} .0008$$

Nombre   Mantisse

$$\frac{.008}{.010} = \frac{x}{.0008}$$

$$x = .0006 \qquad \text{(à quatre décimales près)}$$

D'où $\qquad m = .7551 + .0006 = .7557$

et $\qquad \log 56{,}984 = \log 56{,}980 \text{ (approx.)}$

$$= 4.7557 \text{ (approx.)}$$

Les nombres dont la mantisse n'est pas dans la Table III peuvent être aussi trouvés par interpolation.

EXEMPLE 3. Trouver N, si $\log N = 8.9720 - 10$.

Solution. Ici, $c = -2$, $m = .9720$. La mantisse donnée, .9720, est placée entre .9717 et .9722 dans la Table III. Comme .9717 $=$ log 9.370 et .9722 $=$ log 9.380, nous déduisons que .9720 est entre log 9.370 et log 9.380. Nous disposons notre calcul ainsi:

Nombre   Mantisse

$$.010 \left\{ x \begin{cases} 9.370 \\ 9.370 + x \\ 9.380 \end{cases} \begin{array}{l} .9717 \\ .9720 \\ .9722 \end{array} \right\} .0003 \right\} .0005$$

$$\frac{x}{.010} = \frac{.0003}{.0005}$$

$$x = .006$$

D'où $\qquad m = 9.370 + .006 = 9.376$

et $\qquad N = 10^{-2}(9.376) = 0.09376 \text{ (approx.)}$

CALCULS EFFECTUÉS AVEC LES LOGARITHMES   7.5

L'application des logarithmes au calcul de produits et de puissances de nombres a décru avec le développement des calculatrices électroniques à grande vitesse. Mais les fonctions logarithmiques n'ont pas perdu leur importance en mathématiques et nous perfectionnerons notre connaissance de cette fonction en appliquant ses propriétés à des problèmes où les calculs sont plus compliqués. Ces propriétés nous permettent surtout de réduire les calculs impliquant des multiplications à des calculs impliquant l'addition, les calculs impliquant les puissances à des calculs impliquant la multiplication.

EXEMPLE 1.   Calculer la valeur approximative de $(^{34}\!/_{27})^{5.8}$.

Solution.   Soit $N = (^{34}\!/_{27})^{5.8}$; alors

$$\log N = 5.8 \log \frac{34}{27} = 5.8(\log 34 - \log 27)$$

$$\log 34 = 1.5315$$
$$\log 27 = \underline{1.4314}$$
$$0.1001 \quad \textbf{différence}$$

D'où
$$\log N = 5.8(0.1001)$$
$$= 0.5806 \qquad \text{(à quatre décimales près)}$$
Donc:
$$N = 3.807 \qquad \textbf{par interpolation}$$

EXEMPLE 2.   Calculer N, si $N = \dfrac{2.78(3.41)^2}{\sqrt[3]{7.84}}$

Solution. $\log N = \log 2.78 + 2 \log 3.41 - \frac{1}{3} \log 7.84$

$$\log 2.78 = 0.4440$$
$$2 \log 3.41 = \underline{1.0656}$$
$$1.5096 \qquad \textbf{log du numérateur}$$

$$\frac{1}{3} \log 7.84 = \underline{0.2981} \qquad \textbf{log du dénominateur}$$
$$1.2115 \qquad \qquad \textbf{différence}$$

D'où $\log N = 1.2115$
et $N = 16.27$ **par interpolation**

EXERCICES   7.3

1.   Calculer par interpolation le logarithme des nombres suivants:

(a) 1,256   (b) 275.4   (c) 57.62
(d) 0.8976   (e) 0.04827   (f) 215,600

2. Calculer par interpolation les nombres dont les logarithmes sont les suivants:

(a) 0.4978   (b) 1.6004   (c) 9.3936 − 10
(d) 8.9312 − 10   (e) 9.9765 − 10   (f) 7.9210 − 10

3. Calculer par les logarithmes les valeurs des expressions suivantes:

(a) $(426)^5$ (b) $(72.8)^3$ (c) $(85.4)^2(48.7)^3$
(d) $(3.673)^4(3.14)^2$ (e) $(21.7)^{1/3}$ (f) $(66.3)^{1/5}$

4. Évaluer les expressions suivantes:

(a) $\sqrt{720}$ (b) $\sqrt{2350}$ (c) $\sqrt{0.0947}$
(d) $\sqrt{0.00429}$ (e) $\sqrt[3]{18.7}$ (f) $\sqrt[3]{75.8}$
(g) $\sqrt[4]{4.78}$ (h) $\sqrt[5]{-28.9}$ (i) $(25.7)^{-0.2}$
(j) $(4.23)^{-0.3}$ (k) $(0.196)^{-0.6}$ (l) $(7.36)^{1.4}$
(m) $(56.72)^{2.8}$ (n) $(3.1416)^{3.7}$

5. Effectuer les opérations indiquées à l'aide des logarithmes:

(a) $\sqrt{9183}(\sqrt[3]{5.27})$ (b) $\sqrt[3]{-0.42}(\sqrt[4]{8.1})$
(c) $\dfrac{\sqrt[4]{81}}{\sqrt{35.6}}$ (d) $\dfrac{\sqrt{0.0351}}{\sqrt[5]{-20.3}}$
(e) $\sqrt[3]{\log 2}$ (f) $\sqrt[5]{\log 9.9}$
(g) $\log 7.96 + \sqrt{348}$ (h) $(28.1)^{-1.3} + (0.084)^{2/3}$

6. Trouver la surface d'un cercle dont le rayon est de 34.6 po en prenant $\pi = 3.14$ et à l'aide des logarithmes.

7. Le volume d'une sphère est donné par la formule $V = \frac{4}{3}\pi r^3$.   Trouver le volume d'une sphère de 25.8 pi de diamètre.

8. La paroi d'une boule en métal de 6.34 po de diamètre extérieur est épaisse de 0.0375 po.   Trouver le poids de la boule si le métal pèse 489 lb/pi³.

9. Si a, b, c les longueurs des côtés d'un triangle.   La surface du triangle est donnée par $T = \sqrt{s(s-a)(s-b)(s-c)}$, où s est le demi-périmètre.   Trouver la surface d'un triangle dont les côtés ont 72.4 pi, 85.6 pi et 34.8 pi respectivement.

10. La durée approximative d'une oscillation complète d'un pendule simple est

$$t = 2\pi \sqrt{\frac{l}{32}}$$

où l est la longueur du pendule en pieds et t le temps en secondes.   Trouver la période (durée d'une oscillation complète) d'un pendule de 6.25 pi de long.

11. En supposant que le taux annuel de dépréciation r d'une machine est constant, la valeur de démolition S après n années est donnée par $S = C(1 - r)^n$, où C est le coût initial.   Si le coût initial de la machine a été \$11,250 et son taux de dépréciation annuelle de 15%, quelle est sa valeur de démolition après 8 ans?

12. Lorsqu'une inductance de L henrys et une résistance de R ohms sont connectées en série avec une force électromotrice de E volts, le courant I (en ampères) après t secondes est donnée par

$$I = \frac{E(1 - e^{-Rt/L})}{R}$$

Si $L = 0.1$ henry, $E = 110$ volts, $R = 6$ ohms, trouver le courant passant après $t = 0.01$ s. Prendre $\log e = 0.4343$.

CHANGEMENT DE BASE   7.6

La Table III nous permet de calculer le logarithme de tout nombre positif dans une base quelconque b, $b > 0$, $b \neq 1$. Les exemples suivants illustrent la méthode.

EXEMPLE 1.   Calculer $\log_6 420$.

Solution.   Soit $x = \log_6 420$.   Alors

$$6^x = 420 \qquad \textbf{par Définition (7.1)}$$

et $\qquad\qquad x \log 6 = \log 420 \qquad\qquad \textbf{pourquoi?}$

D'où

$$x = \frac{\log 420}{\log 6}$$

$$= \frac{2.6232}{0.7782}$$

La valeur x peut alors être calculée par simple division ou par emploi des logarithmes. [À noter que $\log 420/\log 6 \neq \log (420 \div 6)$.] On obtient par division $x = 3.371$.

EXEMPLE 2.   En prenant $\pi = 3.14$, calculer $\log_\pi 8$.

Solution.   Soit $x = \log_\pi 8$.   Alors

$$\pi^x = 8$$

et $\qquad\qquad x \log \pi = \log 8$

$$x = \frac{\log 8}{\log \pi} = \frac{0.9031}{0.4969} = 1.813$$

Si le logarithme d'un nombre N est donné dans une base b, le logarithme de N peut être trouvé dans tout autre base a par l'application du théorème suivant:

THÉORÈME.   Soit a et b des bases et $N > 0$,

$$\log_a N = \frac{\log_b N}{\log_b a} \qquad\qquad (7.5)$$

Preuve.   Soit $x = \log_b N$ et $y = \log_a N$.   Alors

$$b^x = N \qquad \text{et} \qquad a^y = N$$

D'où $\qquad\qquad a^y = b^x$

et $\qquad\qquad y \log_b a = x \log_b b \qquad\qquad \textbf{pourquoi?}$

$$= x \qquad\qquad \textbf{pourquoi?}$$

Par substitution, nous avons

$$(\log_a N)(\log_b a) = \log_b N$$

de sorte que
$$\log_a N = \frac{\log_b N}{\log_b a}$$

EXEMPLE 3. Calculer $\log_5 7$.

Solution. $\log_5 7 = \dfrac{\log_{10} 7}{\log_{10} 5} = \dfrac{\log 7}{\log 5} = \dfrac{0.8451}{0.6990} = 1.209$

Dans la notation décimale, la multiplication d'un nombre par 10^c, $c \in Z$, modifie la place du point des décimales, mais ne change pas la suite des chiffres dans le nombre. Cette propriété de notre système de nombres nous permet de calculer séparément la caractéristique et la mantisse du logarithme décimal d'un nombre. Lorsque la base du logarithme est différente de 10, cette propriété n'existe plus. Alors, nous ne cherchons plus à conserver une mantisse positive.

EXEMPLE 4. Calculer $\log_{0.8} 3$.

Solution. $\log_{0.8} 3 = \dfrac{\log 3}{\log 0.8} = \dfrac{0.4771}{9.9031 - 10}$

Puisque le logarithme d'un nombre est aussi un nombre, nous écrivons 0.0969 au lieu de $(9.9031 - 10)$. D'où,

$$\log_{0.8} 3 = \frac{0.4771}{-0.0969} = -4.924$$

LOGARITHMES NATURELS 7.7

Le système de logarithmes dont la base est le nombre irrationnel

$$e = 1 + \frac{1}{2} + \frac{1}{2 \cdot 3} + \frac{1}{2 \cdot 3 \cdot 4} + \frac{1}{2 \cdot 3 \cdot 4 \cdot 5} + \cdots$$

qui est approximativement égal à 2.718, s'appelle le système des *logarithmes naturels*. Ces logarithmes naturels sont largement utilisés dans les problèmes appliqués ou théoriques de mathématiques avancés. Ils sont indispensables à l'étude du calcul.

Nous réserverons l'abréviation *ln N* aux logarithmes naturels de N. Donc, $\log_e N$ s'écrit $\ln N$. D'après la Définition (7.1),

Si $e^y = N$ **alors** $y = \ln N$ (7.6)

Bien qu'il existe des tables de logarithmes naturels des nombres, nous continuerons à nous servir de la Table III. Pour comprendre cette manière de procéder, nous nous référons au Théorème (7.5). Puisque

$$\log_a N = \frac{\log_b N}{\log_b a}$$

nous pouvons prendre $a = e$ et $b = 10$. Alors

$$\ln N = \frac{\log N}{\log e} \tag{7.7}$$

D'après la Table III,

$$\log e = \log 2.718 \text{ (approx.)} = 0.4343$$

D'où
$$\ln N = \frac{\log N}{0.4343} = \frac{1}{0.4343} \log N$$
$$= 2.303 \log N \text{ (approx.)} \tag{7.8}$$

EXEMPLE 1.   Calculer $\ln 10$.

Solution. $\ln 10 = 2.303 \log 10 = 2.303(1) = 2.303$

EXEMPLE 2.   Calculer $\ln 25$.

Solution. $\ln 25 = 2.303 \log 25 = 2.303(1.3979)$
$$= 3.219 \quad \text{à quatre chiffres significatifs}$$

La raison qui pousse à choisir le nombre irrationnel e comme base d'un système de logarithmes est trop longue à exposer ici. Dans le calcul, le nombre e est défini comme une limite:

$$e = \lim_{x \to \infty} \left(1 + \frac{1}{x}\right)^x = 2.71828\cdots$$

et l'application de certains concepts du calcul différentiel aux fonctions logarithmiques conduit naturellement à cette limite et à son adoption comme une base pratique.

EXERCICES 7.4

CALCULER avec la Table III les logarithmes suivants:

1. $\log_4 75$	2. $\log_5 \pi$	3. $\log_\pi 64$
4. $\log_6 e$	5. $\log_\pi e$	6. $\log_e e$
7. $\log_{100} 64$	8. $\log_{0.1} 10$	9. $\log_{0.2} 48$
10. $\log_{\sqrt{2}} 4$	11. $\log_\pi 1$	12. $\log_\pi \pi$
13. $\ln 2.3$	14. $\ln 0.83$	15. $\ln 0.076$
16. $\ln \dfrac{1}{7.2}$	17. $\ln \dfrac{1}{0.45}$	18. $\ln \dfrac{1}{0.023}$

CALCULER la valeur approximative de x:

19. $x = \log_4 7$	20. $x = \log_{12} 9$	21. $x = \log_5 10$
22. $x = \log_\pi 3$	23. $\log_3 x = 1.73$	24. $\log_5 x = 2.14$
25. $\ln x = 1.1053$	26. $\ln x = 2.0819$	

ÉQUATIONS EXPONENTIELLES ET LOGARITHMIQUES 7.8

Les logarithmes sont très utiles pour déterminer les ensembles-solution (valeurs approximatives) de certains types d'équations qui ne sont pas facilement résolues par d'autres méthodes algébriques. Les exemples suivants illustreront cette méthode.

EXEMPLE 1. Résoudre l'équation $4^x = 5^{2x+1}$ pour x

Solution. Puisque $4^x = 5^{2x+1}$,

$$\log (4^x) = \log (5^{2x+1})$$ **pourquoi?**

et $\quad x \log 4 = (2x + 1)\log 5 = 2x \log 5 + \log 5$

D'où $\quad\quad x \log 4 - 2x \log 5 = \log 5$

et $\quad\quad x(\log 4 - 2 \log 5) = \log 5$

Donc $\quad x = \dfrac{\log 5}{\log 4 - 2 \log 5} = \dfrac{0.6990}{0.6021 - 1.3980}$

$$= -1.139 \text{ (approx.)}$$

EXEMPLE 2. Résoudre $\log_4 (x^2 - 12x) = 3$.

Solution. D'après la Définition (7.1),

$$4^3 = x^2 - 12x \quad\quad \text{et} \quad\quad x^2 - 12x - 64 = 0$$

D'où $\quad\quad\quad\quad (x - 16)(x + 4) = 0$

et $\quad\quad\quad\quad x = -4 \quad\quad \text{or} \quad\quad x = 16$

EXEMPLE 3. Résoudre $\log (x - 9) - \log (x + 3) = 1$.

Solution. Utilisons la propriété $\log M/N = \log M - \log N$ pour transformer le membre de gauche de l'équation. Alors

$$\log \frac{x - 9}{x + 3} = 1$$

D'où $\quad\quad\quad\quad 10^1 = \dfrac{x - 9}{x + 3}$ **Définition (7.1)**

et $\quad\quad\quad\quad x = -\dfrac{13}{3}$

Cette valeur de x ne satisfait pas l'équation donnée parce que le logarithme d'un nombre négatif réel n'est pas défini.

Donc, $x = -\text{}^{13}\!/\!_3$ est une racine étrangère et l'équation n'a pas de solution.

EXEMPLE 4. Résoudre l'inégalité $4^x > \text{}^5\!/\!_3$.

Solution.   Puisque $4^x > 5/3$,

$$\log 4^x > \log \frac{5}{3}$$

Alors $x \log 4 > \log 5 - \log 3$

et $$x > \frac{\log 5 - \log 3}{\log 4}$$

Donc $$x > \frac{0.6990 - 0.4771}{0.6021}$$

ou $$x > 0.3685$$

EXERCICES   7.5

RÉSOUDRE pour x (quelques équations peuvent ne pas avoir de solutions).

1. $2^{x+1} = 128$
2. $3^{4x-1} = 729$
3. $30^{x+4} = 810{,}000$
4. $4^x = 5/2$
5. $(0.01)^x = 3$
6. $7^{3x}(5^{x-1}) = 35$
7. $4^{2x+1} = 7^{2x-1}$
8. $4^{-x} = 6^{x+2}$
9. $3^{2x+3} = 8^{3x-4}$
10. $23^{x-1} = 7.2^{3x+1}$
11. $\log (x + 3)^2 = 2$
12. $\log (2x - 3)^3 = 3$
13. $\log (13 + 2x)^7 = 14$
14. $\log (52 - x)^6 = 6$
15. $\log (3x + 4) - \log (2x - 2) = 2$
16. $\log (x - 1) - \log (4x + 7) = 1$
17. $\log (x^2 - 16) - \log (x - 4) = 2$
18. $\log (x^2 - 4) - \log (x + 2) = 3$
19. $\log_2 (x + 1) + \log_2 (x - 1) = 3$
20. $\log_3 (x + 9) + \log_3 (x + 3) = 3$
21. $\log x - \log (x + 4) = 0.3010$
22. $\log (x - 6) - \log (x + 6) = 1.4771$
23. $(0.5)^x > 3/2$
24. $(0.08)^{2x} > (4/3)^2$
25. $x^{\log x} = 10$
26. $x^{\log x} = 100x$

TRANSFORMER chaque équation en une équation ne comportant pas de logarithme:

27. $\log x - 1 = 2 \log y$
28. $3 \log x = 2 \log (y + 2)$
29. $\ln x = 3 \ln y + 2y$
30. $\ln (\ln x) = \ln x + \ln y$

RÉSOLUTION DES TRIANGLES. VECTEURS

Nous consacrerons ce chapitre aux relations de base qui existent entre la longueur des côtés et les fonctions trigonométriques des angles d'un triangle. Ces relations nous permettent de résoudre certains problèmes géométriques concernant les triangles.

Nous noterons habituellement la mesure des angles des sommets ABC d'un triangle par α, β et γ (alpha, bêta et gamma) respectivement. Nous noterons aussi a, b, c respectivement les longueurs des côtés opposés aux sommets ABC, comme le montre la figure 8.1.

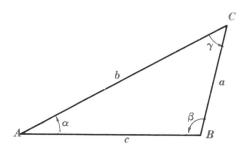

FIGURE 8.1
Disposition des lettres dans un triangle

LOI DES SINUS 8.1

Soit un triangle donné ABC. Plaçons un système de coordonnées rectangulaires dans le plan du triangle de sorte que le sommet A soit à l'origine et que le côté C soit confondu avec le demi-axe positif Ox. Comme le montre la figure 8.2a, la position de l'angle est celle d'un angle polaire, et le sommet C a pour coordonnées $(b \cos \alpha, b \sin \alpha)$.

Si le système de coordonnées est maintenant placé de sorte que le sommet B soit à l'origine, avec le côté C confondu avec le demi-axe positif des x, le sommet C a pour coordonnées $(a \cos \beta, a \sin \beta)$, comme le montre la figure 8.2b.

Dans les deux cas, l'ordonnée du sommet C est la hauteur du triangle abaissée de C. Puisque $a \sin \beta$ et $b \sin \alpha$ sont purement des expression différentes de l'ordonnée de C, il suit que

$$a \sin \beta = b \sin \alpha$$

et

$$\frac{a}{\sin \alpha} = \frac{b}{\sin \beta}$$

Par un raisonnement semblable avec l'origine en C et b confondu avec le demi-axe positif Ox, nous trouvons que l'ordonnée du somme B est $a \sin \gamma$. Lorsque le système de coordonnées est placé ensuite de sort que l'origine soit en A et que b soit confondu avec le demi-axe, l'ordonné de B est $c \sin \alpha$. D'où, nous avons

$$a \sin \gamma = c \sin \alpha$$

et

$$\frac{a}{\sin \alpha} = \frac{c}{\sin \gamma}$$

Donc, si α, β et γ sont les mesures des angles d'un triangle et si a, b et sont les longueurs des côtés opposés à ces angles

$$\frac{a}{\sin \alpha} = \frac{b}{\sin \beta} = \frac{c}{\sin \gamma} \qquad (8.1$$

Loi des sinus   La relation (8.1) s'appelle la *loi des sinus* et sert à résoudre un triangl lorsque (1) deux angles et un côté ou (2) deux côtés et un angle oppos à l'un d'eux sont donnés. Les exemples ci-après illustrent la méthode suivre.

EXEMPLE 1. Trouver le côté a d'un triangle ABC, si $b = 30$, $\alpha = 36°$ $\gamma = 48°$.

Solution. $\beta = 180° - (36° + 48°) = 96°$

D'après la loi des sinus

$$\frac{a}{\sin \alpha} = \frac{b}{\sin \beta}$$

FIGURE 8.2 $(a)\ h = b \sin \alpha$; $(b)\ h = a \sin \beta$

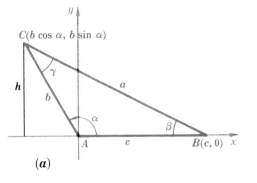

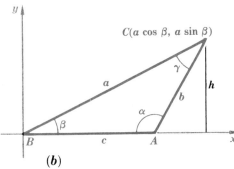

(a) (b)

D'où
$$\frac{a}{\sin 36°} = \frac{30}{\sin 96°}$$

et
$$a = \frac{30(\sin 36°)}{\sin 96°}$$

Nous pouvons effectuer les calculs de deux façons. Nous pouvons remplacer sin 36° et sin 96° par leurs valeurs prises dans la Table II.

$$a = \frac{30(0.5878)}{0.9945} = 17.73$$

Comme le résultat ne peut pas être plus précis que les mesures données, nous arrondissons la réponse: en résolvant les triangles, nous utiliserons le tableau suivant comme moyen de travail:

Chiffres significatifs	2	3	4	5
Précision de l'angle (le plus proche)	1°	10′	1′	0.1′

; mais, pour des angles proches de 90°, la précision peut être différente. Conformément à ce tableau, la réponse à l'exemple précédent doit être arrondie à deux chiffres significatifs. Donc

$$a = 18 \text{ (approx.)}$$

Nous pouvons encore calculer la valeur de a en utilisant les logarithmes décimaux.

$$a = \frac{30(\sin 36°)}{\sin 96°}$$

$$\log a = \log 30 + \log \sin 36° - \log \sin 96°$$

Emploi de la Table IV Dans la Table IV, nous trouvons les logarithmes décimaux des fonctions trigonométriques à quatre décimales près. Pour comprendre l'usage de cette table, rappelons-nous que, si $0 < \theta < 90°$, nous avons $0 < \sin \theta < 1$; donc, le logarithme de sin θ a une caractéristique négative. La même remarque peut être faite pour cos θ. De même, si $0 < \theta < 45°$, log tan θ a une caractéristique négative. Pour une détermination facile des caractéristiques, la Table IV a été construite pour qu'on les obtienne en ajoutant -10 aux valeurs des entrées de la table. D'où la règle suivante:

Pour l'emploi de la Table IV, ajouter -10 à chaque valeur entrée.
Comme

log 30 =	1.4771	Table III
log sin 36° =	9.7692 − 10	Table IV
	11.2463 − 10	log du numérateur
log sin 96° =	9.9976 − 10	log du dénominateur
	1.2487	

Donc, $\log a = 1.2487$

et $a = 17.73$

                $= 18$ à deux chiffres significatifs

Si nous connaissons les longueurs de deux côtés d'un triangle, pa■ exemple a et b, et la mesure de l'angle opposé à l'un d'eux, par exemple α nous pouvons calculer les éléments inconnus du triangle par la loi des sinus Dans ce cas, cependant, des complications se présentent souvent dues a■ fait qu'il peut y avoir deux, un ou aucun triangle de côtés a et b, et d'angl■ **Cas ambigu** α. Ce cas de résolution est un *cas ambigu*.

EXEMPLE 2. Dans un triangle ABC, $a = 14$, $b = 17$, et l'angle $\alpha = 32°$■ Calculer l'angle γ et le côté c.

Solution. Comme $a/\sin \alpha = b/\sin \beta$, nous avons

$$\frac{14}{\sin 32°} = \frac{17}{\sin \beta}$$

et
$$\sin \beta = \frac{17 \sin 32°}{14}$$

D'où
$$\log \sin \beta = \log 17 + \log \sin 32° - \log 14$$
$$= 9.8085 - 10$$

Mais, il y a deux valeurs de β entre $0°$ et $180°$ pour lesquelles

$$\log \sin \beta = 9.8085 - 10$$

plus précisément $40°03'$ et $139°57'$.

Conformément à la règle fixée pour la précision des résultats, nous■ arrondissons au degré le plus proche. D'où

$$\beta = 40° \qquad \text{ou} \qquad \beta = 140°$$

Si $\beta = 40°$, alors $\gamma = 180° - (40° + 32°) = 108°$. La loi des sinus nous■ donne:

$$c = \frac{12 \sin 108°}{\sin 32°}$$

$$= 22 \qquad \text{à deux chiffres significatifs}$$

Le triangle est celui de la figure 8.3a.

Mais, si nous choisissons $\beta = 140°$, alors

$$\gamma = 180° - (140° + 32°) = 8°$$

et
$$c = \frac{12 \sin 8°}{\sin 32°}$$

$$= 3.2 \qquad \qquad \text{à deux chiffres significatifs}$$

Le triangle est celui de la figure 8.3b.

Pour comprendre pourquoi il peut y avoir deux, un ou pas de triangles déterminés lorsqu'un angle α et deux côtés a et b d'un triangle ABC sont donnés, construisons le triangle: soit α aigu que nous traçons; sur un de■ côtés de α portons le point C tel que $AC = b$; avec C pour centre et un■ rayon de longueur a, construisons un arc de cercle comme à la figure 8.4■

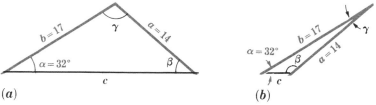

FIGURE 8.3 Cas de deux solutions (voir Exemple 2)

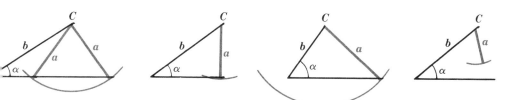

FIGURE 8.4 Généralisation du cas ambigu: deux, un ou pas de triangles sont déterminés par la donnée d'un angle α et des côtés a et b du triangle ABC.

Cet arc coupe l'autre côté de l'angle α en deux points, un point, ou ne le coupe pas. Ainsi, il y aura deux, un ou pas de triangles déterminés par un angle α donné et deux côtés a et b donnés.

L'étudiant intéressé peut examiner les possibilités pour $\alpha > 90°$.

EXERCICES 8.1

RÉSOUDRE le triangle ABC étant donné:

1. $\alpha = 46°$, $\gamma = 59°$, $b = 10$
2. $\beta = 65°$, $\gamma = 35°$, $c = 24$
3. $\alpha = 120°$, $\beta = 18°$, $a = 90$
4. $\beta = 30°$, $\gamma = 48°$, $a = 12$
5. $\alpha = 98°20'$, $\gamma = 45°10'$, $c = 155$
6. $\beta = 115°40'$, $\gamma = 16°50'$, $c = 4.43$
7. $\alpha = 27°10'$, $\beta = 132°20'$, $c = 0.758$
8. $\beta = 30°$, $b = 50$, $c = 30$
9. $\alpha = 60°$, $a = 75$, $b = 80$
10. $\beta = 29°20'$, $a = 200$, $b = 500$
11. $\gamma = 59°50'$, $b = 800$, $c = 500$
12. $\beta = 31°10'$, $a = 225$, $b = 115$

13. Deux points A et B sur une rive d'un cours sont distants de 36 pi. Un point C de l'autre rive du courant détermine avec AB des angles CAB de 72° et ABC de 80°. Quelle est la largeur approximative du courant?

14. Le côté d'un polygone régulier de 7 côtés a 125.0 po de long. Trouver le rayon du cercle circonscrit.

15. Deux points A et B sont sur les rives opposées de la mare d'une ferme. Un troisième point C forme avec AB un angle ABC de 42°; BC et AC mesurent respectivement 260 et 320 pi. Quelle est la distance AB?

16. Le grand côté d'un parallélogramme mesure 172.3 po et le plus petit 99.4 po. La grande diagonale fait un angle de 31°40' avec le grand côté. Quelle est la longueur de la diagonale?

CONSTRUIRE le triangle ABC, étant donné l'angle α et les côtés a et b:

17. Si α est aigu et $a \leq b$ (une solution).
18. Si α est aigu et $b \sin \alpha < a < b$ (deux solutions).
19. Si α est obtus et $a \leq b$ (pas de solution).
20. Si α est obtus et $a > b$ (une solution).

RÉSOLUTION DES TRIANGLES RECTANGLES   8.2

Soit   l'angle droit d'un triangle rectangle ABC (figure 8.5). Alors
par la loi des sinus,

$$\frac{a}{\sin \alpha} = \frac{c}{\sin 90°} = \frac{c}{1} = c$$

D'où $\sin \alpha = \dfrac{a}{c}$

Comme $\sin^2 \alpha + \cos^2 \alpha = 1$, nous avons

$$\cos \alpha = \sqrt{1 - \sin^2 \alpha} = \sqrt{1 - \frac{a^2}{c^2}} = \frac{b}{c}$$

Également $\tan \alpha = \dfrac{\sin \alpha}{\cos \alpha} = \dfrac{a/c}{b/c} = \dfrac{a}{b}$

Donc, pour tout triangle d'angle $\gamma = 90°$,

$$\sin \alpha = \frac{a}{c} = \frac{\text{côté opposé à l'angle } \alpha}{\text{hypothénuse}}$$

$$\cos \alpha = \frac{b}{c} = \frac{\text{côté adjacent à l'angle } \alpha}{\text{hypothénuse}} \qquad (8.2■$$

$$\tan \alpha = \frac{a}{b} = \frac{\text{côté opposé à l'angle } \alpha}{\text{côté adjacent à l'angle } \alpha}$$

Nous n'avons besoin que de ces égalités pour résoudre des triangle■
rectangles, mais comme $b/\sin \beta = c/\sin 90° = c$, nous pouvons déduir■
que

$$\sin \beta = \frac{b}{c} = \frac{\text{côté opposé à } \beta}{\text{hypothénuse}}$$

$$\cos \beta = \frac{a}{c} = \frac{\text{côté adjacent à } \beta}{\text{hypothénuse}}$$

et $\tan \beta = \dfrac{b}{a} = \dfrac{\text{côté opposé à } \beta}{\text{côté adjacent à } \beta}$

FIGURE 8.5 Le triangle rectangle.   **FIGURE 8.6** Voir Exemple

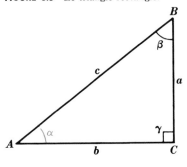

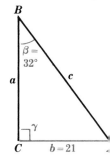

D'après les identités fondamentales de la Section 4.8, nous pouvons maintenant montrer que cot $\alpha = b/a$, sec $\alpha = c/b$, csc $\alpha = c/a$, etc.

En résolvant les triangles rectangles, il est toujours utile de construire une figure montrant les deux éléments de la donnée et l'angle droit. Ensuite la méthode à suivre est d'écrire une équation qui lie les deux éléments donnés à un élément inconnu. Il est préférable de choisir une équation qui demande une multiplication plutôt qu'une division.

EXEMPLE 1.   Dans le triangle rectangle ABC, $\gamma = 90°$, $\beta = 32°$, et $b = 21$.

Solution.   Construire un triangle montrant les éléments donnés (figure 8.6).   Comme $\beta = 32°$; $\alpha = 58°$.   Alors,

$$\tan \alpha = \frac{\text{côté opposé à } \alpha}{\text{côté adjacent } \alpha}$$

D'où
$$\tan 58° = \frac{a}{21}$$

et
$$a = 21 \tan 58°$$

Les calculs peuvent se faire en cherchant tan 58° dans la Table II ou en se servant des logarithmes comme suit :

$$\log a = \log 21 + \log \tan 58°$$

$$\log 21 = 1.3222$$

$$\log \tan 58° = \frac{10.2042 - 10}{11.5264 - 10}$$

D'où $\log a = 1.5264$

et $a = 33.61 = 34$ à deux chiffres significatifs

EXERCICES   8.2

CALCULER la longueur des côtés inconnus et la mesure des angles inconnus dans les triangles suivants.   Dans chaque cas $\gamma = 90°$.

1. $\alpha = 36°$, $a = 24$ 2. $\alpha = 64°$, $b = 80$
3. $\beta = 52°20'$, $c = 9.36$ 4. $\beta = 55°10'$, $a = 825$
5. $a = 32$, $b = 62$ 6. $a = 54$, $c = 63$
7. $b = 355$, $c = 484$ 8. $a = 327$, $b = 764$
9. $a = 43.2$, $c = 63.7$ 10. $a = 36.8$, $\beta = 57°40'$
11. $a = 4.32$, $\alpha = 67°30'$ 12. $b = 318$, $\alpha = 25°50'$
13. $\beta = 48°22'$, $b = 7.255$ 14. $b = 35.72$, $c = 48.46$
15. Une échelle de 13 pi repose contre un mur vertical; le pied de l'échelle est à 5 pi de la base du mur.   Quel est l'angle que fait l'échelle avec le sol ?
16. Un fil tendu d'un point du sol horizontal au sommet d'un poteau vartical touche le sol à 16 pi du pied du poteau.   Si le fil fait un angle de 62° avec l'horizontale, quelle est la hauteur du poteau et la longueur approximative du fil.
17. Un lotissement rectangulaire a 110 pi par 140 pi.   Quel est l'angle de la diagonale avec le grand côté ?

18. Un hexagone régulier est inscrit dans un cercle de rayon de 10 cm. Trouver le rayon du cerc inscrit.

19. Les angles égaux de la base d'un triangle isocèle valent, chacun, 36°10′ et la longueur des côt égaux est de 5.75 po. Quelle est la longueur de la base?

20. Le sommet d'un mât de drapeau vertical est vu à 150 pi de la base de mât sous un angle d'él vation de 28°10′. Quelle est la hauteur du mât (si un point Y est au-dessus du niveau d'u point X, l'angle que fait la droite XY avec la droite horizontale passant de X dans le même pla vertical que XY est l'angle d'élévation de Y vu de X. L'angle que fait XY avec une droi horizontale passant par Y dans le même plan vertical que XY est l'angle de dépression de vu de Y.)

21. D'un ballon d'observation à 950 pi au-dessus du niveau du sol, on voit un objet sous un ang de dépression de 12°40′. Quelle est la distance de l'objet à un point situé directement en-desso du ballon?

22. D'un point A on voit le sommet d'une montagne sous un angle d'élévation de 28°40′. D'u point B plus rapproché de 8,600 pi et dans le même plan horizontal on voit le sommet sous u angle d'élévation de 36°50′. Quelle est la hauteur de la montagne au-dessus du plan ho zontal?

23. Considérons la terre comme une sphère de rayon 3,960 mi. Quel est le rayon du parallè qui passe par une ville située à 37°23′ de latitude?

24. Deux installations de radar A et B sont séparées de 75 mi; B est en plein à l'est de A. Un cent de réparation d'avions se trouve en C en plein au nord de A. L'azimuth de BC est N44°10′ Trouver la distance de A à C (L'azimuth se mesure en pratique par l'angle aigu que fait u axe avec la direction nord-sud. Pour décrire cet azimuth, la mesure de l'angle aigu est pr cédée par la lettre N ou S pour indiquer que l'angle est mesuré à partir du demi-axe nord ou partir du demi-axe sud. La mesure de l'angle est suivie par la lettre E ou la lettre O po indiquer que le côté extrémité de l'angle se trouve à l'est ou à l'ouest de la direction nord-su La figure 8.7 montre l'azimuth N44°10′O).

25. Un bateau se dirige plein ouest pendant 25 milles nautiques ensuite plein nord sur une distan de 30 milles nautiques. Trouver son azimuth depuis le point de départ.

26. Deux bateaux quittent le même port au même moment. Si l'un se dirige dans la directi N38°E à 20 noeuds et l'autre S42°E à 30 noeuds, quelle distance les séparera après 5 h en su posant la surface de l'eau plane.

27. D'une tour de gué de 90 pi de haut, un garde voit sous un angle de dépression de 20°30′ le so met d'un arbre, alors que le pied est vu sous un angle de dépression de 36°40′. Si l'arbre e à 215 pi d'un point du sol directement situé au-dessous de l'observateur, quelle est la haute de l'arbre?

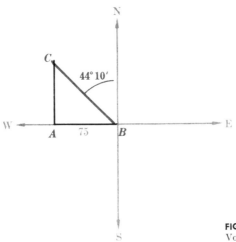

FIGURE 8.7
Voir Prob. 24.

28. D'un point situé à 225 pi d'une construction, on voit le sommet de la construction sous un angle d'élévation de 27°50′, et la tête d'un mât au sommet de la construction sous un angle d'élévation de 33°20′. Quelle est la hauteur du mât ?

VECTEURS 8.3

Une quantité vectorielle est une quantité qui est déterminée en intensité, direction et sens. Les forces, les espaces parcourus, les vitesses, les accélérations sont des quantités vectorielles. Nous représentons géométriquement une quantité vectorielle par un segment orienté dont la longueur est proportionnelle à l'intensité de la quantité vectorielle et dont le sens correspond au sens de la quantité vectorielle. Par exemple, le segment orienté OA de la figure 8.8*a* représente une quantité vectorielle et s'appelle un vecteur.

L'expérience montre que l'effet combiné de deux quantités vectorielles peut être représenté par un seul vecteur appelé *somme vectorielle ou résultante* des deux vecteurs représentant les quantités vectorielles.

résultante

> **DÉFINITION.** La somme vectorielle (ou résultante) de deux vecteurs OA et OB est le vecteur OC, diagonale du parallélogramme **(8.3)** $OACB$ construit avec OA et OB pour côtés.

La figure 8.8*a* où le vecteur OC est la résultante, ou somme, des vecteurs OA et OB illustre cette définition.

Deux vecteurs, dont la somme est un vecteur donné, sont les composantes du vecteur donné. Ainsi, OA et OB sont les composantes du vecteur OC, figure 8.8*a*. Lorsqu'on cherche les composantes d'un vecteur donné, on *décompose* ce vecteur. Il est plus pratique habituellement de décomposer un vecteur dans des composantes parallèles aux axes des x et des y.

composantes angulaires

Ces composantes sont les *composantes rectangulaires* du vecteur. Dans la figure 8.8*b*, h et k sont les composantes rectangulaires du vecteur u. On appelle h la *composante horizontale* et k la *composante verticale*. Notons qu'ici une seule lettre en caractère gras représente le vecteur.

FIGURE 8.8 (*a*) Somme vectorielle: (*b*) Composantes d'un vecteur:
$$\overrightarrow{OC} = \overrightarrow{OA} + \overrightarrow{OB};$$
$$\vec{u} = \vec{h} + \vec{k}$$

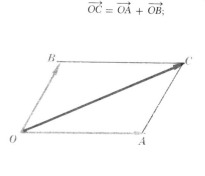

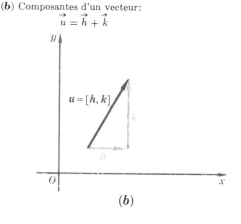

$u = [h, k]$

(*a*)   (*b*)

Un vecteur peut être décrit algébriquement par ses composante rectangulaires: si la composante horizontale d'un vecteur est h et la com posante verticale k, le vecteur peut être noté par le symbole $[h,k]$. Ains le vecteur $\mathbf{u} = [-3,2]$ a pour composante horizontale un vecteur de unités de longueur dans la direction des abcisses négatives. La composant verticale de $\mathbf{u}$ est un vecteur de 2 unités de longueur dans la direction de ordonnées positives.

Nous définissons l'égalité de deux vecteurs ainsi:

$$[h_1,k_1] = [k_2,k_2]$$

si et seulement si $\qquad h_1 = h_2 \qquad$ et $\qquad k_1 = k_2$

Somme de deux vecteurs

La somme de deux vecteurs $[h_1,k_1]$ et $[k_2,k_2]$ est définie ci-après:

DÉFINITION. Soit $[h_1,k_1]$ et $[h_2,k_2]$ des vecteurs,   (8.4)
$$[h_1,k_1] + [h_2,k_2] = [h_1 + h_2, k_1 + k_2].$$

Ainsi la somme de deux vecteurs a des composantes horizontale et vert cale qui sont les sommes respectives des composantes horizontales verticales des vecteurs données. Par exemple, la somme vectorielle $[3,5]$ et $[6,-1]$ est donnée par

$$[3,5] + [6,-1] = [9,4]$$

Si $\mathbf{u} = [h,k]$ est un vecteur, alors le vecteur $-\mathbf{u} = [-h,-k]$ est vecteur opposé de $\mathbf{u}$. Ces vecteurs ont même intensité (longueur), mêm

Différence de deux vecteurs

direction mais des sens opposés. D'où $\mathbf{u} = -(-\mathbf{u})$. Cette relatic suggère une méthode pour soustraire un vecteur d'un autre.

$$\mathbf{u} - \mathbf{v} = \mathbf{u} + (-\mathbf{v})$$

Donc, $[h_1,k_1] - [h_2,k_2] = [h_1,k_1] + [-h_2,-k_2] = [h_1 - h_2, k_1 - k_2]$.

Le symbole $c[h,k]$ sert à noter le vecteur $[ch,ck]$. Si c est positif, nouveau vecteur a le même sens que $[h,k]$; si c est négatif, le nouvea vecteur a le sens opposé à celui de $[h,k]$.

Vecteur nul

Le vecteur $[0,0]$ définit le *vecteur nul* bien que sa direction ne soit pl déterminée. Le vecteur $[h,k] - [h,k] = [0,0]$, par exemple, est le vecte nul.

Module d'un vecteur

L'intensité ou module d'un vecteur $\mathbf{u} = [h,k]$ notée $|\mathbf{u}|$ est égale $\sqrt{h^2 + k^2}$. Par exemple, le vecteur $[3,7]$ a pour module:

$$\sqrt{3^2 + 7^2} = \sqrt{58}$$

EXEMPLE 1. Deux forces agissent sur un solide, une force de 30 lb horizo talement et l'autre de 40 lb verticalement vers le haut. Quelle est la résu tante?

Solution. Soit R la force résultante (voir figure 8.9). Alors

$$|R| = \sqrt{30^2 + 40^2} = 50$$

Soit α l'angle formé par R avec la force horizontale. Alors

$$\tan \alpha = \frac{40}{30} = 1.333$$

et $\alpha = 53°$ (la précision est celle des chiffres significatifs des mesures de force).

Donc, la force résultante a une intensité de 50 lb et fait un angle de 53° avec la force horizontale.

EXEMPLE 2. On applique une force de 225 lb avec un angle de 47°50′ par rapport à l'horizontale. Trouver deux forces, une horizontale, l'autre verticale, qui produisent les mêmes effets.

Solution. Soit v_x et v_y les composantes horizontales et verticales respectives de la force v, figure 8.10. Alors

$$v_x = 225 \cos 47°50′ = 151$$
et
$$v_y = 225 \sin 47°50′ = 167$$

EXEMPLE 3. Un plan incliné fait un angle de 20°10′ avec l'horizontale. En supposant qu'il n'y a pas de frottements, trouver la force requise pour maintenir un poids de 100 lb en équilibre sur le plan.

Solution. Supposons le poids en R, figure 8.11. La force de pesanteur peut être représentée par le vecteur RS dirigé vers le bas. Soit les composantes du vecteur RS, RT parallèle et RQ perpendiculaire au plan incliné. La force demandée F doit être égale à la force représentée par le vecteur RT et doit être orientée vers le haut le long du plan incliné.

Puisque l'angle RST est de 20°10′ (angle RST = angle d'inclinaison du plan),

FIGURE 8.9
Voir Exemple 1.

FIGURE 8.10
Voir Exemple 2.

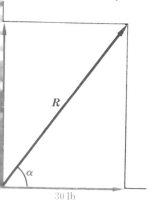

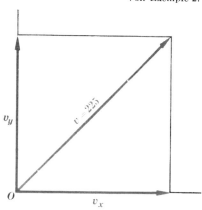

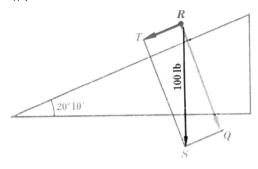

FIGURE 8.11
Voir Exemple 3.

$$RT = 100 \sin 20°10' = 34.48$$
$$= 34.5 \quad \text{à trois chiffres significatifs}$$

Donc, $F = 34.5$ lb   orientée vers le haut du plan

EXEMPLE 4. Faire la somme des vecteurs $[2,3]$ et $[6, -8]$, et trouver module de la somme vectorielle.

Solution. $[2,3] + [6,-8] = [8,-5]$
$$\|[8,-5]\| = \sqrt{8^2 + (-5)^2} = \sqrt{89}$$

EXERCICES 8.3

1. Une force de 50 lb s'exerce suivant un angle de 53° avec l'horizontale.   Quelles sont les com santes horizontale et verticale de la force?

2. Une force de 155 lb fait un angle de 38°20' avec l'horizontale.   Quelles sont ses composan rectangulaires?

3. Une force de 100 lb a une composante verticale de 60 lb.   Quelle est la composante horizont de la force?

4. L'intensité d'une force est de 384 lb.   Quelles sont les composantes rectangulaires de la fo si la composante horizontale vaut trois fois la composante verticale?

5. On monte un tonneau de 128 lb le long d'un plan incliné qui fait un angle de 15°30' avec l' rizontale.   Quelle est la force parallèle au plan incliné nécessaire pour garder le tonneau mouvement?

6. Un bateau navigue 54.6 mi dans la direction du S28°E.   De combien s'est-il déplacé vers sud et vers l'est?

7. Un fleuve de 2.4 mi de large coule vers le sud à 1.1 mi/h.   Un nageur qui nage à une vite de 1.8 mi/h en eau calme, traverse le courant en se dirigeant vers l'est.   Dans quelle direct se déplace-t-il en fait?

8. Le moteur d'un bateau le propulse à 15 mi/h en eau calme.   Si le bateau traverse au plus co une rivière dont le courant est de 4 mi/h, quel est l'angle suivant lequel on doit diriger le bat vers le haut du courant?

9. Un avion de transport vole à 500 mi/h en air calme.   Si le vent souffle à 30 mi/h du N2 et que l'avion se dirige vers le S20°E, quelle est la vitesse de l'avion et sa direction par rapp au sol?

10. Un bateau navigue vers l'est à 25 mi/h.   Un passager traverse en marchant le pont de trib à babord.   Quelle est la vitesse relative du passager par rapport à l'eau?

11. Un avion a une vitesse de 600 mi/h en air calme.   Le vent souffle de l'ouest à 20 mi/h.   D quelle direction doit se diriger l'avion pour se déplacer effectivement vers le nord?

12. Une automobile de 3,500 lb est stationnée dans une rue inclinée à 7°50' par rapport à l'h zontale.   Quelle force tend à l'entraîner vers le bas de la rue?

13. En préparant un lancement pour la planète Mars, des astronomes mesurent un angle de 120° entre la direction Terre-soleil et la direction Terre-Mars. Si la distance de la terre au soleil est de 9.3×10^7 milles, quelle est la distance Terre-Mars au temps de l'observation?

14. Faire la somme des vecteurs et donner les modules des sommes:

(a) [2,7] et [1,3]   (b) [−5,2] et [−3,2]   (c) [−3,−5] et [4,5]
(d) [3,−6] et [2,−1]   (e) [5,6] et [3,−8]   (f) [−3,6] et [1,−5]

15. Un *vecteur unitaire* est défini comme un vecteur de module 1. Montrer que si [h,k] est un vecteur non nul, alors

$$\left[\frac{h}{\sqrt{h^2 + k^2}}, \frac{k}{\sqrt{h^2 + k^2}} \right]$$

est un vecteur unitaire.

16. Montrer que tout vecteur non nul peut être exprimé comme le produit de son module par un vecteur unitaire. INDICATION: Puisque $c[h,k] = [ch,ck]$, alors

$$[h,k] = \sqrt{h^2 + k^2} \left[\frac{h}{\sqrt{h^2 + k^2}}, \frac{k}{\sqrt{h^2 + k^2}} \right]$$

17. Exprimer les vecteurs comme le produit de leur module par un vecteur unitaire:

(a) [4,3]   (b) [2,−3]   (c) [−3,4]   (d) [−2,−5]

18. Chaque vecteur OP dont l'origine est au centre du cercle trigonométrique coupe ce cercle en Q. Trouver les coordonnées de Q, si le point P est:

(a) (1,3)   (b) (3,0)   (c) (−3,2)   (d) (0,−4)

LOI DES COSINUS 8.4

Dans un triangle si deux côtés et l'angle compris sont donnés ou si les trois côtés sont donnés, la loi des sinus ne s'applique pas directement. Pour résoudre ces triangles, nous devons démontrer une deuxième relation fondamentale entre les côtés et les angles de tout triangle.

Plaçons dans le plan d'un triangle ABC un système de coordonnées rectangulaires de sorte que le sommet A soit à l'origine, et le côté C confondu avec le demi-axe des abscisses positives. L'angle α se mesure par un angle polaire; les coordonnées de B sont $(c,0)$ et celles du sommet C $(b \cos \alpha, b \sin \alpha)$, comme le montre la figure 8.12. Par la formule de la distance,

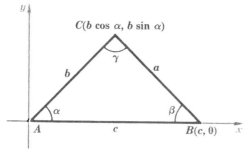

FIGURE 8.12
Loi des cosinus

$$a^2 = (b \cos \alpha - c)^2 + (b \sin \alpha - 0)^2$$
$$= b^2 \cos^2 \alpha - 2bc \cos \alpha + c^2 + b^2 \sin^2 \alpha$$
$$= b^2(\cos^2 \alpha + \sin^2 \alpha) + c^2 - 2bc \cos \alpha$$

D'où $$a^2 = b^2 + c^2 - 2bc \cos \alpha \qquad (8.5$$

De même en plaçant le système de coordonnées de sorte que la mesur de l'angle β soit celle d'un angle polaire, nous pouvons obtenir

$$b^2 = a^2 + c^2 - 2ac \cos \beta \qquad (8.6$$

En plaçant le système de coordonnées de sorte que la mesure de l'angle soit celle d'un angle polaire, nous pouvons aussi montrer que

$$c^2 = a^2 + b^2 - 2ab \cos \gamma \qquad (8.7$$

Lois des cosinus   Les relations (8.5) à (8.7) sont connues sous le nom de *lois des cosinu*

EXEMPLE 1. Étant donné dans un triangle ABC, $a = 30$, $b = 20$, et $= 108°$, trouver le côté c.

Solution. D'après (8.7), $c^2 = a^2 + b^2 - 2ab \cos \gamma$. D'où,

$$c^2 = 30^2 + 20^2 - 2(30)(20) \cos 108°$$
$$= 900 + 400 - (1200)(-0.3090)$$
$$= 1670.8$$

Alors $$c = 40.87$$
$$= 41 \qquad \text{à deux chiffres significatifs}$$

EXEMPLE 2. Étant donné $a = 15$, $b = 20$, $c = 28$ dans un triangle AB trouver l'angle γ.

Solution. Puisque $c^2 = a^2 + b^2 - 2ab \cos \gamma$,

$$\cos \gamma = \frac{a^2 + b^2 - c^2}{2ab}$$

$$= \frac{15^2 + 20^2 - 28^2}{2(15)(20)} = -0.2650$$

D'où $$\gamma = 105°22'$$
$$= 105° \qquad \text{pour rester dans les précisions donnée}$$

EXERCICES 8.4

RÉSOUDRE les triangles suivants:

1. $a = 110$, $b = 205$, $\gamma = 41°50'$ 2. $b = 51.5$, $c = 81.6$, $\alpha = 24°40'$
3. $b = 73.4$, $c = 67.2$, $\alpha = 106°10'$ 4. $a = 220$, $c = 180$, $\beta = 54°30'$
5. $a = 350$, $c = 40$, $\beta = 105°20'$ 6. $b = 0.125$, $c = 0.350$, $\alpha = 135°40'$
7. $a = 76.1$, $b = 33.4$, $\beta = 82°50'$ 8. $a = 43.75$, $c = 35.12$, $\beta = 151°32'$

9. $a = 43, b = 37, c = 55$ 10. $a = 51, b = 52, c = 40$
11. $a = 522, b = 873, c = 717$ 12. $a = 255, b = 290, c = 425$

13. Les points A et B sont de chaque côté d'un hangar. Un troisième point C est choisi de sorte que $CA = 212$ pi, $CB = 350$ pi. L'angle BCA mesure $66°10'$. Quelle est la distance AB?

14. Deux forces de 84.5 lb et de 32.1 lb sont appliquées à un solide. Leurs directions forment un angle de $72°30'$. Trouver l'intensité, la direction et le sens de la résultante.

15. Les directions de deux forces forment un angle de $118°50'$. Les intensités des forces sont de 280 et 370 lb respectivement. Trouver l'intensité, la direction et le sens de leur résultante.

16. Un pilote décolle d'une ville A pour une ville B à 400 mi de là. Après 120 mi de vol, il s'aperçoit qu'il vole à $8°50'$ de sa course; à ce point, à quelle distance est-il de la ville B?

17. Deux côtés d'un parallélogramme ont 12.5 po et 16.2 po de long. Si l'angle qu'ils forment est de $42°20'$, quelle est la longueur de la plus courte diagonale?

18. Le sommet d'une construction est vu sous un angle d'élévation de $28°30'$ d'un point situé au nord. D'un point situé à 145 pi ouest du premier point d'observation, il est vu sous un angle d'élévation de $22°30'$. Quelle est la hauteur de la construction?

SURFACE D'UN TRIANGLE   8.5

Si nous plaçons un système de coordonnée rectangulaire dans le plan d'un triangle de sorte que le sommet A soit à l'origine, et que le côté c coïncide avec le demi-axe des abscisses positives, la mesure de l'angle α est celle d'un angle polaire. Les coordonnées de B sont $(c,0)$, celles de C $(b \cos \alpha, b \sin \alpha)$ comme le montre la figure 8.13. Ceci veut dire que la hauteur h du triangle est l'ordonnée de C. D'où

$$h = b \sin \alpha$$

Soit T la surface du triangle ABC. Alors

$$T = \frac{1}{2} ch = \frac{1}{2} c(b \sin \alpha)$$

ou
$$T = \frac{1}{2} bc \sin \alpha \qquad (8.8)$$

Nous pourrions établir d'autres relations permettant de calculer la surface T d'un triangle.

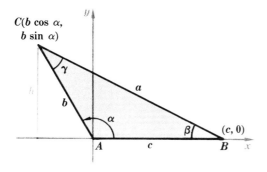

FIGURE 8.13
Surface d'un triangle.

Par exemple, d'après la loi des sinus,

$$c = \frac{b \sin \gamma}{\sin \beta}$$

et en substituant cette valeur de c dans l'Ég. (8.8), nous avons

$$T = \frac{b^2 \sin \alpha \sin \gamma}{2 \sin \beta} \qquad (8.9$$

L'Égalité (8.8) est utilisée lorsque deux côtés et l'angle compris sont donnés, et l'Ég. (8.9) lorsque deux angles et un côté du triangle sont donnés.

EXEMPLE 1. Trouver la surface du triangle ABC si $b = 20$, $c = 80$, et $\alpha = 64°$.

Solution. $T = \frac{1}{2}(20)(80) \sin 64° = 800(0.8988) = 719.04$
$= 720$ unités carrées (approx.)

EXEMPLE 2. Trouver la surface du triangle ABC si $b = 60$, $\alpha = 54°$, $\beta = 110°$.

Solution. $\gamma = 180° - (54° + 110°) = 16°$

Alors $\quad T = \dfrac{b^2 \sin \alpha \sin \gamma}{2 \sin \beta} = \dfrac{60^2 \sin 54° \sin 16°}{2 \sin 110°}$

$\qquad = \dfrac{1{,}800 \sin 54° \sin 16°}{\sin 110°}$

$\log T = \log 1{,}800 + \log \sin 54° + \log \sin 16° - \log \sin 110°$

$$\log 1{,}800 = 3.2553$$
$$\log \sin 54° = 9.9080 - 10$$
$$\log \sin 16° = \frac{9.4403 - 10}{22.6036 - 20}$$
$$\log \sin 110° = \frac{9.9730 - 10}{12.6306 - 10}$$

Donc $\log T = 2.6306$

et $\qquad T = 427.2 = 430$ unités carrées (approx.)

EXERCICES   8.5

CALCULER la surface du triangle ABC dans chacun des cas:

1. $b = 12$, $c = 7$, $\alpha = 36°$
2. $a = 15$, $b = 24$, $\gamma = 155°$
3. $a = 50$, $c = 72$, $\beta = 73°$
4. $b = 15$, $c = 40$, $\alpha = \pi/5$ rad
5. $a = 155$, $b = 255$, $\gamma = 2\pi/5$ rad
6. $b = 12$, $\beta = 1.2$ rad, $\alpha = 0.72$ rad
7. $c = 12.5$, $\alpha = 150°30'$, $\beta = 12°20'$
8. $a = 7$, $b = 9$, $c = 13$.   INDICATION: Trouver un angle par la loi des cosinus.
9. $a = 30$, $b = 38$, $c = 49$

10. Les côtés d'un champ triangulaire mesurent 23, 29 et 46 perches respectivement. Si 160 perches carrées = 1 acre, trouver la surface du champ en acres.

11. Prouver que $\quad T = \dfrac{a^2 \sin \beta \sin \gamma}{2 \sin \alpha}$. **12.** Prouver que $\quad T = \dfrac{c^2 \sin \alpha \sin \beta}{2 \sin \gamma}$.

13. Montrer que si $\gamma = 90°$, la loi des cosinus est équivalente au théorème de Pythagore.

14. Soit ABC un triangle dont les angles sont aigus (pour la simplicité seulement). Montrer que $a = b \cos \gamma + c \cos \beta$, que $b = c \cos \alpha + a \cos \gamma$, et que $c = a \cos \beta + b \cos \alpha$.

15. Se servir des trois égalités du problème précédent pour établir la loi des cosinus. INDICATION: Multiplier chaque membre de la première équation par a, de la seconde par b et de la troisième par c.

16. Un avion léger se déplace en air calme à 160 mi/h. Si le vent souffle à 25 mi/h de 20° (mesurés dans le sens des aiguilles à partir du nord) et l'avion se dirige dans la direction 150° (mesurés à partir du nord), quelle est sa vitesse (module, direction, sens) par rapport au sol?

17. Un bateau navigue à 30 mi/h en eau calme. Dans un courant océanique de 8 mi/h vers le N10°E, le navire se dirige dans la direction N42°E. Quelle est sa vitesse (module, direction, sens) par rapport au fond marin?

18. Montrer que si $a^2 + b^2 = c^2$, le triangle ABC est rectangle. (Réciproque du théorème de Pythagore).

FONCTIONS TRIGONOMÉTRIQUES DE SOMMES ET DE DIFFÉRENCES

Dans ce chapitre, nous étudierons les relations fondamentales qu permettent d'exprimer les fonctions trigonométriques de sommes, de pro duits et de multiples de nombres réels en termes de fonctions de ces nom bres.

FORMULES D'ADDITION 9.1

La formule de cos $(u - v)$ sera la première identité étudiée. Soi u et v deux nombres réels, soit $P(u)$ et $P(v)$ les deux points trigonométrique du cercle correspondant à u et v respectivement. Dans la figure 9.1, nou avons choisi u et v pour que $\pi/2 < v < u < \pi$. Le raisonnement qu suit s'applique cependant à tout nombre réel u et v.

Les coordonnées de $P(u)$ sont $(\cos u, \sin u)$ et celles de $Q(v)$ son $(\cos v, \sin v)$ par définition des fonctions sinus et cosinus (Section 4.3 Prenons un point R sur le cercle trigonométrique de sorte que l'arc A ait pour mesure $(u - v)$ unités. Donc, R est le point trigonométriqu $R(u - v)$ et a pour coordonnées $[\cos (u - v), \sin (u - v)]$. Comme l'a AR a même longueur que l'arc PQ, les cordes AR et PQ sont égales D'après la formule de la distance,

$$|AR|^2 = [\cos (u - v) - 1]^2 + [\sin (u - v) - 0]^2$$
$$= \cos^2 (u - v) - 2 \cos (u - v) + 1 + \sin^2 (u - v)$$
$$= [\cos^2 (u - v) + \sin^2 (u - v)] - 2 \cos (u - v) + 1$$
$$= 2 - 2 \cos (u - v)$$

et

$$|PQ|^2 = (\cos u - \cos v)^2 + (\sin u - \sin v)^2$$
$$= \cos^2 u - 2 \cos u \cos v + \cos^2 v + \sin^2 u - 2 \sin u \sin v + \sin^2$$
$$= (\cos^2 u + \sin^2 u) + (\cos^2 v + \sin^2 v) - 2 \cos u \cos v - 2 \sin u \sin$$
$$= 2 - 2 \cos u \cos v - 2 \sin u \sin v$$

Comme la corde $AR = $ la corde PQ,

$$2 - 2 \cos (u - v) = 2 - 2 \cos u \cos v - 2 \sin u \sin v$$

Donc $\qquad \cos (u - v) = \cos u \cos v + \sin u \sin v$ $\qquad$ **(9.1)**

EXEMPLE 1. Calculer $\cos (\pi/12)$.

Solution. Comme $\pi/12 = \pi/3 - \pi/4$, nous avons

$$\cos \frac{\pi}{12} = \cos \left(\frac{\pi}{3} - \frac{\pi}{4} \right) = \cos \frac{\pi}{3} \cos \frac{\pi}{4} + \sin \frac{\pi}{3} \sin \frac{\pi}{4}$$
$$= \frac{1}{2} \left(\frac{\sqrt{2}}{2} \right) + \frac{\sqrt{3}}{2} \left(\frac{\sqrt{2}}{2} \right) = \frac{\sqrt{2} + \sqrt{6}}{4}$$

La formule (9.1) servira maintenant à développer d'autres relations. Par exemple, si $u = \pi/2$ dans (9.1), nous obtenons immédiatement

$$\cos \left(\frac{\pi}{2} - v \right) = \cos \frac{\pi}{2} \cos v + \sin \frac{\pi}{2} \sin v$$
$$= 0 \cdot \cos v + 1 \cdot \sin v$$

D'où $\qquad \cos \left(\frac{\pi}{2} - v \right) = \sin v$ $\qquad$ **(9.2)**

Et, si $v = (\pi/2) - u$ dans (9.2), de sorte que

$$u = \frac{\pi}{2} - v$$

FIGURE 9.1 $\cos (u - v) = \cos u \cos v + \sin u \sin v$

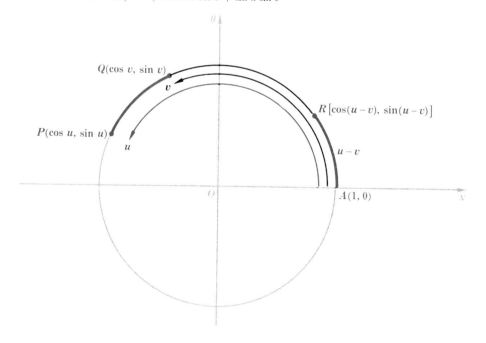

Alors $\qquad \cos u = \cos \left(\dfrac{\pi}{2} - v \right) = \sin v = \sin \left(\dfrac{\pi}{2} - u \right)$

D'où $\qquad \sin \left(\dfrac{\pi}{2} - u \right) = \cos u$ $\hfill$ (9.3

Comme $\qquad \tan \left(\dfrac{\pi}{2} - u \right) = \dfrac{\sin \left(\dfrac{\pi}{2} - u \right)}{\cos \left(\dfrac{\pi}{2} - u \right)} = \dfrac{\cos u}{\sin u}$

Nous avons $\qquad \tan \left(\dfrac{\pi}{2} - u \right) = \cot u$ $\hfill$ (9.4

De même, on déduira des relations pour $\cot (\pi/2 - u)$, $\sec (\pi/2 - u$
$\csc (\pi/2 - u)$. Ces déductions sont laissées en exercices.

Cherchons ce que devient la formule (9.1), si nous prenons $u = ($

Dans ce cas $\qquad \cos (0 - v) = \cos 0 \cos v + \sin 0 \sin v$

Alors $\qquad \cos (-v) = \cos v$ $\hfill$ (9.5

De (9.2), on déduit :

$$\sin (-v) = \cos \left[\dfrac{\pi}{2} - (-v) \right] = \cos \left(\dfrac{\pi}{2} + v \right)$$

$$= \cos \left[v - \left(-\dfrac{\pi}{2} \right) \right]$$

$$= \cos v \cos \left(-\dfrac{\pi}{2} \right) + \sin v \sin \left(-\dfrac{\pi}{2} \right)$$

Donc $\qquad \sin (-v) = -\sin v$ $\hfill$ (9.6

Nous pouvons maintenant prouver que
$$\tan (-v) = -\tan v \hfill (9.7$$
La preuve de (9.7) est laissée en exercice.

EXEMPLE 2. Exprimer $\cos 1.40$ par une fonction d'un nombre inférieur à

$$\dfrac{\pi}{4} = 0.785$$

et exprimer $\sin 60°20'$ par une fonction d'un angle inférieur à $45°$.

Solution. $\quad \cos 1.40 = \sin \left(\dfrac{\pi}{2} - 1.40 \right) = \sin (1.57 - 1.40) = \sin 0.17$

et $\qquad \sin 60°20' = \cos (90° - 60°20') = \cos 29°40'$

Comme $\qquad \cos (u + v) = \cos [u - (-v)]$
$$= \cos u \cos (-v) + \sin u \sin (-v)$$

D'après (9.1), et comme cos $(-v) = \cos v$ et sin $(-v) = -\sin v$, nous avons

$$\cos (u + v) = \cos u \cos v - \sin u \sin v \qquad (9.8)$$

De plus,

$$\sin (u + v) = \cos \left[\frac{\pi}{2} - (u + v) \right] \qquad \text{d'après Ég. (9.2)}$$

$$= \cos \left[\left(\frac{\pi}{2} - u \right) - v \right]$$

$$= \cos \left(\frac{\pi}{2} - u \right) \cos v + \sin \left(\frac{\pi}{2} - u \right) \sin v$$

$$\text{d'après Ég. (9.1)}$$

En conséquence, d'après (9.2) et (9.3),

$$\sin (u + v) = \sin u \cos v + \cos u \sin v \qquad (9.9)$$

Comme

$$\sin (u - v) = \sin [u + (-v)]$$
$$= \sin u \cos (-v) + \cos u \sin (-v)$$

Nous avons

$$\sin (u - v) = \sin u \cos v - \cos u \sin v \qquad (9.10)$$

Enfin

$$\tan (u + v) = \frac{\sin (u + v)}{\cos (u + v)}$$

$$= \frac{\sin u \cos v + \cos u \sin v}{\cos u \cos v - \sin u \sin v}$$

Si maintenant $\cos u \neq 0$ et $\cos v \neq 0$, nous pouvons diviser les numérateurs et dénominateurs du nombre de droite par $\cos u \cos v$ et simplifier. Nous obtenons ainsi

$$\tan (u + v) = \frac{\tan u + \tan v}{1 - \tan u \tan v} \qquad (9.11)$$

qui est toujours valable excepté pour $\tan u \tan v = 1$. Dans ce cas $\tan (u + v)$ n'est pas défini. Nous laissons en exercice l'établissement de la formule de $\tan (u - v)$.

EXEMPLE 3. Calculer $\cos (\pi/12)$ en se servant du fait que $\pi/12 = \pi/4 - \pi/6$.

Solution. $\cos \dfrac{\pi}{12} = \cos \left(\dfrac{\pi}{4} - \dfrac{\pi}{6} \right)$

$$= \cos \frac{\pi}{4} \cos \frac{\pi}{6} + \sin \frac{\pi}{4} \sin \frac{\pi}{6}$$

$$= \frac{\sqrt{2}}{2} \left(\frac{\sqrt{3}}{2} \right) + \frac{\sqrt{2}}{2} \left(\frac{1}{2} \right) = \frac{\sqrt{6} + \sqrt{2}}{4}$$

EXEMPLE 4. Montrer que $\sin (\pi - u) = \sin u$.

Solution. $\sin (\pi - u) = \sin \pi \cos u - \cos \pi \sin u$
$$= 0 \cdot \cos u - (-1) \sin u = \sin u$$

EXEMPLE 5. Soit $\sin u = \frac{4}{5}$; u du deuxième quadrant et soit $\cos v = -\frac{4}{5}$ v du troisième quadrant, calculer $\sin (u + v)$.

Solution. Comme $\pi/2 < u < \pi$, $\cos u = -\sqrt{1 - \sin^2 u} = -\frac{3}{5}$, comm $\pi < v < 3\pi/2$, $\sin v = -\sqrt{1 - \cos^2 v} = -\frac{3}{5}$.

$$\sin (u + v) = \sin u \cos v + \cos u \sin v$$

$$= \frac{4}{5}\left(-\frac{4}{5}\right) + \left(-\frac{3}{5}\right)\left(-\frac{3}{5}\right) = -\frac{7}{25}$$

EXERCICES 9.1

1. Étant donné $\sin u = 0.3$ et $\cos v = 0.5$, calculer:

   (a) $\cos (u - v)$ (b) $\sin (u - v)$ (c) $\sin (u + v)$
   (d) $\cos (u + v)$ (e) $\cos (\pi/2 - u)$ (f) $\sin (\pi/2 -$
   (g) $\sin (\pi/2 + u)$ (h) $\cos (\pi/2 + v)$

2. Montrer que pour toute valeur réelle de θ,

   (a) $\cos (\pi - \theta) = -\cos \theta$ (b) $\cos (\theta - \pi) = -\cos \theta$
   (c) $\sin (\pi - \theta) = \sin \theta$ (d) $\sin (\theta - \pi) = -\sin \theta$
   (e) $\cos (\pi + \theta) = -\cos \theta$ (f) $\sin (\pi + \theta) = -\sin \theta$

3. Calculer la valeur exacte de $\sin (5\pi/12)$.

4. Calculer la valeur exacte de $\cos (7\pi/12)$.

5. Exprimer chacune des expressions suivantes par une fonction d'un nombre inférieur à $\pi/4$:

   (a) $\sin (5\pi/2)$ (b) $\cos (\pi/3)$ (c) $\tan (7\pi/12$
   (d) $\sin 0.885$ (e) $\tan 0.92$ (f) $\cos 1$

6. Exprimer chacune des expressions suivantes par une fonction d'un angle inférieur à $45°$:

   (a) $\cos 75°$ (b) $\sin 54°$ (c) $\tan 78°$
   (d) $\sin 105°$ (e) $\cot 128°$ (f) $\cos 84°23'$

7. Évaluer d'après la Table I

   (a) $\cos 0.4 \cos 0.2 + \sin 0.4 \sin 0.2$ (b) $\sin .5 \cos 1 + \cos .5 \sin 1$
   (c) $\cos 0.2 \cos 0.1 - \sin 0.2 \sin 0.1$ (d) $\sin 2 \cos 1 - \cos 2 \sin 1$

8. Calculer la valeur exacte de

   (a) $\sin 75°$ (b) $\sin 105°$ (c) $\cos 195°$
   (d) $\tan 15°$ (e) $\sin 15°$ (f) $\tan (-\pi/1$

9. Soit $u = -\frac{3}{5}$, $\pi < u < 3\pi/2$, et $\cos v = -\frac{4}{5}$, $\pi/2 < v < \pi$, calculer

   (a) $\sin (u + v)$ (b) $\sin (u - v)$ (c) $\cos (u + v)$ (d) $\cos (u -$

RÉSOUDRE les problèmes suivants, où $0 < v < u < \pi/2$:

10. Montrer que

$$\tan (u - v) = \frac{\tan u - \tan v}{1 + \tan u \tan v}$$

   $\tan u \tan v \neq -1$.

11. Soit $\sin u = \frac{4}{5}$ et $\cos v = \frac{15}{17}$, calculer la valeur de $\sin (u + v)$.

12. Soit $\cos u = \frac{12}{13}$ et $\sin v = \frac{7}{25}$, calculer la valeur de $\cos (u + v)$.

13. Soit $\tan u = {}^1/_2$ et $\tan v = {}^1/_3$, calculer la valeur de $\tan (u + v)$.

14. Soit $\sin u = {}^3/_5$ et $\sin v = {}^5/_{13}$, évaluer $\tan (u + v)$.

15. Soit $\cos u = {}^3/_5$ et $\sin v = {}^5/_{13}$, évaluer $\cos (u - v)$.

16. Étant donné $\tan u = 2$ et $\tan v = {}^1/_3$, calculer la valeur de $\tan (u - v)$. Se servir des résultats du Prob. 10.

TRADUIRE chacune des expressions suivantes par une fonction d'un seul nombre:

17. $\cos (\pi/3) \cos (\pi/6) + \sin (\pi/3) \sin (\pi/6)$

18. $\sin (\pi/3) \cos (\pi/4) + \cos (\pi/3) \sin (\pi/4)$

19. $\sin \frac{1}{2} \cos 1 + \cos \frac{1}{2} \sin 1$

20. $\cos 2 \cos 0.5 - \sin 2 \sin 0.5$

21. $\frac{1}{2} \cos (\pi/12) - (\sqrt{3}/2) \sin (\pi/12)$

SIMPLIFIER chacune des expressions:

22. $\sin (u - v) \cos v + \cos (u - v) \sin v$

23. $\cos (u + v) \cos v + \sin (u + v) \sin v$

24. Vérifier que $\sin u \cos (u - \pi/6) - \cos u \sin (u - \pi/6) = \frac{1}{2}$.

25. Résoudre pour u $\sin 2u \cos 3u + \cos 2u \sin 3u = \frac{1}{2}$, si $0 < u < \pi/2$. Donner la réponse en termes de π.

DÉDUIRE les formules suivantes:

26. $\cot \left(\dfrac{\pi}{2} - t \right) = \tan t$

27. $\sec \left(\dfrac{\pi}{2} - t \right) = \csc t$

28. $\csc \left(\dfrac{\pi}{2} - t \right) = \sec t$

29. $\tan (-t) = -\tan t$

30. $\tan (2\pi - v) = -\tan v$

31. $\sin (2\pi + t) = \sin t$

32. $\cos (2\pi + t) = \cos t$

PROUVER les identités suivantes:

33. $\dfrac{\sin (u + v)}{\cos u \cos v} = \tan u + \tan v$

34. $\dfrac{\cos (\alpha - \beta)}{\cos \alpha \sin \beta} = \tan \alpha + \cot \beta$

35. $\sin (u + v) \sin (u - v) = \sin^2 u - \sin^2 v$

36. $\cos (u + v) \cos (u - v) = \cos^2 u - \sin^2 v$

37. $\tan \left(\dfrac{\pi}{4} + t \right) = \dfrac{1 + \tan t}{1 - \tan t}$

38. $\sin 2t = 2 \sin t \cos t$ INDICATION: Prendre $t = u = v$ dans l'Ég. (9.9)

39. $\tan \alpha = \dfrac{\sin (\alpha + \beta) + \sin (\alpha - \beta)}{\cos (\alpha + \beta) + \cos (\alpha - \beta)}$

40. $\dfrac{\tan u + \tan v}{\tan u - \tan v} = \dfrac{\sin (u + v)}{\sin (u - v)}$

41. $\dfrac{1 + \tan u \tan v}{\tan u + \tan v} = \dfrac{\cos (u - v)}{\sin (u + v)}$

42. $\dfrac{\sin (u + v) \sin (u - v)}{\cos^2 u \cos^2 v} = \sec^2 u - \sec^2 v$

43. Prouver l'identité (9.7).

44. Prouver que $\sin 3t = \sin 5t \cos 2t - \cos 5t \sin 2t$

FONCTIONS TRIGONOMÉTRIQUES DES MULTIPLES DE t 9.2

Les formules qui donnent les valeurs des fonctions sinus, cosinus et tangente de $2t$ en termes de valeurs de ces mêmes fonctions de t se déduisent directement des formules d'addition.

Soit $u = v = t$ dans l'identité (9.9). Alors

$$\sin (t + t) = \sin t \cos t + \cos t \sin t$$

D'où $$\sin 2t = 2\sin t \cos t \tag{9.12}$$

De même, puisque d'après l'identité (9.8)

$$\cos (t + t) = \cos t \cos t - \sin t \sin t$$

$$\cos 2t = \cos^2 t - \sin^2 t \tag{9.13}$$

On peut déduire deux autres expressions de cos $2t$ à partir de l'identité $\sin^2 t + \cos^2 t = 1$. Donc, puisque

$$\cos 2t = \cos^2 t - \sin^2 t = \cos^2 t - (1 - \cos^2 t)$$

$$\cos 2t = 2\cos^2 t - 1 \tag{9.14}$$

et puisque $\quad \cos 2t = \cos^2 t - \sin^2 t = (1 - \sin^2 t) - \sin^2 t$

$$\cos 2t = 1 - 2\sin^2 t \tag{9.15}$$

EXEMPLE 1. $\quad \sin \dfrac{2\pi}{3} = \sin 2\left(\dfrac{\pi}{3}\right) = 2 \sin \dfrac{\pi}{3} \cos \dfrac{\pi}{3}$

$$= 2\left(\frac{\sqrt{3}}{2}\right)\left(\frac{1}{2}\right) = \frac{\sqrt{3}}{2}$$

Puisque tan $(t + t) = (\tan t + \tan t)/(1 - \tan t \tan t)$, $\tan t \tan t \neq 1$ nous avons la formule

$$\tan 2t = \frac{2\tan t}{1 - \tan^2 t} \qquad \tan^2 t \neq 1 \tag{9.16}$$

Si $\tan^2 t = 1$, tan $2t$ n'est pas définie.

De la résolution de (9.14) pour $\cos^2 t$ et de (9.15) pour $\sin^2 t$, on déduit deux formules très utiles pour le cours de calcul intégral:

$$\sin^2 t = \frac{1 - \cos 2t}{2} \tag{9.17}$$

$$\cos^2 t = \frac{1 + \cos 2t}{2} \tag{9.18}$$

De (9.17) et de (9.18), on tire les valeurs des fonctions de $t/2$ en termes de leurs valeurs en t. D'après (9.17),

$$\sin^2 u = \frac{1 - \cos 2u}{2} \qquad \text{pour tout } u \in R$$

Soit $u = t/2$. Alors
$$\sin^2 \frac{t}{2} = \frac{1 - \cos t}{2}$$

et $\qquad \sin \dfrac{t}{2} = \sqrt{\dfrac{1 - \cos t}{2}} \qquad \dfrac{t}{2} \; \begin{array}{l}\text{dans le premier ou} \\ \text{le second quadrant}\end{array}$

$$\tag{9.19}$$

$$= -\sqrt{\frac{1 - \cos t}{2}} \qquad \frac{t}{2} \; \begin{array}{l}\text{dans le troisième ou} \\ \text{le quatrième quadrant}\end{array}$$

De même,

$$\cos \frac{t}{2} = \sqrt{\frac{1 + \cos t}{2}} \qquad \frac{t}{2} \text{ dans le premier ou le quatrième quadrant}$$

$$(9.20)$$

$$= -\sqrt{\frac{1 + \cos t}{2}} \qquad \frac{t}{2} \text{ dans le second ou le troisième quadrant}$$

EXEMPLE 2. $\quad \sin \dfrac{\pi}{8} = \sqrt{\dfrac{1 - \cos \dfrac{\pi}{4}}{2}} = \sqrt{\dfrac{1 - \dfrac{\sqrt{2}}{2}}{2}}$

$$= \frac{1}{2} \sqrt{2 - \sqrt{2}}$$

Puisque $\tan u = \sin u / \cos u$,

$$\tan \frac{t}{2} = \frac{\sin (t/2)}{\cos (t/2)} = \frac{2 \sin (t/2) \cos (t/2)}{2 \cos^2 (t/2)}$$

Alors, de (9.12) et (9.20) on déduit,

$$\tan \frac{t}{2} = \frac{\sin t}{1 + \cos t} \qquad \cos t \neq -1 \qquad (9.21)$$

ou, en transformant cette formule,

$$\tan \frac{t}{2} = \frac{1 - \cos t}{\sin t} \qquad \sin t \neq 0 \qquad (9.22)$$

La transformation est laissée en exercice.

EXEMPLE 3. $\quad \tan \left(-\dfrac{\pi}{8} \right) = \dfrac{\sin \left(-\dfrac{\pi}{4} \right)}{1 + \cos \left(-\dfrac{\pi}{4} \right)}$

$$= \frac{-(\sqrt{2}/2)}{1 + (\sqrt{2}/2)} = \frac{-\sqrt{2}}{2 + \sqrt{2}}$$

$$= 1 - \sqrt{2}$$

EXEMPLE 4. Calculer $\sin (-22.5°)$.

Solution. $\quad \sin (-22.5°) = \sin \left(-\dfrac{45°}{2} \right)$

$$= -\sqrt{\frac{1 - \cos (-45°)}{2}}$$

$$= -\sqrt{\frac{1 - \dfrac{\sqrt{2}}{2}}{2}}$$

$$= -\frac{1}{2} \sqrt{2 - \sqrt{2}}$$

EXEMPLE 5.   Déduire une expression de $\sin 3t$ en termes de $\sin t$.

Solution. $\sin 3t = \sin (2t + t)$
$$= \sin 2t \cos t + \cos 2t \sin t$$
$$= (2 \sin t \cos t) \cos t + (1 - 2 \sin^2 t) \sin t$$
$$= 2 \sin t \cos^2 t + \sin t - 2 \sin^3 t$$
$$= 2 \sin t (1 - \sin^2 t) + \sin t - 2 \sin^3 t$$
$$= 3 \sin t - 4 \sin^3 t$$

EXERCICES   9.2

CALCULER les valeurs exactes des fonctions données suivantes à l'aide des formules (9.12) à (9.22)

1. $\cos 15°$
2. $\sin 22.5°$
3. $\cos 67.5°$
4. $\tan 67.5°$
5. $\sin 105°$
6. $\cos 105°$
7. $\sin 15°$
8. $\tan 15°$
9. $\tan 22.5°$
10. $\tan 150°$
11. $\cos 150°$
12. $\sin 75°$
13. $\sec (3\pi/8)$
14. $\cos (5\pi/16)$
15. $\sin (\pi/24)$

16.   Étant donné $\pi/2 < t < \pi$ et $\cos t = -5/13$, calculer

(a) $\sin 2t$ (b) $\cos 2t$ (c) $\tan 2t$
(d) $\sin (t/2)$ (e) $\cos (t/2)$ (f) $\tan (t/2)$
(g) $\sec 2t$ (h) $\csc 2t$ (i) $\cot 2t$

17.   Étant donné $\pi < t < 3\pi/2$ et $\sin t = -9/41$, calculer

(a) $\sin 2t$ (b) $\sin (t/2)$ (c) $\cos 2t$
(d) $\cos (t/2)$ (e) $\tan 2t$ (f) $(t/2)$

18.   Étant donné $3\pi/2 < t < 2\pi$ et $\tan t = -3$, calculer

(a) $\tan 2t$ (b) $\tan (t/2)$ (c) $\sin 2t$
(d) $\sin (t/2)$ (e) $\cos 2t$ (f) $\cos (t/2)$

19.   Soit $0 < u < \pi/2$ et $\cos u = 12/13$, calculer

(a) $\sin 3u$ (b) $\sin 4u$ (c) $\cos 3u$
(d) $\cos 4u$ (e) $\tan 3u$ (f) $\tan 4u$

PROUVER les identités suivantes:

20. $\cot t + \tan t = 2 \csc 2t$
21. $\cot t - \tan t = 2 \cot 2t$
22. $\dfrac{\cot^2 t - 1}{\cot^2 t + 1} = \cos 2t$
23. $\dfrac{1 - \sin 2x}{\sin x - \cos x} = \sin x - \cos x$
24. $\cot 2x = \dfrac{\cot^2 x - 1}{2 \cot x}$
25. $\tan 2x - \sec 2x = \dfrac{\tan x - 1}{\tan x + 1}$
26. $\dfrac{2 \sin u \cos u}{\cos^2 u - \sin^2 u} = \tan 2u$
27. $\dfrac{\sin^3 t - \cos^3 t}{\sin t - \cos t} = \dfrac{2 + \sin 2t}{2}$
28. $\dfrac{\tan t/2 + \cot t/2}{\cot t/2 - \tan t/2} = \sec t$
29. $\dfrac{1 - \tan t/2}{1 + \tan t/2} = \sec t - \tan t$
30. $\dfrac{\sin 2t - 2 \sin t}{2 \sin t + \sin 2t} + \tan^2 \dfrac{t}{2} = 0$
31. $\dfrac{\tan t/2 + \cot t/2}{\cot t/2 - \tan t/2} = \sec t$

TROUVER les valeurs de t, $0 \leq t \leq \pi/2$, qui satisfont les équations données:

32. $\cos t - \cos 2t = 0$ **33.** $\sin t - \sin 2t = 0$
34. $\sin t - \cos 2t = 0$ **35.** $\cos t - \sin 2t = 0$

TROUVER les valeurs de t, $0 \leq t \leq 2\pi$, qui vérifient les équations données suivantes:

36. $\tan t + \sin 2t = 0$ **37.** $\tan t - \tan 2t = 0$
38. $\cos 2t + \tan t = 1$ **39.** $4\sin^2(t/2) - \cos^2 t = 3$
40. $\tan(t/2) - 2\sin t = 0$ **41.** Prouver que la relation (9.22) est une identité.

TRANSFORMATION DES SOMMES EN PRODUITS   9.3

Les expressions qui suivent sont dites formules de *transformation des sommes en produits*:

$$\sin(u + v) + \sin(u - v) = 2\sin u \cos v \qquad (9.23)$$

Preuve. $\sin(u + v) + \sin(u - v)$
$$= \sin u \cos v + \cos u \sin v + \sin u \cos v - \cos u \sin v$$
$$= 2\sin u \cos v$$

$$\sin(u + v) - \sin(u - v) = 2\cos u \sin v \qquad (9.24)$$
$$\cos(u + v) + \cos(u - v) = 2\cos u \cos v \qquad (9.25)$$
$$\cos(u + v) - \cos(u - v) = -2\sin u \sin v \qquad (9.26)$$

Les preuves de (9.24), (9.25) et (9.26) sont laissées en exercices.

EXEMPLE 1.   Transformer $\sin 2t \cos 5t$ en une somme de sinus.

Solution.   D'après la formule (9.23), nous avons

$$\sin u \cos v = \frac{1}{2}\left[\sin(u + v) + \sin(u - v)\right]$$

D'où $$\sin 2t \cos 5t = \frac{1}{2}\left[\sin 7t + \sin(-3t)\right]$$

$$= \frac{1}{2}(\sin 7t - \sin 3t)$$

Nous pouvons transformer les formules précédentes dans des formes alternatives: soit $u + v = x$ et $u - v = y$, alors

$$u = \frac{x + y}{2} \qquad \text{et} \qquad v = \frac{x - y}{2}$$

En portant ces valeurs de u et v dans (9.23),

$$\sin x + \sin y = 2\sin\frac{x + y}{2}\cos\frac{x - y}{2} \qquad (9.27)$$

De même, en les portant dans (9.24), (9.25) et 9.26), nous obtenons

$$\sin x - \sin y = 2 \cos \frac{x+y}{2} \sin \frac{x-y}{2} \qquad (9.28)$$

$$\cos x + \cos y = 2 \cos \frac{x+y}{2} \cos \frac{x-y}{2} \qquad (9.29)$$

$$\cos x - \cos y = -2 \sin \frac{x+y}{2} \sin \frac{x-y}{2} \qquad (9.30)$$

EXEMPLE 2. Transformer $\sin 6t + \sin 2t$ en produit de fonctions.

Solution. De la formule (9.27), nous tirons

$$\sin x + \sin y = 2 \sin \frac{x+y}{2} \cos \frac{x-y}{2}$$

D'où
$$\sin 6t + \sin 2t = 2 \sin \frac{6t+2t}{2} \cos \frac{6t-2t}{2}$$

$$= 2 \sin 4t \cos 2t$$

EXERCICES 9.3

TRANSFORMER les produits suivants en sommes:

1. $\sin 3t \cos 5t$
2. $\cos 6t \sin 2t$
3. $2 \sin 4t \cos 2t$
4. $2 \sin 8t \cos 6t$
5. $2 \sin 3 \cos 6$
6. $2 \cos 2 \sin 0.8$
7. $\cos 1 \cos 3$
8. $\sin 3 \sin 0.2$

ÉVALUER sans vous servir des tables:

9. $\sin 15° \cos 45°$
10. $\cos 127°30' \sin 7°30'$
11. $\sin 22.5° \sin 67.5°$
12. $\cos 15° \cos 165°$
13. $\sin 105° + \sin 15°$
14. $\cos 255° + \cos 165°$
15. $\sin 75° - \sin 15°$
16. $\cos 165° - \cos 75°$

PROUVER les identités suivantes:

17. $(\sin 4t - \sin 2t)/(\cos 4t - \cos 2t) = \tan t$
18. $\sin (\pi/6 + t) + \sin (\pi/6 - t) = \cos t$
19. $\tan u + \cot v = \cos (u - v)/\sin u \sin v$
20. $\tan (u + v)/2 = (\sin u + \sin v)/(\cos u + \cos v)$
21. $(\sin t/\sec 3t) + (\cos t/\csc 3t) = \sin 4t$ 22. $(\cos 6t + \cos 4t)/(\sin 6t - \sin 4t) = \cot t$

Quelles VALEURS de t, $0 \le t \le \pi/2$, satisfont les équations données ?

23. $\sin t - \sin 3t = 0$
24. $\cos t - \cos 3t = 0$
25. $\sin t + \sin 3t = 0$
26. $\cos 3t - \cos 5t = 0$
27. Quelles valeurs de t, $0 \le t \le 2\pi$, satisfont l'équation suivante:

$$\sin t - \sin 2t + \sin 3t = 0$$

28. Prouver que la relation (9.24) est une identité.
29. Prouver que la relation (9.25) est une identité.
30. Prouver que la relation (9.26) est une identité.

PENTES ET ÉQUATIONS DE DROITES 9.4

Nous sommes prêts maintenant à étudier quelques propriétés remarquables des lignes droites. Soit une ligne droite L dans le plan cartésien. La direction de L peut être indiquée par l'angle que fait cette droite avec l'axe des x.

Inclinaison d'une droite

> L'inclinaison d'une droite L non parallèle à l'axe des x est définie comme étant le plus petit angle α mesuré positivement du demi-axe des abscisses positives à L. L'inclinaison d'une droite parallèle à l'axe des x est de $0°$ par définition.

Donc, l'inclinaison est un angle positif inférieur à $180°$ ou égal à $0°$.

En géométrie analytique et en calcul intégral, la direction d'une droite s'exprime plus facilement par la tangente de l'inclinaison.

Pente d'une droite

> La pente d'une droite L est définie comme la tangente de son inclinaison α. La pente est généralement notée m. D'où
>
> $$m = \text{pente de } L = \tan \alpha \qquad \textbf{(9.31)}$$

Nous établissons ci-après une formule qui donne la pente d'une droite en fonction des coordonnées de deux points. Soit deux points distincts de la droite P_1 (x_1, y_1) et $P_2(x_2, y_2)$. Traçons par P_1 une droite parallèle à l'axe des x et par P_2 une droite parallèle à l'axe des y. Ces droites se coupent en un point Q dont les coordonnées sont (x_2, y_1); voir figure 9.2. Par la formule de la distance, $P_1Q = x_2 - x_1$ et $QP_2 = y_2 - y_1$. Comme l'angle QP_1P_2 est égal à l'angle α, nous avons

$$m = \tan \alpha = \frac{QP_2}{P_1Q} = \frac{y_2 - y_1}{x_2 - x_1} \qquad \text{pourvu que } x_2 \neq x_1 \qquad \textbf{(9.32)}$$

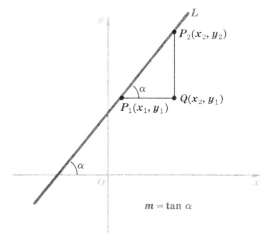

FIGURE 9.2
$m = \tan \alpha$

Comme
$$m = \frac{y_2 - y_1}{x_2 - x_1} = \frac{-(y_2 - y_1)}{-(x_2 - x_1)} = \frac{y_1 - y_2}{x_1 - x_2}$$

la pente m reste inchangée si nous changeons l'ordre des points choisis.

Si L est parallèle à l'axe des x, sa pente est 0, puisque son inclinaison est 0°. Si L est perpendiculaire à l'axe des x, elle n'a pas de pente; en effet son inclinaison est de 90° et tan 90° n'existe pas.

Comme tan α est positive pour $0 < \alpha < 90°$ et négative pour $90° < \alpha < 180°$, la pente peut être positive, négative ou nulle.

EXEMPLE 1. Soit les points $(1,7)$ et $(6, -1)$ d'une droite. Quelle est la pente de la droite ?

Solution. $\quad m = \dfrac{y_2 - y_1}{x_2 - x_1} = \dfrac{7 - (-1)}{1 - 6} = -\dfrac{8}{5}$

Énonçons à ce point deux théorèmes sur les pentes des droites:

THÉORÈME. Deux droites sont parallèles si, et seulement si elles ont la même pente. **(9.33)**

La preuve (peu difficile) est laissée à l'étudiant.

THÉORÈME. Deux droites L_1 et L_2 ayant respectivement des pentes m_1 et m_2, sont perpendiculaires si, et seulement si la pente **(9.34)** de l'une est l'inverse changé de signe de l'autre.

Preuve. Si L_1 et L_2 deux perpendiculaires se coupent en un point P comme dans la figure 9.3, le triangle APB est alors un triangle rectangle.

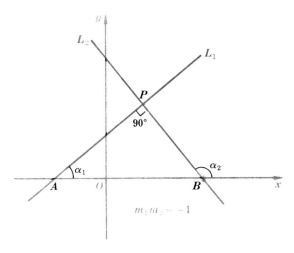

FIGURE 9.3
$m_1 m_2 = -1$

Comme tout angle extérieur d'un triangle est égal à la somme des deux angles intérieurs non adjacents, nous avons

$$\alpha_2 = 90° + \alpha_1$$

D'où $$\tan \alpha_2 = \tan (90° + \alpha_1) = -\cot \alpha_1 \qquad \text{pourquoi?}$$

$$= -\frac{1}{\tan \alpha_1} \qquad \text{pourquoi?}$$

Comme $\tan \alpha_2 = m_2$ et $\tan \alpha_1 = m_1$, il s'ensuit que

$$m_2 = -\frac{1}{m_1} \qquad \text{ou} \qquad m_1 = -\frac{1}{m_2}$$

Nous laissons le soin à l'étudiant de montrer que si $m_2 = -(1/m_1)$, les droites L_1 et L_2 sont perpendiculaires.

EXEMPLE 2. Montrons que si L_1 passe par $(2, -2)$ et $(4, 2)$ et L_2 par $(1,1)$ et $(-3,3)$, L_1 est perpendiculaire à L_2.

Solution. Comme $m_1 = 2$ et $m_2 = -\frac{1}{2}$, la pente de L_1 est l'inverse changé de signe de la pente de L_2. Donc, les droites sont perpendiculaires.

Attachons-nous à trouver quelques formes de l'équation d'une droite. Soit $P_1(x_1,y_1)$ un point fixe d'une droite L de pente m. Soit en outre un point arbitraire $P(x,y)$ de L. Alors la pente de L est donnée par

$$m = \frac{y - y_1}{x - x_1}$$

D'où $$y - y_1 = m(x - x_1) \qquad (9.35)$$

L'équation (9.35) est l'équation d'une droite de pente m passant par le point (x_1,y_1). C'est l'équation d'une droite passant par un *point* et ayant une *pente donnée.* Cette équation est vérifiée par les coordonnées de tout point (x,y) de L, mais ne l'est pas par les coordonnées des points extérieurs à L.

EXEMPLE 3. Trouver l'équation de la droite passant par le point $(1, -2)$ et ayant 2 pour pente.

Solution. En appliquant l'Ég. (9.35),

$$y - (-2) = 2(x - 1)$$

D'où, $$y + 2 = 2x - 2$$

ou $$2x - y - 4 = 0$$

L'abscisse-à-l'origine d'une droite L est a si, et seulement si L passe par le point $(a,0)$. L'ordonnée-à-l'origine d'une droite est b si, et seulement si L passe par le point $(0,b)$.

Supposons une droite L de pente m passant par le point $P_1(0,b)$. De l'Ég. (9.35)

$$y - b = m(x - 0)$$

D'où $$y = mx + b$$ (9.36)

C'est l'équation d'une droite de *pente et d'ordonnée-à-l'origine* connues
Nous énonçons, pour le prouver ensuite, ce théorème important:

THÉORÈME. Le graphe de l'équation

$$px + qy + r = 0$$ (9.37)

où p et q sont différents de zéro est une ligne droite.

Preuve. Si $q \neq 0$, nous pouvons résoudre l'équation pour y:

$$y = \frac{-p}{q}x - \frac{r}{q}$$

Cette forme est celle de $y = mx + b$, où $m = -p/q$ et $b = -r/q$.
   Si $q = 0$, l'équation donnée se réduit à:

$$x = -\frac{r}{p}$$

qui est l'équation d'une droite parallèle à l'axe des y.

EXEMPLE 4. L'équation d'une droite est $3x - 2y + 7 = 0$. Quelle est la
pente et son ordonnée à l'origine?

Solution. Puisque $3x - 2y + 7 = 0$,

$$y = \frac{3}{2}x + \frac{7}{2}$$

D'où la pente de la droite est ³⁄₂ et l'ordonnée à l'origine ⁷⁄₂.

   Nous pouvons dire maintenant si deux droites sont parallèles (ou
coïncident) ou perpendiculaires lorsque les équations des droites son
données.

EXEMPLE 5. Montrer que $L_1 : 3x - 2y + 4 = 0$ et $L_2 : 9x - 6y + 7 = 0$ son
parallèles.

Solution. Résolvons l'équation de L_1 pour y

$$y = \frac{3}{2}x + 2$$

D'où $$m_1 = \frac{3}{2}$$

   Résolvons l'équation de L_2 pour y,

$$y = \frac{9}{6}x + \frac{7}{6}$$

D'où $$m_2 = \frac{9}{6} = \frac{3}{2}$$

Puisque la pente de L_1 est la même que celle de L_2, les droites sont parallèles.

EXEMPLE 6. Montrer que $7x - 5y + 8 = 0$ est l'équation d'une perpendiculaire à la droite d'équation $5x + 7y + 14 = 0$.

Solution. La pente de la première droite est ⅞ et la pente de la seconde est − ⅘. Donc, les droites sont perpendiculaires.

EXERCICES 9.4

1. Soit 120° l'inclinaison d'une droite.   Quelle est sa pente ?
2. La pente d'une droite est 1.   Quelle est son inclinaison ?
3. Trouver la pente des droites déterminées par les points:

    (a) $(1,2)$ et $(2,5)$ (b) $(2,3)$ et $(8,2)$
    (c) $(-4,-2)$ et $(-5,-7)$ (d) $(0,5)$ et $(6,0)$

4. La pente d'une droite passant par le point $(2,3)$ et $(8,k)$ est 2.   Quelle est la valeur de k ?
5. Quelle est la pente d'une droite perpendiculaire à la droite passant par les points $(2,1)$ et $(8,7)$?
6. Quelle est la pente d'une droite perpendiculaire à la droite définie par $(-1,5)$ et $(6,-3)$?
7. Quelle est l'équation de la droite passant par le point $(4, -3)$ et de pente -1 ?
8. Quelle est l'équation de la droite L si $m = ⅔$ et $b = -2$?   Se rappeler que b est l'ordonnée-à-l'origine.
9. Quelle est la pente et l'ordonnée-à-l'origine des droites suivantes:

    (a) $y = 2x + 3$ (b) $y = (-⅔)x - 5$
    (c) $3x + 5y - 6 = 0$ (d) $x = 2y + 5$

10. Lesquelles des droites suivantes sont parallèles et lesquelles perpendiculaires ?

    (a) $2x + 3y + 1 = 0$ (b) $3x - 2y + 5 = 0$
    (c) $10x + 15y - 2 = 0$ (d) $2x + y - 4 = 0$

11. Une droite passe par le point $(2,3)$ parallèlement à la droite $3x - 5y + 7 = 0$.   Quelle est l'équation de cette droite ?
12. Trouver l'équation de la droite qui passe par le point $(4,0)$ et perpendiculaire à la droite $4x + 5y + 10 = 0$.
13. Trouver l'équation de la droite perpendiculaire à la droite $2x - 3y + 4 = 0$ et passant par l'origine.
14. Trouver l'équation de la droite parallèle à la droite $x + 3y - 7 = 0$ et qui a pour abscisse-à-l'origine 5.

VARIATIONS ET PROPORTIONS 9.5

Avant d'étendre la notion de nombre réel, comme nous le ferons dans le prochain chapitre, nous devons étudier deux notions particulières, apparentées aux fonctions, qui sont très utiles en sciences.

Si le quotient $y/x^n = k$, de sorte que

$$y = kx^n \qquad k \neq 0, n > 0$$

alors y *varie directement* comme la $n^{\text{ième}}$ puissance de x ou, encore, y est une grandeur *directement proportionnelle* à la $n^{\text{ième}}$ puissance de x. La constante k est appelée *coefficient de proportionnalité*.

Grandeurs directement proportionnelles

EXEMPLE 1. Si on laisse tomber un corps d'une faible hauteur, la distance parcourue en pieds varie directement comme le carré du temps de chute en secondes. Exprimer cette relation sous forme d'une équation.

Solution. Soit y la distance en pieds et t le nombre de secondes, comme y varie comme le carré de t, nous avons $y = kt^2$.

Si le produit $yx^n = k$, de sorte que

$$y = kx^{-n} = \frac{k}{x^n} \qquad k \neq 0, n > 0$$

alors y *varie inversement* à la $n^{\text{ième}}$ puissance de x ou y est une grandeur *inversement proportionnelle* à la $n^{\text{ième}}$ puissance de x.

Grandeurs inversement proportionnelles

EXEMPLE 2.   La force d'attraction d'un aimant varie inversement au carré de la distance de l'aimant. Écrire une équation qui exprime cette relation.

Solution. Soit f la mesure de la force d'attraction et d la mesure de la distance de l'électroaimant. Donc

$$f = \frac{k}{d^2}$$

Variations conjointes

Si une variable z varie directement comme le produit $x^m y^n$, on dit qu'elle est directement proportionnelle aux variations conjointes de x^m et y^n; d'où l'équation,

$$z = kx^m y^n \qquad k \neq 0, \ m > 0 \text{ et } n > 0$$

EXEMPLE 3. Le volume d'un cône circulaire droit est directement proportionnel aux variations conjointes du carré du rayon de sa base et de sa hauteur. Exprimer cette variation par une équation.

Solution. Soit V le volume, r le rayon de la base, et h la hauteur du cône. Alors

$$V = kr^2 h$$

Lorsque la variable z est directement proportionnelle à x^m et inversement à y^n, ces variations peuvent être combinées pour être exprimées en une seule équation

$$z = \frac{kx^m}{y^n} \qquad k \neq 0, \, m, \, n > 0$$

EXEMPLE 4. L'intensité du son varie directement comme l'amplitude de la source et inversement comme le carré de la distance à la source. Écrire l'équation qui décrit ces variations combinées.

Solution. Soit I l'intensité du son, S l'amplitude de la source et D la distance à la source, alors

$$I = \frac{kS}{D^2}$$

Pour résoudre certains problèmes qui portent sur des grandeurs proportionnelles, on doit connaître le coefficient de proportionnalité k. Ce coefficient est déterminé dès qu'on connaît le type de variation et un ensemble de valeurs correspondantes des variables.

EXEMPLE 5. Si x varie comme y et inversement à z, et si $x = 30$ pour $y = 10$ et $z = 5$, que vaut x quand $y = 72$ et $z = 12$.

Solution. Comme $x = ky/z$,

$$30 = \frac{10k}{5} \quad \textbf{pourquoi?}$$

D'où $$k = 15$$

La proportionnalité s'exprime alors par l'équation

$$x = \frac{15y}{z} \quad \textbf{pourquoi?}$$

Lorsque $y = 72$ et $z = 12$, nous avons

$$x = \frac{15(72)}{12} = 90$$

Une proportion est une équation fractionnaire de la forme

$$\frac{a}{b} = \frac{c}{d}$$

Les problèmes de variations sont souvent résolus par une proportion. Par exemple, le problème selon lequel la résistance d'un fil au courant électrique est proportionnelle directement à sa longueur et inversement au carré de son diamètre, c'est-à-dire,

$$R = \frac{kL}{d^2}$$

Pour un ensemble de valeurs R_1, L_1, et d_1, nous aurons

$$k = \frac{R_1 d_1^2}{L_1}$$

Pour un deuxième ensemble de valeurs R_2, L_2, d_2

$$k = \frac{R_2 d_2^2}{L_2}$$

D'où $\qquad\qquad \dfrac{R_1 d_1^2}{L_1} = \dfrac{R_2 d_2^2}{L_2}$

Si cinq de ces valeurs sont données, la sixième peut être calculée.

EXERCICES 9.5

1. La température d'un gaz confiné varie inversement à sa pression. Si un réservoir contien 10,000 pi³ de gaz sous une pression de 20 lb/po². Quelle est le volume du même gaz sous un pression de 25 lb/po².

2. Un corps tombé d'une hauteur heurte le sol avec une vitesse qui est directement proportionnel à la racine carrée de la hauteur. Si un objet qui tombe d'une hauteur de 256 pi heurte le s avec une vitesse de 64 pi/s, de quelle hauteur un objet doit-il tomber pour toucher le sol à un vitesse de 32 pi/s?

3. Lorsqu'un poids est attaché à un ressort, le ressort est étiré d'une longueur proportionnelle a poids. Si un poids de 3 lb étire un ressort de un demi-pouce, de combien un poids de 18 étirera le ressort en supposant que sa limite élastique n'est pas dépassée?

4. Si y varie comme x et inversement au cube de z, de combien y variera-t-il si on double x diminue z de moitié?

5. La surface d'un cercle varie comme le carré de son rayon. Si la surface du cercle est de 1 po² quand le rayon est de 7 po, trouver la surface d'un cercle dont le rayon est de 7 pi.

6. La résistance d'un fil au passage d'un courant est proportionnelle à sa longueur et inverseme au carré de son diamètre. Si un fil de 350 pi de long et 3 mm de diamètre a une résistance 1.08 ohms, trouver la longueur d'un fil du même métal dont la résistance est 0.72 ohms et do le diamètre est 2 mm.

7. La quantité de vapeur qui passe par seconde par un trou est proportionnelle à la variati conjointe de la pression de la vapeur et de la surface de la section du trou. Si 40 lb de vape par seconde, à une pression de 150 lb/po², passe par un trou de 12 po² de section, combien vapeur à une pression de 200 lb/po² passera par un trou de 18 po²?

8. Si un corps chute depuis une position de repos, la distance de chute totale est proportionnel au carré du temps de chute. S'il chute de 64 pi en 2 secondes, de combien tombera-t-il 8 s?

9. Le volume d'un gaz dans un réservoir est inversement proportionnel à sa pression. Si u quantité de gaz occupe 48,000 pi³ sous une pression de 3 lb/po², trouver l'espace occupé so une pression de 4 lb/po².

10. Si z varie proportionnellement à x et inversement à y, et $z = 42$ lorsque $x = 8$ et $y = 3$, que est la valeur de z quand $x = 3$ et $y = 5$?

ÉQUATIONS LITTÉRALES ET FORMULES 9.6

Une équation dans laquelle quelques quantités connues (ou des constantes) sont représentées par des lettres différentes de la lettre représentant la quantité inconnue est appelée une *équation littérale*. Par exemple, si x est choisi comme quantité inconnue, alors $(k + x)^2 + 5k = (3 + x)^2 - 2k$ est une équation littérale.

On peut considérer les formules comme des équations littérales. Dans la plupart des cas, une formule peut être résolue pour une lettre particulière qui représente alors la quantité inconnue. Par exemple la formule de l'intérêt simple I sur un capital de C dollars au taux de t % par an pour a années est $I = Cta$. Si nous choisissons C comme inconnue dans cette formule, nous pouvons la résoudre en divisant chaque nombre de l'équation par ta. D'où

$$C = \frac{I}{ta}$$

Si t est l'inconnue, alors $t = I/Ca$ et si a est l'inconnue, $a = I/Ct$. On dit qu'on change *le sujet d'une formule*.

Il existe deux types de formules. Les *formules mathématiques* qui sont déduites par analyse et les *formules empiriques* qui sont déduites de l'expérience. $S = \frac{1}{2}bh$, $S = \pi r^2$, $V = \pi r^2 h$, $V = a^3$, $S = \frac{1}{2}h(b_1 + b_2)$ sont des formules mathématiques connues. Dans les formules empiriques, les lettres qui représentent des constantes sont choisies pour qu'elles s'accordent avec les résultats des expériences. Voici quelques exemples de formules empiriques:

1. La résistance R d'une poutre rectangulaire est donnée par $R = klh^2$, où l est la largeur et h la hauteur de la poutre et k une constante qui dépend de la matière constituante.

2. Une poutre horizontale est supportée à ses extrémités. La largeur est l, la hauteur est h et la longueur L. Des expériences montrent que la charge de sécurité P de cette poutre est donnée par $P = klh^2/L$ où k est une constante qui dépend de la matière constituante.

3. La charge de rupture L d'un pilier carré en chêne est donnée $L = kx^4/l$, où x est l'épaisseur et l la longueur du pilier.

EXERCICES 9.6

RÉSOUDRE les formules pour l'inconnue indiquée:

1. $e = gt^2/2$ pour g

2. $e = vt + e_0$ pour v

3. $F = 9C/5 + 32$ pour C

4. $V = \pi r^2 h/3$ pour h

5. $S = n(a + l)/2$ pour l

6. $S = (a - ar^n)/1 - r$ pour a

7. $I = \dfrac{E}{r/n + R}$ pour n

8. $e = 50t - \dfrac{gt^2}{2}$ pour g

9. Le tableau suivant décrit une relation linéaire (premier degré) entre x et y. Si y est proportionnel à x, exprimer y par une formule en termes de x.

x	1	2	5	8
y	-1	2	11	20

10. Un disque de rayon r po a été découpé dans un carré de tôle dont le côté est a po. Si $r < a/2$, écrire une formule pour la surface S restante de la tôle.

11. La moyenne géométrique entre deux nombres positifs a et b est la racine carrée de leur produit. Construire la formule de la moyenne géométrique g en termes de a et b.

0 | NOMBRES COMPLEXES

Beaucoup d'équations à coefficients réels n'ont pas de nombres réels dans leurs ensembles-solution. Par exemple, l'équation $x^2 + 1 = 0$ n'a pas de solution réelle. En effet, si $x \in R$, x^2 est toujours positif et $x^2 + 1 \neq 0$. Si nous sommes limités aux nombres réels, l'ensemble-solution de cette équation est l'ensemble vide $\varnothing$. Si nous voulons avoir des ensembles-solution non vides pour ces équations, il est nécessaire d'étendre le concept de nombre au-delà de celui de nombre réel. Pour étendre le système des nombres réels, nous construisons un nouvel ensemble de nombres, l'ensemble des *nombres complexes*, qui sera conçu de sorte que l'ensemble des nombres réels sera un sous-ensemble des nombres complexes.

NOMBRES COMPLEXES 10.1

Un nombre complexe est un couple de nombres réels (a,b). Nous notons C l'ensemble de ces couples:

$$C = \{(a,b) : a, b \in R\}$$

Définissons ci-après l'égalité, l'addition et la multiplication de ces nombres complexes:

DÉFINITION. Pour tout (a,b), $(c,d) \in C$,

$$(a,b) = (c,d) \text{ si, et seulement si } a = c \text{ et } b = d \qquad \textbf{(10.1)}$$
$$(a,b) + (c,d) = (a + c, b + d) \qquad \textbf{(10.2)}$$
$$(a,b) \cdot (c,d) = (ac - bd, ad + bc) \qquad \textbf{(10.3)}$$

EXEMPLE 1. Si $(a,b) = (3, -5)$, alors

$$a = 3 \qquad \text{et} \qquad b = -5$$

EXEMPLE 2. Trouver la somme de $(5,7)$ et $(-2,3)$.

Solution. $(5,7) + (-2,3) = (5-2,7+3) = (3,10)$

EXEMPLE 3. Trouver le produit de $(2,5)$ et $(3,6)$.

Solution. $(2,5) \cdot (3,6) = (6-30,12+15) = (-24,27)$

D'après les Définitions (10.2) et (10.3),

$$(a,b) + (0,0) = (a+0,b+0) = (a,b)$$

et $$(a,b) \cdot (1,0) = (a \cdot 1 - b \cdot 0, a \cdot 0 + b \cdot 1) = (a,b)$$

Éléments neutres Donc, les éléments neutres de l'ensemble C des nombres complexes son pour l'addition le nombre complexe $(0,0)$ et pour la multiplication nombre complexe $(1,0)$.

Il n'est pas difficile de montrer que

$$(0,0) \cdot (a,b) = (a,b) \cdot (0,0) = (0,0)$$

Opposé Nous définissons l'opposé du nombre complexe (a,b) comme étant nombre (x,y) qui, ajouté à (a,b), redonne l'élément neutre pour l'additio Ainsi,

$$(a,b) + (x,y) = (0,0)$$

D'où $$(a+x,b+y) = (0,0)$$

et par Définition (10.1)

$$a + x = 0$$
$$b + y = 0$$

Donc $$x = -a$$
$$y = -b$$

et $$(x,y) = (-a,-b)$$

La différence $(a,b) - (c,d)$ est définie comme la somme de (a,b) et l'opposé de (c,d). D'où

$$(a,b) - (c,d) = (a,b) + (-c,-d)$$
$$= (a-c,b-d) \tag{10.}$$

Inverse L'inverse du nombre complexe $(a,b) \neq (0,0)$ est défini comme nombre complexe (x,y) tel que le produit de (a,b) par (x,y) redonne l'él ment neutre pour la multiplication. D'où

$$(a,b) \cdot (x,y) = (1,0)$$

Alors $$(ax - by, ay + bx) = (1,0)$$

et par Définition (10.1)

$$ax - by = 1$$
$$bx + ay = 0$$

Puisque $a^2 + b^2 \neq 0$, ces équations résolues donnent:

$$x = \frac{a}{a^2 + b^2} \qquad y = - \frac{b}{a^2 + b^2}$$

Donc l'inverse du nombre complexe (a,b) est le nombre complexe

$$\left(\frac{a}{a^2 + b^2} , - \frac{b}{a^2 + b^2} \right)$$

Le quotient de $(a,b) \div (c,d)$ est défini comme le produit de (a,b) et de l'inverse de (c,d). Ainsi,

$$(a,b) \div (c,d) = (a,b) \cdot \left(\frac{c}{c^2 + d^2} , - \frac{d}{c^2 + d^2} \right)$$
$$= \left(\frac{ac + bd}{c^2 + d^2} , \frac{bc - ad}{c^2 + d^2} \right) \tag{10.5}$$

Nous ne prouverons pas l'associativité et la commutativité de l'addition ou de la multiplication de nombres complexes, ni l'existence de la loi de distributivité. Cependant, nous acceptons l'existence de ces propriétés et en ferons un usage fréquent.

NOMBRES COMPLEXES (k,0) ET (0,1) 10.2

Nous obtenons avec des nombres de la forme $(k,0)$

$$(a,0) + (b,0) = (a + b,0)$$
$$(a,0) \cdot (b,0) = (ab,0)$$
$$(a,0) - (b,0) = (a - b,0)$$

et
$$\frac{(a,0)}{(b,0)} = \left(\frac{a}{b} ,0 \right)$$

Donc, la somme, le produit, la différence ou le quotient de deux nombres complexes de la forme $(k,0)$ est un nombre complexe de la même forme $(k,0)$. De plus les premières coordonnées se comportent exactement comme le nombre réel k, et la deuxième coordonnée est toujours nulle.

Les conclusions auxquelles nous aboutissons s'expliqueraient mieux si l'on introduisait le concept d'isomorphisme de systèmes mathématiques[1]. Cependant, nous n'étudierons pas ici les isomorphismes et nous donnons simplement l'énoncé suivant que notre intuition acceptera.

ɪnbre
ꜰxe $(k, 0)$
ꜰombre

Aucune contradiction ne résultera de l'identification du nombre complexe $(k,0)$ avec le nombre réel k. Par suite, bien qu'il y ait une distinction logique entre eux, nous écrirons (10.6)

$$(k,0) = k$$

[1]Voir par exemple, Carl B. Allendoerfer et Cletus O. Oakley. "Principles of Mathematics" pp. 61-64, McGraw-Hill Book Company, New-York, 1963.

En vertu de cette identification, nous disons que le corps des nombre
réels est un sous-corps du corps des nombres complexes (et le corps des com
plexes est une extension du corps des réels). Lorsque nous étudierons dan
une section ultérieure le plan complexe, nous verrons que le nombre com
plexe $(k,0)$ et le nombre réel k correspondent au même point d'un systèm
à coordonnées rectangulaires.

Par suite de l'Ég. (10.6),

$$k \cdot (a,b) = (k,0) \cdot (a,b) = (ka,kb) \tag{10.7}$$

Nous définissons $-\ (a,b) = -\ 1 \cdot (a,b) = (-a, -b)$.

Le nombre complexe $(0,1)$ a une grande importance.   On l'appell
l'*unité imaginaire* et on le note i.   Donc,

$$i = (0,1) \tag{10.8}$$

De la Définition (10.3), nous tirons

$$(0,1) \cdot (0,1) = (0 \cdot 0 - 1 \cdot 1, 0 \cdot 1 + 1 \cdot 0)$$

D'où $$i \cdot i = (-1,0)$$

et d'après l'Ég. (10.6)

$$i^2 = -1 \tag{10.9}$$

Comme $i^2 = -1$, on dit que $i = \sqrt{-1}$ et on définit ainsi la *raci*
carrée d'un nombre négatif:

$$\sqrt{-a^2} = \sqrt{a^2(-1)} = \sqrt{a^2} \cdot \sqrt{-1} = |a| i \tag{10.10}$$

EXEMPLE 1. $\sqrt{-5^2} = \sqrt{5^2} \cdot \sqrt{-1} = 5i$

$$\sqrt{-(-3)^2} = \sqrt{(-3)^2} \cdot \sqrt{-1} = |-3| i = 3i$$

et $$\sqrt{-3} \doteq \sqrt{3} \cdot i = i\sqrt{3}$$

En écrivant des nombres imaginaires tels que $\sqrt{5}i$, il est très fac
de commettre l'erreur d'écrire $\sqrt{5i}$. Il est plus sûr d'écrire $i\sqrt{5}$. C'e
pour cette même raison que nous écrivons $3\sqrt{2}$ et non pas $\sqrt{23}$.

EXEMPLE 2. $\sqrt{-3} \cdot \sqrt{-12} = i\sqrt{3}(2i\sqrt{3})$

$$= 2(i^2)\sqrt{3}\sqrt{3} = 6i^2 = -6$$

Nous devons faire remarquer ici que $\sqrt{a}\sqrt{b} \neq \sqrt{ab}$ lorsque a et
sont négatifs.

EXPRESSION CARTÉSIENNE D'UN NOMBRE COMPLEXE   10.3

Le nombre complexe (a,b) peut être écrit utilement dans la forme bi
miale $a + bi$. La preuve en est facile: comme

$$(a,b) = (a + 0, b + 0) \qquad \text{pourquoi?}$$
$$= (a,0) + (0,b) \qquad \text{d'après la Déf. } (\textbf{10.3})$$
$$= a(1,0) + b(0,1) \qquad \text{d'après l'Ég. } (\textbf{10.7})$$
$$= a \cdot 1 + b \cdot i \qquad \text{pourquoi?}$$

D'où
$$(a,b) = a + bi \qquad\qquad (\textbf{10.11})$$

rties réelle et
aginaire

Nous appelons a la *partie réelle* du nombre complexe $a + bi$; en effet, si $b = 0$, $a + bi$ devient équivalent au nombre réel a. Nous appelons b la *partie imaginaire* du nombre.

Si $b = 0$, $a + bi$ se réduit au nombre réel a. Donc, l'ensemble des nombres réels R est un sous-ensemble propre de l'ensemble C des nombres complexes; ou encore:

$$R \subset C$$

mbre
aginaire pur

D'autre part, si $a = 0$ et $b \neq 0$, $a + bi$ se réduit à bi. Nous appelons bi un *nombre imaginaire pur*. L'ensemble de ces nombres imaginaires purs est aussi un sous-ensemble propre de C.

Tout nombre réel peut s'écrire dans la forme cartésienne $a + bi$. Par exemple, $-3 = -3 + 0 \cdot i$. Tout nombre pur imaginaire peut être écrit dans la forme cartésienne. Par exemple, $i\sqrt{2} = 0 + i\sqrt{2}$, et $-7i = 0 - 7i$.

On a avantage à écrire les nombres complexes (a,b) dans la forme $a + bi$ pour pouvoir effectuer les additions et multiplications comme s'il s'agissait de binômes réels, tout en prenant soin de *remplacer i^2, lorsqu'il se présente, par -1*.

OPÉRATIONS ALGÉBRIQUES
SUR LES NOMBRES COMPLEXES 10.4

Comme $i^2 = -1$, $i^3 = i^2 \cdot i = (-1)i = -i$.

Également
$$i^4 = i^2 \cdot i^2 = (-1)(-1) = 1$$
$$i^5 = i^4 \cdot i = (1)i = i$$

etc. Nous en déduisons une méthode simple d'écriture des puissances de i. Si $n \in N^*$,

$$i^{4n} = (i^4)^n = (1)^n = 1$$

D'où
$$i^{4n+k} = (i^{4n})(i)^k = (1)(i^k) = i^k$$

Alors,
$$i^{17} = i^{4 \cdot 4 + 1} = i$$
$$i^{98} = i^{4 \cdot 24 + 2} = i^2 = -1$$
$$i^{84} = i^{4 \cdot 21} = 1$$

Comme les lois algébriques (commutativité, associativité et distributivité) sont valables pour les nombres complexes, nous pouvons nous servir de ces lois pour effectuer des opérations sur des nombres de la forme $a + bi$ comme s'ils étaient des nombres réels de la forme $a + bx$, en remplaçant i^2 par -1 chaque fois qu'il est possible.

Les énoncés suivants sur les nombres complexes sont en accord ave les définitions des sections précédentes:

$$a + bi = c + di$$

si et seulement si $\quad a = c \quad$ et $\quad b = d$ $\qquad$ (**10.12**

EXEMPLE 1. Si $a + 2i = 3 + bi$, quelles sont les valeurs de a et de b

Solution. D'après (10.12), $a = 3$ et $b = 2$.

$$(a + bi) + (c + di) = (a + c) + (b + d)i \qquad \text{(10.13}$$

EXEMPLE 2. Calculer la somme de $3 + 8i$ et $2 + 5i$.

Solution. $\qquad (3 + 8i) + (2 + 5i) = (3 + 2) + (8 + 5)i$
$$= 5 + 13i$$

$$(a + bi) - (c + di) = (a - c) + (b - d)i \qquad \text{(10.14}$$

EXEMPLE 3. Soustraire $3 + 3i$ de $\sqrt{2} - 5i$.

Solution. $\quad (\sqrt{2} - 5i) - (3 + 3i) = (\sqrt{2} - 3) + (-5 - 3)i$
$$= (\sqrt{2} - 3) - 8i$$

Conjugué

Si deux nombres complexes diffèrent seulement par le signe de leur parties imaginaires, l'un est le conjugué de l'autre. Par exemple, $a +$ est le conjugué de $a - bi$, et $a - bi$ est le conjugué de $a + bi$. Le conjugu d'un nombre réel a est a lui-même, puisque $a + 0 \cdot i = a - 0 \cdot i = a$. Pa exemple, $3 + 5i$ et $3 - 5i$, $-7 - i\sqrt{5}$ et $-7 + i\sqrt{5}$, $-6i$ et $6i$ sont de couples de conjugués de nombres complexes.

Puisque $(a + bi) + (a - bi) = 2a$, la somme de deux nombres complexe conjugués est un nombre réel. La différence de deux nombres complexe conjugués est un nombre imaginaire pur, puisque

$$(a + bi) - (a - bi) = (a + bi) + (-a + bi) = 2bi$$

EXEMPLE 4. Effectuer la somme et la différence de $6 + 14i$ et $6 - 14$

Solution. $\quad (6 + 14i) + (6 - 14i) = 12$
$$(6 + 14i) - (6 - 14i) = 28i$$

Produit

Le produit de $(a + bi)(c + di)$ est égal à $ac + adi + bci + bdi^2$, e comme $i^2 = -1$,

$$(a + bi)(c + di) = (ac - bd) + (ad + bc)i \qquad \text{(10.15}$$

Ce qui est en accord avec (10.3) et (10.11).

EXEMPLE 5. Effectuer le produit $(-5 - 8i)(3 - 7i)$.

Solution. $(-5 - 8i)(3 - 7i) = (-15 - 56) + (35 - 24)i$
$$= -71 + 11i$$

Puisque $(a + bi)(a - bi) = a^2 + b^2$, nous voyons que le produit de deux nombres complexes conjugués est un nombre réel non négatif.

EXEMPLE 6. $(3 + 5i)(3 - 5i) = 9 + 25 = 34$

et $\quad (0 + 0 \cdot i)(0 - 0 \cdot i) = 0^2 + 0^2 = 0$

Considérons le quotient de $a + bi$ par $c + di$. Si $c + di \neq 0$, nous pouvons multiplier le numérateur et le dénominateur de la fraction

$$\frac{a + bi}{c + di}$$

par le conjugué du dénominateur. Donc

$$\frac{a + bi}{c + di} = \frac{a + bi}{c + di} \cdot \frac{c - di}{c - di} = \frac{(ac + bd) + (bc - ad)i}{c^2 + d^2}$$

$$= \frac{ac + bd}{c^2 + d^2} + \frac{bc - ad}{c^2 + d^2} i \qquad (10.16)$$

EXEMPLE 7. Diviser i par $1 + i$.

Solution. $\dfrac{i}{1 + i} = \dfrac{i}{1 + i} \cdot \dfrac{1 - i}{1 - i} = \dfrac{i - i^2}{1 - i^2} = \dfrac{i + 1}{2}$

$$= \frac{1}{2} + \frac{1}{2} i$$

EXEMPLE 8. $\dfrac{3 + 5i}{2 - 7i} = \dfrac{3 + 5i}{2 - 7i} \cdot \dfrac{2 + 7i}{2 + 7i} = \dfrac{-29 + 31i}{4 + 49}$

$$= -\frac{29}{53} + \frac{31}{53} i$$

EXERCICES 10.1

TROUVER les valeurs de x et de y dans chacune des équations:

1. $(8x, 3y) = (16, 6)$
2. $(2x, -5y) = (-8, 15)$
3. $2x + 3yi = 4 + 6i$
4. $3x - 5yi = 12 + 15i$
5. $4x - 8 = (8 - 2y)i$
6. $7x - 14 + (2y - 3)i = 0$
7. $x^2 + y^2i = 4$
8. $(x + 2) + (-3y + 12)i = -x + yi$

EFFECTUER les opérations indiquées et exprimer les réponses dans la forme $a + bi$:

9. $(5, -3) + (-2, 5)$
10. $(-7, -2) + (5, 3)$
11. $(1, -3) - (-2, 5)$
12. $(8, 0) - (2, 3)$

13. $(3 + 5i) + (7 + 12i)$

14. $(5 - 3i) + (-5 + 7i)$

15. $(3 + 2i) - (-7 - i) + (8 + 2i)$

16. $(1 + 2i) + 6 + 4i - (3 + 5i)$

17. $(2 + 3i) - 2 - 5i - (6 - 3i)$

18. $3 + 8i - (2 + 5i) + (3 - 2i) + 4i$

19. $(1 + \sqrt{3}i) + \left(\dfrac{1}{2} - \dfrac{\sqrt{3}}{2}i\right)$

20. $(1 - \sqrt{2}i) + \left(\dfrac{3}{2} - \dfrac{\sqrt{2}}{2}i\right)$

21. $\sqrt{-25} + \sqrt{-4} - 6i$

22. $\sqrt{-49} - \sqrt{-25} + 2i - 3$

23. $(7 + \sqrt{-3}) - (3 + \sqrt{-12}) - 3i$

24. $5 - \sqrt{-2} - (-7 + \sqrt{-8}) + 4\sqrt{2}i$

25. $(3,2) \cdot (5,2)$

26. $(-7,-1) \cdot (3,-3)$

27. $(-3,2) \cdot (5,6)$

28. $(8,-3) \cdot (1,-5)$

29. $(3 + i)(5 + 2i)$

30. $(5 - 4i)(6 + 2i)$

31. $i(7 - 2i)(5 - 3i)$

32. $(6 + 2i)(8 - 5i)i$

33. $(\sqrt{5} + \sqrt{2}i)(\sqrt{3} - \sqrt{5}i)$

34. $(4 + \sqrt{-3})(3 - \sqrt{-12})$

35. $(1 + i)^2$

36. $(1 - i)^3$

37. $(1 + i)^4$

38. $(2 + 3i)^2i$

39. $(2 - 3i) \div i$

40. $(1 + i) \div (1 - i)$

41. $\dfrac{1 - i}{1 + i}$

42. $\dfrac{1}{1 + i}$

43. $1 \div (1 - i)$

44. $(\sqrt{3} + i) \div (1 + \sqrt{3}i)$

45. $\dfrac{3}{i^2 - i^3}$

46. $\dfrac{5}{i^3 - i^2}$

47. $\dfrac{3}{(1 - i)^2}$

48. $\dfrac{(2 + i)^2}{5 - i}$

49. $\dfrac{3 - 3i}{5 - 4i}$

50. $\dfrac{(1 + i)^2}{3 - i}$

51. Si (a,b), (c,d), $(e,f) \in C$, prouver l'associativité de l'addition: $[(a,b) + (c,d)] + (e,f) = (a,b) + [(c,d) + (e,f)]$.

52. Prouver la commutativité de l'addition: $(a,b) + (c,d) = (c,d) + (a,b)$.

53. Prouver l'associativité de la multiplication: $[(a,b) \cdot (c,d)] \cdot (e,f) = (a,b) \cdot [(c,d) \cdot (e,f)]$.

54. Prouver la commutativité de la multiplication: $(a,b) \cdot (c,d) = (c,d) \cdot (a,b)$.

55. Prouver la distributivité: $(a,b) [(c,d) + (e,f)] = (a,b) \cdot (c,d) + (a,b) \cdot (e,f)$.

PLAN DES NOMBRES COMPLEXES 10.5

Un nombre complexe est un couple (a,b) de nombres réels. Donc, nous considérons le couple (a,b) comme les coordonnées cartésiennes d'u point dans un système à coordonnées rectangulaires, tout nombre comple (a,b) est l'*affixe* d'un point de ce plan. Les coordonnées du point so $x = a$ et $y = b$. Réciproquement chaque point du plan est l'*image* d'u nombre complexe $(a,b) = a + bi$. Nous avons, donc, établi une corre pondance biunivoque entre l'ensemble des nombres complexes et l'e semble des points du plan. Ce plan est appelé le *plan des complexes* plan de Cauchy.

Plan de Cauchy   *plan de Cauchy.*

Dans le plan des complexes, le nombre réel $a = a + 0 \cdot i = (a,0)$ l'affixe d'un point de l'axe des x. Le nombre imaginaire pur $0 + bi$

Axes du plan des $(0,b)$ est l'affixe d'un point de l'axe des y. Donc, l'axe des x s'appelle
complexes   l'*axe des réels* et l'axe des y l'*axe des imaginaires* (voir figure 10.1).

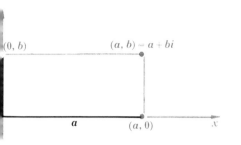

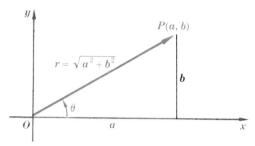

FIGURE 10.1   Le plan des complexes.   FIGURE 10.2   Le nombre complexe (a,b) représenté par un vecteur du plan des complexes.

FORME TRIGONOMÉTRIQUE DES NOMBRES COMPLEXES 10.6

Nous pouvons représenter le nombre complexe $(a,b) = a + bi$ par le vecteur tracé de l'origine au point $P(a,b)$ (voir figure 10.2). La longueur du vecteur OP est notée r. Donc, d'après la formule de la distance

$$|r| = \sqrt{a^2 + b^2} \tag{10.17}$$

La mesure r est le *module* ou la *valeur absolue* du nombre complexe $a + bi$. La direction du vecteur OP est déterminée par l'angle θ de OP avec le demi-axe des abscisses positives. D'où θ est défini complètement par les formules

$$a = r \cos \theta \qquad b = r \sin \theta \tag{10.18}$$

L'angle θ est appelé l'*argument* du nombre complexe $a + bi$.
Des Formules (10.18), nous tirons

$$
\begin{aligned}
a + bi &= r \cos \theta + (r \sin \theta) \cdot i \\
&= r(\cos \theta + i \sin \theta)
\end{aligned}
\tag{10.19}
$$

La formule (10.19) donne la forme trigonométrique ou polaire du nombre complexe $a + bi$.

En outre, pour tout entier k, $\cos (\theta + 2k\pi) = \cos \theta$ et $\sin (\theta + 2k\pi) = \sin \theta$. D'où nous tirons l'importante relation:

$$a + bi = r[\cos (\theta + 2k\pi) + i \sin (\theta + 2k\pi)] \tag{10.20}$$

EXEMPLE 1. Mettre $- 3 + 3i$ dans une forme trigonométrique équivalente.

Solution. Le point $P(- 3,3)$ est l'*image* du nombre complexe $- 3 + 3i$, figure 10.3. D'où, $a = -3$, $b = 3$, et le module r est tiré de la Formule (10.17).

$$|r| = \sqrt{(-3)^2 + (3)^2} = 3\sqrt{2}$$

Puisque $\quad \cos \theta = \dfrac{-3}{3\sqrt{2}} = \dfrac{-1}{\sqrt{2}} \quad$ et $\quad \sin \theta = \dfrac{3}{3\sqrt{2}} = \dfrac{1}{\sqrt{2}}$

nous avons $\qquad\qquad\qquad \theta = \dfrac{3\pi}{4} = 135°$

Donc $\qquad\qquad\qquad -3 + 3i = 3\sqrt{2}(\cos 135° + i \sin 135°)$

EXEMPLE 2. Mettre dans la forme polaire le nombre complexe $- \frac{1}{2} - (\sqrt{3}/2)i$

Solution. Le point $(-\frac{1}{2}, -\sqrt{3}/2)$ est l'image du nombre complexe donné.

D'où $\qquad\qquad\qquad a = -\dfrac{1}{2} \qquad b = -\dfrac{\sqrt{3}}{2}$

(fig. 10.4). Alors

$$|r| = \sqrt{\left(-\dfrac{1}{2}\right)^2 + \left(\dfrac{\sqrt{3}}{2}\right)^2} = 1$$

Puisque $\cos \theta = -\frac{1}{2}$ et $\sin \theta = -(\sqrt{3}/2)$,

$$\theta = \dfrac{4\pi}{3} = 240°$$

D'où $\qquad\qquad -\dfrac{1}{2} - \dfrac{\sqrt{3}}{2}i = \cos 240° + i \sin 240°$

EXEMPLE 3. Mettre le nombre complexe $5(\cos 330° + i \sin 330°)$ dans l forme cartésienne.

Solution. Construire l'angle polaire $\theta = 330°$. Placer le point P sur l côté extrémité de θ à une distance de 5 unités depuis l'origine (voir figur 10.5). Puisque $P(x,y)$ est l'image du nombre complexe donné, nous avon

$$x = 5 \cos 330° = 5 \cdot \dfrac{\sqrt{3}}{2}$$

FIGURE 10.3 Voir Exemple 1.   **FIGURE 10.4** Voir Exemple

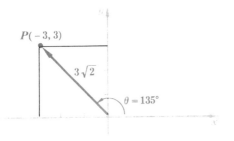

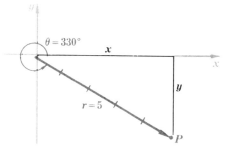

FIGURE 10.5

Voir Exemple 3.

et
$$y = 5 \sin 330° = 5\left(-\frac{1}{2}\right) = -\frac{5}{2}$$

D'où
$$5(\cos 330° + i \sin 330°) = \frac{5\sqrt{3}}{2} - \frac{5}{2}i$$

EXERCICES 10.2

PORTER dans le plan des complexes les points images des nombres suivants.   Mettre chacun d'eux dans la forme trigonométrique.

1. $2 + i$
2. $-1 + 3i$
3. $-4 - 2i$
4. $3 - 2i$
5. -3
6. $-2i$

7. $-1 + 3i$
8. $-\frac{1}{2} + \frac{\sqrt{3}}{2}i$
9. $\frac{1}{2} - \frac{\sqrt{3}}{2}i$

10. $1 + i$
11. $\frac{1}{2} + \frac{\sqrt{2}}{2}i$
12. $6 + 8i$

13. $5 + 12i$
14. $-\frac{1}{2} - \frac{\sqrt{2}}{2}i$
15. $\frac{3 - 2i}{2 + i}$

16. $\frac{1}{3 + 2i}$
17. $\frac{1}{2 - 3i}$
18. $(2 - 5i)^2$

19. $\frac{5 - 2i}{2 - i} + \frac{1 - i}{3 + i}$
20. $\frac{1}{i}$
21. $\frac{3}{-i}$

METTRE les nombres suivants dans la forme cartésienne:

22. $2(\cos 0° + i \sin 0°)$
23. $3(\cos 180° + i \sin 180°)$
24. $5(\cos 90° + i \sin 90°)$
25. $2(\cos 150° + i \sin 150°)$
26. $\cos 225° + i \sin 225°$
27. $6(\cos 240° + i \sin 240°)$
28. $7(\cos 270° + i \sin 270°)$
29. $5(\cos 315° + i \sin 315°)$
30. $2[\cos(-120°) + i \sin(-120°)]$
31. $6[\cos(-240°) + i \sin(-240°)]$
32. $8[\cos(-315°) + i \sin(-315°)]$

MULTIPLICATION ET DIVISION
DANS LA FORME TRIGONOMÉTRIQUE 10.7

La forme trigonométrique des nombres complexes permet d'effectuer facilement des produits et des quotients. Également nous trouverons cette forme très utile pour extraire les racines de nombres réels ou complexes.

Soit $r_1(\cos\theta_1 + i\sin\theta_1)$ et $r_2(\cos\theta_2 + i\sin\theta_2)$ deux nombres complexes. Alors

$$r_1(\cos\theta_1 + i\sin\theta_1) \cdot r_2(\cos\theta_2 + i\sin\theta_2)$$
$$= r_1 r_2[(\cos\theta_1\cos\theta_2 - \sin\theta_1\sin\theta_2) + i(\sin\theta_1\cos\theta_2 + \cos\theta_1\sin\theta_2]$$
$$= r_1 r_2[\cos(\theta_1 + \theta_2) + i\sin(\theta_1 + \theta_2)] \qquad \textbf{(10.2}$$

Produit

Donc, le module d'un produit de deux nombres complexes est le produit de leurs modules, et un des arguments du produit est donné par la somm de leurs arguments.

EXEMPLE 1. Effectuer le produit de $3(\cos 60° + i\sin 60°)$ par $2(c$ $120° + i\sin 120°)$.

Solution. D'après la Formule (10.21), le produit

$$3(\cos 60° + i\sin 60°) \cdot 2(\cos 120° + i\sin 120°)$$
$$= 3\cdot 2[\cos(60° + 120°) + i\sin(60° + 120°)$$
$$= 6(\cos 180° + i\sin 180°)$$
$$= 6(-1 + i\cdot 0) = -6$$

Soit le quotient:

$$\frac{r_1(\cos\theta_1 + i\sin\theta_1)}{r_2(\cos\theta_2 + i\sin\theta_2)}$$

De l'application de la Formule (10.21) nous tirons:

$$r_2(\cos\theta_2 + i\sin\theta_2) \cdot \frac{r_1}{r_2}[\cos(\theta_1 - \theta_2) + i\sin(\theta_1 - \theta_2] = r_1(\cos\theta_1 + i\sin($$

D'où

$$\frac{r_1(\cos\theta_1 + i\sin\theta_1)}{r_2(\cos\theta_2 + i\sin\theta_2)} = \frac{r_1}{r_2}[\cos(\theta_1 - \theta_2) + i\sin(\theta_1 - \theta_2)] \quad \textbf{(10.2}$$

Quotient

Donc, le module du quotient de deux nombres complexes est le quotie de leurs modules respectifs, et un des arguments du quotient est donné p l'argument du numérateur diminué de l'argument du dénominateur.

EXEMPLE 2. Effectuer le quotient de $8(\cos 75° + i\sin 75°)$ par $2(c$ $5° + i\sin 15°)$.

Solution. $8(\cos 75° + i\sin 75°) \div 2(\cos 15° + i\sin 15°)$

$$= \frac{8}{2}[\cos(75° - 15°) + i\sin(75° - 15°)]$$

$$= 4(\cos 60° + i\sin 60°)$$

$$= 4\left(\frac{1}{2} + \frac{\sqrt{3}}{2}i\right) = 2 + 2\sqrt{3}i$$

EXEMPLE 3. Effectuer le quotient de $(1 - i)$ par $-\frac{1}{2} - (\sqrt{3}/2)i$.

Solution. Mettre chacun des nombres dans la forme polaire:

$$1 - i = \sqrt{2}(\cos 315° + i \sin 315°)$$

$$-\frac{1}{2} - \frac{\sqrt{3}}{2} i = 1(\cos 240° + i \sin 240°)$$

Donc
$$\frac{1 - i}{-\frac{1}{2} - (\sqrt{3}/2)i} = \frac{\sqrt{2}(\cos 315° + i \sin 315°)}{\cos 240° + i \sin 240°}$$

$$= \sqrt{2}(\cos 75° + i \sin 75°)$$

Dans la table des valeurs naturelles nous trouvons les valeurs approchées de cos 75° et de sin 75°. Et, le quotient demandé s'écrit $\sqrt{2}(0.2588 + 0.9659i)$ ou $0.3659 + 1.366i$. Les approximations décimales de nombres complexes ne sont pas généralement pratiques.

EXERCICES 10.3

EFFECTUER les multiplications ou divisions indiquées et mettre les résultats dans la forme $a + bi$.

1. $5(\cos 30° + i \sin 30°) \cdot 3(\cos 60° + i \sin 60°)$

2. $3(\cos 90° + i \sin 90°) \cdot 8(\cos 120° + i \sin 120°)$

3. $6(\cos 135° + i \sin 135°) \cdot (\cos 215° + i \sin 215°)$

4. $7[\cos(-120°) + i \sin(-120°)] \cdot 2(\cos 240° + i \sin 240°)$

5. $[3(\cos 30° + i \sin 30°)]^3$

6. $[2(\cos 240° + i \sin 240°)]^2$

7. $8(\cos 80° + i \sin 80°) \div 2(\cos 35° + i \sin 35°)$

8. $3\left(\cos \frac{\pi}{3} + i \sin \frac{\pi}{3}\right) \div (-12)\left(\cos \frac{\pi}{6} + i \sin \frac{\pi}{6}\right)$

9. $25\left(\cos \frac{2\pi}{3} + i \sin \frac{2\pi}{3}\right) \div 5(\cos 30° + i \sin 30°)$

10. $(-21)\left(\cos \frac{7\pi}{4} + i \sin \frac{7\pi}{4}\right) \div (-7)\left(\cos \frac{\pi}{2} + i \sin \frac{\pi}{2}\right)$

11. $(\cos 0° + i \sin 0°) \div 6(\cos 240° + i \sin 240°)$

METTRE les nombres complexes suivants dans la forme polaire et effectuer ensuite les opérations indiquées:

12. $(\sqrt{2} + \sqrt{2}i)(3i)$

13. $(1 - i)^2$

14. $(1 + i)^2$

15. $(1 - i) \div (1 + i)$

16. $(-\sqrt{3} - i) \div (1 - \sqrt{3}i)$

17. $(-1 + i) \div (\sqrt{3} + i)$

18. $(1 + i)(1 + \sqrt{3}i)(-\frac{1}{2} + \frac{1}{2}i)$

19. $\frac{(\sqrt{3} + i)(-1 + i)}{(1 + \sqrt{3}i)(\sqrt{3} - i)}$

20. Prouver que $[2(\cos 30° + i \sin 30°)]^2 = 4(\cos 60° + i \sin 60°)$.

21. Prouver que $[r(\cos \theta + i \sin \theta)]^3 = r^3 (\cos 3\theta + i \sin 3\theta)$.

22. Prouver que $|a + bi| = |a - bi|$.

23. Montrer que deux nombres complexes sont égaux si, et seulement si (**a**) ils ont des valeurs absolues égales et (**b**) ils ont des arguments qui diffèrent de $n \cdot 360°$, n entier.

PUISSANCES ET RACINES DES NOMBRES COMPLEXES   10.8

Soit $z = a + bi = r(\cos \theta + i \sin \theta)$. Alors

$$z^2 = [r(\cos \theta + i \sin \theta)] \cdot [r(\cos \theta + i \sin \theta)]$$

Donc, d'après l'Ég. (10.21),

$$z^2 = r^2(\cos 2\theta + i \sin 2\theta)$$

Alors, puisque $z^3 = z^2 \cdot z$, nous avons

$$z^3 = [r^2(\cos 2\theta + i \sin 2\theta)] \cdot [r(\cos \theta + i \sin \theta)]$$
$$= r^3(\cos 3\theta + i \sin 3\theta)$$

Par applications successives de l'Ég. (10.21), nous tirons

$$z^4 = r^4(\cos 4\theta + i \sin 4\theta)$$
$$z^5 = r^5(\cos 5\theta + i \sin 5\theta)$$

etc. Ces résultats se résument dans le théorème suivant:

THÉORÈME.   Pour tout entier n positif,

$$r(\cos \theta + i \sin \theta)^n = r^n(\cos n\theta + i \sin n\theta) \tag{10.23}$$

Théorème de De Moivre

Ce théorème est le théorème de De Moivre. Il se prouve par la méthod d'induction mathématique, méthode de preuve abordée dans un chapit ultérieur. Le théorème de De Moivre vaut également pour $n = 0$ et pou n entier négatif.

EXEMPLE 1.   Calculer la valeur de z^6 si $z = 1 - i$.

Solution.   Écrire $z = 1 - i$ dans la forme polaire; alors

$$z = \sqrt{2}(\cos 315° + i \sin 315°)$$

D'où

$$z^6 = [\sqrt{2}(\cos 315° + i \sin 315°)]^6$$
$$= (\sqrt{2})^6(\cos 1{,}890° + i \sin 1{,}890°)$$
$$= 8(\cos 90° + i \sin 90°)$$
$$= 8i$$

Nous définissons comme suit la racine $n^{\text{ième}}$ d'un nombre complex

---

DÉFINITION.   Si n est un entier positif, alors $p(\cos \theta + i \sin \theta)$ est une racine $n^{\text{ième}}$ de $q(\cos \phi + i \sin \phi)$ si, et seulement si

$$[p(\cos \theta + i \sin \theta)]^n = q(\cos \phi + i \sin \phi)$$

Ainsi, d'après le théorème de De Moivre, $p(\cos \theta + i \sin \theta)$ est une racine $n^{\text{ième}}$ racine de $q(\cos \phi + i \sin \phi)$ si, et seulement si

$$q(\cos \phi + i \sin \phi) = [p(\cos \theta + i \sin \theta)]^n$$
$$= p^n(\cos n\theta + i \sin n\theta)$$

Comme deux nombres complexes sont égaux si, et seulement si (1) leurs parties réelles sont égales et (2) leurs parties imaginaires sont égales d'après la Définition (10.1).
Donc

$$q \cos \phi = p^n \cos n\theta$$
$$q \sin \phi = p^n \sin n\theta \qquad \textbf{(10.24)}$$

Si nous élevons au carré chaque nombre des deux égalités pour les ajouter ensuite membre à membre, nous avons

$$q^2(\cos^2 \phi + \sin^2 \phi) = p^{2n}(\cos^2 n\theta + \sin^2 n\theta)$$

et
$$q^2 = p^{2n} \qquad \textbf{pourquoi?}$$

D'où
$$q = p^n$$

et
$$p = \sqrt[n]{q} \qquad \textbf{(10.25)}$$

Comme $p > 0$, p est la racine principale $n^{\text{ième}}$ de q. Donc, les Ég. (10.24) deviennent maintenant

$$\cos \phi = \cos n\theta$$
$$\sin \phi = \sin n\theta \qquad \textbf{(10.26)}$$

D'après les égalités (10.26), les angles ϕ et $n\theta$ sont coterminaux, et par conséquent, ils sont égaux ou ils diffèrent d'un multiple entier de 2π. D'où
$$\phi + 2k\pi = n\theta$$

et
$$\theta = \frac{\phi + 2k\pi}{n} \qquad k = 0, 1, 2, \ldots \qquad \textbf{(10.27)}$$

Nous avons, maintenant, montré qu'une racine $n^{\text{ième}}$ de $q(\cos \phi + i \sin \phi)$ a pour valeur absolue la racine principale $n^{\text{ième}}$ de q et pour argument l'argument

$$\frac{\phi + 2k\pi}{n} \qquad k \text{ entier}$$

Pour $k = 0, 1, 2, 3, \ldots, (n - 1)$, les angles sont distincts, non négatifs, et inférieurs à 2π. Donc, à chacun de ces n angles distincts correspond une racine $n^{\text{ième}}$ distincte. Pour $k = n$, l'angle est

$$\frac{\phi + 2n\pi}{n} = \frac{\phi}{n} + 2\pi$$

et la racine $n^{\text{ième}}$ correspondante est la même que la racine pour laquelle $k = 0$. De même, $k = n + 1$ conduit à la même racine que $k = 1$; $k = n + 2$ a la même racine que $k = 2$, etc.

Nous en concluons que les n racines $n^{\text{ième}}$ du nombre complexe $q(\cos \phi + i \sin \phi)$ ont pour module $\sqrt[n]{|q|}$ et pour arguments

$$\frac{\phi + 2k\pi}{n} = \frac{\phi + k \cdot 360°}{n} \qquad k = 0, 1, 2, \ldots, (n-1)$$

EXEMPLE 2.   Extraire $\sqrt[3]{27(\cos 60° + i \sin 60°)}$.

Solution. $\sqrt[3]{27(\cos 60° + i \sin 60°)}$

$$= \sqrt[3]{27} \left(\cos \frac{60° + k \cdot 360°}{3} + i \sin \frac{60° + k \cdot 360°}{3} \right.$$

$$= 3 \left[\cos (20° + k \cdot 120°) + i \sin (20° + k \cdot 120°) \right]$$

$$k = 0 \qquad z_0 = 3(\cos 20° + i \sin 20°)$$

$$k = 1 \qquad z_1 = 3(\cos 140° + i \sin 140°)$$

$$k = 2 \qquad z_2 = 3(\cos 260° + i \sin 260°)$$

Notons que pour $k = 3, 4, \ldots,$

$$z_3 = 3(\cos 380° + i \sin 380°) = 3(\cos 20° + i \sin 20°)$$
$$z_4 = 3(\cos 500° + i \sin 500°) = 3(\cos 140° + i \sin 140°)$$

etc.

Les points du plan des complexes, images de ces trois racines cubique distinctes, sont répartis également sur un cercle dont le centre est l'origin et dont le rayon est 3 unités (voir figure 10.6).

EXEMPLE 3.   Extraire $\sqrt{-1 + i\sqrt{3}}$ et mettre le résultat sous la form cartésienne.

Solution.   Comme $-1 + i\sqrt{3} = 2(\cos 120° + i \sin 120°)$,

FIGURE 10.6   Les trois racines cubiques distinctes de $27(\cos 60° + i \sin 60°)$

FIGURE 10.7   Les deux racines carrées de $-1 + i\sqrt{3}$

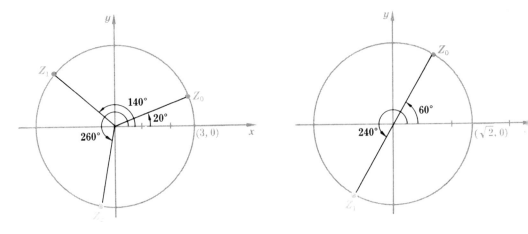

$$\sqrt{-1 + i\sqrt{3}} = \sqrt{2(\cos 120° + i \sin 120°)}$$

$$= \sqrt{2}\left(\cos\frac{120° + k \cdot 360°}{2} + i \sin\frac{120° + k \cdot 360°}{2}\right)$$

$$= \sqrt{2}[\cos(60° + k \cdot 180°) + i \sin(60° + k \cdot 180°)]$$

Pour $k = 0$ $\quad z_0 = \sqrt{2}(\cos 60° + i \sin 60°)$

$$= \sqrt{2}\left(\frac{1}{2} + \frac{\sqrt{3}}{2}i\right) = \frac{\sqrt{2}}{2}(1 + i\sqrt{3})$$

Pour $k = 1$ $\quad z_1 = \sqrt{2}(\cos 240° + i \sin 240°)$

$$= \sqrt{2}\left(-\frac{1}{2} - \frac{\sqrt{3}}{2}i\right) = -\frac{\sqrt{2}}{2}(1 + i\sqrt{3})$$

Les points du plan des complexes images de z_0 et z_1 ont été portés à la figure 10.7.

EXERCICES 10.4

ÉLEVER à la puissance par le théorème de De Moivre et mettre les résultats dans la forme cartésienne:

1. $(\cos 15° + i \sin 15°)^3$
2. $[2(\cos 15° + i \sin 15°)]^6$
3. $(\cos 105° + i \sin 105°)^3$
4. $(\cos 20° + i \sin 20°)^6$
5. $[2(\cos 315° + i \sin 315°)]^3$
6. $(\cos 50° + i \sin 50°)^9$
7. $(\cos 7.5° + i \sin 7.5°)^8$
8. $(\cos 5° + i \sin 5°)^{12}$

METTRE des nombres suivants dans la forme polaire et effectuer les opérations:

9. $(1 + i)^4$
10. $(1 - i)^2$
11. $(-\frac{1}{2}\sqrt{3} + \frac{1}{2}i)^5$
12. $(\frac{1}{2}\sqrt{2} + \frac{1}{2}i\sqrt{2})^{200}$
13. $(1 + i\sqrt{3})^3$
14. $(\sqrt{3} + i\sqrt{3})^{10}$
15. $(-\sqrt{2} + i\sqrt{2})^{10}$
16. $(\frac{1}{2}\sqrt{3} - \frac{1}{2}i)^{150}$

17. À l'aide du Théorème de De Moivre, établir les identités de $\sin 2u$ et $\cos 2u$. INDICATION:

$$\cos 2u + i \sin 2u = (\cos u + i \sin u)^2 = \cos^2 u + 2(\cos u \sin u)i - \sin^2 u$$

$$= \cos^2 u - \sin^2 u + (2 \sin u \cos u)i$$

Utiliser, alors, la Définition (10.1).

18. Trouver des formules pour $\sin 3u$ et $\cos 3u$.
19. Trouver des formules pour $\sin 4u$ et $\cos 4u$.
20. Trouver une formule pour $\tan 3u$.
21. Extraire quatre racines quatrièmes distinctes de $25(\cos 48° + i \sin 48°)$.
22. Extraire trois racines cubiques distinctes de $64(\cos 165° + i \sin 165°)$.
23. Extraire cinq racines cinquièmes distinctes de -32.
24. Extraire quatre racines quatrièmes distinctes de 1.
25. Extraire les deux racines carrées de $-16i$.
26. Extraire les trois racines cubiques distinctes de i.
27. Extraire les trois racines cubiques distinctes de $0.9511 + 0.3090i$. INDICATION: Se servir de la table trigonométrique naturelle et mettre dans la forme trigonométrique.
28. Extraire les racines carrées distinctes de $0.5000 + 0.8660i$.

QUELS sont les ensembles-solution des équations suivantes? Mettre les résultats dans la forme $a + bi$.

29. $2x^4 = 1 - i\sqrt{3}$
30. $x^2 = 4 + 3i$
31. $x^3 - i = 2$
32. $x^2 = (2 - i)x - 2i = 0$
33. $x^2 + (3 - i)x - 3i = 0$. HINT: Factor.
34. $x^2 - 7ix - 12 = 0$

FONCTIONS POLYNOMIALES

Dans les chapitres précédents, nous avons étudié les fonctions trigonométriques, exponentielles et logarithmiques et leurs graphes. Nous
abordons maintenant l'étude des fonctions polynomiales et de leurs
graphes. Nous serons particulièrement intéressés à la recherche des zéros
de ces fonctions. Les zéros d'une fonction polynomiale $P(x)$ sont les
solutions (racines) de l'équation $P(x) = 0$.

FONCTIONS LINÉAIRES   11.1

La fonction f définie ci-après

$$f = \{(x,y) : y = mx + b\} \qquad \textbf{(11.1)}$$

où m et b sont des constantes, est une *fonction linéaire* de x. Nous notons
fréquemment cette fonction par l'égalité

$$f(x) = mx + b$$

ou par $\qquad\qquad y = mx + b$

Lorsque les couples $(x,y) = (x, mx + b)$ de la fonction f sont portés
dans un système à coordonnées rectangulaires, les points sont en ligne
droite. Une preuve de cette constatation se trouve dans beaucoup de manuels
de géométrie analytique; mais l'approche intuitive suivante mène à la
même conclusion. Sélectionnons trois valeurs réelles quelconques x_1, x_2, x
telles que $x_1 < x_2 < x_3$. Les points $P(x_1, mx_1 + b)$, $Q(x_2, mx_2 + b)$ et
$R(x_3, mx_3 + b)$ font partie du graphe de f. Par la formule de la distance

$$|PQ| + |QR| = |PR|$$

D'où, nous concluons que P, Q et R sont en ligne droite.

Si $m = 0$, alors f est l'ensemble de tous les couples (x, b), où x peut
prendre toute valeur du domaine de f. Le graphe de $f(x) = b$ est donc
une ligne droite parallèle à l'axe des x distante de b unités de l'origine.
On dit que ce graphe est la droite $y = b$. Par exemple, la droite $y = 5$
est parallèle à l'axe des x à 5 unités au-dessus de l'origine; la droite $y = -2$

---

*Plus précisément, on définit:
$x \in R \rightarrow f(x) = ax + b \in R$ la fonction affine, et
$x \in R \rightarrow f(x) = ax \in R$ la fonction linéaire.

est parallèle à l'axe de x à deux unités en-dessous de l'origine. On dit que $f(x) = b$ est la *fonction constante*.

Le graphe d'une fonction linéaire est toujours une ligne droite, mais il n'est pas vrai que toute ligne droite est le graphe d'une fonction linéaire donnée. Par exemple, l'ensemble des couples (a,y), où y peut prendre toutes les valeurs d'un ensemble donné de nombres réels, définit une relation qui n'est pas une fonction. Pour toutes les valeurs de y dans cette relation, $x = a$. Donc, deux couples distincts ont la même première coordonnée et la relation n'est pas une fonction. On voit immédiatement que le graphe de la relation dont les couples sont (a,y) est une droite parallèle à l'axe des y passant à une distance a de l'origine. C'est le graphe de la droite $x = a$. Par exemple, la droite $x = -3$ est parallèle à l'axe des y et distante de l'origine de 3 unités vers la gauche.

Le nombre x_0 est dit un zéro de la fonction $f(x) = mx + b$ si, et seulement si $mx_0 + b = 0$. De même, toute coordonnée x (ou valeur de x) qui rend nulle la deuxième coordonnée d'un couple de f sera un zéro de la fonction. Par exemple, soit la fonction linéaire $f(x) = 3x - 6$. Pour trouver la valeur de x qui rend $f(x) = 0$, nous résolvons l'équation $3x - 6 = 0$ pour x. La solution de cette équation est $x = 2$. Donc, 2 est un zéro de la fonction. Ce qui s'écrit $f(2) = 0$.

En général, les zéros de toute fonction sont les éléments de l'ensemble-solution de l'équation $f(x) = 0$. Géométriquement, les zéros réels d'une fonction sont les abscisses des points que le graphe a en commun avec l'axe des x. La figure 11.1 représente le graphe de $f(x) = 3x - 6$.

La fonction linéaire $f(x) = mx + b$ a seulement un zéro; il est l'élément de l'ensemble-solution de l'équation linéaire $mx + b = 0$. Ce type d'équations a été étudié au chapitre 2 et n'a plus à l'être. La présente section, dans les exemples suivants, s'appliquera à la détermination des zéros de fonctions non linéaires.

EXEMPLE 1. Trouver les zéros de $f(x) = \log x + 1$.

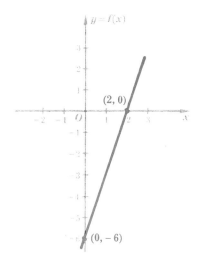

FIGURE 11.1
Graphe de $f(x) = 3x - 6$.
La fonction a un zéro
au point $(2,0)$.

Solution. Dans ce cas, f n'est pas une fonction linéaire de la variable x Mais si $(\log x)$ est considéré comme une variable, nous avons une fonctior linéaire en $(\log x)$.

Posons $\log x + 1 = 0$, alors $\log x = -1$; donc $f(x)$ sera nulle quand $\log x = -1$. D'où nous concluons: $f(x)$ est nulle pour

$$x = 10^{-1} = 0.1$$

EXEMPLE 2. Trouver les zéros de la fonction $f(\theta) = 2 \cos \theta - 1$, oὺ $0 \leq \theta \leq 2\pi$.

Solution. Cette fonction n'est pas linéaire pour la variable θ, mais elle est linéaire pour la variable $\cos \theta$.

Posons $2 \cos \theta - 1 = 0$. Alors

$$\cos \theta = \frac{1}{2}$$

D'où
$$\theta = \frac{\pi}{3}, \frac{5\pi}{3}$$

Nous concluons que les zéros de $f(\theta)$ sont $\pi/3$ et $5\pi/3$.

FONCTION TRINÔME DU SECOND DEGRÉ   11.2

La fonction f définie par l'égalité

$$f(x) = ax^2 + bx + c \tag{11.2}$$

où a, b, c sont des constantes et $a \neq 0$, s'appelle la *fonction trinôme du secon degré*. Les zéros de f sont les éléments de l'ensemble-solution de l'équatio

$$ax^2 + bx + c = 0 \tag{11.3}$$

Équation du second degré

qui est l'*équation du second degré*. Si le membre de gauche de cette équatior peut à vue être mis en facteur, il est facile de déterminer l'ensemble solution (et les zéros de la fonction).

EXEMPLE 1. Quels sont les zéros de $f(x) = 2x^2 - x - 3$?

Solution. Posons $2x^2 - x - 3 = 0$. Alors

$$(2x - 3)(x + 1) = 0$$

Nous voyons que $x = -1$ et $x = \frac{3}{2}$ vérifient l'équation mais pas le autres valeurs de x (pourquoi?). Donc, les zéros de f sont -1 et $\frac{3}{2}$.

Compléter le carré

Si l'Éq. (11.3) ne peut être résolue par mise en facteur, nous pouvon comme moyen de résolution, *compléter le carré*. Pour illustrer la méthod écrivons l'Éq. (11.3) dans sa forme équivalente.

$$x^2 + \frac{b}{a}\,x = -\,\frac{c}{a}$$

et ajoutons à chaque membre $(\tfrac{1}{2}b/a)^2$. Alors

$$x^2 + \frac{b}{a}\,x + \frac{b^2}{4a^2} = -\,\frac{c}{a} + \frac{b^2}{4a^2} = \frac{b^2 - 4ac}{4a^2}$$

Le membre de gauche de cette équation, maintenant "complété", est devenu un trinôme-carré-parfait (expression de trois termes qui est le carré d'un binôme). D'où

$$\left(x + \frac{b}{2a}\right)^2 = \frac{b^2 - 4ac}{4a^2}$$

et
$$\left(x + \frac{b}{2a}\right) = \frac{+\sqrt{b^2 - 4ac}}{2a}$$

ou
$$\left(x + \frac{b}{2a}\right) = \frac{-\sqrt{b^2 - 4ac}}{2a}$$

$$(11.4)$$

Chaque Éq. (11.4) mène à une valeur de x qui satisfait l'équation $ax^2 + bx + c = 0$. Et ces deux valeurs de x sont les seules qui satisfassent l'équation. Donc, l'équation trinôme du second degré a deux zéros et les deux zéros seront égaux si $b^2 - 4ac = 0$.

EXEMPLE 2. Résoudre l'équation $3x^2 - 2x + 1 = 0$.

Solution. La mise en facteur n'est ici pas pratique, donc nous complétons le carré comme ci-après: nous écrivons l'équation dans la forme équivalente

$$x^2 - \frac{2}{3}\,x = -\,\frac{1}{3}$$

et complétons ensuite le carré du membre de gauche en ajoutant $[\tfrac{1}{2}(\tfrac{2}{3})]^2$ à chaque membre. Nous obtenons

$$x^2 - \frac{2}{3}\,x + \frac{1}{9} = -\,\frac{1}{3} + \frac{1}{9} = \frac{-2}{9}$$

et
$$\left(x - \frac{1}{3}\right)^2 = \frac{-2}{9}$$

D'où
$$x - \frac{1}{3} = \sqrt{\frac{-2}{9}} = \frac{1}{3}\,i\sqrt{2}$$

ou
$$x - \frac{1}{3} = -\sqrt{\frac{-2}{9}} = -\frac{1}{3}\,i\sqrt{2}$$

L'ensemble-solution est $\{\tfrac{1}{3} + \tfrac{1}{3}i\sqrt{2},\ \tfrac{1}{3} - \tfrac{1}{3}i\sqrt{2}\}$.

Les deux équations linéaires de (11.4) sont importantes parce qu'elles conduisent au théorème suivant:

THÉORÈME. La fonction trinôme du second degré $f(x) = ax^2 + bx + c$ a deux zéros (qui peuvent être égaux):

$$x_1 = \frac{-b + \sqrt{b^2 - 4ac}}{2a} \qquad x_2 = \frac{-b - \sqrt{b^2 - 4ac}}{2a} \qquad \textbf{(11.5)}$$

Formules du
trinôme
Les égalités (11.5), appelées *formules du trinôme* du second degré, donnent les zéros de

$$ax^2 + bx + c$$

en termes de coefficients a, b, c. Les formules sont souvent groupées et écrites

$$x = \frac{-b \pm \sqrt{b^2 - 4ac}}{2a}$$

EXEMPLE 3. Résoudre $3t^2 - 7t - 5 = 0$ par les formules du trinôme du second degré.

Solution. Comme $a = 3$, $b = -7$, $c = -5$, nous avons

$$t_1 = \frac{-(-7) + \sqrt{(-7)^2 - 4(3)(-5)}}{2(3)} = \frac{7 + \sqrt{109}}{6}$$

$$t_2 = \frac{-(-7) - \sqrt{(-7)^2 - 4(3)(-5)}}{2(3)} = \frac{7 - \sqrt{109}}{6}$$

Zéros complexes
Les exemples de cette section montrent que, malgré les coefficients réels de la fonction, les zéros de la fonction peuvent être des nombres complexes non réels, comme dans l'Exemple 2. Les équations (11.5) indiquent que lorsqu'un des zéros d'une fonction trinôme du second degré est un nombre complexe non réel, l'autre zéro est un nombre complexe non réel. De plus, les deux nombres complexes non réels sont conjugués.

Si les coefficients a, b, c sont des nombres complexes non réels, les zéros de la fonction se trouvent par la même méthode.

EXEMPLE 4. Quels sont les zéros de

$$f(x) = x^2 + 2ix - 5$$

Solution. Posons $x^2 + 2ix - 5 = 0$. Alors

$$x_1 = \frac{-2i + \sqrt{-4 + 20}}{2} = \frac{-2i + 4}{2} = 2 - i$$

$$x_2 = \frac{-2i - \sqrt{-4 + 20}}{2} = \frac{-2i - 4}{2} = -2 - i$$

Si les coefficients de la fonction sont des nombres réels, l'étude des valeurs de $b^2 - 4ac$ des formules nous informe sur les zéros de la fonction. Si $b^2 - 4ac < 0$, x_1 et x_2 sont des nombres complexes conjugués distincts.

Discriminant

Si $b^2 - 4ac = 0$, x_1 et x_2 sont des nombres réels égaux, puisque chacun est égal à $- b/2a$. Si $b^2 - 4ac > 0$, x_1 et x_2 sont réels, et $x_1 \neq x_2$. Le nombre $b^2 - 4ac$ est appelé le *discriminant* de la fonction trinôme du second degré $ax^2 + bx + c$ et se note Δ. La relation entre le discriminant et les zéros de f se résume dans le tableau suivant:

Δ	Zéros de $ax^2 + bx + c$, où $a, b, c \in R$
négatif	complexes conjugués
zéro	réels, égaux
positif	réels, inégaux

On notera bien que ce tableau ne donne des résultats valables que si a, b, c sont des coefficients réels. Si un coefficient seulement est complexe, les zéros peuvent être complexes même avec Δ positif. Par exemple, le discriminant $b^2 - 4ac$ de la fonction $f(x) = x^2 + 2ix - 5$ a une valeur réelle 4, mais les zéros sont des nombres complexes.

EXERCICES 11.1

RÉSOUDRE par mise en facteur les équations suivantes:

1. $x^2 - 2x - 3 = x - 3$
2. $2x^2 + 11x - 6 = 0$
3. $x^2 + 6x - 27 = 0$
4. $2x(4x + 5) = -3$
5. $\tan^2 t - 2 \tan t + 1 = 0$
6. $4(\log x)^2 + 4(\log x) + 1 = 0$
7. $2 \sin^2 \theta + 5 \sin \theta - 3 = 0$
8. $12 \cos^2 \theta - 25 \cos \theta - 7 = 0$
9. $3x^2 - x = 10$
10. $2x^2 - 2 = -4x$
11. $2 \tan^2 \theta + \tan \theta = 0$
12. $2 \cos^2 t + 3 \cos t = -1$
13. $2(\log x)^2 - 5(\log x) - 12 = 0$
14. $\tan t (2 \sin t - \sqrt{3}) = 0$

RÉSOUDRE en complétant le carré les équations suivantes:

15. $x^2 - 8x = 20$
16. $x^2 - 7x - 30 = 0$
17. $2x^2 - 3x - 9 = 0$
18. $\tan^2 t + 1 = \sec t + 3$
19. $\tan^2 t - 2 \tan t - 1 = 0$
20. $2(\log x)^2 = 3(\log x) + 9$

RÉSOUDRE par les formules du trinôme les équations suivantes. Vérifier toutes les solutions.

21. $2x^2 - 7x + 3 = 0$
22. $x^2 - 2x + 5 = 0$
23. $3x^2 - 6x + 2 = 0$
24. $\sqrt{3}x^2 = 4x - \sqrt{3}$
25. $x^2 - 5ix = 6$
26. $2ix^2 - 3x = -2i$
27. $x^2 + x = 1 - 3i$
28. $x^2 + 7(i - 1)x = 25i$

Dans les Problèmes 29-34, des solutions étrangères peuvent s'introduire. Reviser la Section 6.4. Vérifier toutes les solutions.

29. $\sqrt{2x + 5} - 3 = -\sqrt{x + 6}$
30. $\sqrt{2x - 5} - \sqrt{x - 3} = 1$
31. $\sqrt{5x - 9} = 1 + \sqrt{x + 4}$
32. $\dfrac{1}{x + 2} + \dfrac{8}{10} = \dfrac{2x - 1}{4x + 3}$
33. $\dfrac{6}{x + 1} + \dfrac{4}{x - 1} = 2$
34. $\dfrac{8}{x - 1} + \dfrac{3}{x + 1} - \dfrac{5}{x - 3} = 0$

35. Le produit de deux entiers positifs consécutifs est 600. Quels sont ces entiers?

36. Le produit de deux nombres entiers consécutifs pairs est 960. Quels sont ces nombres ?

37. Un côté de l'angle droit d'un triangle a 12 po, l'hypothénuse a 30 po de longueur de plus que le troisième côté. Quelle est la longueur de l'hypothénuse ?

38. La somme des chiffres d'un nombre de deux chiffres est 9. Le nombre lui-même vaut deux fois le produit de ses chiffres. Trouver le nombre.

39. Un conducteur parcourt 156 mi à une vitesse constante. S'il allait à 9 mi/h de plus il réduirait son temps de parcours de 45 mn. À quelle vitesse roule-t-il ?

40. Un réservoir vide est rempli par deux robinets en ⅓ d'h. Le plus gros, seul, remplirait le réservoir en 9 mn de moins que le plus petit, seul. Trouver le temps nécessaire au plus gros pour remplir le réservoir.

41. Un nombre est inférieur à son inverse de 21/10. Quel est ce nombre ?

42. Si un objet est projeté vers le haut, sa hauteur y (en pieds) au-dessus du point de départ au bout de t secondes est

$$y = v_0 t - \frac{1}{2} g t^2$$

où v est la vitesse initiale en pieds par seconde; la résistance de l'air est négligée.

Si une balle est lancée verticalement à 96 pi/s, à quelle hauteur sera-t-elle au bout de 2 secondes ? Prendre $g = 32$.

43. À quelle hauteur serait la balle du problème 42 au bout de 4 secondes ?

44. Au bout de 6 secondes à quelle hauteur serait la balle du problème 42 ?

GRAPHE DE LA FONCTION TRINÔME DU SECOND DEGRÉ 11.3

Les zéros réels d'une fonction sont les valeurs de x aux points où le graphe de la fonction coupe l'axe des x. Donc, le graphe d'une fonction offre une interprétation géométrique de la nature des zéros. Par exemple, les graphes des fonctions

(a) $\qquad\qquad f(x) = x^2 - 4x + 3$

(b) $\qquad\qquad f(x) = x^2 - 4x + 4$

(c) $\qquad\qquad f(x) = x^2 - 4x + 5$

FIGURE 11.2 Graphes de (a) $f(x) = x^2 - 4x + 3$; (b) $f(x) = x^2 - 4x + 4$; (c) $f(x) = x^2 - 4x + 5$. Quels sont les zéros de ces fonctions ?

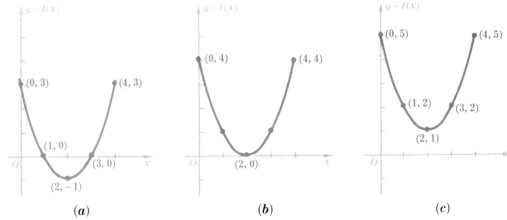

(a) (b) (c)

sont ceux de la figure 11.2. Notons que la fonction (a) a deux zéros réels distincts, que (b) a deux zéros égaux et que (c) n'a pas de zéros réels.

    Les graphes des trois fonctions de la figure 11.2 ont la même allure générale. Tous les graphes des fonctions trinômes du second degré auront cette allure: on les appelle des *paraboles*. La courbe s'ouvre vers le haut si $a > 0$ et vers le bas si $a < 0$. Pour tracer le graphe de la fonction

$$f(x) = ax^2 + bx + c,$$

nous mettons a en évidence

$$f(x) = a\left[\left(x^2 + \frac{b}{a}x\right) + \frac{c}{a}\right]$$

Alors, en ajoutant le nombre $b^2/4a^2$ entre les crochets pour le soustraire, nous obtenons

$$f(x) = a\left[\left(x^2 + \frac{b}{a}x + \frac{b^2}{4a^2}\right) + \frac{c}{a} - \frac{b^2}{4a^2}\right]$$

$$= a\left[\left(x + \frac{b}{2a}\right)^2 + \frac{4ac - b^2}{4a^2}\right]$$

    Puisque $[x + (b/2a)]^2 \geq 0$, l'expression entre crochets prend sa plus petite valeur pour $x + (b/2a) = 0$, c'est-à-dire lorsque $x = -(b/2a)$. Si $a < 0$, $f(x)$ prend sa plus petite valeur pour $x = -(b/2a)$. Si $a < 0$, $f(x)$ prend sa plus grande valeur pour $x = -(b/2a)$. Donc, le point dont les coordonnées sont

$$\left(-\frac{b}{2a}, \frac{4ac - b^2}{4a}\right)$$

est un *point minimum* du graphe de $f(x) = ax^2 + bx + c$, si a est positif et un *point maximum*, si a est négatif. Nous appelons ce point le *sommet* de la parabole. Le sommet et quelques points additionnels nous permettent de tracer le graphe de cette fonction.

EXEMPLE 1. Trouver la valeur minimum de $f(x) = x^2 - 4x + 3$ et tracer le graphe de la fonction.

Solution. $f(x) = x^2 - 4x + 3 = (x^2 - 4x) + 3$
$$= (x^2 - 4x + 4) + 3 - 4$$
$$= (x - 2)^2 - 1$$

Donc, le sommet est le point $(2, -1)$. Puisque le coefficient de x^2 est positif, la courbe s'ouvre vers le haut. La valeur minimum de $f(x)$ est -1. Le graphe est tracé dans la figure 11.2a.

EXERCICES 11.2

TROUVER les valeurs de x pour lesquelles les fonctions suivantes ont leur minimum ou leur maximum. Tracer le graphe.

1. $f(x) = x^2 - 4x + 2$
2. $f(x) = -x^2 + 3x + 2$
3. $f(x) = -3x^2 - 6x + 2$
4. $f(x) = 2x^2 - 12x + 1$

Marginal notes:
rabole
nts minimum maximum

TROUVER les valeurs minimum ou maximum des fonctions suivantes. Tracer leur graphe.

5. $f(x) = x^2 - 8x + 3$

6. $f(x) = 2x^2 + 5x - 12$

7. $f(x) = -x^2 + 4x + 1$

8. $f(x) = 7 - 10x + 2x^2$

9. Trouver deux nombres dont la somme est 40 et le produit maximum.

10. Trouver deux nombres dont la somme est 32 et dont la somme des carrés soit minimum.

11. On doit, avec 160 perches de clôture, délimiter un champ rectangulaire près d'une rive en lign droite d'un fleuve. Il n'y a pas besoin de clôture le long de la rive. Trouver les dimension du rectangle qui aura la surface maximum et la valeur de cette surface.

12. On doit faire une boîte rectangulaire avec 48 po² de tôle étamée. La boîte, ouverte sur l dessus, doit avoir une base carrée. Trouver les dimensions de la boîte pour que le volume soi maximum.

13. Un objet est lancé verticalement depuis le sol avec une vitesse de 96 pi/s. Sa hauteur y, mesuré en pieds après t secondes, est donnée par

$$y = 96t - 16t^2$$

Après combien de secondes l'objet atteindra-t-il sa hauteur maximum et quelle est cette hauteur

14. Le côté d'une tôle étamée carrée mesure 12 po. Une boîte de volume maximum doit êt réalisée en coupant des carrés égaux dans chacun des coins de la tôle et en la pliant pour ferme les côtés de la boîte. Quel sera la longueur du côté des carrés découpés? Quel est le volume d la boîte?

RELATIONS ENTRE LES ZÉROS ET LES COEFFICIENTS 11.4

Comme nous l'avons vu, les zéros de la fonction trinôme $f(x) = ax^2 +$ $bx + c$ sont x_1 et x_2, où

$$x_1 = \frac{-b + \sqrt{b^2 - 4ac}}{2a}$$

et

$$x_2 = \frac{-b - \sqrt{b^2 - 4ac}}{2a}$$

Donc, la somme des deux zéros est

$$x_1 + x_2 = -\frac{b}{a} \qquad (11.6)$$

et le produit

$$x_1 \cdot x_2 = \frac{c}{a} \qquad (11.7)$$

Les preuves de ces relations (11.6) et (11.7) sont laissées en exercices.

EXEMPLE 1. Trouver la somme et le produit des zéros de $f(x) = 2x^2 - 3x + 5$.

Solution. Ici, $a = 2$, $b = -3$, $c = 5$. Donc

$$x_1 + x_2 = -\frac{b}{a} = -\frac{-3}{2} = \frac{3}{2}$$

et

$$x_1 \cdot x_2 = \frac{c}{a} = \frac{5}{2}$$

Puisque l'ensemble des zéros de $f(x) = ax^2 + bx + c$ est précisément le même que l'ensemble-solution de $ax^2 + bx + c = 0$, nous pouvons nous servir des relations (11.6) et (11.7) pour trouver une équation du second degré quand l'ensemble-solution $\{x_1, x_2\}$ est donné. De $x_1 + x_2 = -\,(b/a)$ nous obtenons

$$b = -a(x_1 + x_2)$$

et de $x_1 \cdot x_2 = c/a$, nous tirons

$$c = ax_1x_2$$

Donc,
$$\begin{aligned} ax^2 + bx + c &= ax^2 - a(x_1 + x_2)x + ax_1x_2 \\ &= a[x^2 - (x_1 + x_2)x + x_1x_2] \\ &= a(x - x_1)(x - x_2) \end{aligned}$$

Donc, l'équation trinôme du second degré

$$ax^2 + bx + c = 0 \qquad a \neq 0$$

peut s'écrire dans la forme d'un produit de facteurs

$$a(x - x_1)(x - x_2) = 0$$

qui est équivalente à l'équation

$$(x - x_1)(x - x_2) = 0$$

Et, à partir de l'ensemble-solution $\{x_1, x_2\}$ d'une équation du second degré, nous pouvons obtenir l'équation (ou son équivalente) en posant le produit des facteurs $x - x_1$ et $x - x_2$ égal à zéro.

EXEMPLE 2. Trouver l'équation du second degré dont l'ensemble-solution est $\{\tfrac{2}{3}, \tfrac{3}{4}\}$.

Solution. Posons $(x - \tfrac{2}{3})(x - \tfrac{3}{4}) = 0$. Alors

$$\left(\frac{3x - 2}{3}\right)\left(\frac{4x - 3}{4}\right) = 0$$

et
$$(3x - 2)(4x - 3) = 0$$

D'où, $12x^2 - 17x + 6 = 0$ satisfait les conditions données.

EXEMPLE 3. L'ensemble-solution d'une équation du second degré est $\{2 + i, 2 - i\}$ et le coefficient de x^2 est 1. Établir l'équation.

Solution. Posons $[x - (2 + i)][x - (2 - i)] = 0$. Alors

$$[(x - 2) - i][(x - 2) + i] = 0$$

et
$$(x - 2)^2 - (i)^2 = 0$$

D'où
$$x^2 - 4x + 4 + 1 = 0$$

Ainsi, $x^2 - 4x + 5 = 0$ est l'équation demandée.

EXERCICES 11.3

1. TROUVER la somme et le produit des solutions des équations du second degré suivantes:

   (a) $x^2 + x - 6 = 0$ (b) $8 + 5x - 2x^2 = 0$
   (c) $3x^2 = 35x + 22$ (d) $2x^2 + ix - 1 = 0$
   (e) $x^2 - 2ix - (1 + 2i) = 0$ (f) $x^2 + (1 - 8i) = 2x$

2. TROUVER une équation du second degré pour chacun des ensembles-solution:

   (a) $\{-1,3\}$ (b) $\{\frac{1}{3}, \frac{2}{3}\}$
   (c) $\{-7,-5\}$ (d) $\{2 + \sqrt{3}, 2 - \sqrt{3}\}$
   (e) $\{2 + 3i, 2 - 3i\}$ (f) $\{-4 + i, -4 - i\}$
   (g) $\left\{\dfrac{-1 + \sqrt{5}}{2}, \dfrac{-1 - \sqrt{5}}{2}\right\}$ (h) $\left\{\dfrac{-3 + \sqrt{7}}{4}, \dfrac{-3 - \sqrt{7}}{4}\right\}$
   (i) $\{a + b, a - b\}$ (j) $\{a + bi, a - bi\}$

3. Montrer que, si $ax^2 + bx + c = 0$, $a \neq 0$ est écrit dans la forme $x^2 + (b/a)x + (c/a) = 0$, alors la somme des racines (solutions) est l'opposé du coefficient de x et le produit des racines est le terme constant.   INDICATION: Comparer le coefficient de x avec la relation (11.6) et le terme constant avec la relation (11.7).

4. Se servir du résultat du problème 3 pour trouver une équation pour chaque ensemble-solution

   (a) $\{3,5\}$ (b) $\{1,6\}$
   (c) $\{1 + \sqrt{3}, 1 - \sqrt{3}\}$ (d) $\{2 + 3i, 2 - 3i\}$

5. Se servir du résultat du Prob. 3 pour trouver une équation dont l'ensemble-solution est $\{3 + i\sqrt{2,3} - i\sqrt{2}\}$.

6. La somme des racines de $kx^2 + (5k - 4)x + 2 = 0$ est donnée par $x_1 + x_2 = -1$.   Quelle est la valeur de k?

7. Une des solutions de $2x^2 + 4x + k^2 + 2k - 8 = 0$ est zéro.   Trouver la valeur de k.

8. Trouver les valeurs de k si le produit des racines de $kx^2 - 3k + 4x + 2 = 0$ est -5.

9. Une solution de $3x^2 - kx + k^2 - k - 18 = 0$ est $x = 1$.   Trouver la valeur de k.

10. Une solution de $4x^2 + kx + 6 = 0$ est $x = -2$.   Trouver la valeur de k.

11. La somme des zéros de $f(x) = 3x^2 + kx - 2$ est 6.   Trouver la valeur de k.

12. La fonction $f(x) = 4x^2 + 12x + k$ a des zéros égaux.   Trouver k.

13. Les zéros de $f(x) = 9x^2 + (6 - k)x - 81$ sont égaux en valeur absolue, mais de signes opposés.   Trouver k.

14. Une solution de $3x^2 + 6 = 7x + k$ est zéro.   Trouver la valeur de k.

15. Trouver une équation du second degré dont les racines sont la moitié des racines de $x^2 + 4 - 5 = 0$.

16. Trouver une équation du second degré dont les solutions sont le tiers des solutions de $x^2 - 5 - 6 = 0$.

17. Déterminer les valeurs réelles de k pour lesquelles les solutions de $kx^2 + 3x + k = 0$ sont des nombres complexes conjugués.

18. Mettre la fonction $x^2 + 1$ sous forme d'un produit de fonctions linéaires de x.

19. Mettre la fonction $kx^2 + (k^2 - k - 1)x + 1$ sous forme d'un produit de fonctions linéaires.

20. Une solution de $9x^2 + k = 15x$ est supérieure de 3 à l'autre solution.   Quelle est la valeur de k

ÉQUATIONS TRINÔMES DU SECOND DEGRÉ 11.5

Toute équation qui peut s'écrire dans la forme

$$au^2 + bu + c = 0 \qquad a \neq 0 \qquad (11.8)$$

est une équation trinôme du second degré en u et peut être résolue pour u par les méthodes développées dans ce chapitre. S'il arrive que u est une fonction d'une autre variable, alors l'Ég. (11.8) est dite être dans la *forme trinôme du second degré*. Par exemple, l'équation

$$x^4 - 5x^2 + 4 = 0$$

est de la forme trinôme du second degré. Pour le montrer, posons $u = x^2$. L'équation devient

$$u^2 - 5u + 4 = 0$$

de solutions $\qquad u = 1 \qquad$ et $\qquad u = 4$

Puisque $u = x^2$, nous avons

$$x^2 = 1 \qquad \text{ou} \qquad x^2 = 4$$

Donc, $\qquad x = \pm 1 \qquad$ ou $\qquad x = \pm 2$

Bien souvent en résolvant des équations de cette forme, nous n'écrivons pas de fait la substitution, comme dans l'exemple précédent. Mais nous écrivons l'équation dans une forme qui montre les caractéristiques d'une équation trinôme du second degré. L'exemple suivant illustre cette méthode.

EXEMPLE 1. Résoudre pour les valeurs réelles de x: $x^6 + 7x^3 - 8 = 0$.

Solution. Écrivons l'équation dans la forme équivalente

$$(x^3)^2 + 7(x^3) - 8 = 0$$

et prenons x^3 pour variable. Alors

$$x^3 = \frac{-7 \pm \sqrt{49 + 32}}{2}$$

et $\qquad x^3 = -8 \qquad$ ou $\qquad x^3 = 1$

Puisque nous sommes intéressés dans les valeurs réelles seulement,

$$x = -2 \qquad \text{ou} \qquad x = 1$$

Les quatre autres racines peuvent se déterminer par la méthode utilisée pour trouver les racines carrées d'un nombre complexe (voir Sect. 10.8). La vérification est laissée à l'étudiant.

EXEMPLE 2. Trouver l'ensemble-solution de l'équation $t^{2/3} + 2t^{1/3} - 8 = 0$.

Solution. Si nous écrivons l'équation dans la forme

$$(t^{1/3})^2 + 2(t^{1/3}) - 8 = 0$$

Alors, par la formule du trinôme du second degré,

$$t^{1/3} = 2 \qquad \text{ou} \qquad t^{1/3} = -4$$

Donc $\qquad t = 8 \qquad$ ou $\qquad t = -64$

L'ensemble-solution est $\{8, -64\}$. La vérification est laissée à l'étudiant.

Une équation comprenant des termes irrationnels se résoud habituellement en élevant au carré les radicaux (voir Sect. 6.4). Mais
l'exemple suivant applique une autre méthode.

EXEMPLE 3.   Résoudre l'équation $x^2 - 7\sqrt{x^2 - 3} + 7 = 0$.

Solution.   Ajouter $-3 + 3$ au membre de gauche comme suit:

$$x^2 - 3 - 7\sqrt{x^2 - 3} + 7 + 3 = 0$$

Soit $u = \sqrt{x^2 - 3}$, alors $u^2 = x^2 - 3$; d'où nous tirons

$$u^2 - 7u + 10 = 0$$

D'où $\qquad\qquad u = 2 \qquad$ ou $\qquad u = 5$

et $\qquad\qquad u^2 = 4 \qquad$ ou $\qquad u^2 = 25$

Donc $\qquad x^2 - 3 = 4 \qquad$ ou $\qquad x^2 - 3 = 25$

Les deux dernières équations donnent quatre valeurs de x, qui s'écrivent
$\pm\sqrt{7}$, ou $\pm\sqrt{28}$. L'ensemble-solution est $\{-\sqrt{28}, -\sqrt{7}, \sqrt{7}, \sqrt{28}\}$.

EXEMPLE 4.   Résoudre pour les valeurs de t, $0 \le t \le 2\pi$, étant donné
$4\sin^2 t - 11\sin t + 6 = 0$.

Solution.   En choisissant $(\sin t)$ pour variable, l'équation devient un
trinôme du second degré pour $\sin t$. Alors

$$\sin t = \frac{11 \pm \sqrt{121 - 96}}{8}$$

et $\qquad\qquad \sin t = 2 \qquad$ ou $\qquad \sin t = \frac{3}{4}$

Mais, comme $\sin t$ doit être un nombre réel tel que $|\sin t| \le 1$. Alors,
nous concluons que $\sin t = 2$ est impossible et doit être rejetée. De $\sin t = \frac{3}{4} = 0.7500$, nous déduisons que $t = 48°40'$ (approx.) et $131°20'$
(approx.).

EXERCICES   11.4

RÉSOUDRE et vérifier:

1. $x^4 - 13x^2 + 36 = 0$
2. $x^4 + x^2 - 12 = 0$
3. $x^{-4} - 13x^{-2} + 36 = 0$
4. $8x^{-6} + 7x^{-3} - 1 = 0$
5. $x + x^{1/2} - 20 = 0$
6. $(x^2 + 2x)^2 + (x^2 + 2x) - 12 = 0$. INDICATION: Poser $u = x^2 + 2x$, de sorte que $u^2 + u - 12 =$
7. $(3x - 4)^2 + 6(3x - 4) = -13$
8. $(x^2 + 2)^2 + 3(x^2 + 2) = 4$
9. $3x^{-1/2} + 2x^{1/2} - 2x^{-3/2} = 0$
10. $x^3 - 9x^{3/2} + 8 = 0$
11. $x^2 - 5\sqrt{x^2 - 5} + 1 = 0$
12. $2x - 9\sqrt{x + 2} = -14$
13. $24\sqrt{x} = x^{5/2} + 2x^{3/2}$
14. $z^3 - 9z^{3/2} + 8 = 0$

TROUVER la plus petite valeur non négative de x qui vérifie l'équation. Exprimer les résultats
en degrés. Vérifier chaque réponse possible.

15. $\sin^2 x + 2 \sin x + 3 = 0$

16. $\cos^2 x - 3 \sin x + 9 = 0$

17. $2 \sin^2 x - 3\sqrt{3} \cos x - 5 = 0$

18. $3 \sin^2 x - 2 \cos x - 2 = 0$

19. $\csc^2 x + 3 \cot x + 1 = 0$

20. $\tan^2 x - \sec x - 2 = 0$

21. $3 \cos x - 2 \cos (x/2) - 5 = 0$

22. $2 \cos^4 x + 9 \sin^2 x = 5$

23. $2 \tan^4 x + 3 \sec^2 x = 5$

24. $\sin 2x + \sin x - \cos x - 1 = 0$

INÉQUATIONS DU PREMIER ET DU SECOND DEGRÉ 11.6

Si $f(x) = mx + b$, $m, b \in R$, $m \neq 0$, alors $f(x) \geq 0$, ou $f(x) \leq 0$ est une *inéquation linéaire*. L'étude de ces inéquations a été faite à la Section 1.11.

Si $f(x) = ax^2 + bx + c$, où $a, b, c \in R$ et $a \neq 0$, alors une relation de la forme

$$f(x) \geq 0 \qquad \text{ou} \qquad f(x) \leq 0$$

est une inéquation du deuxième degré à une inconnue. Une inéquation, comme une équation, peut être vérifiée ou non. Par exemple, $x^2 + 1 < 0$ n'est pas vérifiée pour $x \in R$. L'inéquation $x^2 - 1 < 0$ est vérifiée pour des valeurs de x comprises entre -1 et $+1$. Par contre, l'inéquation $x^2 + 1 > 0$ est vraie pour toute valeur réelle de x. Nous définissons une *inéquation conditionnelle** une inéquation qui n'est pas vérifiée pour toute valeur de x dans le domaine de f. Une *inéquation inconditionnelle** est vérifiée pour toutes les valeurs de x dans le domaine de f.

équation
nditionnelle

équation
conditionnelle

Les axiomes d'ordre des nombres réels et les théorèmes de la Section 1.25 peuvent servir à établir les théorèmes suivants :

THÉORÈME. Si on ajoute ou soustrait un même nombre de chaque membre d'une inégalité, le sens de l'inégalité demeure inchangé. **(11.9)**

Preuve. Si $a > b$, alors $\qquad a - b > 0 \qquad$ **pourquoi?**

Donc $\qquad\qquad a - b = x \qquad$ où $x > 0$

Il s'ensuit que $\qquad (a + c) - (b + c) = x > 0$

L'étudiant peut vérifier ce dernier énoncé en enlevant les parenthèses et en réduisant les termes semblables. D'où

$$a + c > b + c \qquad \textbf{pourquoi?}$$

et le sens de l'inégalité reste inchangé. Le soin de montrer que si $a < b$, alors $a + c < b + c$, est laissé à l'étudiant.

Ainsi, $x^2 - x > 1$ équivaut à $x^2 - x - 1 > 0$.

THÉORÈME. Si on multiplie ou divise chaque membre d'une inégalité par le même nombre positif, le sens de l'inégalité reste **(11.10)** inchangé.

Note: L'inéquation à une inconnue peut être définie comme l'inégalité de deux fonctions d'une variable f) et $g(x)$; et résoudre l'inéquation $f(x) > g(x)$, c'est trouver les valeurs de la variable x pour lesquelles f) prend une valeur supérieure à la valeur prise par $g(x)$. Cette définition englobe toutes les inéquations nditionnelles ou non, et l'ensemble-solution maximum peut être le domaine de définition.

La preuve est laissée à l'étudiant.

Par exemple, $(x/2) + 3 > 2$ équivaut à $x + 6 > 4$. Également,

$$3x - 9 < 15$$

équivaut à $$x - 3 < 5$$

> **THÉORÈME.** Si chaque membre d'une inégalité est multiplié ou divisé par le même nombre négatif, le sens de l'inégalité est **(11.11)** inversé.

Preuve. Si $a < b$, alors $b - a = x$, où $x > 0$. Alors, si $c < 0$, $c(b - a)$ est négatif. D'où, $ca - cb$ est positif et

$$ca > cb$$

Donc, le sens de l'inégalité est inversé.

Le soin est laissé à l'étudiant de montrer que si $a > b$ et $c < 0$ alors $ca < cb$. Réciproquement, par exemple, si $3 - x^2 > 4$, alors $-(3 - x^2) < -4$. La dernière équation peut s'écrire $x^2 - 3 < -4$.

Pour trouver l'ensemble-solution d'une inéquation conditionnelle, la méthode à suivre est la même que celle de la résolution des équations.

EXEMPLE 1. Résoudre l'inéquation $x^2 + 3x > 10$.

Solution. Puisque $x^2 + 3x > 10$,

$$x^2 + 3x - 10 > 0$$

D'où $$(x - 2)(x + 5) > 0$$

Le produit de deux facteurs est plus grand que zéro si, et seulement si les deux facteurs sont positifs ou négatifs. Donc l'inéquation est vérifiée si et seulement si

(1)   à la fois $x - 2 > 0$ et $x + 5 > 0$
ou (2)   à la fois $x - 2 < 0$ et $x + 5 < 0$

De (1), $x > 2$ et $x > -5$ sont vérifiées toutes deux si $x > 2$. De (2), $x < 2$ et $x < -5$ sont vérifiées toutes deux si $x < -5$. Donc, l'ensemble-solution est l'union

$$\{x : x < -5\} \cup \{x : x > 2\}$$

En résolvant l'inéquation $ax^2 + bx + c < 0$ ou $ax^2 + bx + c > 0$ nous trouvons les facteurs de la fonction en résolvant

$$ax^2 + bx + c = 0$$

Si x_1 et x_2 sont les solutions de l'équation, $x - x_1$ et $x - x_2$ sont les facteurs de la fonction.

EXEMPLE 2. Trouver l'ensemble-solution de l'inéquation $x^2 - 2x - 1 < 0$.

Solution. Cherchons les facteurs du membre de gauche en résolvant l'équation du second degré

$$x^2 - 2x - 1 = 0$$

Ainsi, $\qquad x_1 = 1 + \sqrt{2} \qquad$ et $\qquad x_2 = 1 - \sqrt{2}$

D'où $[x - (1 + \sqrt{2})][x - (1 - \sqrt{2})]$ sont les facteurs de $x^2 - 2x - 1$. L'inéquation s'écrit

$$[x - (1 + \sqrt{2})][x - (1 - \sqrt{2})] < 0$$

Nous constatons que l'inéquation est vérifiée si et seulement si un des facteurs est positif l'autre négatif, c'est-à-dire

(1) $\qquad x - (1 + \sqrt{2}) < 0 \qquad$ et $\qquad x - (1 - \sqrt{2}) > 0$

ou (2) $\quad x - (1 + \sqrt{2}) > 0 \qquad$ et $\qquad x - (1 - \sqrt{2}) < 0$

De (1), $x < 1 + \sqrt{2}$ et $x > 1 - \sqrt{2}$. Ainsi, l'ensemble-solution contient $\{x : x < 1 + \sqrt{2}\}$ et $\{x : x > 1 - \sqrt{2}\}$. De (2), il est impossible que $x > 1 + \sqrt{2}$ et que $x < 1 - \sqrt{2}$, car x ne peut pas être à la fois positif et négatif. Donc, l'ensemble-solution complet est l'intersection

$$\{x : x > 1 - \sqrt{2}\} \cap \{x : x < 1 + \sqrt{2}\}$$

Si les solutions de l'équation à coefficients réels $ax^2 + bx + c = 0$ sont des nombres non réels, l'inéquation $ax^2 + bx + c > 0$ est vérifiée, soit par toutes les valeurs réelles de x, soit par aucune des valeurs réelles de x. Le même énoncé s'applique à l'inéquation $ax^2 + bx + c < 0$. Pour comprendre qu'il en est ainsi, rappelons-nous que les solutions réelles de l'équation $f(x) = 0$ correspondent aux valeurs de x pour lesquelles le graphe de la fonction coupe ou atteint l'axe des x. Comme le graphe est continu, ceci veut dire que si les solutions ne sont pas des nombres réels, la courbe se trouve en entier au-dessus ou en-dessous de l'axe des x. Donc, $f(x) = ax^2 + bx + c$ est toujours plus grand ou plus petit que zéro.

EXEMPLE 3. Trouver l'ensemble-solution de l'inéquation $x^2 - 2x + 5 > 0$.

Solution. Puisque l'ensemble-solution de l'équation $x^2 - 2x + 5 = 0$ est l'ensemble $\{1 - 2i, \ 1 + 2i\}$, nous savons que le graphe de $f(x) = x^2 - 2x + 5$ doit se trouver en entier au-dessus ou en-dessous de l'axe des x. Lorsque $x = 0$, $f(x) = 5$; comme ce point est sur le graphe, le graphe doit être au-dessus de l'axe des x. Donc, l'ensemble-solution est

$$\{x : x \in R\}$$

Les propriétés des relations d'inégalité $<$ et $>$ réunies aux propriétés de la relation d'égalité $=$ font qu'il est possible d'appliquer les théorèmes (11.9) à (11.11) aux relations $\leq$ et $\geq$.

EXEMPLE 4. Résoudre l'inéquation $|(x/3) + 5| \geq \frac{1}{3}$.

Solution. L'inéquation donnée équivaut à

$$\frac{x}{3} + 5 \geq \frac{1}{3} \quad \text{ou} \quad -\left(\frac{x}{3} + 5\right) \geq \frac{1}{3}$$

D'où $\qquad\qquad x + 15 \geq 1 \quad$ ou $\quad -x - 15 \geq 1$

et $\qquad\qquad\quad x \geq -14 \quad$ ou $\quad -x \geq 16$

D'où $\qquad\qquad\ x \geq -14 \quad$ ou $\quad x \leq -16$

Notons qu'il n'y a pas de nombres qui satisfont les deux inéquation■ L'ensemble-solution est l'union

$$\{x : x \geq -14\} \cup \{x : x \leq -16\}$$

EXEMPLE 5. Résoudre l'inéquation $|2x + 3| \leq \frac{1}{2}$.

Solution. L'inéquation donnée équivaut à

$$2x + 3 \leq \frac{1}{2} \quad \text{et} \quad -(2x + 3) \leq \frac{1}{2}$$

D'où $\qquad\qquad x \leq -\frac{5}{4} \quad \text{et} \quad x \geq -\frac{7}{4}$

L'ensemble-solution est l'intersection

$$\left\{x : x \leq -\frac{5}{4}\right\} \cap \left\{x : x \geq -\frac{7}{4}\right\}$$

Cette solution peut s'écrire

$$-\frac{7}{4} \leq x \leq -\frac{5}{4}$$

L'exemple suivant montre comment on résoud les inéquations fonctions trigonométriques.

EXEMPLE 6. Trouver les valeurs positives de t inférieures à 2π po■ lesquelles

$$2 \sin^2 t < \sin t$$

Solution. Puisque $2 \sin^2 t < \sin t$,

$$2 \sin^2 t - \sin t < 0$$

et $\qquad\qquad (\sin t)(2 \sin t - 1) < 0$

Le produit de deux facteurs est négatif si, et seulement si les de■ facteurs ont des signes différents. Pour $\sin t$ positif, t est dans le prem■ ou le second quadrant, et $2 \sin t - 1$ doit être négatif. Or, $2 \sin t - 1 <$■ implique $\sin t < \frac{1}{2}$. Ceci signifie que $0 < t < \pi/6$, ou $5\pi/6 < t < \pi$. Si $\sin t < 0$, t est dans le troisième ou le quatrième quadrant, et $2 \sin$■ $- 1 > 0$, c'est-à-dire $\sin t > \frac{1}{2}$. Mais il est impossible que t soit à■ fois plus petit que zéro et plus grand que $\frac{1}{2}$. Donc, l'ensemble-solut■ complet est l'union.

$$\left\{t : 0 < t < \frac{\pi}{6}\right\} \cup \left\{t : \frac{5\pi}{6} < t < \pi\right\}$$

EXERCICES   11.5

TROUVER les valeurs réelles de x qui vérifient les inéquations suivantes:

1. $x + 6 > 0$

2. $x - 5 < 0$

3. $5x - 25 < 0$

4. $6x + 3 < 0$

5. $5x < -3x - 16$

6. $3 - 5x < 2x - 11$

7. $-3 < 6x < 3$

8. $0 < (x + 1)/2 < \frac{2}{3}$

9. $\frac{3}{8} \leq \frac{1}{8} - x$

10. $\frac{1}{3} < 1/x$

11. $|x| > 4$

12. $|x - 3| \leq 5$

13. $|x - m| \leq n$

14. $x^2 + 2x - 3 > 0$

15. $2x^2 + 3x - 4 > 0$

16. $2x^2 + 4x + 3 > 0$

17. $x^2 - x + 1 < 0$

18. $x^2 + 2x + 4 > 0$

19. $1/(x - 2) < \frac{1}{3}$

20. $|x - 3| > 2$

21. $|(x/5) - 7| \leq 5$

22. $3x^2 - 3x < -4$

23. $(x + 3)(x + 2)(x + 1) < 0$

24. $|(x + 1)/x| < 1$

25. $x - 1 < 2/x$

RÉSOUDRE les inéquations suivantes pour les valeurs non négatives de t inférieures à 2π:

26. $2 \sin^2 t < 1$

27. $\cos^2 t < \cos t$

28. $\sin^2 t > \sin t$

29. $2 \sin^2 t + \cos t < 2$

30. $\tan t + \sec^2 t > 1$

31. $\tan^2 t - 2 \sec t + 1 < 0$

32. $4 \cot t > \sqrt{3} \csc^2 t$

INÉGALITÉS   11.7

**ve de la
cité d'une
alité**

Beaucoup d'inégalités* peuvent être prouvées directement en appliquant les théorèmes (11.9) à (11.11) pour transformer l'inégalité dans la forme requise.   Mais, nous pouvons aussi remonter à la conclusion en trois étapes d'après la méthode suivante:

1. supposer que l'inégalité proposée est vérifiée;

2. réduire l'inégalité à une autre forme qui est considérée comme vérifiée;

3. faire en sens inverse la démarche 2.

Les démarches 1 et 2 sont considérées comme une analyse. La démarche 3 fournit la preuve.   D'où, nous devons être certain de pouvoir justifier en 3 chaque proposition lorsqu'on remonte à la conclusion en inversant la démarche 2.

EXEMPLE 1.   Prouver que si $a, b \in R$, $a \neq b$, alors $a^2 + b^2 > 2ab$.

Solution.   (1) Supposons vrai que $a^2 + b^2 > 2ab$. Alors (2)

$$a^2 + b^2 - 2ab > 0 \quad \textbf{pourquoi?}$$

D'où $$(a - b)^2 > 0$$

La dernière proposition est vraie puisque le carré du nombre réel $(a - b)$ est positif. (3) Pour faire en sens inverse la démarche 2, nous commençons par l'inégalité

$$(a - b)^2 > 0$$

us considérons ici que l'inégalité exprime une relation d'ordre entre des nombres ou des lettres, tenant
le nombres, autres que des variables.

que nous savons vraie. Alors

$$a^2 - 2ab + b^2 > 0$$

et $$\qquad a^2 + b^2 > 2ab \qquad \textbf{pourquoi?}$$

EXEMPLE 2. Si $a \in R$, $a > 0$, alors la somme de a et de son inverse $1/$
n'est pas inférieur à 2.

Solution. (1) Nous voulons prouver que $a + (1/a) \geq 2$ pour tout nombr
positif. Ainsi, nous supposons que

$$a + \frac{1}{a} \geq 2$$

(2) Puisque $a > 0$, nous pouvons multiplier chaque membre par a
le sens de l'inégalité demeure inchangé. D'où

$$a^2 + 1 \geq 2a$$

et $$\qquad a^2 - 2a + 1 \geq 0$$

ou encore $$\qquad (a - 1)^2 \geq 0$$

La dernière proposition est vraie

(3) Commençons par l'inégalité connue

$$(a - 1)^2 \geq 0$$

Alors $$\qquad a^2 - 2a + 1 \geq 0$$

et $$\qquad a^2 + 1 \geq 2a$$

Puisque $a > 0$, nous pouvons diviser par a sans changer le sens de l'in
galité.

Donc

$$a + \frac{1}{a} \geq 2$$

EXERCICES 11.6

PROUVER la véracité des inégalités proposées. Chaque lettre représente un nombre réel.

1. Si $a > b > 0$, alors $a^2 > b^2$.
2. Si $a > b > 0$, alors $\sqrt{a} > \sqrt{b}$.
3. Si $a > b > 0$, alors $1/a < 1/b$.
4. Si $a > b$, alors $-a < -b$.
5. $a^2 + 2ab \leq 2a^2 + b^2$.
6. $|a| \geq a$.
7. $a^2 + 1 \geq 2a$.
8. Si $a > 0$, $b > 0$, alors $(a + b)/2 \geq 2ab/(a + b)$.
9. Si $a > 0$, $b > 0$, $a \neq b$, alors $(a/b) + (b/a) > 2$.
10. Si $a > 1$, alors $a^2 > a$.
11. Si $0 < a < 1$, alors $a^2 < 1$.
12. Si $a \neq b$, alors $2ab/(a + b) < \sqrt{ab}$, à condition que $a > 0$, $b > 0$.
13. Si $a \neq b$, alors $a^3 b + ab^3 < a^4 + b^4$.
14. $a^2 + b^2 + c^2 < (a + b + c)^2$.
15. Si $a \neq 0$, $b \neq 0$, alors $a^2/2b^2 \geq 1 - b^2/2a^2$.
16. Si $a \neq 0$, alors $(16/a^2) + a^2 \geq 8$.

SOLUTION GRAPHIQUE DES INÉQUATIONS 11.8

Les inéquations peuvent être résolues graphiquement. Par exemple, pour trouver les solutions réelles de l'inéquation $f(x) < 0$, nous traçons le graphe de $y = f(x)$ et notons les valeurs de x pour lesquelles les points de ce graphe sont en-dessous de l'axe des x. Pour chacun de ces points y est négatif, donc $f(x) < 0$. Pour résoudre $f(x) > 0$, nous observons les valeurs de x pour lesquelles les points du graphe de $y = f(x)$ sont au-dessus de l'axe des x. Pour chacun de ces points, y est positif et $f(x) > 0$.

EXEMPLE 1. Résoudre l'inéquation $3 + 2x - x^2 > 0$.

Solution. Tracer le graphe de $f(x) = 3 + 2x - x^2$, (voir figure 11.3). Les solutions réelles de l'inéquation sont les valeurs de x pour lesquelles les points du graphe sont au-dessus de l'axe des x.

Comme le graphe se trouve au-dessus de l'axe des x entre $(-1,0)$ et $(3,0)$, nous concluons que $y = f(x)$ est positif pour toute valeur de x entre -1 et 3. L'ensemble-solution est

$$\{x: -1 < x < 3\}$$

La méthode graphique est souvent utilisée pour résoudre des inéquations à deux inconnues x et y.

EXEMPLE 2. Résoudre l'inéquation $3x - 2y - 6 < 0$.

Solution. L'inéquation peut s'écrire dans la forme équivalente

$$y > \frac{3x - 6}{2}$$

et le graphe de $y = f(x) = (3x - 6)/2$ se construit comme à la figure 11.4.

FIGURE 11.4 $y > (3x - 6)/2$ pour tous les points du plan au-dessus du graphe de $y = (3x - 6)/2$

FIGURE 11.3 $f(x) > 0$ pour $-1 < x < 3$

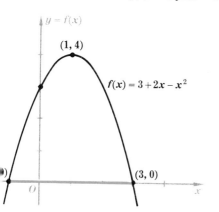

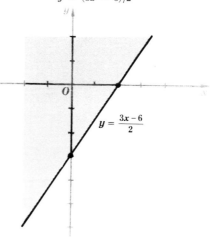

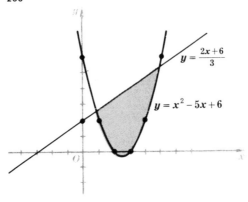

FIGURE 11.5
$y < (2x + 6)/3$ et
$y > x^2 - 5x + 6$ (partie ombré

Tous les points du plan situés au-dessus du graphe ont des coordonnées q
satisfont l'inéquation. Notons que les coordonnées des points du grap
ne satisfont pas l'inéquation. Seule la partie ombrée représente l'ensembl
solution.

EXEMPLE 3.   Résoudre le système d'inéquations

$$2x - 3y + 6 > 0$$
$$x^2 - 5x + 6 - y < 0$$

Solution. Ici nous cherchons tous les couples qui satisfont les deu
inéquations. Écrivons les deux inéquations dans la forme

$$y < \frac{2x + 6}{3}$$

et $$y > x^2 - 5x + 6$$

et traçons les graphes des fonctions comme à la figure 11.15.

Les coordonnées de tous les points *en-dessous* du graphe d
$y = (2x + 6)/3$ satisfont l'inéquation du premier degré. Tous les poin
au-dessus du graphe de $y = x^2 - 5x + 6$ ont des coordonnées qui satisfo
l'inéquation du deuxième degré. La partie ombrée indique l'ensembl
solution du système :

$$\{(x,y): 2x - 3y + 6 > 0\} \cap \{(x,y): x^2 - 5x + 6 - y < 0\}$$

EXERCICES 11.7

RÉSOUDRE graphiquement les inéquations suivantes :

1. $3x + 3 > 6$ 2. $3x - 21 > 0$ 3. $2x + 7 > 3x + 5$
4. $5x - 3 < 7x - 13$ 5. $3x^2 - x < 2$ 6. $2x^2 > 15 - 6x$
7. $6x^2 - 27x > 15$ 8. $x^2 - 4 < 0$ 9. $|x| \leq 1$
10. $|x| \geq 4$ 11. $|2x - 3| > 5$ 12. $5 - 3x \geq x^2$

RÉSOUDRE graphiquement les systèmes d'inéquations suivants :

13. $3x + 6y > 12$ 14. $x - 2y > 4$ 15. $2x - y > 2$
    $2x < 3 + y$ $x + y < 1$ $2x > 2 - y$

16. $y + 1 < x$
$y + x < 4$

17. $x + 2y \geq 6$
$2x - 3y \leq 1$

18. $2x + 3y \leq 12$
$2x + 3y \geq 12$

19. $x - y < -2$
$y - x < -2$

20. $y \leq x$
$x + y \leq 0$

21. $x^2 - 2x - 1 - y \leq 0$
$x - y + 2 > 0$

22. $x - 3y \geq 9$
$2x + 3y \geq 0$

FONCTIONS POLYNOMIALES DE DEGRÉ n 11.9

La fonction définie par l'équation

$$P(x) = a_n x^n + a_{n-1} x^{n-1} + \cdots + a_1 x + a_0 \qquad (11.12)$$

où n est un entier non négatif et a_n, a_{n-1}, . . . , a_0 des constantes, est dite *fonction polynomiale en x*. Si $a_n \neq 0$, la fonction polynomiale est dite de degré n. Puisque $x^0 = 1$, pourvu que $x \neq 0$, la constante $a_0 \neq 0$ peut s'écrire $a_0 x^0$. Ainsi, nous définissons une constante non nulle comme une fonction polynomiale de degré zéro. Nous regardons aussi le nombre 0 comme une fonction polynomiale, mais nous ne lui attribuons pas de degré. Tout au long de ce chapitre, les seules fonctions étudiées seront des fonctions polynomiales. Le problème principal de cette étude sera de trouver les zéros de $P(x)$. Les zéros de $P(x)$ sont les nombres de l'ensemble-solution de l'équation polynomiale $P(x) = 0$.

Deux fonctions polynomiales en x sont égales si, et seulement si les coefficients des puissances correspondantes de x sont égales. Nous ne le prouverons pas. À titre d'exemple, nous en donnerons une application:

$$ax^3 + bx^2 + cx + d = -2x^3 + 5x - 3$$

si, et seulement si $a = -2$, $b = 0$, $c = 5$, et $d = -3$.

Pour trouver les zéros d'une fonction polynomiale $P(x)$ nous trouverons pratique de mettre $P(x)$ en produit de facteurs du premier ou du second degré. Alors toute valeur de x qui annule un facteur de $P(x)$ sera un zéro de la fonction. Les facteurs linéaires de la forme $x - r$ se trouvent par *division synthétique* qui est une forme abrégée de la division.

DIVISION SYNTHÉTIQUE 11.10

Pour comprendre l'utilité de la division synthétique, commençons par diviser $3x^3 - 11x^2 - 1$ par $x - 3$. Ainsi,

$$
\begin{array}{r}
3x^2 \quad - 2x \quad -6 \\
x - 3 \overline{\smash{\big)}\, 3x^3 \quad -11x^2 \quad +0 \cdot x \quad -1} \\
\underline{3x^3 \quad - 9x^2} \\
-2x^2 \quad +0 \cdot x \quad -1 \qquad \text{premier reste} \\
\underline{-2x^2 \quad + 6x} \\
-6x \quad -1 \qquad \text{deuxième reste} \\
\underline{-6x \quad +18} \\
-19 \qquad \text{troisième reste}
\end{array}
$$

D'où

$$(3x^3 - 11x^2 - 1) \div (x - 3) = 3x^2 - 2x - 6 + \frac{-19}{x - 3}$$

Si nous n'écrivons pas les variables, mais seulement les coefficient des termes (en écrivant 0 pour coefficient d'une puissance manquante) la disposition de nos calculs devient :

$$
\begin{array}{r}
3 \quad -2 \quad -6 \\
\hline
1 - 3 \,\overline{)\,3 \quad -11 \quad +0 \quad -1} \\
3 \quad -9 \\
\hline
-2 \quad +0 \quad -1 \qquad \text{premier rest} \\
-2 \quad +6 \\
\hline
-6 \quad -1 \qquad \text{deuxième rest} \\
-6 \quad +18 \\
\hline
-19 \qquad \text{troisième rest}
\end{array}
$$

Les nombres en caractères gras sont la répétition des nombres qui son placés immédiatement au-dessus. Ils sont également la répétition de coefficients des variables du quotient. En omettant ces répétitions et e omettant 1, coefficient de x dans le diviseur, nous écrivons notre opératio

$$
\begin{array}{r}
-3)\quad 3 \quad -11 \quad +0 \quad -1 \\
-9 \\
\hline
-2 \quad +0 \quad -1 \\
+6 \\
\hline
-6 \quad -1 \\
+18 \\
\hline
-19
\end{array}
$$

Division synthétique

En rassemblant les termes dispersés près de la première ligne, nous écrivon l'opération dans la forme simplifiée

$$
\begin{array}{rlll}
-3)\quad 3 & -11 & +0 & -1 \qquad \text{1}^{\text{re}} \text{ ligne} \\
& -9 & +6 & +18 \qquad \text{2}^{\text{e}} \text{ ligne} \\
\hline
3 & -2 & -6 & -19 \qquad \text{3}^{\text{e}} \text{ ligne}
\end{array}
$$

Le dernier nombre de la 3ᵉ ligne est le reste. Les autres nombres de l 3ᵉ ligne, de gauche à droite, sont les coefficients du quotient $3x^2 - 2x - 6$ Les nombres de la 3ᵉ ligne s'obtiennent en retranchant séparément le coefficients de la 2ᵉ ligne des coefficients des termes de même degré de l 1ʳᵉ ligne.

Nous obtiendrons le même résultat, si nous remplaçons — 3 par dans le diviseur et la soustraction par une *addition*. Ainsi,

$$
\begin{array}{rlll}
3 & -11 & +0 & -1 \quad (\underline{3} \qquad \text{1}^{\text{re}} \text{ ligne} \\
& 9 & -6 & -18 \qquad \text{2}^{\text{e}} \text{ ligne} \\
\hline
3 & -2 & -6 & -19 \qquad \text{3}^{\text{e}} \text{ ligne}
\end{array}
$$

Noter que nous avons placé le diviseur 3 à la droite. Ceci n'est pa nécessaire, mais l'habitude l'exige. Le premier nombre 3 de la 3e ligne provient de la 1re ligne. Le produit du 3 du diviseur et du premier nombre de la 3e ligne est 9. Nous écrivons ce produit en deuxième position sur la 2e ligne. Nous écrivons la somme de $-$ 11 plus 9, soit $-$ 2, à la 3e ligne. Le produit de 3 par $-$ 2 est $-$ 6, qu'on écrit alors à la position suivante de la 2e ligne. On porte la somme de 0 et $-$ 6 à la 3e ligne. Le produit de 3 par $-$ 6 donne $-$ 18 qu'on écrit à la position suivante de la 2e ligne. On porte la somme $-$ 1 $+-$ 18 $= -$ 19, en 3e ligne.

Étudier les exemples suivants soigneusement.

EXEMPLE 1.   Diviser $(2x^4 - 3x^2 - 7x + 3)$ par $(x - 2)$.

Solution.

$$
\begin{array}{rrrrr}
2 & 0 & -3 & -7 & 3 \quad (2 \\
  & 4 & 8 & 10 & 6 \\
\hline
2 & 4 & 5 & 3 & 9
\end{array}
\qquad
\begin{array}{l}
\text{1}^{re}\ \text{ligne} \\
\text{2}^{e}\ \ \text{ligne} \\
\text{3}^{e}\ \ \text{ligne}
\end{array}
$$

Les quatre premiers nombres de la ligne 3 servent de coefficients qui déterminent un polynôme de degré immédiatement inférieur à celui du dividende. Ce polynôme, $2x^3 + 4x^2 + 5x + 3$, est le polynôme quotient. Le dernier nombre de la ligne 3 est le reste. Donc, si $x - 2 \neq 0$,

$$(2x^4 - 3x^2 - 7x + 3) \div (x - 2) = 2x^3 + 4x^2 + 5x + 3 + \frac{9}{x - 2}$$

EXEMPLE 2.   Diviser $(x^3 - 2x^2 + 4x + 1)$ par $(x + 2)$.

Solution.   Puisque $x + 2 = x - (-2)$, nous avons

$$
\begin{array}{rrrr}
1 & -2 & 4 & 1 \quad (-2 \\
  & -2 & 8 & -24 \\
\hline
1 & -4 & 12 & -23
\end{array}
$$

D'où

$$(x^3 - 2x^2 + 4x + 1) \div (x + 2) = x^2 - 4x + 12 + \frac{-23}{x + 2}$$

EXEMPLE 3.   Diviser $(8x^4 - 4x^3 + 2x - 1)$ par $(x - \tfrac{1}{2})$.

Solution.
$$
\begin{array}{rrrrr}
8 & -4 & 0 & 2 & -1 \quad (\tfrac{1}{2} \\
  & 4 & 0 & 0 & 1 \\
\hline
8 & 0 & 0 & 2 & 0
\end{array}
$$

D'où

$$(8x^4 - 4x^3 + 2x - 1) \div \left(x - \frac{1}{2}\right) = 8x^3 + 0 \cdot x^2 + 0 \cdot x + 2 + \frac{0}{x - \tfrac{1}{2}}$$

$$= 8x^3 + 2$$

Puisque le reste est nul, nous savons que $x - \tfrac{1}{2}$ est un facteur de

$$8x^4 - 4x^3 + 2x - 1$$

EXERCICES 11.8

DIVISER par la méthode synthétique le premier polynôme par le second. Écrire les réponses dans la forme

$$P(x) \div (x - r) = q(x) + \frac{R}{x - r}$$

où $q(x)$ est le quotient et R la constante du reste.

1. $x^2 - 5x + 2, \, x - 4$
3. $x^3 + 4x - 7, \, x - 3$
5. $x^3 - 2x + 3x^2 - 5, \, x + 3$
7. $x^3 + 2x^2 - 25x - 25, \, x - 5$
8. $9x^3 + 6x^2 + 3x + 9, \, 3x - 3$. INDICATION:

$$\frac{9x^3 + 6x^2 + 3x + 9}{3x - 3} = \frac{3x^2 + 2x^2 + x + 3}{x - 1}$$

2. $x^3 - 2x^2 + 4x + 1, \, x - 2$
4. $x^4 - 2x^3 - 3x^2 - 4x - 8, \, x - 2$
6. $x^4 + 8x^2 - 5x^3 - 2 + 15x, \, x - 3$

9. $4x^3 - 6x^2 + 2x + 1, \, 2x - 1$
11. $2x^4 + 6x^3 + 6x^2 - 12x - 20, \, x - \sqrt{2}$

10. $3x^4 + x^3 + 2x^2 + x - 1, \, x - i$
12. $3x^4 + x^3 - 17x^2 - 5x + 10, \, x + \sqrt{5}$

THÉORÈMES DU RESTE 11.11

Les deux théorèmes suivants s'appliquent à la recherche des zéros de polynômes:

> **THÉORÈME 1.** Si le polynôme à termes non constants $P(x)$ est divisé par $x - r$, r une constante, jusqu'à ce qu'un reste soit obte- **(11.13)** nu qui ne soit pas en x, ce reste est égal à $P(r)$.

Ce théorème s'exprime succintement comme suit: si

$$\frac{P(x)}{x - r} = q(x) + \frac{R}{x - r}$$

alors $\qquad\qquad P(r) = R$

où nous avons obtenu $q(x) + R/(x - r)$ en divisant $P(x)$ par $x - r$.

Si $P(x)$ est de degré n, alors $q(x)$ est de degré $n - 1$.

Preuve. Comme $\dfrac{P(x)}{x - r} = q(x) + \dfrac{R}{x - r}$

$$P(x) = q(x)(x - r) + R$$

D'où, $\qquad\qquad P(r) = q(r)(r - r) + R = q(r) \cdot 0 + R$
$$= R$$

EXEMPLE 1. Si $P(x) = x^3 + 3x^2 - 2x - 3$, trouver $P(2)$.

Solution. Si nous divisons $(x^3 + 3x^2 - 2x - 3)$ par $(x - 2)$, le reste sera égal à $P(2)$, par le théorème 1 du reste.

$$
\begin{array}{rrrr|}
1 & 3 & -2 & -3 \quad \underline{(2} \\
 & 2 & 10 & 16 \\
\hline
1 & 5 & 8 & 13
\end{array}
$$

Donc $P(2) = 13$.

La vérification en est facile. Comme

$$P(x) = x^3 + 3x^2 - 2x - 3$$
$$P(2) = (2)^3 + 3(2)^2 - 2(2) - 3 = 13$$

L'exemple précédent applique la division synthétique à la détermination des valeurs de $P(x)$ pour les différentes valeurs de x. Les avantages de la méthode deviendront plus évidents lorsque nous progresserons dans les sections à venir. Pour le moment, étudions le deuxième théorème qui, du reste, nous servira à trouver les zéros d'une fonction.

THÉORÈME 2. Le polynôme $x - r$ est un facteur de $P(x)$ si, et seulement si

(11.14)

$$P(r) = R = 0$$

Preuve. Si $P(r) = R = 0$, alors, par le théorème du reste,

$$P(x) = q(x)(x - r) + R = q(x)(x - r)$$

Donc $x - r$ est un facteur de $P(x)$.

Si $x - r$ est un facteur de $P(x)$ de sorte que

$$P(x) = q(x)(x - r)$$

alors
$$P(r) = q(r)(r - r) = q(r) \cdot 0 = 0$$

EXEMPLE 2. Montrer que $x - 5$ est un facteur de $P(x) = x^3 - x^2 - 25x + 25$.

Solution. D'après le théorème 2, $x - 5$ est un facteur de

$$P(x) = x^3 - x^2 - 25x + 25$$

si, et seulement si $P(5) = 0$. Pour trouver $P(5)$ nous utilisons la division synthétique et appliquons le théorème du reste.

$$
\begin{array}{rrrr|}
1 & -1 & -25 & 25 \quad \underline{(5} \\
 & 5 & 20 & -25 \\
\hline
1 & 4 & -5 & 0
\end{array}
$$

Puisque le reste est 0, $P(5) = 0$. Donc, $x - 5$ est un facteur de $P(x)$.

EXEMPLE 3. Montrer que $x + 2$ n'est pas un facteur de $x^4 - 2x + 1$.

Solution.   Cherchons $P(-2)$ par la division synthétique. Si $P(-2) \neq 0$

alors
$$x - (-2) = x + 2$$

n'est pas un facteur de $P(x)$.

$$
\begin{array}{rrrrr|l}
1 & 0 & 0 & -2 & 1 & \underline{(-2} \\
  & -2 & 4 & -8 & 20 & \\
\hline
1 & -2 & 4 & -10 & 21 &
\end{array}
$$

Puisque $P(-2) = 21 \neq 0$, $x + 2$ n'est pas un facteur de $P(x)$.

EXEMPLE 4.   Montrer que $x + 1$ est un facteur de $x^3 - 4x^2 + x + 16$, ∈
trouver au moins un autre facteur.

Solution.   Par la division synthétique,

$$
\begin{array}{rrrr|l}
1 & -4 & 1 & 6 & \underline{(-1} \\
  & -1 & 5 & -6 & \\
\hline
1 & -5 & 6 & 0 &
\end{array}
$$

nous voyons que $x + 1$ est un facteur de $P(x) = x^3 - 4x^2 + x + 6$. L'aut█
facteur est le quotient obtenu par la division de $P(x)$ par $x + 1$ c'est-à-di█
$x^2 - 5x + 6$.
D'où,

$$
\begin{aligned}
x^3 - 4x^2 + x + 6 &= (x + 1)(x^2 - 5x + 6) \\
&= (x + 1)(x - 2)(x - 3)
\end{aligned}
$$

EXERCICES   11.9

CHERCHER $P(r)$ par la division synthétique et le théorème 1 du reste:

1. $P(x) = x^3 - 5x + 2$; $r = 1$

2. $P(x) = x^3 - 2x^2 + 4x + 2$; $r = 2$

3. $P(x) = x^3 + 3x^2 + 3x + 1$; $r = -1$

4. $P(x) = 8x^4 + 4x^3 + 2x + 1$; $r = -\frac{1}{2}$

5. $P(x) = x^5 + 32$; $r = 2$

6. $P(x) = 2x^4 - 4x^3 + 9x^2 + 2x - 5$; $r = 1 + 2i$

DÉTERMINER dans chacun des numéros suivants si le second polynôme est un facteur du prem█
S'il est un facteur, écrire le premier polynôme sous la forme d'un produit de facteurs.

7. $x^3 - x^2 - 11x + 15$, $x - 3$

8. $x^4 + 3x^3 - 5x^2 + 2x - 24$, $x - 2$

9. $x^4 - 5x^3 + 8x^2 + 15x - 2$, $x - 3$

10. $x^3 + 2x^2 - 3x - 1$, $x - 1$

11. $2x^4 + 5x^3 + 3x^2 + 8x + 12$, $x + 3$

12. $x^3 - 4x^2 - 18x + 9$, $x + 3$

13. $x^4 - 4x^3 - x^2 + 16x - 12$, $x + 1$

14. $x^4 - 16y^8$, $x - 2y$

15. $x^3 + 2x^2 - 25x - 50$, $x - 5$

16. $x^5 - 10x^4 - 24x$, $x + 2$

17. $2x^4 - 31x^3 + 21x^2 - 17x + 10$, $x + 1$

18. $12x^4 - 40x^3 - x^2 + 111x - 90$, $2x - 3$

19. $2x^4 + 5x^3 + 3x^2 + 8x + 12$, $2x + 3$

20. $9x^3 + 6x^2 + 4x + 2$, $3x + 1$

21.   Montrer que $x - y$ est un facteur de $x^5 - y^5$.

22.   Montrer que $x - y$ est un facteur de

(a) $x^6 - y^6$ (b) $x^8 - y^8$ (c) $x^7 - y^7$

23. Montrer que $x + y$ est un facteur de

(a) $x^5 + y^5$ (b) $x^7 + y^7$

24. Montrer que $x + y$ n'est pas un facteur de $x^6 + y^6$.
25. Montrer que les zéros du polynôme $P(x) = x^3 - 19x + 30$ sont $-5, 2, 3$.
26. Montrer que $x - y$ est un facteur de $x^n - b^n$ pour tout $n > 0$, $n \in Z$.
27. Montrer que si n est un nombre positif pair, alors $x + y$ est un facteur de $x^n - y^n$.
28. Montrer que si n est un nombre positif impair, alors $x + y$ est un diviseur de $x^n + y^n$.
29. Trouver la valeur de k de sorte que $x^3 - kx^2 + 5 \div x - 1$ a pour reste 5.
30. Trouver k de sorte que $kx^3 + 5x - k \div x + 3$ a pour reste 9.

BORNES SUPÉRIEURES ET INFÉRIEURES DES ZÉROS DE POLYNÔMES 11.12

Essayons de déterminer une borne supérieure et une borne inférieure aux zéros réels d'une fonction polynomiale:

Divisons $P(x) = a_n x^n + a_{n-1} x^{n-1} + \cdots + a_1 x + a_0$ par $x - r$, en nous servant de la division synthétique.

1. Si $r > 0$ et si tous les nombres de la troisième ligne sont positifs, alors r est une borne supérieure pour les zéros positifs de $P(x)$. Donc, aucun zéro ne sera plus grand que r.

2. Si $r < 0$ et si tous les nombres de la troisième ligne sont de signes alternés, alors r est une borne inférieure pour les zéros négatifs de $P(x)$. Ce qui signifie qu'aucun zéro n'est inférieur à r.

Pour prouver ces énoncés nous raisonnons ainsi: dans le 1er cas, si r croît, chacun des nombres de la troisième ligne croîtra, y compris le reste, c'est-à-dire que le reste ne sera plus égal à zéro pour tout accroissement de r; dans le 2e cas, si r décroît, chaque nombre de la troisième ligne croît numériquement. Donc, le reste croîtra numériquement et ne sera plus égal à zéro pour tout décroissement de r.

EXEMPLE 1. Montrer que $P(x) = x^3 + 13x - 30$ n'a pas un zéro réel supérieur à 2 ou inférieur à -1.

Solution. Par division synthétique,

$$
\begin{array}{rrrr|l}
1 & 0 & 13 & -30 & \underline{(2} \\
 & 2 & 4 & 34 & \\
\hline
1 & 2 & 17 & 4 &
\end{array}
$$

Puisque chaque nombre de la troisième ligne est positif, il ne peut y avoir aucun zéro réel supérieur à 2. De même

$$
\begin{array}{rrrr|l}
1 & 0 & 13 & -30 & \underline{(-1} \\
 & -1 & 1 & -14 & \\
\hline
1 & -1 & 14 & -44 &
\end{array}
$$

Puisque les nombres successifs de la troisième ligne sont de signes alternés, nous concluons que 1 est une borne inférieure pour les zéros réels de $P(x)$

Nous sommes maintenant certains que si $P(x) = x^3 + 13x - 30$ a d'autres zéros réels, ils se trouvent tous dans l'intervalle $- 1 < x < 2$

Les bornes des zéros d'un polynôme ne sont pas uniques

Mais il est important de noter qu'il n'y a pas une borne supérieure unique ou une borne inférieure unique pour les zéros d'un polynôme. Il y a une infinité de bornes supérieures et une infinité de bornes inférieures. Dans l'exemple précédent, $- 2, - 2.5, - 8$ sont des bornes inférieures, et $5, 9.1, 17$ sont des bornes supérieures pour les zéros du polynôme.

THÉORÈME FONDAMENTAL DE L'ALGÈBRE 11.13

La plupart des preuves du théorème fondamental suivant demandent une connaissance des fonctions d'une variable complexe et d'autres sujets avancés. Nous l'acceptons pour vrai :

> **THÉORÈME (LE THÉORÈME FONDAMENTAL DE L'ALGÈBRE).** Si $P(x)$ est un polynôme de degré $n \geq 1$, à coefficients réels ou complexes, alors il existe au moins un nombre b (réel ou complexe) pour lequel **(11.15)**
> $$P(b) = 0$$

Et, avec ce théorème, nous pouvons établir une preuve intuitive de cet autre théorème important :

> **THÉORÈME.** Si $P(x)$ est un polynôme de degré $n > 0$, à coefficients réels ou complexes, alors $P(x)$ a exactement n zéros qui ne sont **(11.16)** pas nécessairement distincts.

Preuve. D'après le Théorème (11.15), $P(x)$ a au moins un zéro, soit r_1. Alors, d'après le Théorème (11.14), $(x - r_1)$ est un facteur de $P(x)$. D'où

$$P(x) = (x - r_1) \cdot q_1(x)$$

où $q_1(x)$ est un polynôme de degré $n - 1$ dont le coefficient de plus haut degré est a_n.

Et $q_1(x)$ a au moins un zéro, soit r_2. D'où

$$q_1(x) = (x - r_2) \cdot q_2(x)$$

où $q_2(x)$ est de degré $n - 2$ avec un coefficient de plus haut degré a_n. D'où nous tirons

$$P(x) = (x - r_1) \cdot q_1(x)$$
$$= (x - r_1)(x - r_2) \cdot q_2(x)$$

Puisque $q_2(x)$ a au moins un zéro, soit r_3, nous pouvons écrire

$$q_2(x) = (x - r_3) \cdot q_3(x)$$

où $q_3/(x)$ est de degré $n - 3$ avec un coefficient de plus haut degré a_n. Nous pouvons continuer le processsus jusqu'à obtenir

$$P(x) = (x - r_1)(x - r_2)(x - r_3) \cdots (x - r_n) \cdot q_n(x)$$

où $q_n(x)$ est de degré $n - n = 0$ avec un coefficient de plus haut degré a_n. C'est-à-dire que $q_n(x) = a_n$. Donc, $P(x)$ mis en facteur s'écrit:

$$P(x) = a_n(x - r_1)(x - r_2) \cdots (x - r_n)$$

Puisque $P(x) = 0$ pour $x = r_1, r_2, \ldots, r_n$, il s'ensuit que $P(x)$ a au moins n zéros qui ne sont pas nécessairement distincts.

Il reste à prouver que $P(x)$ n'a pas d'autres zéros. En effet, s'il existait un autre zéro, soit r, différent des zéros précédents $r_1, r_2, \ldots, r_n$, puisque

$$P(x) = a_n(x - r_1)(x - r_2) \cdots (x - r_n)$$

nous aurions $\qquad P(r) = a_n(r - r_1)(r - r_2) \cdots (r - r_n)$

et aucun des facteurs de $P(r)$ ne serait égal à zéro, parce que r n'est égal à aucun des zéros $r_1, r_2, \ldots, r_n$. D'où $P(r) \neq 0$. C'est-à-dire que r n'est pas un zéro de $P(x)$. Nous en concluons que $P(x)$ n'a pas d'autres zéros que $r_1, r_2, \ldots, r_n$.

Si un facteur $x - r_i$ de $P(x)$ se présente m fois dans les facteurs de $P(x)$, alors r_i est un *zéro multiple d'ordre m*. Par exemple

$$P(x) = (x + 3)^2(x - 2)^3(x - 5)(x - 6)$$

est un polynôme de degré 7. L'ensemble des zéros de $P(x)$ est l'ensemble
$$\{ -3, -3, 2, 2, 2, 5, 6 \}$$

Nous disons que $- 3$ est un zéro multiple d'ordre 2 (ou que $- 3$ est un *zéro double*). Également 2 est un *zéro triple* (ou un zéro multiple d'ordre 3).

Puisque $P(x)$ a au moins n zéros et pas plus, nous en concluons que $P(x)$ a exactement n zéro pourvu qu'un zéro multiple d'ordre m soit compté m fois.

EXEMPLE 1. Trouver un polynôme $P(x)$ à coefficients entiers qui a un zéro double 2 et un zéro triple 3.

Solution. Le polynôme suivant s'annule pour les zéros demandés

$$P(x) = (x - 2)^2(x - 3)^3$$
$$= x^5 - 13x^4 + 67x^3 - 171x^2 + 216x - 108$$

EXEMPLE 2. Trouver les zéros de $P(x) = (x^2 - 4)(x^2 - 5x + 6)$.

Solution. $P(x) = (x + 2)(x - 2)(x - 2)(x - 3)$

On voit que $P(x)$ s'annule pour toute valeur de x qui rend un facteur nul. Donc, les zéros sont $- 2, 2, 2, 3$. Notons que 2 est un zéro double.

EXEMPLE 3. Trouver les zéros réels de $P(x) = 2x^3 - 5x^2 - 14x + 8$.

Solution. Si nous pouvons mettre $P(x)$ en produit de facteurs linéaires nous pouvons par un simple examen déterminer les zéros. D'après division synthétique,

$$\begin{array}{rrrr|r}
2 & -5 & -14 & 8 & \underline{(-2} \\
  & -4 & 18 & -8 & \\
\hline
2 & -9 & 4 & 0 &
\end{array}$$

Donc, $x + 2$ est un facteur de $P(x)$. L'autre facteur est le quotien $2x^2 - 9x + 4$. Alors

$$2x^3 - 5x^2 - 14x + 8 = (x + 2)(2x^2 - 9x + 4)$$
$$= (x + 2)(2x - 1)(x - 4)$$

Les zéros sont $- 2$, $\frac{1}{2}$, 4.

EXERCICES 11.10

TROUVER les ensembles des bornes supérieures et inférieures des zéros réels (montrer que les zéro réels de chaque fonction restent dans les intervalles indiqués):

1. $P(x) = 15x^4 + 41x^3 - 13x - 3$; $-3 < x < 1$
2. $P(x) = 32x^5 + x^2 - x - 2$; $-1 < x < 1$
3. $P(u) = u^3 - 2u^2 - 3u - 24$; $-1 < u < 5$
4. $P(v) = 2v^4 + 3v^3 + 2v^2 - 1$; $-2 < v < \frac{1}{3}$

TROUVER les intervalles dont font partie les zéros réels des fonctions suivantes, c'est-à-dire l'en semble des bornes supérieures et inférieures:

5. $P(x) = 3x^3 - 20x^2 - 5x - 50$
6. $P(x) = x^3 + 2x^2 - 7x - 8$
7. $P(x) = x^4 - 5x^2 + 6x - 9$
8. $P(x) = x^3 + 16x - 29$

TROUVER des fonctions polynomiales $P(x)$ à coefficients ayant les ensembles suivants pour zéros

9. Un zéro double 4 et un zéro unique 2.
10. Un zéro unique 1 et un zéro triple 2.
11. 2 un zéro multiple d'ordre 2 et 1 un zéro multiple d'ordre 3.
12. $\frac{1}{2}$ un zéro multiple d'ordre 2 et $\frac{2}{3}$ un zéro simple.

TROUVER les équations du plus bas degré à coefficients rationnels ayant pour ensemble-solutio les ensembles suivants:

13. $\{3,1,2\}$
14. $\{-2,4,-1\}$
15. $\{i\sqrt{2}, -i\sqrt{2}\}$
16. $\{-4 + i\sqrt{3}, -4 - i\sqrt{3}, 3\}$
17. $\{\sqrt{2}, -\sqrt{2}, 2i, -2i\}$
18. $\{i\sqrt{7}, -i\sqrt{7}, \sqrt{2}, \sqrt{2}, -\sqrt{2}, -\sqrt{2}\}$

TROUVER les zéros réels des fonctions suivantes:

19. $P(x) = (x - 1)^2(x + 3)^3$
20. $P(x) = (x + 2)^3(x - 1)$
21. $P(x) = (2x - 6)^2(x + 1)^3$
22. $P(x) = (3x + 3)^3(x + 2)(x - 3)^2$
23. $P(x) = x^3 + 3x^2 - 4x - 12$.
24. $P(x) = x^3 + 4x^2 - 11x - 30$. INDICATION: Mettre en produit de facteurs en associant le termes $x - 2$, $x - 3$, etc. Mettre en produit de facteurs $P(x)$ à l'aide de la division synthétiqu Essayer les facteurs $x - 1$, $x - 2$, $x - 3$, etc.

ZÉROS RATIONNELS DE POLYNÔMES
À COEFFICIENTS ENTIERS 11.14

Si tous les coefficients d'un polynôme $P(x)$ sont des entiers, l'application du théorème suivant épargnera beaucoup de temps dans la recherche des zéros rationnels (s'il y en a). Pour le prouver, nous devons nous servir d'un théorème de la théorie des nombres: soit b et c des entiers qui n'ont d'autres facteurs communs que ± 1. Alors, si c est un facteur d'un produit de deux entiers a et b, c doit être un facteur de a. Par exemple, si 2 est un facteur de $4 \cdot 3$, puisque 2 et 3 n'ont pas de facteurs communs autre que 1, 2 doit être un facteur de 4.

> **THÉORÈME.** Si le nombre rationnel (réduit aux plus bas termes) b/c, $c \neq 0$, est un zéro de
>
> $$P(x) = a_n x^n + a_{n-1} x^{n-1} + \cdots + a_0 \qquad \textbf{(11.17)}$$
>
> où les a_i sont des entiers, alors b est un facteur de a_0, et c est un facteur de a_n.

Preuve. Puisque b/c est un zéro de $P(x)$, il s'ensuit que

$$(1) \qquad a_n \left(\frac{b}{c}\right)^n + a_{n-1} \left(\frac{b}{c}\right)^{n-1} + \cdots + a_1 \left(\frac{b}{c}\right) + a_0 = 0$$

En multipliant chaque côté de cette équation par c^n, nous obtenons

$$(2) \qquad a_n b^n + a_{n-1} b^{n-1} c + \cdots + a_1 b c^{n-1} + a_0 c^n = 0$$

D'où
$$a_n b^n = -c(a_{n-1} b^{n-1} + \cdots + a_0 c^{n-1})$$

Donc, c est un facteur de $a_n b^n$. Puisque b et c n'ont pas de facteurs communs excepté ± 1, il suit que c est un facteur de a_n.

De l'Éq. (2) ci-dessus

$$a_0 c^n = -b(a_n b^{n-1} + \cdots + a_1 c^{n-1})$$

Donc, b est un facteur de $a_0 c^n$, et puisque b et c n'ont pas de facteurs communs, nous en concluons que b est un facteur de a_0.

EXEMPLE 1. Trouver tous les zéros rationnels (s'il y a en a) du polynôme $P(x) = 2x^3 - 3x^2 - 11x + 6$.

Solution. Si b/c est un zéro rationnel de $P(x)$, b doit être un facteur de 6 et c un facteur de 2. Les choix possibles pour b et c sont

$$
\begin{array}{ll}
b & \pm 1, \ \pm 2, \ \pm 3, \ \pm 6 \\
c & \pm 1, \ \pm 2
\end{array}
$$

(Notons qu'il n'est pas nécessaire de garder à la fois les valeurs positives et les valeurs négatives de c). Alors, les valeurs possibles de b/c sont

$$\frac{\pm 1}{1}, \ \frac{\pm 1}{2}, \ \frac{\pm 2}{1}, \ \frac{\pm 2}{2}, \ \frac{\pm 3}{1}, \ \frac{\pm 3}{2}, \ \frac{\pm 6}{1}, \ \frac{\pm 6}{2}$$

Lorsque les valeurs répétées sont retirées, nous avons l'ensemble de tous les zéros rationnels possibles de $P(x)$

$$\pm \frac{1}{2}, \ \pm 1, \ \pm \frac{3}{2}, \ \pm 2, \ \pm 3, \ \pm 6$$

énumérés par ordre de valeurs croissantes. Nous les plaçons dans cet ordre parce que nous les essayons dans cet ordre.

La division synthétique montre que $-\frac{1}{2}$ n'est pas un zéro de $P(x)$. Pour $\frac{1}{2}$,

$$
\begin{array}{rrrr}
2 & -3 & -11 & 6 \ \ \underline{(\frac{1}{2}} \\
  & 1 & -1 & -6 \\
\hline
2 & -2 & -12 & 0
\end{array}
$$

Fonction de degré réduit

Puisque le reste est zéro, $\frac{1}{2}$ est un zéro de $P(x)$ et $x - \frac{1}{2}$ est un facteur de $P(x)$. L'autre facteur $2x^2 - 2x - 12$ est la *fonction de degré réduit* par rapport à la fonction donnée. D'où

$$P(x) = \left(x - \frac{1}{2} \right)(2x^2 - 2x - 12)$$

Deux zéros additionnels peuvent être trouvés en cherchant les zéros de la fonction de degré réduit qui est du second degré. Les deux zéros de la fonction de degré réduit sont $-2, 3$. Donc, l'ensemble des zéros de $P(x)$ est l'ensemble

$$\left\{ -2, \frac{1}{2}, 3 \right\}$$

EXEMPLE 2. Montrer que $P(x) = x^4 + x^2 + 2x + 6$ n'a pas de zéros rationnels.

Solution. Si b/c est un zéro rationnel de $P(x)$, alors b est un facteur de 6, et c un facteur de 1. Les choix possibles pour b sont ± 1, ± 2, ± 3, ± 6 et les choix possibles pour c sont ± 1. Ainsi, les choix possibles pour b/c sont les mêmes que pour b. Par la division synthétique et les théorèmes du reste, nous trouvons qu'aucun des facteurs ± 1, ± 2, ± 3, ± 6 n'est un facteur de $P(x)$. D'où $P(x)$ n'a pas de zéros rationnels. Puisque $P(x)$ a quatre zéros, d'après le Théorème (11.16), nous concluons qu'ils sont, soit tous irrationnels, soit tous complexes, ou les uns irrationnels et les autres complexes. Les possibilités sont : deux paires de racines complexes ; une paire de racines complexes et deux racines irrationnelles ; ou quatre racines irrationnelles.

EXERCICES 11.11

TROUVER tous les zéros des fonctions suivantes. Trouver tous les zéros rationnels en premier, ensuite se servir des formules du second degré pour trouver les zéros des fonctions de degré réduit, si cela est possible.

1. $P(x) = x^3 + 3x^2 - 5x - 39$ **2.** $P(x) = x^3 - 4x^2 + x + 6$

3. $P(x) = 4x^3 - 11x^2 + x + 1$ **4.** $P(x) = 10x^4 - 13x^3 + 17x^2 - 26x - 6$

5. $P(v) = 2v^4 + 5v^3 - 11v^2 - 20v + 12$ **6.** $P(u) = u^4 - 4u^3 + 4u - 1$

7. $P(w) = w^4 - 6w^3 - w^2 + 34w + 8$ **8.** $P(x) = 12x^4 + 5x^3 + 10x^2 + 5x - 2$

9. $P(z) = 12z^3 - 52z^2 + 61z - 15$ **10.** $P(z) = z^4 - 4z^3 + 6z^2 - 4z + 1$

11. $P(x) = 20x^5 - 9x^4 - 74x^3 + 30x^2 + 42x - 9$

12. $P(w) = 6w^4 - 13w^3 + 2w^2 - 4w + 15$

TROUVER tous les zéros positifs inférieurs à 2π des fonctions suivantes:

13. $P(\theta) = \cos^4 \theta - 4 \cos^3 \theta + 4 \cos \theta - 1$

14. $P(t) = \sin^3 t - 4 \sin^2 t + \sin t + 6$

15. $P(t) = 2 \sin^4 t + 5 \sin^3 t + 11 \cos^2 t - 20 \sin t + 23$

16. $P(t) = 2 \sin^3 t - 8 \cos^2 t - \sin t + 4$

17. Montrer que $\sqrt{3}$ est irrationnel. INDICATION: Essayez de trouver les zéros rationnels de $P(x) = x^2 - 3$.

18. Montrer que $\sqrt[3]{4}$ est irrationnel.

GRAPHES DES FONCTIONS POLYNOMIALES 11.15

Pour tracer le graphe du polynôme $P(x)$, nous nous servons de la division synthétique et du Théorème 1 du reste pour déterminer quelques-uns des couples $[x, P(x)] = (x,y)$ de la fonction. En prenant ces couples comme coordonnées de points du graphe et en supposant que le graphe est une courbe continue unie, nous obtenons une approximation honnête du graphe.

Puisque les zéros réels de $P(x)$ sont les abscisses des points où le graphe de $P(x)$ atteint ou coupe l'axe des x, le graphe peut rendre de grands services pour déterminer le nombre et la valeur approximative des zéros réels de la fonction.

EXEMPLE 1. Tracer le graphe de $P(x) = 12x^3 - 28x^2 - 9x + 10$, et trouver les valeurs approximatives des zéros de la fonction.

Solution. Par la division synthétique et le Théorème 1 du reste,

$$P(-1) = -21$$
$$P\left(-\frac{1}{2}\right) = 16$$
$$P(0) = 10$$
$$P\left(\frac{3}{2}\right) = -26$$
$$P(1) = -15$$
$$P(2) = -24$$
$$P(3) = 55$$

Donc, l'ensemble suivant est un sous-ensemble des couples de P

$$\left\{(-1, -21), \left(-\frac{1}{2}, 16\right), (0,10), (1, -15), \ldots (3,55)\right\}$$

Les points de coordonnées correspondantes ont été portés et le graphe tracé à la figure 11.6, mais la norme de l'axe des y n'est pas la même que celle de l'axe des x.

En supposant que le graphe de $y = P(x)$ est une courbe continue unie, nous concluons qu'il y a au moins un zéro réel entre -1 et $-\frac{1}{2}$; au moins un zéro entre 0 et 1; au moins un zéro entre 2 et 3. Puisqu'il ne peut y avoir plus de trois zéros en tout, nous avons localisé approximativement tous les zéros de $P(x) = 12x^3 - 28x^2 - 9x + 10$.

Dans l'exemple précédent, nous avons fait usage d'un théorème que nous discutons maintenant.

Pour tout nombre réel c, le point $[c, f(c)]$ est sur le graphe de $y = f(x)$. Si $f(c) > 0$, alors ce point est au-dessus de l'axe des x. Si $f(c) < 0$, le point est en dessous de l'axe des x. Donc, si a et b sont des nombres réels tels que $f(a)$ et $f(b)$ sont de signes opposés, alors un des points $[a, f(a)]$, $[b, f(b)]$ est au-dessus de l'axe des x, l'autre en dessous. Puisqu'on peut prouver que le graphe de $y = f(x)$, où la fonction $f(x)$ provient d'un polynôme en x, est une courbe continue (n'a pas de discontinuités), il suit que le graphe doit couper l'axe des x entre le point où $x = a$ et le point où $x = b$ (voir figure 11.7a). Nous résumons la discussion dans le théorème:

THÉORÈME. Si $P(x)$ est une fonction polynomiale en x à coefficients réels, et si a et b sont des nombres réels tels que $P(a)$ et $P(b)$ ont des signes opposés, alors il existe un nombre réel c entre a et b tel que $P(c) = 0$.   **(11.18)**

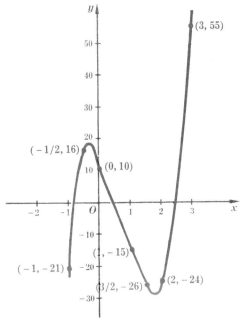

FIGURE 11.6

Graphe de
$P(x) = 12x^3 - 28x^2 - 9x + 10$.
Quelles sont les valeurs approximatives des zéros ?

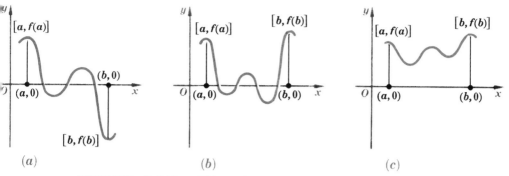

FIGURE 11.7 Si $P(a)$ et $P(b)$ ont des signes opposés, alors le graphe de $P(x)$ coupe l'axe des x entre les points $x = a$ et $x = b$.

Notons que le Théorème (11.18) n'élimine pas la possibilité de zéros réels entre $x = a$ et $x = b$ si $P(a)$ et $P(b)$ ont le même signe (voir figure 11.7b). Si $P(a)$ et $P(b)$ ont le même signe, cependant, nous concluons de considérations géométriques qu'il y a un nombre pair de zéros réels ou il n'y a pas de zéros réels entre $x = a$ et $x = b$ (voir figure 11.7c).

Le graphe de $y = P(x)$ ne nous donne aucune information au sujet des zéros non réels de la fonction.

APPROXIMATION DES ZÉROS RÉELS DE PÔLYNOMES 11.16

On emploie plusieurs méthodes pour calculer les valeurs approchées des zéros réels d'une fonction. Celle que nous considérerons dans ce livre est la méthode des valeurs approchées successives qui s'appuie sur des considérations géométriques du graphe de $P(x)$.

Si nous pouvons trouver deux nombres a et b tels que $P(a)$ et $P(b)$ sont de signes opposés, alors les points de coordonnées $[a,P(a)]$ et $[b,P(b))]$ se trouvent de chaque côté de l'axe des x. Donc, le graphe de $P(x)$ coupe l'axe des x entre $x = a$ et $x = b$. Il y a donc un zéro réel entre a et b.

ière ximation Nous prenons pour valeur approchée de ce zéro l'abscisse du point où la corde joignant les points $[a,P(a)]$ et $[b,P(b)]$ coupent l'axe des x (voir figure 11.8).

Par les propriétés des triangles semblables, nous déduisons de la figure que

$$\frac{h}{b-a} = \frac{|P(a)|}{|P(a) + P(b)|}$$

ième ximation d'où h peut être déterminé. La valeur de $a + h$ (à supposer $a < b$) est une approximation du zéro réel situé entre a et b, qui peut être une meilleure approximation que a ou b. Nous pouvons nous servir de cette approximation pour trouver sur le graphe de $P(x)$ deux points qui sont plus près l'un de l'autre que les deux points initiaux et entre lesquels un zéro doit se trouver. Par exemple, le point

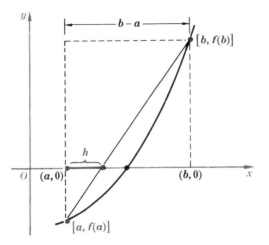

FIGURE 11.8

Recherche d'une valeur approchée
d'un zéro réel de $P(x)$

$[a + h, P(a + h)]$ et l'un ou l'autre des autres points $[a,P(a)]$, $[b,P(b)]$ se
trouvent de part et d'autre de l'axe des x. Il y a donc un zéro entre $x = a$
et $x = a + h$, ou il y a un zéro entre $x = a + h$ et $x = b$.

En continuant le processus pour trouver des intervalles plus petits
sur l'axe des x, qui contiennent le zéro cherché, nous pouvons approcher
le zéro à un nombre de décimale fixé.

EXEMPLE 1.   Trouver à deux décimales près le zéro positif de
$$P(x) = x^4 + 4x^3 + 2x^2 - 12x - 15$$

Solution.   Puisque $P(0) = -15$, $P(1) = -20$ et $P(2) = 17$, nous savons
que $P(x)$ a un zéro réel entre 1 et 2. Par la division synthétique, nous
trouvons que $P(1.5)$ est négatif. Donc le zéro que nous cherchons est
entre 1.5 et 2. Nous trouvons aussi que $P(1.6)$, $P(1.7)$ sont négatifs, mais
que $P(1.8)$ est positif. Précisément,
$$P(1.7) = -1.6159$$
et $$P(1.8) = 3.7056$$
Donc le zéro se trouve entre 1.7 et 1.8.

En agrandissant la portion du graphe de $y = P(x)$ qui se trouve
entre $x = 1.7$ et $x = 1.8$, comme dans la figure 11.9, nous voyons que

$$\frac{h}{0.1} = \frac{|-1.6159|}{|-1.6159| + |3.7056|}$$

D'où $h = 0.03$, à deux décimales près. Donc

$$1.7 + 0.03 = 1.73$$

est une valeur approchée du zéro de $P(x)$.

Nous pouvons trouver une valeur approchée plus précise du zéro de
l'exemple précédent. Par division synthétique, $P(1.73) = -0.1358$, à
quatre décimales près, c'est-à-dire que le zéro est légèrement supérieur
à 1.73, puisque le graphe est en dessous de l'axe des x à ce point. Puisque

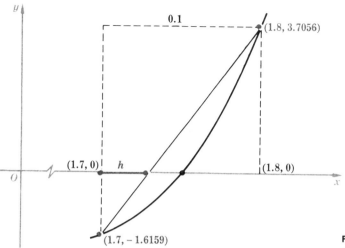

FIGURE 11.9

Voir Exemple 1.

$P(1.74) = 0.4136$, à quatre décimales près, le zéro est entre 1.73 et 1.74. De nouveau,

$$\frac{h}{0.01} = \frac{|-0.1358|}{|-0.1358| + |0.4136|}$$

D'où, $h = 0.002$ à trois décimales près, et

$$1.73 + 0.002 = 1.732$$

est une valeur approchée d'un zéro de $P(x)$ placé entre 1.73 et 1.74.

La méthode des approximations successives peut s'appliquer aux fonctions qui ne sont pas polynomiales.

EXERCICES 11.12

TRACER le graphe des fonctions suivantes montrant (entre les valeurs consécutives entières de x) l'emplacement de tous les zéros à deux décimales:

1. $P(x) = x^3 - 5x - 3$ **2.** $P(x) = x^4 - 9x^2 + 3x + 4$
3. $P(x) = x^3 - 4x^2 - 4x - 7$ **4.** $P(x) = x^4 + 4x^3 - 37$

TRACER le graphe des fonctions suivantes et par la méthode d'approximations successives trouver les zéros indiqués à deux décimales près:

5. $P(x) = x^3 + 3x - 5$; le zéro positif.
6. $P(x) = x^4 - 5x^3 + 2x^2 + x + 7$; le plus petit des zéros positifs.
7. $P(x) = x^4 - 2x^3 - 3x^2 - 2x - 4$; le zéro négatif.
8. $P(x) = x^3 + 6x - 23$; le zéro positif.
9. $P(x) = x^3 + 2x + 47$; le zéro négatif.
10. $P(x) = x^3 - 6x^2 - x + 23$; tous les zéros réels.
11. $P(x) = 2x^4 + 4x^3 + 1$; tous les zéros irrationnels.
12. $P(x) = x^5 - 20x + 8$; tous les zéros irrationnels.

APPROCHER à deux décimales les nombres irrationnels suivants:

13. $\sqrt[3]{6}$. INDICATION: $\sqrt[3]{6}$ est le zéro positif de $P(x) = x^3 - 6$.
14. $\sqrt[3]{7}$.   **15.** $\sqrt[4]{2}$.   **16.** $\sqrt[5]{-9}$

ZÉROS COMPLEXES DE POLYNÔMES 11.17

Si le polynôme $P(x)$ a des coefficients réels, certains zéros peuvent ne pas être réels. Par exemple, les deux zéros de $P(x) = x^2 - 5x + 25\frac{1}{2}$ sont les nombres complexes $\frac{5}{2} + \frac{5}{2}i$ et $\frac{5}{2} - \frac{5}{2}i$. Les zéros complexes des polynômes se présentent toujours par paires conjuguées, mais nous devons le prouver sous forme de théorème:

> **THÉORÈME.** Si $P(x)$ est un polynôme à coefficients réels et si $a + bi$, $b \neq 0$, est un zéro de $P(x)$, alors $a - bi$ est aussi un **(11.19)** zéro de $P(x)$.

Preuve. Puisque $a + bi$ est un zéro de $P(x)$, $P(a + bi) = 0$. Donc, $x - (a + bi)$ est un facteur de $P(x)$. Montrons maintenant que $x - (a - bi)$ est aussi un facteur de $P(x)$.

Divisons $P(x)$ par le produit

$$[x - (a + bi)][x - (a - bi)] = x^2 - 2ax + (a^2 + b^2)$$

jusqu'à ce qu'un reste de la forme $Rx + S$ soit obtenu. Maintenant R et S sont des nombres réels, puisque les coefficients du dividende et du diviseur sont tous deux réels. Alors nous pouvons écrire

$$P(x) = q(x) \cdot [x^2 - 2ax + a^2 + b^2] + Rx + S$$

pour toutes les valeurs de x.

Puisque $P(a + bi) = 0$, nous avons

$P(a + bi)$

$= q(a + bi) \cdot [(a + bi)^2 - 2a(a + bi) + a^2 + b^2] + R \cdot (a + bi) + S = 0$

Ainsi $\qquad\qquad q(a + bi) \cdot 0 + R \cdot (a + bi) + S = 0$

et $\qquad\qquad\qquad (Ra + S) + (Rb)i = 0$

Puisque deux nombres complexes sont égaux si, et seulement si leurs parties réelles sont égales et leurs parties imaginaires égales,

$$Ra + S = 0 \qquad \text{et} \qquad Rb = 0$$

Étant donné que $b \neq 0$, alors

$\qquad\qquad R = 0 \qquad \text{puisque} \qquad Rb = 0$

et $\qquad\qquad S = 0 \qquad \text{puisque} \qquad Ra + S = 0$

D'où nous concluons que dans la division de $P(x)$ par

$$[x - (a + bi)][x - (a - bi)]$$

le reste est zéro. D'où $x - (a - bi)$ est un facteur de $P(x)$, et $a - bi$ est un zéro de $P(x)$.

EXEMPLE 1. Trouver une fonction polynôme à coefficients réels et admettant 5 et $3 - 2i$ pour zéros.

Solution.   Puisque $3 - 2i$ est un zéro, d'après le Théorème (11.19), nous savons que $3 + 2i$ est aussi un zéro. Donc les facteurs de $P(x)$ sont

$$x - 5, \, x - (3 - 2i), \, x - (3 + 2i)$$

et
$$P(x) = (x - 5)[x - (3 - 2i)][x - (3 + 2i)]$$
$$= (x - 5)(x^2 - 6x + 13) = x^3 - 11x^2 + 43x - 65$$

EXEMPLE 2.   Si $2 + 3i$ est un zéro de la fonction $P(x) = x^3 - 2x^2 + 5x + 6$, trouver tous les zéros.

Solution.   Puisque $2 + 3i$ est un zéro, $2 - 3i$ est aussi un zéro, et

$$[x - (2 + 3i)][x - (2 - 3i)] = x^2 - 4x + 3$$

est un facteur de $P(x)$. Par division, nous trouvons que le quotient de $P(x)$ par $x^2 - 4x + 3$ est $x + 2$. Donc $x + 2$ est un facteur de $P(x)$. D'où

$$P(x) = (x + 2)[x - (2 + 3i)][x - (2 - 3i)]$$

L'ensemble des zéros est

$$\{-2, 2 + 3i, 2 - 3i\}$$

EXERCICES   11.13

TROUVER un autre zéro, si possible, du polynôme $P(x)$ à coefficients réels, si l'un des zéros est:

1. $2i$ **2.** $-3i$ **3.** $1 + 3i$
4. $(-3 - 2i)/5$ **5.** 7 **6.** $(2 + 7i)/3$

TROUVER un polynôme à coefficients entiers ayant pour zéros:

7. $2, 1 - i$ **8.** $-3, 2 + i$
9. $1, 2, 1 + i$ **10.** $2, 2, -1, -1 - i$

TROUVER les zéros des fonctions autres que ceux déjà indiqués:

11. $P(x) = 2x^3 + 3x^2 + 4x + 6; -\frac{3}{2}$ **12.** $P(x) = 2x^4 + x^3 - 2x - 1; -\frac{1}{2}, 1$
13. $P(x) = x^3 - 4x^2 + 9x - 36; 3i$ **14.** $P(x) = 2x^3 + 9x^2 + 14x + 5; -2 - i$
15. $P(x) = x^4 - 3x^3 + 3x^2 - 2; 1 - i$
16. $P(x) = x^4 + 4x^3 + 14x^2 + 20x + 25; -1 - 2i$

TROUVER tous les zéros des fonctions suivantes:

17. $P(x) = 2x^3 + 3x^2 + 2x + 3$ **18.** $P(x) = x^3 - 8x^2 + 23x - 22$
19. Soit a et b des nombres rationnels tels que $\sqrt{b}$ soit irrationnel et soit $P(x)$ un polynôme à coefficients rationnels.   Prouver que si $a + \sqrt{b}$ est un zéro de $P(x)$, alors $a - \sqrt{b}$ est aussi un zéro de $P(x)$.   INDICATION: La preuve est similaire à celle du Théorème (11.19).

TROUVER un autre zéro, si possible, du polynôme $P(x)$ à coefficients rationnels, si l'un des zéros est:

20. $\sqrt{5}$ **21.** $\frac{1}{2}\sqrt{13}$ **22.** 3
23. $(2 + \sqrt{3})/2$ **24.** $-1 - 2\sqrt{2}$ **25.** $-3 + 5\sqrt{2}$

FORMER des polynômes à coefficients entiers admettant les nombres suivants pour zéros:

26. $\sqrt{3}, i$ **27.** $\frac{1}{2}, 1 - i\sqrt{3}$

28. $-\sqrt{5}, 2 + i\sqrt{3}$ **29.** $1 + 2\sqrt{3}, i$

TROUVER les zéros réels des fonctions de x suivantes pour $0 \leq x < 2\pi$:

30. $f(x) = \sin^3 x + 3 \sin^2 x - 4$ **31.** $f(x) = 2 \cos^3 x - 3 \cos^2 x - 3 \cos x + 2$

32. $f(x) = \cos^3 x - 3 \sin^2 x - \cos x$ **33.** $f(x) = \sec^3 x - 7 \tan^2 x + 15 \sec x - 16$

34. $f(x) = e^{2x} + 4e^x - 1 - 4e^{-x}$ **35.** $f(x) = e^{-4x} - 4e^{-3x} - 5e^{-2x} + 36e^{-x} - 36$

36. $f(x) = \log(3x + 5) + \log(2x - 5) + \log(x + 5) - 3$

37. $f(x) = 2 \log(3x - 5) + \log(3x + 4) - 1$

38. $f(x) = \log(10 - x^2) + \log(2x - 5)$

FONCTIONS TRIGONOMÉTRIQUES INVERSES

Nous avons étudié certaines fonctions et leurs réciproques au Chapitre 3. Nous reviserons rapidement les concepts développés dans les Sections 3.5 et 3.6 pour, ensuite, aborder la discussion des fonctions trigonométriques inverses. Les fonctions trigonométriques inverses jouent un grand rôle dans les cours plus avancés.

FONCTIONS RÉCIPROQUES   12.1

La fonction f définie par l'équation $y = f(x)$ est un ensemble de couples soit
$$f = \{(x,y) : y = f(x)\}$$

La réciproque de f, notée f^{-1}, se construit en interchangeant la première et la seconde coordonnée de chaque couple de f. D'où
$$f^{-1} = \{(x,y) : x = f(y)\}$$

Le domaine et le champ de f^{-1} sont le champ et le domaine, respectivement, de la fonction f.

Mais f^{-1} peut être ou ne pas être une fonction. S'il n'y a pas deux couples distincts de f qui ont la même *deuxième* coordonnée, il n'y aura pas deux couples distincts de f^{-1} qui auront la même première coordonnée. Dans ce cas, f^{-1} est une fonction et s'appelle la fonction réciproque de la fonction f.

Si l'égalité $x = f(y)$ est équivalente à l'égalité $y = g(x)$, où y est une fonction de x nous noterons cette fonction
$$y = f^{-1}(x)$$
De plus
$$f^{-1} = \{(x,y) : y = f^{-1}(x)\}$$

Rappelons-nous que le champ d'une fonction est appelé aussi l'ensemble-image* de la fonction. Les termes *champ* et *image* peuvent être employés l'un pour l'autre.

*N. du T. On dit aussi l'ensemble des valeurs.

EXEMPLE 1. Déterminer si oui ou non la fonction racine carrée définie par

$$y = f(x) = \sqrt{x} \qquad x \geq 0$$

a une fonction réciproque. Si oui, écrire l'équation qui définit la fonction réciproque.

Solution. Les couples de f sont $(x, \sqrt{x})$. Si $x_1 > x_2$, alors $\sqrt{x_1} > \sqrt{x_2}$. Ainsi, deux couples distincts ne peuvent pas avoir la même deuxième coordonnée. D'où f a une fonction réciproque.

Pour trouver la fonction réciproque, nous interchangeons x et y dans l'équation $y = \sqrt{x}$.

$$x = \sqrt{y}$$

Puisque $x \geq 0$, nous pouvons résoudre pour y en élevant au carré chaque membre de l'égalité. D'où

$$y = x^2$$

définit la fonction réciproque. On a tracé le graphe de la fonction à la figure 12.1*a* et celui de la réciproque à la figure 12.1*b*.

Notons qu'une droite horizontale coupe le graphe de f au plus une fois.

EXEMPLE 2. Étant donnée la fonction f définie par l'équation

$$y = f(x) = x^2 - 4x$$

Déterminer, si oui ou non, la correspondance réciproque est une fonction réciproque.

Solution. Interchangeons x et y

$$x = y^2 - 4y$$

Résolvons pour y: $\qquad y = 2 \pm \sqrt{4 + x}$

D'où $\qquad\qquad\qquad f^{-1} = \{(x,y) : y = 2 \pm \sqrt{4 + x}\}$

FIGURE 12.1 (*a*) $f(x) = \sqrt{x}$, $x \geq 0$; (*b*) $f^{-1}(x) = x^2$, $x \geq 0$

(*a*)   (*b*)

Pour vérifier que f^{-1} n'est pas une fonction, nous notons que $(x, 2 + \sqrt{4 + x})$ et $(x, 2 - \sqrt{4 + x})$ sont des couples distincts de f^{-1} qui ont la même première coordonnée. On a tracé le graphe de la fonction à la figure 12.2a et de la correspondance réciproque à la figure 12.2b. Notons que toute droite horizontale au-dessus de la droite $y = -4$ coupe le graphe de la fonction au moins en deux points.

Pour déterminer, à partir du graphe d'une fonction, si oui ou non la relation réciproque est une fonction réciproque, nous n'avons qu'à considérer les droites horizontales passant par les ordonnées de l'axe des y appartenant à l'ensemble-image de la fonction. Si chaque droite coupe le graphe de f au plus une fois, f^{-1} est une fonction réciproque. Si une de ces droites coupe le graphe de f en plus d'un point, f^{-1} n'est pas une fonction; en effet, si une droite horizontale coupe le graphe de f en plus d'un point, ceci veut dire que les deuxièmes coordonnées d'au moins deux couples distincts de f sont égales. Et, si l'on interchange les coordonnées de tous les couples de f, il y aura au moins deux couples distincts de f^{-1} qui auront la même première coordonnée.

Nous pouvons parfois restreindre le domaine d'une fonction de sorte que la relation réciproque soit une fonction réciproque de la fonction restreinte. Par exemple, considérons la fonction $f(x) = x^2 - 4x$, $x \in R$, qui n'a pas de fonction réciproque. Le graphe de f, figure 12.2a, montre que pour tout $x \geq 2$, une droite horizontale coupe le graphe au plus en un point. Si nous définissons maintenant une nouvelle fonction F dont le domaine est $\{x : x \geq 2\}$ et telle que $F(x) = x^2 - 4x$:

$$F(x) = x^2 - 4x \qquad x \geq 2$$

Puisque le graphe de $F(x)$ est aussi le graphe de $f(x)$ pour tout $x \geq 2$, il suit que l'ensemble-image de F est $\{y : y \geq -4\}$.

FIGURE 12.2 (a) $f(x) = x^2 - 4x$; (b) $f^{-1}(x) = 2 \pm \sqrt{x + 4}$

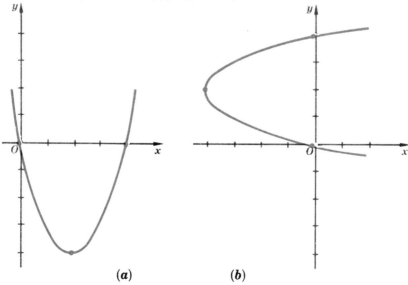

(a)   (b)

Nous pourrions maintenant être tenté de dire que $F^{-1} = \{(x,y):y =$
$2 \pm \sqrt{4 + x}\}$.
Mais puisque les images de F doivent être les nombres du domaine de
F^{-1}, il suit que y doit être plus grand ou égal à 2. D'où $y = 2 - \sqrt{4 + x}$
n'est pas compris dans l'ensemble-image de F^{-1}. De plus,

$$F^{-1} = \{(x,y):y = 2 + \sqrt{4 + x}\}$$

Donc F^{-1} est la fonction réciproque de F. Les graphes de F et de F^{-1}
sont représentés à la figure 12.3. Le tracé gras du graphe de $F(x)$ représente la partie du graphe de $f(x)$ pour laquelle $F(x) = f(x)$.

EXEMPLE 3. Déterminer si la relation réciproque de

$$y = f(x) = \frac{3}{2} \sqrt{4 - x^2}$$

est une fonction ou pas. Sinon, restreindre le domaine au plus grand
intervalle pour lequel la relation réciproque est une fonction.

Solution. Le domaine de f est $\{x: -2 \leq x \leq 2\}$ et le champ de f est
$\{y: 0 \leq y \leq 3\}$. En résolvant la relation réciproque $x = \frac{3}{2}\sqrt{4 - y^2}$ pour
y, nous obtenons

$$f^{-1} = \left\{(x,y):y = \pm \frac{2}{3}\sqrt{9 - x^2}\right\}$$

D'où f^{-1} n'est pas une fonction. (Pourquoi?)
  Soit F une nouvelle fonction telle que

$$F(x) = \frac{3}{2} \sqrt{4 - x^2} \qquad 0 \leq x \leq 2$$

FIGURE 12.3 (a) $F(x) = x^2 - 4x, x \geq 2$; (b) $F^{-1}(x) = 2 + \sqrt{x + 4}, x \geq -4$

(a)   *(b)*

Comme le domaine de F est $\{x : 0 \leq x \leq 2\}$, le champ de F^{-1} est $\{y : 0 \leq y \leq 2\}$. De plus, comme y n'est pas négatif,

$$F^{-1} = \left\{ (x,y) : y = \frac{2}{3} \sqrt{9 - x^2} \right\}$$

Donc $y = \frac{2}{3}\sqrt{9 - x^2}$ est la fonction réciproque de F.

EXERCICES   12.1

DÉTERMINER si la relation réciproque est une fonction.   Sinon, restreindre le domaine de la fonction au plus grand intervalle possible pour lequel la relation réciproque est une fonction.   Préciser le domaine et le champ (ensemble-image) de la fonction réciproque.   Tracer les graphes de la fonction et de la réciproque.

1. $f(x) = \frac{1}{3}(5x - 1)$ $-1 \leq x \leq 5$
2. $f(x) = -4 - \frac{2}{3}x$ $-3 \leq x \leq 9$
3. $y = 25 - x^2$ $-5 \leq x \leq 0$
4. $f(x) = 3^x$ $x \in R$

5. $f(x) = \frac{1}{x} + x$ $x \geq 1$
6. $f(x) = \frac{x^2 - 1}{x}$ $x \neq 0$

7. $f(x) = \frac{x^2 + 1}{x^2 - 1}$ $x \neq \pm 1$
8. $y = \pm \frac{2x}{\sqrt{x^2 - 4}}$ $x \neq \pm 2$

FONCTIONS TRIGONOMÉTRIQUES INVERSES   12.2

La fonction

$$f = \{(x,y) : y = \sin x\}$$

est appelée *fonction sinus*. Le domaine de f est $\{x : x \in R\}$ et les images de f sont $\{y : -1 \leq y \leq 1\}$. Il est évident que la relation réciproque de la fonction sinus n'est pas une fonction parce que deux couples distincts (x,y) de f au moins ont la même deuxième coordonnée. Il n'est pas difficile de vérifier que

$$(0,0), \ (\pi,0), \ (2\pi,0), \ \left(\frac{\pi}{6}, \frac{1}{2}\right), \ \left(\frac{5\pi}{6}, \frac{1}{2}\right)$$

sont des couples de f; donc, que les couples suivants sont des couples de f^{-1}.

$$(0,0), \ (0,\pi), \ (0,2\pi), \ \left(\frac{1}{2}, \frac{\pi}{6}\right), \ \left(\frac{1}{2}, \frac{5\pi}{6}\right)$$

Aussi, $f(x) = \sin x$ n'a pas de fonction réciproque*. Cependant, en restreignant le domaine de f, il est possible de définir une nouvelle fonction qui a une fonction réciproque, et pour laquelle $f(x) = \sin x$.

Pour nous guider dans ce cas, nous considérons le graphe de $f(x) = \sin x$ et notons que le plus grand intervalle de l'axe des x pour lequel une ligne droite horizontale peut couper la courbe au plus en un point a pour longueur π.   Pratiquement, nous choisissons l'intervalle

---

du T.   C'est par un abus de langage qu'on a conservé l'appellation fonction trigonométrique *inverse*, doute à cause de l'ancienne notation $\sin^{-1}(x)$, $\tan^{-1}(x)$, etc., longtemps utilisée aux États-Unis, y pris dans l'ouvrage ici traduit; nous préférons utiliser les symboles Arcsin x, Arctan x pour éviter les usions pouvant survenir lors de l'emploi des exposants négatifs.

allant de $-\pi/2$ à $\pi/2$ comme domaine de la nouvelle fonction que nous définissons ainsi:

$$\text{Sin } x = \sin x \qquad -\frac{\pi}{2} \leq x \leq \frac{\pi}{2} \tag{12.1}$$

Fonction sinus principale

Nous appelons Sin x la fonction sinus principale et nous utilisons la lettre majuscule S pour distinguer la fonction sinus principale de la fonction sinus. À noter que la fonction sinus principale n'est pas définie en dehors de l'intervalle allant de $-\pi/2$ à $\pi/2$.

La partie pleine de la courbe de la figure 12.4a est le graphe de $F(x) = \text{Sin } x$. La partie en pointillé de la courbe est la partie du graphe de $f(x) = \sin x$ qui est en dehors de l'intervalle allant de $-\pi/2$ à $\pi/2$.

Le domaine de F est $\{x: -\pi/2 \leq x \leq \pi/2\}$ et les valeurs de F sont $\{y: -1 \leq y \leq 1\}$. D'où le domaine de F^{-1} est $\{x: -1 \leq x \leq 1\}$ et les valeurs de F^{-1} sont $\{y: -\pi/2 \leq y \leq \pi/2\}$.

La deuxième coordonnée de tout couple (x,y) de F^{-1} sera noté Arcsin x (ou $\text{Sin}^{-1} x$). Ainsi

$$F^{-1} = \{(x,y): y = \text{Arcsin } x\}$$

Arcsin x est la détermination principale de la fonction sinus et on lit Arcsin x "l'arc ou le nombre principal dont le sinus est x" ou simplement "arc principal sinus x". Ainsi, l'égalité $y = \text{Arcsin } x$ (ou $y = \text{Sin}^{-1} x$) signifie que y est un nombre réel dont le sinus est x, tel que

$$-\frac{\pi}{2} \leq y \leq \frac{\pi}{2}$$

DÉFINITION. $y = \text{Arcsin } x$ si, et seulement si

$$\text{Sin } y = x$$

Le graphe de $y = \text{Arcsin } x$ est représenté dans la figure 12.4b.

EXEMPLE 1.   Trouver Arcsin $\frac{1}{2}$.

FIGURE 12.4   (a) $y = \text{Sin } x$; (b) $y = \text{Arcsin } x$

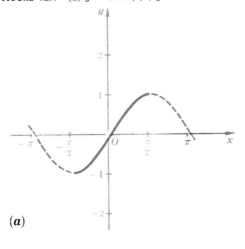

(a)

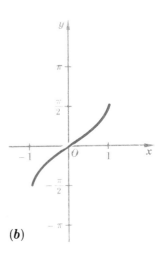

(b)

Solution. Soit $y = \text{Arcsin } \frac{1}{2}$; alors $\text{Sin } y = \frac{1}{2}$. Il n'y a qu'un seul nombre y entre $-\pi/2$ et $\pi/2$ tel que $\text{Sin } y = \frac{1}{2}$, et ce nombre est $\pi/6$. D'où

$$y = \frac{\pi}{6}$$

EXEMPLE 2. Évaluer $\text{Arcsin } (-0.5729)$.

Solution. Soit $y = \text{Arcsin } (-0.5729)$; alors $\text{Sin } y = -0.5729$. De notre étude antérieure des fonctions trigonométriques et à l'aide de la Table I, nous concluons qu'il y a un seul nombre y entre $-\pi/2$ et $\pi/2$ tel que

$$\text{Sin } y = -0.5729$$

précisément -0.61 (approx.). Donc

$$y = -0.61 \text{ (approx.)}$$

tion cosinus
ipale

La fonction cosinus $f(x) = \cos x$, comme la fonction sinus, n'a pas de fonction réciproque, mais en restreignant le domaine, nous pouvons définir une fonction cosinus principale qui aura une fonction réciproque. Cette fois nous choisissons pour domaine de la nouvelle fonction l'intervalle de 0 à π et définissons la nouvelle fonction ainsi:

$$\text{Cos } x = \cos x \qquad 0 \le x \le \pi \tag{12.3}$$

La partie pleine de la courbe de la figure 12.5*a* représente le graphe de

$$F(x) = \text{Cos } x$$

et la partie en pointillé de la courbe représente la partie de $f(x) = \cos x$ qui est en dehors de l'intervalle choisi comme détermination principale de la fonction cosinus. À noter que la lettre majuscule C s'emploie pour distinguer la fonction cosinus principale $F(x) = \text{Cos } x$ de la fonction $f(x) = \cos x$.

FIGURE 12.5 (*a*) $y = \text{Cos } x$; (*b*) $y = \text{Arccos } x$

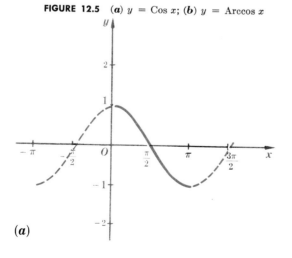

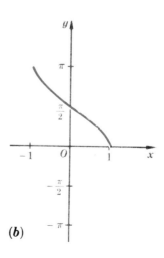

(*a*)   (*b*)

Le domaine de F^{-1} est $\{x: -1 \leq x \leq 1\}$ et les valeurs de F^{-1} son $\{y: 0 \leq y \leq \pi\}$. La deuxième coordonnée du couple (x,y) de F^{-1} es noté Arccos x (ou $\operatorname{Cos}^{-1} x$). On lit Arccos x "l'arc ou le nombre principa dont le cosinus est x" ou "Arc principal cosinus x".

DÉFINITION. $y = \text{Arccos } x$ si, et seulement si

$$\text{Cos } y = x$$

(12.4)

Le graphe de $y = \text{Arccos } x$ est représenté à la figure 12.5b.

EXEMPLE 3. Trouver la valeur de Arccos $(-\frac{1}{2})$.

Solution. Soit $y = \text{Arccos } (-\frac{1}{2})$; alors Cos $y = -\frac{1}{2}$. Il n'y a qu'u nombre y entre 0 et π tel que Cos $y = -\frac{1}{2}$. Ce nombre est $2\pi/3$. D'o

$$y = \frac{2\pi}{3}$$

Fonction tangente principale

Nous restreignons de la même façon le domaine de la fonction tan gente $f(x) = \tan x$, en choisissant sur l'axe des x l'intervalle de $-\pi/$ à $\pi/2$ comme domaine de la nouvelle fonction que nous définissons ains

$$\text{Tan } x = \tan x \qquad -\frac{\pi}{2} < x < \frac{\pi}{2}$$

Cette nouvelle fonction $F(x) = \text{Tan } x$ a une fonction réciproque. L

FIGURE 12.6 (*a*) $y = \text{Tan } x$; (*b*) $y = \text{Arctan } x$

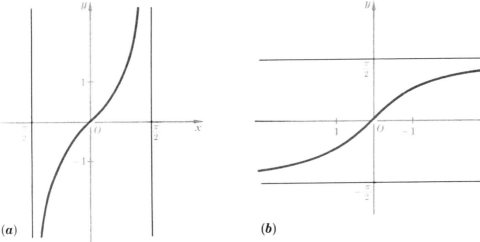

(a)   (b)

éléments du champ de F^{-1} sont notés Arctan x (ou $\text{Tan}^{-1}x$) que nous lisons "l'arc ou le nombre principal dont la tangente est x" ou "Arc principal tan x".

DÉFINITION. $y = $ Arctan x si, et seulement si

$$\text{Tan } y = x$$

(12.5)

Les graphes de $y = $ Tan x et $y = $ Arctan x sont représentés à la figure 12.6a et b.

EXEMPLE 4. Trouver la valeur de Arctan 1.

Solution. Soit $y = $ Arctan 1; alors Tan $y = 1$. D'où $y = \pi/4$, puisque $\pi/4$ est la seule valeur de y entre $-\pi/2$ et $\pi/2$ pour laquelle Tan $y = 1$.

Nous laissons en exercice le soin de définir la fonction principale cotangente et sa réciproque. Nous ne discuterons pas les fonctions principales sécantes et cosécantes et leurs réciproques dans ce livre.

Le tableau suivant résume les définitions des fonctions principales trigonométriques inverses.

Fonction	Symbole de la fonction principale inverse	Relation	Domaine	Image
sinus	Arcsin	$y = $ Arcsin x	$-1 \leq x \leq 1$	$-\dfrac{\pi}{2} \leq y \leq \dfrac{\pi}{2}$
cosinus	Arccos	$y = $ Arccos x	$-1 \leq x \leq 1$	$0 \leq y \leq \pi$
tangente	Arctan	$y = $ Arctan x	$-\infty < x < \infty$	$-\dfrac{\pi}{2} < y < \dfrac{\pi}{2}$
cotangente	Arccot	$y = $ Arccot x	$-\infty < x < \infty$	$0 < y < \pi$

Les exemples suivants illustrent une méthode générale pour trouver la valeur d'une expression (ou résoudre une équation) qui comprend des fonctions trigonométriques inverses.

EXEMPLE 5. Quelle est la valeur de cos (Arcsin $\frac{1}{4}$ + Arccos $\frac{1}{2}$)?

Solution. Soit $\alpha = $ Arcsin $\frac{1}{4}$ et β Arccos $\frac{1}{2}$; alors

$$\text{Sin } \alpha = \frac{1}{4} \qquad\qquad \text{Cos } \beta = \frac{1}{2}$$

D'où

$$\text{Cos } \alpha = \sqrt{1 - \frac{1}{16}} \qquad \text{Sin } \beta = \sqrt{1 - \frac{1}{4}}$$

$$= \frac{\sqrt{15}}{4} \qquad\qquad = \frac{\sqrt{3}}{2}$$

De plus,

$$\cos\left(\text{Arcsin}\,\frac{1}{4} + \text{Arccos}\,\frac{1}{2}\right) = \cos\,(\alpha + \beta)$$

$$= \cos\alpha\,\cos\beta - \sin\alpha\,\sin\beta$$

$$= \frac{\sqrt{15}}{4}\cdot\frac{1}{2} - \frac{1}{4}\cdot\frac{\sqrt{3}}{4}$$

$$= \frac{2\sqrt{15} - \sqrt{3}}{16}$$

EXEMPLE 6. Résoudre pour x: $\text{Arccos}\,x + \text{Arccos}\,(2x) = \pi/2$.

Solution. Soit $\alpha = \text{Arccos}\,x$ et $\beta = \text{Arccos}\,(2x)$. Alors

$$\text{Cos}\,\alpha = x \qquad \text{Cos}\,\beta = 2x$$

D'où $\qquad\qquad \text{Sin}\,\alpha = \sqrt{1 - \text{Cos}^2\,\alpha} = \sqrt{1 - x^2}$

et $\qquad\qquad \text{Sin}\,\beta = \sqrt{1 - \text{Cos}^2\,\beta} = \sqrt{1 - 4x^2}$

L'équation donnée peut maintenant s'écrire

$$\alpha + \beta = \frac{\pi}{2}$$

D'où $\qquad\qquad \text{Cos}\,(\alpha + \beta) = \cos\frac{\pi}{2} = 0$

et $\qquad\qquad \text{Cos}\,\alpha\,\text{Cos}\,\beta - \text{Sin}\,\alpha\,\text{Sin}\,\beta = 0$

Par substitution, nous avons

$$x(2x) - \sqrt{1 - x^2}\cdot\sqrt{1 - 4x^2} = 0$$

Alors $\qquad\qquad 2x^2 = \sqrt{(1 - x^2)(1 - 4x^2)}$

et $\qquad\qquad 4x^4 = 1 - 5x^2 + 4x^4$

De cette équation, nous obtenons l'ensemble-solution $\{-\sqrt{5}/5, \sqrt{5}/5\}$.

EXERCICES 12.2

1. Définir la fonction principale cotangente pour qu'elle ait une fonction réciproque: INDICATION restreindre le domaine de la fonction cotangente.
2. Tracer le graphe de la fonction réciproque de la cotangente principale.
3. Évaluer les expressions suivantes sans l'usage des tables:

   (a) Arcsin 1 $\qquad\qquad$ (b) Arcsin $(-\frac{1}{2})$ $\qquad\qquad$ (c) Arctan (-1)

   (d) Arcsin (-1) $\qquad\qquad$ (e) Arccot 1 $\qquad\qquad$ (f) Arccos $\left(-\dfrac{\sqrt{3}}{2}\right)$

   (g) $\text{Sin}^{-1}\left(-\dfrac{\sqrt{3}}{2}\right)$ $\qquad\qquad$ (h) $\text{Tan}^{-1}\sqrt{3}$ $\qquad\qquad$ (i) $\text{Cos}^{-1}\,(-1)$

(j) $\text{Arccos } \dfrac{\sqrt{3}}{2}$ (k) $\text{Arcsin}\left(-\dfrac{\sqrt{2}}{2}\right)$ (l) $\text{Arccot }(-1)$

(m) $\text{Sin}^{-1} \dfrac{\sqrt{2}}{2}$ (n) $\text{Cos}^{-1} 0$ (o) $\text{Cos}^{-1}\left(-\dfrac{\sqrt{2}}{2}\right)$

4. Évaluer les expressions suivantes en se servant de la Table I:

(a) Arcsin 0.6442   (b) Arcsin 0.5227   (c) Arccos 0.8678
(d) Arccos 0.8949   (e) Arctan 1.592   (f) Arccot 1.668
(g) Arccot 1.431   (h) Arctan 2.498   (i) Arcsin (−0.7833)
(j) Arcsin (−0.9608)   (k) Arccos (−0.1896)   (l) Arccos (−0.0707)
(m) Arctan (−5.798)   (n) Arctan (−3.602)

5. Exprimer les expressions suivantes en termes de x ou de t:

(a) $\cos (\text{Arccos } x)$ (b) $\sin (\text{Arcsin } x)$ (c) $\text{Arcsin } (\sin x)$
(d) $\text{Arccos } (\cos x)$ (e) $\tan (\text{Arctan } t)$ (f) $\cot (\text{Arccot } t)$
(g) $\text{Arctan } (\tan x)$ (h) $\text{Arccot } (\cot x)$

6. Exprimer les expressions suivantes en termes de x ou de t:

(a) $\cos (\text{Arctan } x)$ (b) $\sin (\text{Arccot } x)$ (c) $\cos (\text{Arccot } t)$
(d) $\tan (\text{Arccot } t)$ (e) $\tan (\text{Arccot } 1/t)$ (f) $\cos (\text{Arcsin } t)$

7. Évaluer les expressions suivantes:

(a) $\sin (\text{Arccos } \tfrac{3}{5})$ (b) $\cos (\text{Arcsin } \tfrac{3}{5})$ (c) $\cos (\text{Arcsin } 0.8)$
(d) $\sin (\text{Arccos } 0.6967)$ (e) $\sin (\text{Arctan } \tfrac{3}{4})$ (f) $\cos (\text{Arccot } \tfrac{7}{24})$
(g) $\cos [\text{Arctan } (-\tfrac{4}{3})]$ (h) $\sin [\text{Arccot } (-\tfrac{24}{7})]$

8. Évaluer les expressions suivantes:

(a) $\sin (2 \text{ Arccos } \tfrac{1}{2})$ (b) $\text{Arccos } (2 \sin \pi/3)$
(c) $\text{Arcsin } (2 \cos \pi/3)$ (d) $\cos (2 \text{ Arcsin } \tfrac{1}{2})$

9. Exprimer en termes de t:

(a) $\tan (2 \text{ Arctan } t)$ (b) $\sin (2 \text{ Arctan } t)$
(c) $\cos (2 \text{ Arccot } t)$ (d) $\cot (2 \text{ Arccot } t)$

PROUVER les relations suivantes:

10. $\cos (\text{Arcsin } w + \text{Arccos } z) = z\sqrt{1-w^2} - w\sqrt{1-z^2}$

11. $\sin (2 \text{ Arcsin } x) = 2x\sqrt{1-x^2}$ **12.** $\cos (2 \text{ Arccos } t) = 2t^2 - 1$

13. $\sin (\text{Arccos } t) = \cos (\text{Arcsin } t)$ **14.** $\tan \left(\tfrac{1}{2} \text{Arccos } u\right) = \sqrt{\dfrac{1-u}{1+u}}$

15. $\tan (\text{Arctan } u - \text{Arctan } v) = \dfrac{u-v}{1+uv}$ **16.** $\tan (\text{Arctan } t + \text{Arctan } 1) = \dfrac{1+t}{1-t}$

17. $\text{Arccos } 2t \neq 2 \text{ Arccos } t$ **18.** $\text{Arcsin } 2t \neq 2 \text{ Arcsin } t$

19. $\text{Arcsin } u + \text{Arcsin } v \neq \text{Arcsin } (u+v)$ **20.** $\text{Arccos } (u+v) \neq \text{Arccos } u + \text{Arccos } v$

RÉSOUDRE les équations suivantes pour x ou pour t:

21. $\text{Arcsin } (-\tfrac{5}{13}) + \text{Arccos } \tfrac{4}{5} = \text{Arcsin } t$ **22.** $\text{Arccos } \tfrac{3}{5} - \text{Arcsin } \tfrac{4}{5} = \text{Arccos } t$

23. $\text{Arctan } 2x = 2 \text{ Arctan } x$ **24.** Montrer que $\text{Arccot } 2t \neq 2 \text{ Arccot } t$.

25. Prouver que $\text{Arcsin } (\sin u \sin v + \cos u \cos v) = u + v$.

26. Montrer que $\text{Arctan } 3 + \text{Arctan } \tfrac{1}{3} = \pi/2$.

MONTRER la validité des relations:

27. $\text{Arcsin } t = \text{Arctan } \dfrac{t}{\sqrt{1 - t^2}}$

28. $\sin (\text{Arccos } t) = \sqrt{1 - t^2}$

29. $\text{Arctan } t = \text{Arcsin } \dfrac{t}{\sqrt{1 + t^2}}$

30. $\cos (\text{Arctan } t) = \dfrac{1}{\sqrt{1 + t^2}}$

RÉSOUDRE les équations suivantes:

31. $2 \text{ Arcsin } t + \text{Arccos } 0 = \text{Arccos } (-1)$

32. $\text{Arccos } t + \text{Arccos } (1 - t) = \pi/2$

33. $\text{Arcsin } t + \text{Arccos } (1 - t) = \pi/2$

34. $2 \text{ Arctan } x - \text{Arcsin } x = 0$

35. $\text{Arctan } \sqrt{x} + 2 \text{ Arctan } \sqrt{1 - x} = \pi/2$

SYSTÈMES D'ÉQUATIONS. MATRICES

Dans les chapitres précédents, nous avons discuté de moyens de déterminer les ensembles-solution d'équations à une inconnue. Nous examinons maintenant des méthodes pour déterminer les ensembles-solution de systèmes d'équations à plusieurs inconnues.

ÉQUATION LINÉAIRE À DEUX INCONNUES 13.1

Une équation de la forme

$$ax + by + c = 0 \tag{13.1}$$

où a, b, c sont des constantes et où a et b ne sont pas à la fois nuls, est une *équation linéaire en x et en y*. Si $b \neq 0$, nous pouvons résoudre cette équation pour y, et nous obtenons

$$y = -\frac{a}{b}x - \frac{c}{b}$$

Le graphe de l'ensemble-solution de cette équation est une ligne droite, ainsi qu'on l'a montré dans la Section 11.1. En particulier, si $a = 0$ et $b \neq 0$, le graphe de l'ensemble-solution est la droite $y = -(c/b)$. Si $b = 0$ et $a \neq 0$, le graphe de l'ensemble-solution est la droite $x = -(c/a)$.

Tournons maintenant notre attention vers la résolution d'un système d'équations linéaires à deux inconnues,

$$\begin{aligned} a_1x + b_1y + c_1 &= 0 \\ a_2x + b_2y + c_2 &= 0 \end{aligned} \tag{13.2}$$

Soit $L_1 = \{(x,y) : a_1x + b_1y + c_1 = 0\}$ l'ensemble-solution de la première équation et $L_2 = \{(x,y) : a_2x + b_2y + c_2 = 0\}$ l'ensemble-solution de la deuxième équation. Nous définissons l'ensemble-solution du système (13.2) comme l'ensemble de tous les couples (x,y) qui satisfont les deux équations. L'ensemble-solution du système est donc l'ensemble

$$L_1 \cap L_2$$

Si le graphe de chaque équation est tracé dans le même système de coor données rectangulaires, alors le graphe de l'ensemble-solution du systèm est l'intersection des graphes de L_1 et L_2.

Si les graphes de L_1 et L_2 sont distincts et non parallèles, ils se coupe ront en un seul point (x_0, y_0). Puisque ce point se trouve sur chaque droite ses coordonnées satisfont les deux équations et le couple (x_0, y_0) est l solution unique du système (13.2).

Détermination graphique de la solution d'un système

Lorsque le système (13.2) a une solution unique, les valeurs appro ximatives de x_0 et y_0 peuvent se déterminer graphiquement en utilisan un système de coordonnées rectangulaires où l'on trace le graphe d l'ensemble-solution de chaque équation. Par estimation des coordonnée du point d'intersection nous obtenons le couple qui est *la solution* d système.

EXEMPLE 1.   Résoudre le système graphiquement:

$$2x + 4y - 4 = 0$$
$$x - y - 5 = 0$$

Solution.   Le graphe des équations est tracé à la figure 13.1.   On estim les coordonnées du point d'intersection à $(4, -1)$ et, donc, ce couple d nombres réels $(4, -1)$ est la solution demandée.   Le premier nombre d couple est la valeur de x, le deuxième, la valeur de y.   Cet ensemble solution est noté

$$\{(4, -1)\}$$

Nous utiliserons fréquemment la notation $L_1 (x,y) = 0$ pour symbo liser l'équation $a_1 x + b_1 y + c_1 = 0$ et $L_2 (x,y) = 0$ pour symboliser $a_2 x$ $b_2 y + c_2 = 0$. Le système (13.2) s'écrit alors

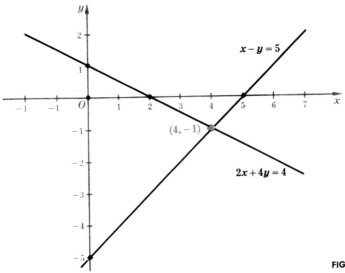

FIGURE 13.1
Voir exemple 1.

$$L_1(x,y) = 0$$
$$L_2(x,y) = 0$$

Un système d'équations qui a au moins un élément dans son ensemble-solution est un système *cohérent*. Tous les systèmes ne sont pas cohérents comme nous le verrons dans la section suivante.

SYSTÈMES ÉQUIVALENTS 13.2

Si le système d'équations (13.2) a une solution unique, elle peut être trouvée par l'une ou l'autre des méthodes algébriques de *substitution* ou *d'élimination**. Dans chacune de ces méthodes le principe est de remplacer le système donné par un système équivalent. Dans la Section 2.2, on a fait remarquer que des équations équivalentes ont des ensembles-solution identiques. Nous définissons de la même façon des systèmes équivalents.

> **DÉFINITION.** Deux systèmes d'équations sont équivalents si, et seulement s'ils ont des ensembles de solutions identiques.   **(13.3)**

Par exemple, puisque l'ensemble-solution de chacun des systèmes suivants

$$\begin{array}{ll} 5x - 3y = 9 \\ x + 2y = 7 \end{array} \quad \text{et} \quad \begin{array}{ll} 5x - 3y = 9 \\ \quad\;\; - 13y = -26 \end{array}$$

est le couple (3,2), les deux systèmes sont équivalents.

La méthode générale de résolution d'un système d'équations est de remplacer le système donné par un système équivalent dont l'ensemble-solution peut être immédiatement obtenu. Par la méthode de substitution nous trouvons un système équivalent en nous servant du fait que le système

$$ax + by + c = 0$$
$$y = mx + b$$

et le système

$$ax + b(mx + b) + c = 0$$
$$y = mx + b$$

sont équivalents. Pour montrer qu'ils sont équivalents nous raisonnons ainsi :

Puisque la deuxième équation dans chaque système est $y = mx + b$, les deux systèmes sont équivalents si les premières équations sont équivalentes, c'est-à-dire si $ax + by + c = 0$ est équivalente à $ax + b(mx + b) + c = 0$. Or, d'après le principe de substitution, ces deux équations sont équivalentes.

La méthode de substitution consiste donc à résoudre une des équations pour une inconnue, soit y, en termes de l'autre, x. L'expression en x est alors substituée à y dans l'équation restante. D'où il résulte une équation à une inconnue x. Et le système donné peut être remplacé par les équations trouvées après les première et deuxième démarches.

_____

u T.: La plupart des manuels préfèrent aujourd'hui l'appellation "combinaison" linéaire à "élimination".

Le nouveau système est l'équivalent du système original, c'est-à-dire il a le même ensemble-solution, et il peut immédiatement être résolu comme le montre l'exemple suivant.

EXEMPLE 1.   Résoudre le système par la méthode de substitution

$$3x - 5y = 11$$
$$x + 8y = -6$$

Solution.   Pour éviter les fractions, nous choisissons la deuxième équation pour résoudre x en termes de y:

$$x = -6 - 8y$$

Nous substituons cette valeur de x dans la première équation

$$3(-6 - 8y) - 5y = 11$$

D'où
$$y = -1$$

Le système original peut maintenant être remplacé par son équivalent

$$x = -6 - 8y$$
$$y = -1$$

Toute solution de ce système sera de la forme $(x, -1)$. Si nous substituons $y = -1$ dans $x = -6 - 8y$, nous en tirons $x = 2$. Ainsi le couple $(2, -1)$ est le seul qui satisfasse les deux équations. Et, l'ensemble-solution du système original est

$$\{(2, -1)\}$$

Cette solution doit être contrôlée pour que l'on sache si le couple $(2, -1)$ vérifie *chacune* des équations originales.

Méthode d'élimination

Dans la méthode d'élimination, on cherche encore un système équivalent pour trouver l'ensemble-solution du système (13.2), et ceci à l'aide des deux théorèmes suivants:

THÉORÈME.   La position de deux équations quelconques d'un système donné peut être interchangée.   **(13.4)**

Preuve. L'ensemble-solution d'un système est l'intersection des ensembles solution des équations du système. Comme l'intersection d'ensembles est associative et commutative, le théorème en découle.

Par exemple, si L_1 et L_2 sont des ensembles-solution de deux équations d'un système, l'ensemble-solution du système est $L_1 \cap L_2$. Si les équations sont interchangées, l'ensemble-solution est $L_2 \cap L_1$. Or $L_1 \cap L_2 = L_2 \cap L_1$.

THÉORÈME.   Toute équation d'un système donné peut être remplacée par une équation équivalente.   **(13.5)**

Par exemple, si $L_1(x,y) = 0$ et $L_2(x,y) = 0$ sont les équations d'un système, alors pour toute solution (x_1,y_1) du système, $L_1(x_1,y_1) = 0$ et $L_2(x_1y_1) = 0$. Maintenant, supposons $L_3(x,y) = 0$ équivalente à $L_2(x,y) = 0$, alors $L_3(x_1,y_1) = 0$. D'où le système

$$L_1(x,y) = 0$$
$$L_2(x,y) = 0$$

a le même ensemble-solution que le système

$$L_1(x,y) = 0$$
$$L_3(x,y) = 0$$

THÉORÈME. L'une ou l'autre des équations du système

$$L_1(x,y) = 0$$
$$L_2(x,y) = 0 \tag{13.6}$$

peut être remplacée par $L_1(x,y) + L_2(x,y) = 0$.

Preuve. Pour tout couple (x_1,y_1) de l'ensemble-solution du système, il est vrai que

$$L_1(x_1,y_1) = 0$$

et

$$L_2(x_1,y_1) = 0$$

Donc encore

$$L_1(x_1,y_1) + L_2(x_1,y_1) = 0$$

Ainsi, (x_1,y_1) satisfait chaque équation du système

$$L_1(x,y) = 0$$
$$L_1(x,y) + L_2(x,y) = 0$$

et aussi satisfait chaque équation du système

$$L_1(x,y) + L_2(x,y) = 0$$
$$L_2(x,y) = 0$$

À l'étudiant de prouver que toute solution de l'un quelconque des systèmes précédents est aussi une solution du système (13.6). Pour ce faire, prendre (x_2,y_2) une solution d'un des systèmes et montrer ensuite que (x_2,y_2) est aussi une solution du système (13.6).

On combine fréquemment (13.5) et (13.6).

THÉORÈME. L'une ou l'autre des équations du système

$$L_1(x,y) = 0$$
$$L_2(x,y) = 0 \tag{13.7}$$

peut être remplacée par $aL_1(x,y) + bL_2(x,y) = 0$ pourvu que a et b soient des nombres réels non nuls.

La preuve semblable à celle de (13.6) est laissée à l'étudiant.
Les exemples suivants illustrent l'emploi de ces théorèmes.

EXEMPLE 2. Résoudre le système

$$2x - 7y - 5 = 0$$
$$3x - 9y - 8 = 0$$

Solution. Le système donné est équivalent au système

$$a(2x - 7y - 5) + b(3x - 9y - 8) = 0$$
$$3x - 9y - 8 = 0$$

pour toutes constantes non nulles a et b. Par un choix convenable de a et
nous pouvons éliminer une des inconnues de la première équation. Pou
éliminer y, nous prenons la plus petite valeur entière convenable de a et b
Soit, dans ce cas, $a = 9$ et $b = -7$. Alors

$$9(2x - 7y - 5) - 7(3x - 9y - 8) = 0$$

ou
$$-3x + 11 = 0$$

Nous remplaçons maintenant la première équation du système donné pa
cette nouvelle équation et nous obtenons le système équivalent

$$-3x + 11 = 0$$
$$3x - 9y - 8 = 0$$

Ce nouveau système est équivalent au système

$$-3x + 11 = 0$$
$$c(-3x + 11) + d(3x - 9y - 8) = 0$$

Pour éliminer x de la seconde équation de ce système, prenons $c = 1$ e
$d = 1$, de sorte que $1(-3x + 11) + 1(3x - 9y - 8) = 0$, ou $-9y + 3 = 0$
En remplaçant la seconde équation du système par celle-ci, nous obtenon
le système équivalent

$$-3x + 11 = 0$$
$$-9y + 3 = 0$$

La solution unique immédiate est $(^{11}/_3, ^1/_3)$. D'où l'ensemble-solution d
système donné est $\{(^{11}/_3, ^1/_3)\}$.

En pratique, on utilise la méthode abrégée suivante:

EXEMPLE 3. Résoudre le système

(1) $$5x + 3y = 3$$
(2) $$9x + 5y = 7$$

Solution.

(3) $$45x + 27y = 27 \qquad \text{(1) multipliée par 9}$$

(4) $\qquad 45x + 25y = 35 \qquad$ (2) multipliée par 5

(5) $\qquad 2y = -8 \qquad$ (4) soustraite de (3)

(6) $\qquad y = -4 \qquad$ (5) divisée par 2

Donc toute solution du système doit être de la forme $(x, -4)$ et doit vérifier l'équation $5x + 3y = 3$; d'où nous tirons

(7) $\qquad 5x + 3(-4) = 3 \qquad$ (6) substituée dans (1)

Donc, $x = 3$, et l'ensemble-solution est $\{(3, -4)\}$.

EXERCICES 13.1

RÉSOUDRE chaque système en traçant les graphes des équations et en estimant les coordonnées de leur intersection:

1. $x - y = -2$
  $4x + 3y = 12$

2. $4y - x = -3$
  $8y - 3x = -1$

3. $2x + y = 4$
  $3x - 7y = -11$

4. $4x - 2y = -1$
  $2x + 6y = 10$

5. $3x - 2y = 11$
  $x - y = 7$

6. $x - 2y = -9$
  $3x + 4y = 8$

RÉSOUDRE chaque système par la méthode de substitution:

7. $2x - 3y = 4$
  $2x + y = 8$

8. $y = 2x + 8$
  $2x + y = 3$

9. $4x + y = 3$
  $8x + 26 = y - 1$

10. $15\frac{1}{2}x - 5y = 10$
  $5x + 10y = 0$

11. $x + 2y + 13 = 0$
  $2x - 3y + 5 = 0$

12. $x - y - 7 = 0$
  $3x - 2y - 11 = 0$

REMPLACER chaque système par un système équivalent dans lequel une équation est à une seule inconnue x:

13. $3x - y = 12$
  $2x + y = 8$

14. $5x + 2y = 11$
  $2x + 2y = 25$

15. $7x - 2y = 5$
  $3x + 3y = 7$

16. $3x - 4y = 10$
  $2x + 3y = 7$

REMPLACER chaque système par un système équivalent dans lequel une équation est à une seule inconnue y:

17. $2x + 3y = 8$
  $2x - 5y = 16$

18. $5x - y = 7$
  $5x + 3y = 18$

19. $3x - y = 7$
  $2x + 3y = 9$

20. $5x + 3y = 6$
  $2x + y = 2$

REMPLACER chaque système par un système équivalent dans lequel une des équations est à une seule inconnue. Trouver l'ensemble-solution du système donné à partir de l'ensemble-solution du système équivalent.

21. $3x + y = 8$
  $2x - y = 7$

22. $4x - 8y = 4$
  $3x - 2y = 1$

23. $2x - \frac{8}{3}y = 2\frac{2}{3}$
  $4x - y = 6$

24. $\frac{9}{20}x + \frac{7}{20}y = 1$
  $6x - 5y = 23$

25. $3x + 8y = 6$
  $4x + 7y = 5$

26. $2x - y - 6 = 6$
  $3x - 6y + 6 = 0$

27. $3x = 5y - 4$
  $4y = -6x - 1\frac{2}{5}$

28. $x + 3y = 1$
  $4x + 10y = 26$

RÉSOUDRE chacun des systèmes suivants par une méthode quelconque:

29. $3x - 2y = -16$
$4x + 5y = -6$

30. $\sqrt{3}x - \sqrt{2}y = 3$
$\sqrt{2}x + \sqrt{3}y = \sqrt{6}$

31. $(1 - i)x + 2y = -i$
$(1 - i)x - 2y = i$

32. $3x + 2iy = 4$
$ix - 2y = 3$

RÉSOUDRE chacun des systèmes suivants. Pour ce faire, effectuer une substitution qui conduit à un système linéaire.

33. $\dfrac{1}{x} + \dfrac{1}{y} = 3$
$\dfrac{1}{x} - \dfrac{1}{y} = 1$

$(x \neq 0, y \neq 0)$

INDICATION: soit $u = \dfrac{1}{x}$, $v = \dfrac{1}{y}$.

34. $\log x + 2 \log y = \log 2$
$\log x + \log y = \log (0.1)$

$(x \neq 0, y \neq 0)$

INDICATION: soit $u = \log x$ et $v = \log y$.

35. $3^x + 5^y = 32$
$2(3^x) - 3(5^y) = 39$
INDICATION: soit $u = 3^x$ et $v = 5^y$.

36. $\dfrac{10}{x} + \dfrac{9}{y} = 17$
$\dfrac{2}{x} - \dfrac{3}{y} = -3$

37. $\dfrac{25}{x} + \dfrac{4}{y} = 4$
$\dfrac{10}{x} + \dfrac{6}{y} = -5$

38. $\dfrac{3}{x} + \dfrac{1}{2y} = 17$
$\dfrac{1}{5x} - \dfrac{1}{4y} = 0$

39. $\dfrac{1}{x} - \dfrac{3}{y} = \dfrac{-5}{12}$
$\dfrac{2}{x} + \dfrac{3}{y} = \dfrac{17}{12}$

40. $\dfrac{3}{x} + \dfrac{6}{y} = \dfrac{81}{2}$
$\dfrac{4}{3x} + \dfrac{3}{2y} = -\dfrac{36}{5}$

41. $\log x + 3 \log y = 7$
$5 \log x = 3 + \log y$

42. $\operatorname{Sin} x - \operatorname{Cos} y = 1$
$\operatorname{Sin} x + \operatorname{Cos} y = 1$

43. La somme des inverses de deux nombres est $^{18}\!/_{77}$, et la différence de leurs inverses est $^4\!/_{77}$. Quels sont ces nombres?

44. Si on diminue de 2 le numérateur d'une fraction et si on augmente de 7 son dénominateur, la fraction résultante vaut $^3\!/_{10}$. Si le numérateur est augmentée de 5 et le dénominateur diminue de 4, la fraction résultante vaut $^{13}\!/_9$. Quelle est la fraction originale?

45. Au début d'un cours il y a $^5\!/_8$ fois plus d'hommes que de femmes dans la salle. Un homme et une femme arrivent en retard, il y a alors $^7\!/_{11}$ fois plus d'hommes que de femmes. Trouver le nombre d'hommes et le nombre de femmes dans la classe au début du cours.

46. Une solution à 20% d'alcool est mélangée avec une autre solution à 60% d'alcool pour en faire une solution à 32% d'alcool. Combien faut-il de chaque solution pour une quantité de 10 gallons?

47. Deux cyclistes distants de 15 milles partent en même temps dans la même direction. Après 6 h, le plus rapide dépasse le plus lent. S'ils s'étaient déplacés l'un vers l'autre, ils se seraient rencontrés au bout de 2 h. Trouver la vitesse moyenne de chacun.

48. Un avion à réaction parcourt dans le sens du vent 900 milles en $1^7\!/_{11}$ h. Le retour contre le vent dure 1 h 48 mn. Trouver la vitesse de l'avion en air calme et la vitesse du vent.

49. La somme des deux chiffres d'un nombre de deux chiffres vaut le triple du chiffre des dizaines. Si on multiplie le nombre par 4 et si on retranche 54 de ce produit, le résultat est égal au nombre obtenu en renversant les chiffres du nombre original. Quel est le nombre original?

50. En ajoutant 4 au quadruple de l'âge présent de Marc, on obtient 8 fois l'âge que Max avait deux ans plus tôt. Le triple de l'âge présent de Max dépasse de 3 le double de l'âge que Marc avait 4 ans plus tôt. Trouver leurs âges.

51. Si on augmente la longueur d'un rectangle de 10 pieds et diminue sa largeur de 4 pieds, la surface augmente de 72 pi². Si la longueur est diminuée de 5 pieds et la largeur augmentée de 6 pieds, la surface augmente de 42 pi². Quelles sont les dimensions du rectangle?

52. La circonférence de la roue arrière d'un scooter est les $\frac{7}{8}$ de la circonférence de la roue avant. En parcourant une distance de $933\frac{1}{3}$ pi le long d'une rue horizontale, la roue arrière fait 50 tours de plus que la roue avant. Trouver la circonférence de chaque roue.

SYSTÈMES INCOHÉRENTS ET DÉPENDANTS 13.3

Soit deux droites L_1 et L_2 les graphes respectifs des ensembles-solution de $a_1 x + b_1 y + c_1 = 0$ et $a_2 x + b_2 y + c_2 = 0$, tracés dans un même système de coordonnées. Si ces droites sont distinctes et parallèles, elles n'ont aucun point (x_0, y_0) d'intersection. Ainsi, $L_1 \cap L_2 = \varnothing$. Pour décrire ces systèmes, nous donnons la définition suivante.

> **DÉFINITION.** Un système d'équations linéaires est incohérent s'il n'a pas de solution. **(13.8)**

tème
ohérent

Un *système incohérent* provient de conditions contradictoires imposées aux inconnues. L'exemple simple suivant est un système incohérent:

$$x + y = 3$$
$$x + y = 5$$

La première équation impose à x et y la condition de l'égalité de leur somme à 3, alors que la seconde demande que cette somme soit 5.

Remplaçons le système donné par un système équivalent

$$x + y - 3 = 0$$
$$a(x + y - 3) + b(x + y - 5) = 0$$

où a et b sont des constantes non nulles quelconques. Soit $a = 1$ et $b = -1$, d'où le système équivalent

$$x + y - 3 = 0$$
$$2 = 0$$

Nous raisonnons alors ainsi: si le système original a une solution, alors 2 doit être égal à 0. Comme $2 \neq 0$, nous concluons que le système n'a pas de solution et qu'il est donc incohérent. Les graphes des ensembles-solution des équations du système sont tracés à la figure 13.2a. Noter que les graphes sont des droites parallèles.

Si les graphes des ensembles-solution des équations du système coïncident, alors tout point de L_1 est aussi un point de L_2. D'où tout couple (x, y) qui satisfait une équation satisfait aussi l'autre, c'est-à-dire que les deux équations sont équivalentes et $L_1 \cap L_2, = L_1 = L_2$. Dans ce cas, si l'une des équations est multipliée par une constante convenable, l'équation obtenue est identique à l'autre. Nous disons alors que les équations sont des équations *dépendantes*.

Équations dépendantes

> **DÉFINITION.** Un système cohérent d'équations est dit dépendant si l'une des équations est telle que les solutions de toutes les autres équations du système sont aussi ses solutions. **(13.9)**

Par exemple, le système

(1) $$2x - 7y = 21$$
(2) $$6x - 21y = 63$$

est un système dépendant. Pour montrer que ce système est dépendant remplaçons-le par le système équivalent.

(3) $$6x - 21y = 63 \qquad \text{(1) multipliée par 3}$$
(4) $$6x - 21y = 63 \qquad \text{(2) multipliée par 1}$$

Il est maintenant évident que chaque couple (x,y) qui satisfait une équation satisfait l'autre également.

Le graphe des équations du système original est représenté à la figure 13.2*b* par deux droites superposées.

Un système d'équations de la forme

$$a_1 x + b_1 y = 0$$
$$a_2 x + b_2 y = 0$$
$$(13.10)$$

Système homogène

Solution triviale

est appelé un *système homogène*. À l'examen on voit que $x = 0$ et $y = 0$ vérifie les deux équations du système, donc que le couple $(0,0)$ est une solution. Nous appelons cette solution la *solution triviale*.

FIGURE 13.2 (*a*) Système incohérent; (*b*) système dépendant

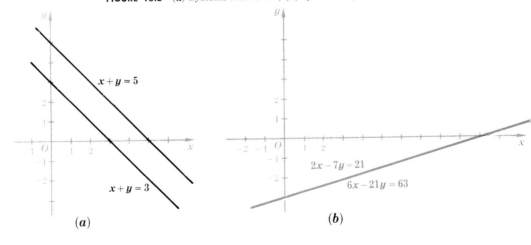

(*a*)   (*b*)

Le graphe de chaque équation d'un système homogène (13.10) est une ligne droite qui passe par l'origine. D'où les droites sont distinctes et passent par l'origine, ou elles coïncident. Si elles sont distinctes, la solution triviale est la seule solution du système. Si elles coïncident, alors il y a une infinité de solutions. Donc, un système homogène d'équations linéaires est toujours cohérent. Il peut être ou ne pas être un système dépendant.

EXERCICES 13.2

DÉTERMINER lesquels des systèmes suivants sont cohérents, lesquels sont incohérents et lesquels sont dépendants:

1. $9x - 12y = 36$
$3x - 4y = 24$

2. $x + 2y = 3$
$-5x - 10y = -15$

3. $-3x + 2y = 8$
$6x - 4y = 16$

4. $3x - 5y = 10$
$2x - 5y = 10$

5. $3y = 4x + 9$
$12 - 12x + 9y = 0$

6. $\frac{1}{2}x + \frac{3}{4}y = 2$
$2x - 3y = 8$

7. $y = 3x + 3$
$6x = 2y - 6$

8. $y = 2x$
$3y = 14 - 6x$

9. $6y = 12 - 2x$
$3y + x = 6$

10. $2x = 4y + 17\frac{1}{2}$
$3x = -3 - 4y$

TROUVER des valeurs de k pour que chaque système suivant ait une solution unique:

11. $x + ky = 3$
$3x - 3y = 7$

12. $x - 3y = k$
$2x + 6y = 9$

13. $kx + 2y = 4$
$-5x + 6y = 11$

14. $2x - 5y = k$
$8x - ky = 2$

TROUVER des valeurs de k pour que chaque système suivant soit, si possible, cohérent:

15. $3x - ky = 7$
$x + y = 9$

16. $kx + 5y = 10$
$x - 15y = 20$

17. $2x - y = 8$
$4x + ky = 8$

18. $4x + 2y = 6$
$2x + ky = 4$

TROUVER des valeurs de k pour que chaque système suivant soit, si possible, dépendant:

19. $2x + y = 8$
$8x + 4y = k$

20. $x - 7y = k$
$-3x + 21y = 5$

21. $6x + y = k$
$kx - 3y = 20$

22. $5x - ky = 8$
$2x - 10y = 16\frac{4}{5}$

23. Montrer que le système homogène

$$2x + 3y = 0$$
$$6x + 9y = 0$$

est un système dépendant.

24. Montrer que le système

$$3x + 4y = 0$$
$$6x - 8y = 0$$

est cohérent.

Dans chaque problème suivant le système donné est

$$a_1 x + b_1 y = c_1$$
$$a_2 x + b_2 y = c_2$$

25. Montrer que le système est un système équivalent

$$(a_1 b_2 - a_2 b_1)x = b_2 c_1 - b_1 c_2$$
$$(a_1 b_2 - a_2 b_1)y = a_1 c_2 - a_2 c_1$$

INDICATION: multiplier chaque membre de la première équation du système donné par b_2, chaque côté de la deuxième par b_1. Soustraire.

26. Montrer que si $a_1 b_2 - a_2 b_1 \neq 0$, le système a une solution unique. INDICATION: Se servir du système équivalent du Problème 25.

ÉQUATIONS LINÉAIRES À PLUS DE DEUX INCONNUES   13.4

Une équation de la forme

$$ax + by + cz + d = 0 \tag{13.11}$$

où a, b, c, d sont des constantes qui ne sont pas toutes nulles, est une équation linéaire à trois inconnues x, y, z. L'ensemble-solution de l'équation est l'ensemble de tous les triplets ordonnés des nombres (x,y,z) qui satisfont l'équation. Si L symbolise l'ensemble-solution

$$L = \{(x,y,z) : ax + by + cz + d = 0\}$$

Nous définissons l'ensemble-solution d'un système de trois équations à trois inconnues x, y, z l'ensemble de tous les triplets ordonnés (x,y,z) qui satisfont chaque équation du système. Ainsi, si L_1, L_2, L_3 sont les ensembles-solution des première, seconde et troisième équations du système respectivement, l'ensemble-solution est l'intersection

$$L_1 \cap L_2 \cap L_3$$

Une des méthodes de résolution algébrique du système s'appelle la méthode de *réduction du système à la forme triangulaire*.

Forme
triangulaire

> **DÉFINITION.** Un système de trois équations linéaires à trois inconnues est dans la forme triangulaire si les conditions suivantes sont satisfaites:
>
> **1.** la première équation comporte la première inconnue; elle peut comporter ou non la deuxième ou la troisième;
>
> **2.** la deuxième équation comporte la deuxième inconnue, mais pas la première; elle peut comporter ou non la troisième;
>
> **3.** la troisième équation comporte la troisième variable, mais pas la première ou la seconde.

(13.12)

Le système suivant, par exemple, est dans la forme triangulaire

$$x + 3y - 5z - 14 = 0$$
$$2y + 3z - 1 = 0$$
$$6z + 6 = 0$$

Ce système se résoud immédiatement. D'après la troisième équation $z = -1$. En substituant $z = -1$ dans la seconde équation, on a $y = 2$. En substituant $z = -1$ et $y = 2$ dans la première équation, on tire $x = 3$. Ainsi le triplet $(3, 2, -1)$ est la solution du système.

Pour remplacer un système donné par un système équivalent de forme triangulaire, on se sert des théorèmes (13.4) à (13.6) et de l'énoncé modifié suivant de (13.7) :

> **THÉORÈME.** Toute équation du système
>
> $$L_1(x,y,z) = 0$$
> $$L_2(x,y,z) = 0$$
> $$L_3(x,y,z) = 0 \qquad\qquad (13.7)'$$
>
> peut être remplacée par l'équation équivalente obtenue en ajoutant un de ses multiples non nul au multiple non nul d'une autre équation.

La preuve est similaire à celle du Théorème (13.7) et ne sera pas donnée.

Pour appliquer ces théorèmes, nous écrivons les équations de sorte que les variables soient dans le même ordre pour chaque équation.

EXEMPLE 1. Résoudre le système

(1) $$x + 3y - 2z - 8 = 0$$
(2) $$2x - 2y + 3z + 7 = 0$$
(3) $$3x - y - 3z - 1 = 0$$

Solution. Pour éliminer x de la seconde équation, nous remplaçons la seconde équation par

$$2(x + 3y - 2z - 8) - 1(2x - 2y + 3z + 7) = 0$$
ou $$8y - 7z - 23 = 0$$

Pour éliminer x de la troisième équation, nous remplaçons la troisième équation par
$$3(x + 3y - 2z - 8) - 1(3x - y - 3z - 1) = 0$$
ou $$10y - 3z - 23 = 0$$

Le système équivalent résultant est

(4) $$x + 3y - 2z - 8 = 0$$
(5) $$8y - 7z - 23 = 0$$
(6) $$10y - 3z - 23 = 0$$

Nous remplaçons maintenant l'Éq. (6) par
$$5(8y - 7z - 23) - 4(10y - 3z - 23) = 0$$
ou $$-23z - 23 = 0$$

Le système résultant

(7) $x + 3y - 2z - 8 = 0$

(8) $8y - 7z - 23 = 0$

(9) $-23z - 23 = 0$

est l'équivalent du système original. Nous voyons que $z = -1$ est l'unique solution de l'Éq. (9). Puisque $z = -1$, l'Éq. (8) nous donne une valeur unique de y, $y = 2$. De l'Éq. (7), on tire une valeur unique de x, $x = 0$. Donc l'ensemble-solution est

$$\{(0,2,-1)\}$$

Cette méthode est souvent abrégée ainsi

(4′) $x + 3y - 2z - 8 = 0$ **1 fois (1)**

(5′) $8y - 7z - 23 = 0$ **2 fois (1) moins 1 fois (2)**

(6′) $10y - 3z - 23 = 0$ **3 fois (1) moins 1 fois (3)**

Nous réduisons maintenant à la forme triangulaire

(7′) $x + 3y - 2z - 8 = 0$

(8′) $8y - 7z - 23 = 0$

(9′) $-23z - 23 = 0$

De (9′), $z = -1$; de (8′), $y = 2$; et de (7′), $x = 0$. Donc $(0,2-1)$ est la solution.

EXERCICES 13.3

RÉSOUDRE les systèmes suivants en les réduisant à des systèmes équivalents de forme triangulaire:

1. $x + y - z = 2$
    $x + 2y + z = 7$
    $3x - y + 2z = 12$

2. $2x - z = 2$
    $x - y = 5$
    $y - z = -6$

3. $x - 2y + z = 7$
    $y + 2z = 1$
    $2x + 3z = 4$

4. $x - 2y + 4z = -3$
    $2x + y - 3z = 11$
    $3x + y - 2z = 12$

5. $2x + 4y + z = 0$
    $5x + 3y - 2z = 1$
    $4x - 7y - 7z = 6$

6. $x + 3y - 2z = 10$
    $2x + y + 3z = 4$
    $7x - 5y + 4z = -4$

7. $x + y + z = 6$
    $2x + 2y + z = 11$
    $3x - 4y - z = 0$

8. $x - 3y - 3z = 1$
    $5x + 4y - 7z = 0$
    $4x - 3y - 6z = 4$

9. $3x - 2y = 3$
    $5x - 8z = -19$
    $5y - 7z = 4$

10. $2x - 3y + z = 9$
     $x - 2y + 3z = -2$
     $3x - y + 2z = 5$

11.
$$\frac{4}{x} - \frac{6}{y} + \frac{3}{z} = -7$$
$$\frac{3}{x} - \frac{5}{y} + \frac{2}{z} = -5$$
$$\frac{2}{x} + \frac{3}{y} + \frac{1}{z} = 4$$

12.
$$\frac{2}{x} + \frac{4}{z} = 3$$
$$\frac{2}{x} + \frac{3}{y} - \frac{2}{z} = 8$$
$$\frac{1}{x} + \frac{6}{y} + \frac{1}{z} = 6$$

INDICATION: soit $u = (1/x), v = (1/y), w = (1/z)$.

13.
$$x + y + 2z + 2w = 9$$
$$4x - 3y + z - 5w = 3$$
$$3x - 2y - 3z + 4w = 6$$
$$2x + y - 2z - w = -8$$

14.
$$x + 4y + w = 4$$
$$x + 3z + 2w = -11$$
$$2y + 3z + w = -9$$
$$x - y - 2z = 7$$

15. Un fonds de \$20,000 est placé en partie à 4%, une autre partie à 5% et le reste dans un puits de pétrole productif. La première année, le puits de pétrole perd 2%, mais le revenu total net des trois investissements est de \$560. L'année suivante, le puits paie un profit de 10% et le revenu total est de \$1,160. Combien a été investi dans le puits de pétrole?

16. La somme des chiffres d'un nombre à trois chiffres est 11. Si l'ordre des chiffres est inversé, le nombre vaut 396 de moins. Le chiffre des dizaines est la moitié de celui des centaines. Quel est ce nombre?

17. La somme de trois entiers est 84. La somme des deux premiers moins le troisième est 22, et le premier moins la somme du second et du trosième est -34. Quels sont les trois entiers?

18. Marc et Max ensemble peuvent faire un travail en 4 jours, Marc et Michel peuvent faire ensemble le travail en 6 jours. Max et Michel ensemble peuvent le faire en 5 jours. En combien de temps chacun d'eux le ferait-il seul?

19. Dans un nombre de trois chiffres, la somme du chiffre des centaines et de celui des dizaines est supérieur de 2 au double du chiffre des unités. La somme du chiffre des dizaines et de celui des unités vaut le chiffre des centaines. La somme des trois chiffres est 14. Quel est le nombre?

20. Les points $(1,1)$, $(2,4)$, $(3,9)$ sont sur la courbe d'équation

$$y = ax^2 + bx + c$$

Trouver a, b, c.

MATRICES 13.5

Pour faciliter le travail de résolution des systèmes d'équations linéaires, nous introduisons le concept de *matrice*. La résolution de beaucoup de problèmes qu'est appelé à résoudre le mathématicien moderne justifie l'utilité de ce concept.

Pour commencer cette étude, considérons le système d'équations linéaires.

$$a_1 x + b_1 y = c_1$$
$$a_2 x + b_2 y = c_2$$

tableau des coefficients

Si nous recopions seulement les coefficients des inconnues et les constantes dans l'ordre où elles se trouvent dans les équations, nous abrégeons l'écriture du système par le tableau ordonné de nombres

$$\begin{pmatrix} a_1 & b_1 & c_1 \\ a_2 & b_2 & c_2 \end{pmatrix}$$
(13.13)

Ce tableau est généralement mis entre parenthèses (ou crochets ou doubles barres verticales). Par exemple, le système

$$3x + 2y = 7$$
$$2x - 5y = 9$$

est représenté par chacun des tableaux

$$\begin{pmatrix} 3 & 2 & 7 \\ 2 & -5 & 9 \end{pmatrix} \qquad \begin{bmatrix} 3 & 2 & 7 \\ 2 & -5 & 9 \end{bmatrix} \qquad \left|\left| \begin{matrix} 3 & 2 & 7 \\ 2 & -5 & 9 \end{matrix} \right|\right|$$

Nous utiliserons les parenthèses dans ce livre.

L'ordre des nombres dans le tableau

$$\begin{pmatrix} 3 & 2 & 7 \\ 2 & -5 & 9 \end{pmatrix}$$

est très important. Tout changement dans l'ordre des éléments donnerait un tableau qui représente un système différent d'équations.

Notons que ce tableau est rectangulaire et comprend deux *lignes* et trois *colonnes* de nombres.

> **DÉFINITION.** Une matrice est un tableau ordonné rectangulaire d'éléments.

Dimensions d'une matrice

Si une matrice a m lignes et n colonnes, nous disons qu'elle est de *dimensions* m et n et on l'appelle "une matrice m par n".* Une matrice d'une seule ligne d'éléments

$$(a_1 \quad a_2 \quad a_3 \quad \cdots \quad a_n)$$

Matrice ligne

est une *matrice-ligne*. Quand une matrice comporte une seule colonne d'éléments,

$$\begin{pmatrix} c_1 \\ c_2 \\ c_3 \\ \cdot \\ \cdot \\ \cdot \\ c_n \end{pmatrix}$$

Matrice colonne Matrice carrée

elle est appelée *matrice-colonne*. Une matrice qui a le même nombre de colonnes et de lignes est une *matrice carrée*. Donc

$$\begin{pmatrix} 2 & 1 & 5 \\ 3 & 1 & 3 \\ 1 & 7 & 2 \end{pmatrix}$$

est une matrice carrée.

*N. du T.: Les matrices à $n \times p$ éléments sont souvent notées (n,p)—matrices.

Soit le système d'équations linéaires

$$a_1x + b_1y + c_1z = d_1$$
$$a_2x + b_2y + c_2z = d_2 \qquad \textbf{(13.14)}$$
$$a_3x + b_3y + c_3z = d_3$$

Les coefficients des inconnues peuvent être portées dans la matrice carrée

$$\begin{pmatrix} a_1 & b_1 & c_1 \\ a_2 & b_2 & c_2 \\ a_3 & b_3 & c_3 \end{pmatrix} \qquad \textbf{(13.15)}$$

Matrice des coefficients

appelée matrice des coefficients du système (13.14). Les constantes des membres de droite des équations peuvent former la matrice colonne

$$\begin{pmatrix} d_1 \\ d_2 \\ d_3 \end{pmatrix} \qquad \textbf{(13.16)}$$

La matrice $\qquad \begin{pmatrix} a_1 & b_1 & c_1 & d_1 \\ a_2 & b_2 & c_2 & d_2 \\ a_3 & b_3 & c_3 & d_3 \end{pmatrix} \qquad \textbf{(13.17)}$

Matrice augmentée

obtenue en adjoignant à la matrice des coefficients (13.15) les éléments de la matrice-colonne (13.16), s'appelle la *matrice augmentée* du système (13.14).

EXEMPLE 1. Trouver la matrice des coefficients et la matrice augmentée du système

$$2x + 3y - z = 5$$
$$3y - 2x + 2z = 7$$
$$3z + 5y - 6x = 1$$

Solution. Arranger les équations du système de sorte que chaque colonne de la matrice des coefficients représente les coefficients de la même variable :

$$2x + 3y - z = 5$$
$$-2x + 3y + 2z = 7$$
$$-6x + 5y + 3z = 1$$

La matrice des coefficients est

$$\begin{pmatrix} 2 & 3 & -1 \\ -2 & 3 & 2 \\ -6 & 5 & 3 \end{pmatrix}$$

et la matrice augmentée

$$\begin{pmatrix} 2 & 3 & -1 & 5 \\ -2 & 3 & 2 & 7 \\ -6 & 5 & 3 & 1 \end{pmatrix}$$

Si la matrice augmentée d'un système d'équations linéaires est donnée, le système peut être trouvé.

EXEMPLE 2. Trouver le système d'équations linéaires en x, y, z dont la matrice augmentée est

$$\begin{pmatrix} 3 & 2 & 1 & 3 \\ 2 & -3 & 2 & 2 \\ 1 & 5 & -4 & 1 \end{pmatrix}$$

Solution. Comme les éléments de chaque colonne sont respectivement les coefficients des inconnues x, y et z, le système d'équations demandé est le suivant

$$3x + 2y + z = 3$$
$$2x - 3y + 2z = 2$$
$$x + 5y - 4z = 1$$

Les manipulations sur les équations que nous avons discutées dans les théorèmes de la Section 13.2 peuvent s'appliquer aux *lignes* des nombres de la matrice augmentée d'un système pour la transformer en matrice augmentée d'un système équivalent. Ces manipulations, appelées *manipulations élémentaires suivant les lignes*, sont résumées dans les théorèmes suivants. Elles aboutissent toujours à la matrice augmentée d'un système équivalent, c'est-à-dire aux *matrices équivalentes*. La preuve qu'il en est ainsi vient du fait que les manipulations sur les lignes de la matrice augmentée sont identiques aux manipulations effectuées sur les équations du système.

Manipulations suivant les lignes

> **THÉORÈME.** Deux lignes quelconques de la matrice augmentée peuvent être interchangées pour produire une matrice équiva- **(13.18)** lente.
>
> **THÉORÈME.** Toute ligne de la matrice augmentée peut être multipliée par une constante non nulle pour produire une matrice **(13.19)** équivalente.
>
> **THÉORÈME.** Tout multiple d'une ligne de la matrice augmentée peut être ajouté à une autre ligne pour produire une matrice **(13.20)** équivalente.

L'emploi des matrices à la résolution des systèmes d'équations linéaires s'illustre dans les exemples suivants.

EXEMPLE 3. Par des manipulations de matrices résoudre le système

$$x + 3y = -1$$
$$5x - y = 11$$

Solution. Écrire la matrice augmentée du système:

$$\begin{pmatrix} 1 & 3 & -1 \\ 5 & -1 & 11 \end{pmatrix}$$

Le but est d'obtenir un zéro en première position de la deuxième ligne. En remplaçant la deuxième ligne par elle-même diminuée de 5 fois la première ligne, nous obtenons

$$\begin{pmatrix} 1 & 3 & -1 \\ 0 & -16 & 16 \end{pmatrix} \qquad 2^e \text{ ligne moins 5 fois la } 1^{re}$$

Cette matrice représente le système

$$\begin{aligned} x + 3y &= -1 \\ -16y &= 16 \end{aligned}$$

qui est équivalent au système original. De la deuxième équation nous tirons $y = -1$. La première équation conduit à $x = 2$. Donc la solution du système donné est l'ensemble $\{(2, -1)\}$.

EXEMPLE 4. Résoudre le système

$$\begin{aligned} 2x + y - z &= 5 \\ 4x - 2y + z &= -5 \\ 6x + 4y - 2z &= 17 \end{aligned}$$

Solution. Écrire la matrice augmentée du système

$$\begin{pmatrix} 2 & 1 & -1 & 5 \\ 4 & -2 & 1 & -5 \\ 6 & 4 & -2 & 17 \end{pmatrix}$$

Nous transformons d'abord cette matrice pour obtenir un zéro en première position de la deuxième et de la troisième ligne, en remplaçant la deuxième ligne par elle-même diminuée de 2 fois la première ligne, puis la troisième ligne par elle-même diminuée de 3 fois la première ligne:

$$\begin{pmatrix} 2 & 1 & -1 & 5 \\ 0 & -4 & 3 & -15 \\ 0 & 1 & 1 & 2 \end{pmatrix} \qquad \begin{array}{l} 2^e \text{ ligne moins 2 fois la } 1^{re} \\ 3^e \text{ ligne moins 3 fois la } 1^{re} \end{array}$$

Nous essayons ensuite d'obtenir à partir de cette matrice une matrice finale qui aura des zéros aux deux premières positions de la 3e ligne. Nous remplaçons, donc, la troisième ligne par 4 fois elle-même augmentée de la 2e ligne pour écrire

$$\begin{pmatrix} 2 & 1 & -1 & 5 \\ 0 & -4 & 3 & -15 \\ 0 & 0 & 7 & -7 \end{pmatrix} \qquad 4 \text{ fois la } 3^e \text{ ligne plus la } 2^e$$

qui est la matrice augmentée du système

$$\begin{aligned} 2x + y - z &= 5 \\ -4y + 3z &= -15 \\ 7z &= -7 \end{aligned}$$

De la troisième équation $z = -1$; de la seconde, $y = 3$; et de la première $x = \frac{1}{2}$. La solution est $(\frac{1}{2}, 3, -1)$.

Dans l'exemple précédent, nous avons réduit le système d'équations donné à un système équivalent de forme triangulaire. Cette méthode impose des restrictions au choix des coefficients utilisés pour éliminer les inconnues. La méthode suivante, dite de *réduction*, permet plus de liberté pour le choix des coefficients utilisés. Commençons par poser la matrice augmentée du système donné dans l'Exemple 4, puis choisissons un 1 ou un -1 (généralement dans une colonne d'éléments numériquement petits) pour réduire la colonne entière. S'il n'y a pas de 1 ou de -1, multiplier une ligne par une constante pour en avoir un.

Méthode de réduction

Soit la matrice augmentée

$$\begin{pmatrix} 2 & 1 & -1 & 5 \\ 4 & -2 & 1 & -5 \\ 6 & 4 & -2 & 17 \end{pmatrix}$$

Nous choisissons le 1 de la 1re ligne pour réduire la deuxième colonne

$$\begin{pmatrix} 2 & 1 & -1 & 5 \\ 8 & 0 & -1 & 5 \\ -2 & 0 & 2 & -3 \end{pmatrix} \quad \begin{array}{l} 2^e \text{ ligne plus 2 fois la } 1^{re} \\ 3^e \text{ ligne moins 4 fois la } 1^{re} \end{array}$$

Puis nous choisissons le -1 de la 2e ligne pour réduire la troisième colonne

$$\begin{pmatrix} -6 & 1 & 0 & 0 \\ 8 & 0 & -1 & 5 \\ 14 & 0 & 0 & 7 \end{pmatrix} \quad \begin{array}{l} 1^{re} \text{ ligne moins la } 2^e \\ \\ 3^e \text{ ligne plus 2 fois la } 2^e \end{array}$$

Simplifions la troisième ligne par 7

$$\begin{pmatrix} -6 & 1 & 0 & 0 \\ 8 & 0 & -1 & 5 \\ 2 & 0 & 0 & 1 \end{pmatrix} \quad 3^e \text{ ligne divisée par 7}$$

En réduisant la première colonne, nous obtenons alors la matrice finale

$$\begin{pmatrix} 0 & 1 & 0 & 3 \\ 0 & 0 & -1 & 1 \\ 2 & 0 & 0 & 1 \end{pmatrix} \quad \begin{array}{l} 1^{re} \text{ ligne plus 3 fois la } 3^e \\ 2^e \text{ ligne moins 4 fois la } 3^e \end{array}$$

Cette matrice représente le système

$$2x = 1$$
$$y = 3$$
$$-z = 1$$

Donc, l'ensemble-solution $\{(\frac{1}{2}, 3, -1)\}$ est le même qu'auparavant.

Tout système de n équations linéaires à n inconnues peut être résolu par les méthodes de cette section.

EXERCICES 13.4

RÉSOUDRE chaque système suivant par des manipulations de matrices

1. $3x + y - 3z = 2$
$\quad -x + 4y + 2z = 1$
$\quad x + 2y - z = 3$

2. $2x + 3y + z = 4$
$\quad 3x - 2y - 2z = 4$
$\quad -3x + 8y + 9z = 3$

3. $2x + y = 1$
   $3x - 4y + 2z = 3$
   $5x - 3y + 4z = -5$

4. $4x - 2y - 3z + 1 = 0$
   $x - 4z - 2 = 0$
   $3x - y + 5z = 0$

5. $x - y - \frac{1}{2}z = \frac{3}{2}$
   $2x + 3y - 5z = -2$
   $5y + 3z = 2$

6. $2x + 3y - z - 3 = 0$
   $y + z = x$
   $y - x - z - 1 = 0$

7. $\dfrac{x - y}{3} - \dfrac{y - z}{4} = \dfrac{7}{2}$

   $\dfrac{y - z}{3} + \dfrac{x + z}{5} = -\dfrac{13}{15}$

   $\dfrac{x + z}{2} - \dfrac{x - y}{5} = \dfrac{43}{10}$

8. $\dfrac{3x - 2y}{5} - \dfrac{4z - 5y}{2} = \dfrac{19}{2}$

   $\dfrac{2x - 3z}{6} - \dfrac{x - 4y}{4} = \dfrac{7}{4}$

   $\dfrac{4x + z}{3} - \dfrac{3y + 5z}{2} = \dfrac{49}{3}$

9. $3x - 4y - 2z + w = 11$
   $2x - 2y + 2z + w = 5$
   $-2x + 2y + 3z - 2w = -13$
   $2x + 4y - z + 3w = 14$

10. $u + 3x - 2y - z = -3$
    $2u - x - y + 3z = 23$
    $u + x + 3y - 2z = -12$
    $3u - 2x + y + z = 22$

11. Le chiffre du milieu d'un nombre de trois chiffres est la moitié de la somme des deux autres chiffres. Si le nombre est divisé par la somme de ses chiffres, le quotient donne 20 et le reste est 9. Si on ajoute 594 au nombre, l'ordre des chiffres est renversé. Quel est le nombre?

12. Les points $(1,4)$, $(-1,-2)$, $(2,4)$ sont sur une courbe d'équation $y = x^3 + ax^2 + bx + c$. Trouver les constantes a, b et c.

SYSTÈMES D'ÉQUATIONS DU SECOND DEGRÉ 13.6

*équation
du second
degré à deux
inconnues*

Beaucoup de problèmes se ramènent à la résolution d'un système d'équations dans lequel l'une des équations au moins est du second degré à deux inconnues. Nous avons réservé cette section à la résolution de quelques systèmes de ce type.

Une équation de la forme

$$ax^2 + bxy + cy^2 + dx + ey + f = 0 \qquad (13.21)$$

où a, b, c sont des constantes qui ne sont pas toutes nulles et d, e, f des constantes quelconques est une *équation du second degré en x et y.*

*solution par
élimination
d'une inconnue*

Pour un système formé d'une équation linéaire et d'une équation du second degré, la méthode de substitution se révèle efficace; l'exemple suivant illustre les étapes de cette méthode.

EXEMPLE 1. Résoudre

$$x^2 + y^2 = 25$$
$$x + y = 7$$

Solution. De la seconde équation, on tire $y = 7 - x$. Substituons cette valeur dans la première équation:

$$x^2 + (7 - x)^2 = 25$$

D'où

$$x^2 - 7x + 12 = 0$$

et

$$x = 3 \quad \text{ou} \quad x = 4$$

Les valeurs correspondantes de y viendront de l'équation $y = 7 - x$, quand $x = 3$, $y = 4$, et quand $x = 4$, $y = 3$. D'où l'ensemble-solution du système est formé des couples $(3,4)$ et $(4,3)$. Les graphes des équations de la figure 13.3 peuvent servir de vérification.

La méthode de substitution sert aussi à résoudre des systèmes où les deux équations sont du deuxième degré en x et y, comme le montre l'exemple suivant.

EXEMPLE 2. Résoudre le système

$$xy - 8 = 0$$
$$xy - 4x - 4y + 16 = 0$$

Solution. Résoudre la première équation pour y, $y = 8/x$. Substituer $8/x$ à y dans la 2ᵉ équation:

$$x\left(\frac{8}{x}\right) - 4x - 4\left(\frac{8}{x}\right) + 16 = 0$$

Simplifiée, cette équation devient

$$x^2 - 6x + 8 = 0$$

D'où $x = 2$ ou $x = 4$

Si $x = 2$, de l'équation $y = 8/x$ vient $y = 4$. D'où $(2,4)$ est une solution du système. Si $x = 4$, $y = 2$. D'où $(4,2)$ est la solution. Ainsi, l'ensemble-solution du système est $\{(2,4),(4,2)\}$.

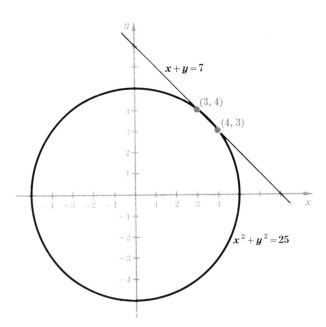

FIGURE 13.3
Voir Exemple 1.

Lorsque les deux équations d'un système sont de la forme $ax^2 + cy^2 + f = 0$, on peut résoudre le système en le considérant comme linéaire en x^2 et y^2. Il peut être pratique de substituer d'abord u à x^2 et v à y^2 comme suit :

EXEMPLE 3. Résoudre le système

$$x^2 + y^2 = 13$$
$$2x^2 + 3y^2 = 30$$

Solution. Soit $u = x^2$ et $v = y^2$. Le système résultant

$$u + v = 13$$
$$2u + 3v = 30$$

est linéaire en u et v. La solution de ce système est

$$u = 9 \qquad v = 4$$

D'où
$$x^2 = 9 \qquad y^2 = 4$$

et
$$x = \pm 3 \qquad y = \pm 2$$

Donc la solution du système donné est l'ensemble :

$$\{(3,2),(3,-2),(-3,2),(-3,-2)\}$$

Un système dont toutes les équations sont de la forme
$$ax^2 + bxy + cy^2 + f = 0$$

peut être résolu en substituant vx à y dans chaque équation du système. Cette substitution faite, on trouve les valeurs de v en résolvant chaque équation du système résultant pour x^2. Les deux expressions de x^2 étant égales, on en déduit la valeur de v. Une fois v connu, les valeurs de x et y sont faciles à obtenir comme le montre l'exemple suivant.

EXEMPLE 4. Résoudre le système

$$2x^2 - 3xy + 4y^2 = 3$$
$$3x^2 - 4xy + 3y^2 = 2$$

Solution. Posons $y = vx$ dans chaque équation. Alors

$$2x^2 - 3vx^2 + 4v^2x^2 = 3$$
$$3x^2 - 4vx^2 + 3v^2x^2 = 2$$

De la première équation,

$$x^2 = \frac{3}{2 - 3v + 4v^2}$$

De la seconde équation,

$$x^2 = \frac{2}{3 - 4v + 3v^2}$$

Nous posons l'égalité des deux expressions de x^2 et en simplifiant nous obtenons

$$v^2 - 6v + 5 = 0$$

D'où $$v = 1 \quad \text{ou} \quad v = 5$$

Des équations

$$x^2 = \frac{3}{2 - 3v + 4v^2} \quad \text{et} \quad y = vx$$

nous voyons que si $v = 1, x^2 = 1$ et $y = x$. D'où $(1,1)$ et $(-1, -1)$ sont des solutions du système initial. Si $v = 5, x^2 = \frac{1}{29}$ et $y = 5x$. C'est-à-dire que

$$\left(\frac{\sqrt{29}}{29}, \frac{5\sqrt{29}}{29} \right) \quad \text{et} \quad \left(-\frac{\sqrt{29}}{29}, -\frac{5\sqrt{29}}{29} \right)$$

sont aussi des solutions. Donc l'ensemble-solution du système est

$$\left\{ (1,1), (-1, -1), \left(\frac{\sqrt{29}}{29}, \frac{5\sqrt{29}}{29} \right), \left(-\frac{\sqrt{29}}{29}, -\frac{5\sqrt{29}}{29} \right) \right\}$$

EXERCICES 13.5

RÉSOUDRE les systèmes suivants (laisser les irrationnels sous forme d'un radical):

1. $x^2 - 3 = xy$
    $2x - y + 4 = 0$

2. $x^2 + y^2 = 5$
    $2x - 3y = 8$

3. $4x + 10y + 16 = 0$
    $3x - xy + 9 = 0$

4. $x + 2y = 4$
    $x^2 + 2y^2 = 9$

5. $y + (1/y) = x$
    $2x - 3y = 1$

6. $3x^2 - y^2 = 4$
    $3x - 2y = 1$

7. $x^2 + y^2 = 5$
    $2x^2 - 3y^2 = -10$

8. $y^2 - x^2 = 21$
    $3x^2 - y^2 = -13$

9. $8x^2 - 9y^2 = 7$
    $18y^2 - 4x^2 = 1$

10. $x^2 + 4y^2 = 61$
     $3x^2 + 2y^2 = 93$

11. $6x^2 - 7y^2 = 63$
     $2x^2 + 9y^2 = 13$

12. $15x^2 - 4y^2 = 8$
     $20x^2 + 12y^2 = 15$

13. $3x^2 + 2xy = 16$
     $4x^2 - 3xy = 10$

14. $3x^2 - 2xy = 8$
     $4x^2 + 6xy = 28$

15. $x^2 - xy + y^2 = 7$
     $3x^2 + 3xy - 3y^2 = 3$

16. $2xy - 2y^2 = 0$
     $3x^2 = 6xy + 1$

17. $x^2 = y^2 - 27$
     $x^2 + xy + y^2 = 63$

18. $2x^2 + y^2 = 44 - xy$
     $2y^2 = xy - x^2 + 16$

RÉSOUDRE les problèmes suivants à deux inconnues:

19. La somme de deux nombres est 13 et la différence de leurs carrés est 65. Quels sont ces nombres ?

20. La diagonale d'un rectangle est de 13 pi, sa surface de 8,640 po². Quelles sont ses dimensions ?

21. Le périmètre d'un rectangle est de 112 po et sa surface de 768 po². Quelles sont ses dimensions ?

22. Un triangle rectangle a 96 pi² de surface; son hypothénuse a 20 pi. Quelles sont les longueurs des côtés de l'angle droit ?

23. Le produit de deux nombres est 12. La somme de leurs inverses vaut $\frac{7}{12}$. Quels sont ces nombres ?

24. La somme des carrés des chiffres d'un nombre de deux chiffres est 13. Le produit des chiffres 6. Quel est le nombre ?

25. Le produit de deux entiers dépasse leur somme de 44. Le quotient de ces entiers est inférieur de 8 à leur différence. Quels sont ces entiers ?

26. La somme des carrés de deux nombres est 290 et le carré du plus grand dépasse de 48 le carré du plus petit. Quels sont ces nombres?

27. Un rectangle a 300 pi² de surface. Si sa diagonale a 25 pi, quelles sont les dimensions du rectangle?

28. La différence entre les inverses de deux nombres est 2. Si le produit des nombres est $^1/_{35}$, quels sont ces nombres?

29. Un nombre de deux chiffres vaut trois fois la somme de ses chiffres. La somme des carrés des deux chiffres est 53. Quel est le nombre?

30. Le produit des deux chiffres d'un nombre est 18. Si les chiffres sont intervertis le nombre obtenu vaut 9 de moins que le double du nombre original. Quel est le nombre original?

31. Un poids de x lb placé au bout de la planche d'un jeu de bascule équilibre un poids de 40 lb placé à 6 pi de l'autre côté de l'axe. Si le poids inconnu est déplacé de 3 pi vers l'axe, il équilibre un poids de 20 lb placé à 7½ pi de l'axe. Quel est le poids inconnu et la longueur de la planche?

32. Un triangle rectangle a une hypothénuse de 30 po de long; sa surface est de 225 po². Quelle est la longueur des deux autres côtés?

33. Deux rectangles ont une surface de 768 verges carrées. La différence de leurs longueurs est de 16 verges et celle de leurs largeurs de 8 verges. Quelles sont les dimensions des deux rectangles?

ALGÈBRE DES MATRICES 13.7

Nous utiliserons des lettres majuscules pour noter les matrices. Ainsi,

$$A = \begin{pmatrix} 3 & -2 & 4 & 1 \\ 1 & 3 & 1 & 3 \end{pmatrix}$$

est une matrice 2-par-4. La matrice

$$B = \begin{pmatrix} 3 & 4 & -2 & 1 \\ 1 & 1 & 3 & 3 \end{pmatrix}$$

est aussi une matrice 2-par-4 qui a le même nombre d'éléments que la matrice A, mais l'ordre de ses éléments n'est pas le même que celui des éléments de A. Le système d'équations que représente A est différent du système que représente B. Dans ce cas, nous disons que la matrice A n'est pas égale à la matrice B. La définition suivante nous permettra de décider de l'égalité de deux matrices.

> **DÉFINITION.** Deux matrices A et B sont égales, si, et si seulement
> **1.** elles ont les mêmes dimensions;   **(13.22)**
> **2.** les élements en position identique des deux rectangles sont égaux.

alité des
atrices

Nous écrivons symboliquement $A = B$ pour indiquer que la matrice A est égale à la matrice B. Si A n'est pas égale à B, nous écrivons $A \neq B$. Par exemple, si

$$A = \begin{pmatrix} 2 & 3 & 6 \\ 2 & 1 & 5 \end{pmatrix} \qquad B = \begin{pmatrix} 3 & 2 & 6 \\ 1 & 2 & 5 \end{pmatrix} \qquad C = \begin{pmatrix} 2 & 3 & 6 \\ 2 & 1 & 5 \end{pmatrix}$$

alors $A = C$, $A \neq B$, $B \neq C$.

La somme de deux matrices ne peut être définie que si ces matrices ont les mêmes dimensions. Pour noter cette somme, nous nous servons du signe + habituel, et l'addition de deux matrices sera l'opération définie comme suit.

DÉFINITION. Si A et B sont deux matrices de mêmes dimensions, alors la somme de A et B notée $A + B$ est une matrice telle que chacun de ses éléments est la somme des éléments correspondants de A et B. **(13.23)**

Si $A = \begin{pmatrix} 3 & 1 & -2 \\ -2 & 0 & 5 \end{pmatrix}$ et $B = \begin{pmatrix} -5 & 2 & 3 \\ 6 & 1 & 8 \end{pmatrix}$

alors, $A + B$ est la matrice:

$$A + B = \begin{pmatrix} 3 + (-5) & 1 + 2 & -2 + 3 \\ (-2) + 6 & 0 + 1 & 5 + 8 \end{pmatrix} = \begin{pmatrix} -2 & 3 & 1 \\ 4 & 1 & 13 \end{pmatrix}$$

Ainsi que nous avons défini l'élément neutre de l'addition dans l'ensemble de tous les nombres réels, noté 0, nous définissons un élément neutre de l'addition dans l'ensemble de toutes les matrices, appelé *matrice zéro*. Nous notons une *matrice zéro* par 0 et nous insistons pour qu'elle soit telle que

Matrice zéro

$$A + 0 = A$$

pour toute matrice A. Ceci implique que 0 doit avoir les mêmes dimensions que A et que ses éléments doivent être tels que lorsqu'ils sont additionnés aux éléments correspondants de A, ces éléments demeurent inchangés.

DÉFINITION. Pour l'ensemble de toutes les matrices m-par-n, la matrice zéro, notée 0, est une matrice m-par-n dont tous les éléments sont nuls. **(13.24)**

Si A est la matrice 3 par 2 $\begin{pmatrix} 2 & 1 \\ 3 & 5 \\ 6 & 2 \end{pmatrix}$, alors $0 = \begin{pmatrix} 0 & 0 \\ 0 & 0 \\ 0 & 0 \end{pmatrix}$.

Si $B = \begin{pmatrix} 3 & 7 & 5 \\ 1 & 1 & 8 \end{pmatrix}$, alors $0 = \begin{pmatrix} 0 & 0 & 0 \\ 0 & 0 & 0 \end{pmatrix}$.

Opposée d'une matrice

L'opposée de la matrice A, notée $-A$, est définie comme la matrice de mêmes dimensions que A telle que

$$A + (-A) = 0$$

C'est-à-dire que $-A$ est une matrice dont les éléments sont les opposés des éléments correspondants de A. Par exemple, si

$$A = \begin{pmatrix} 3 & -1 & 4 \\ 2 & 1 & -6 \end{pmatrix}$$

alors
$$-A = \begin{pmatrix} -3 & 1 & -4 \\ -2 & -1 & 6 \end{pmatrix}$$

Les lois suivantes peuvent se déduire des définitions précédentes:

LOI DE COMMUTATIVITÉ DE L'ADDITION. Si A, B sont des matrices de mêmes dimensions, alors

$$A + B = B + A$$

LOI D'ASSOCIATIVITÉ DE L'ADDITION. Si A, B et C sont des matrices de mêmes dimensions, alors

$$(A + B) + C = A + (B + C)$$

scalaire

Tout nombre du corps des nombres complexes est appelé un *scalaire*. Ainsi, $2, -\frac{5}{3}, 3 + 2i$ sont des scalaires. Nous définissons le produit d'une matrice A par un scalaire k, noté par kA, la matrice dont les éléments sont k fois les éléments correspondants de A. Par exemple, si

$$A = \begin{pmatrix} a & b & c \\ d & e & f \end{pmatrix}$$

alors
$$kA = \begin{pmatrix} ka & kb & kc \\ kd & ke & kf \end{pmatrix}$$

Pour introduire l'opération de multiplication des matrices, nous définissons d'abord le produit d'une matrice ligne A de dimension 1-par-n par une matrice-colonne B de dimensions n par 1 comme suit:

$$AB = (a_1 a_2 \cdots a_n) \begin{pmatrix} b_1 \\ b_2 \\ \cdot \\ \cdot \\ \cdot \\ b_n \end{pmatrix} = (a_1 b_1 + a_2 b_2 + \cdots + a_n b_n)$$

Notons que le produit AB d'une matrice ligne A par une matrice-colonne B est défini seulement si A à autant de colonnes que B a de lignes. Le produit est une $(1,1)$-matrice dont l'élément unique est le nombre $a_1 b_1 + a_2 b_2 + \cdots + a_n b_n$. Ce nombre est appelé le *produit scalaire* de A par B.

produit
scalaire

EXEMPLE 1. Effectuer le produit de A par B si $A = (2 \quad 3 \quad 5)$ et $B = \begin{pmatrix} 1 \\ 6 \\ 3 \end{pmatrix}$

Solution. $AB = (2 \quad 3 \quad 5) \begin{pmatrix} 1 \\ 6 \\ 3 \end{pmatrix} = (2 \cdot 1 + 3 \cdot 6 + 5 \cdot 3) = (35)$

Définissons maintenant le produit AB de deux matrices quelconque A et B telles que le nombre de colonnes de A soit égal au nombre de ligne de B.

DÉFINITION. Si A est de dimensions (m,n) et B est de dimensions (n,p), le produit AB est une matrice de dimensions (m,p) dont l'élément sur la $i^{\text{ième}}$ ligne et la $j^{\text{ième}}$ colonne est le produit (**13.25**) scalaire de la $i^{\text{ième}}$ matrice ligne de A par la $j^{\text{ième}}$ matrice colonne de B.

EXEMPLE 2. Si $A = \begin{pmatrix} 2 & 3 & 4 \\ 7 & 0 & 5 \end{pmatrix}$ et $B = \begin{pmatrix} 8 & 10 & 0 \\ 12 & 0 & 11 \\ 0 & 15 & 16 \end{pmatrix}$, effectuer AB.

Solution.

$$\begin{pmatrix} 2 & 3 & 4 \\ 7 & 0 & 5 \end{pmatrix}\begin{pmatrix} 8 & 10 & 0 \\ 12 & 0 & 11 \\ 0 & 15 & 16 \end{pmatrix}$$

$$= \begin{pmatrix} 2(8) + 3(12) + 4(0) & 2(10) + 3(0) + 4(15) & 2(0) + 3(11) + 4(16) \\ 7(8) + 0(12) + 5(0) & 7(10) + 0(0) + 5(15) & 7(0) + 0(11) + 5(16) \end{pmatrix}$$

$$= \begin{pmatrix} 52 & 80 & 97 \\ 56 & 145 & 80 \end{pmatrix}$$

Notons que l'élément de première ligne et première colonne de AB est le produit scalaire de la première ligne de A par la première colonne d B. L'élément de première ligne et deuxième colonne de AB est le produi scalaire de la première ligne de A par la deuxième colonne de B, etc.

Le produit AB de deux matrices quelconques A et B est défini seu lement si le nombre de colonnes de A est le même que le nombre de ligne de B.

En général, le produit de deux matrices n'est pas commutatif. Pa exemple, si

$$A = \begin{pmatrix} 2 & 3 \\ 1 & 7 \end{pmatrix} \quad \text{et} \quad B = \begin{pmatrix} 5 & 2 \\ 3 & 6 \end{pmatrix}$$

alors $AB = \begin{pmatrix} 2 & 3 \\ 1 & 7 \end{pmatrix}\begin{pmatrix} 5 & 2 \\ 3 & 6 \end{pmatrix} = \begin{pmatrix} 10 + 9 & 4 + 18 \\ 5 + 21 & 2 + 42 \end{pmatrix} = \begin{pmatrix} 19 & 22 \\ 26 & 44 \end{pmatrix}$

$$BA = \begin{pmatrix} 5 & 2 \\ 3 & 6 \end{pmatrix}\begin{pmatrix} 2 & 3 \\ 1 & 7 \end{pmatrix} = \begin{pmatrix} 10 + 2 & 15 + 14 \\ 6 + 6 & 9 + 42 \end{pmatrix} = \begin{pmatrix} 12 & 29 \\ 12 & 51 \end{pmatrix}$$

D'où $$AB \neq BA$$

L'ensemble de toutes les matrices carrées de mêmes dimensions une matrice neutre pour la multiplication des matrices. La matrice neutr pour la multiplication est notée I et doit être telle que

$$AI = A$$

pour toute matrice A. Ce qui signifie que si A est une matrice carrée de dimension (n,n), alors I doit être une (n,n)-matrice telle que chaque élément sur la diagonale principale (du coin gauche supérieur au coin droit inférieur) est le nombre 1 et tout autre élément, le nombre zéro.

trice neutre
r la
tiplication

La matrice neutre pour la multiplication dans l'ensemble de toutes les $(2,2)$-matrices est

$$I = \begin{pmatrix} 1 & 0 \\ 0 & 1 \end{pmatrix}$$

La matrice neutre pour la multiplication dans l'ensemble de toutes les $(3,3)$-matrices est

$$I = \begin{pmatrix} 1 & 0 & 0 \\ 0 & 1 & 0 \\ 0 & 0 & 1 \end{pmatrix}$$

Par exemple, si la matrice A est

$$\begin{pmatrix} 2 & 3 & 5 \\ 1 & 4 & 2 \\ 3 & 2 & 1 \end{pmatrix}$$

nous avons

$$AI = \begin{pmatrix} 2 & 3 & 5 \\ 1 & 4 & 2 \\ 3 & 2 & 1 \end{pmatrix} \begin{pmatrix} 1 & 0 & 0 \\ 0 & 1 & 0 \\ 0 & 0 & 1 \end{pmatrix} = \begin{pmatrix} 2 & 3 & 5 \\ 1 & 4 & 2 \\ 3 & 2 & 1 \end{pmatrix} = A$$

Également, $$IA = \begin{pmatrix} 1 & 0 & 0 \\ 0 & 1 & 0 \\ 0 & 0 & 1 \end{pmatrix} \begin{pmatrix} 2 & 3 & 5 \\ 1 & 4 & 2 \\ 3 & 2 & 1 \end{pmatrix} = \begin{pmatrix} 2 & 3 & 5 \\ 1 & 4 & 2 \\ 3 & 2 & 1 \end{pmatrix} = A$$

On peut montrer que pour toute matrice carrée A, on a

$$AI = IA$$

verse d'une
atrice

L'inverse d'une matrice A est défini seulement si A est une matrice carrée. L'inverse d'une (n,n)-matrice A est noté A^{-1}; c'est une (n,n)-matrice dont la propriété consiste en ce que

$$AA^{-1} = I$$

Par exemple, si la matrice $A = \begin{pmatrix} 1 & 3 \\ 2 & 5 \end{pmatrix}$, alors $A^{-1} = \begin{pmatrix} -5 & 3 \\ 2 & -1 \end{pmatrix}$,

puisque $$\begin{pmatrix} 1 & 3 \\ 2 & 5 \end{pmatrix} \begin{pmatrix} -5 & 3 \\ 2 & -1 \end{pmatrix} = \begin{pmatrix} -5+6 & 3-3 \\ -10+10 & 6-5 \end{pmatrix} = \begin{pmatrix} 1 & 0 \\ 0 & 1 \end{pmatrix}$$

Il n'est pas vrai que toute matrice carrée a un inverse. Par exemple, la matrice

$$\begin{pmatrix} 2 & 3 \\ 4 & 6 \end{pmatrix}$$

atrices
ngulières
non
ngulières

n'a pas d'inverse. Une matrice carrée qui n'a pas d'inverse est appelée une *matrice singulière*. Une *matrice non singulière* ou *inversible* est une

matrice qui a un inverse. Cet inverse est unique. On trouve l'inverse
d'une (2,2)-matrice comme dans l'exemple suivant.

EXEMPLE 3. Trouver A^{-1} si $A = \begin{pmatrix} a_1 & b_1 \\ a_2 & b_2 \end{pmatrix}$.

Solution. Soit $A^{-1} = \begin{pmatrix} x & y \\ z & w \end{pmatrix}$. Alors, puisque $AA^{-1} = I$,

$$\begin{pmatrix} a_1 & b_1 \\ a_2 & b_2 \end{pmatrix}\begin{pmatrix} x & y \\ z & w \end{pmatrix} = \begin{pmatrix} 1 & 0 \\ 0 & 1 \end{pmatrix}$$

$$\begin{pmatrix} a_1x + b_1z & a_1y + b_1w \\ a_2x + b_2z & a_2y + b_2w \end{pmatrix} = \begin{pmatrix} 1 & 0 \\ 0 & 1 \end{pmatrix}$$

D'où

(1) $$\begin{aligned} a_1x + b_1z = 1 \\ a_2x + b_2z = 0 \end{aligned}$$

(2) $$\begin{aligned} a_1y + b_1w = 0 \\ a_2y + b_2w = 1 \end{aligned}$$

Si $a_1b_2 - a_2b_1 \neq 0$, du système (1) on tire

$$x = \frac{b_2}{a_1b_2 - a_2b_1} \qquad z = \frac{-a_2}{a_1b_2 - a_2b_1}$$

De (2) on tire $\quad y = \dfrac{-b_1}{a_1b_2 - a_2b_1} \qquad w = \dfrac{a_1}{a_1b_2 - a_2b_1}$

Si nous prenons $\Delta = a_1b_2 - a_2b_1$, alors

$$A^{-1} = \begin{pmatrix} \dfrac{b_2}{\Delta} & \dfrac{-b_1}{\Delta} \\ \dfrac{-a_2}{\Delta} & \dfrac{a_1}{\Delta} \end{pmatrix} = \begin{pmatrix} b_2 & -b_1 \\ -a_2 & a_1 \end{pmatrix}\frac{1}{\Delta}$$

Nous laissons à l'étudiant le soin de prouver que

$$AA^{-1} = I = A^{-1}A$$

Cette méthode peut servir à trouver l'inverse de toute (n,n)-matrice
non singulière. Mais la tâche risque de devenir difficile pour n grand.
D'autres méthodes existent, mais toutes demandent beaucoup de travail.

EXERCICES 13.6

TROUVER les valeurs de x, y, z, w qui satisfont les égalités de matrices:

1. $(x \quad y) = (3 \quad 5)$

2. $(z \quad w) = (5 \quad -3)$

3. $\begin{pmatrix} x & y \\ y & x \end{pmatrix} = \begin{pmatrix} y & 1 \\ x & y \end{pmatrix}$

4. $\begin{pmatrix} x + 5 & 3y + 2 \\ 2z + 4 & 3w + 2 \end{pmatrix} = \begin{pmatrix} 2x + 3 & y - 4 \\ 3 & 2w + 5 \end{pmatrix}$

5. $\begin{pmatrix} 2x + 5 & y - 1 & z + 2 \\ y + 3 & 2 & 2x \end{pmatrix} = \begin{pmatrix} 3x + 2 & 0 & 0 \\ 2y + 2 & -z & 6 \end{pmatrix}$

6. $\begin{pmatrix} x^2 - 1 & 3 \\ 2 & y^2 - 1 \end{pmatrix} = \begin{pmatrix} 0 & 3 \\ 2 & 3 \end{pmatrix}$

EFFECTUER les opérations indiquées:

7. $\begin{pmatrix} 3 & 1 & 2 \\ 4 & 2 & 5 \end{pmatrix} + \begin{pmatrix} 2 & 2 & 1 \\ 3 & 5 & 3 \end{pmatrix}$

8. $\begin{pmatrix} 2 & 7 & 1 \\ -3 & 4 & -6 \\ 1 & 2 & 5 \end{pmatrix} + \begin{pmatrix} 2 & 13 & 2 \\ 3 & -1 & 4 \\ -1 & -2 & 3 \end{pmatrix}$

9. $3\begin{pmatrix} x & -x & 4 \\ 0 & 5y & -3y \end{pmatrix} + 2\begin{pmatrix} -y & x & 1 \\ y & x & 3y \end{pmatrix}$

10. $5\begin{pmatrix} 3 & 4 \\ 1 & 2 \end{pmatrix} - 3\begin{pmatrix} 4 & 2 \\ 3 & 1 \end{pmatrix}$

11. $\begin{pmatrix} 2 & -2 & 3 \\ -1 & 0 & 7 \\ 5 & -1 & 4 \end{pmatrix} - \begin{pmatrix} -1 & 3 & -1 \\ 0 & 5 & -2 \\ 1 & 2 & 1 \end{pmatrix}$

12. $\begin{pmatrix} 2 & 5 & 4 \\ -3 & -2 & 1 \\ 2 & 4 & 0 \\ 1 & 3 & 5 \end{pmatrix} - \begin{pmatrix} 1 & 5 & 4 \\ -3 & -3 & 1 \\ 2 & 4 & 0 \\ 1 & 2 & 3 \end{pmatrix}$

13. $3\begin{pmatrix} 1 & 3 & 2 \\ 2 & 1 & 5 \\ 1 & 2 & 7 \end{pmatrix} - 5\begin{pmatrix} -2 & 1 & 3 \\ 4 & -3 & 6 \\ 1 & 5 & 5 \end{pmatrix}$

14. $(3 \quad -2 \quad 1 \quad -5)\begin{pmatrix} 3 \\ 2 \\ 1 \\ 5 \end{pmatrix}$

15. $\begin{pmatrix} 3 \\ -2 \\ -1 \\ 2 \end{pmatrix}(2 \quad 3 \quad 1 \quad -2)$

16. $\begin{pmatrix} 4 & -3 & 2 \\ 3 & 0 & 1 \\ 1 & -2 & 2 \end{pmatrix}\begin{pmatrix} 1 & 4 \\ -2 & 1 \\ 2 & 3 \end{pmatrix}$

17. $\begin{pmatrix} 2 & 1 & 3 \\ 5 & -1 & 0 \\ 4 & 1 & -2 \end{pmatrix}\begin{pmatrix} 3 & 1 & 2 \\ 1 & 2 & 1 \\ 3 & 0 & 1 \end{pmatrix}$

18. $\begin{pmatrix} 2 & -1 \\ 3 & 4 \\ 2 & 6 \end{pmatrix}\begin{pmatrix} 1 & 2 & 5 \\ 3 & 2 & 4 \end{pmatrix}$

19. $\begin{pmatrix} 2 & -1 \\ 0 & 3 \end{pmatrix}\begin{pmatrix} 1 & 0 & 2 & 3 \\ 0 & 0 & 1 & -5 \end{pmatrix}$

20. $\begin{pmatrix} x & 0 & 0 \\ 0 & y & 0 \\ 0 & 0 & z \end{pmatrix}\begin{pmatrix} a_1 & b_1 \\ a_2 & b_2 \\ a_3 & b_3 \end{pmatrix}$

21. Si $X = \begin{pmatrix} 1 & 2 \\ 3 & 2 \\ 1 & 4 \end{pmatrix}$, $Y = \begin{pmatrix} 3 \\ 6 \end{pmatrix}$, $Z = (a \quad b \quad c)$,   montrer que $(XY)Z = X(YZ)$.

22. Étant donné que les matrices

$$A = \begin{pmatrix} a & b \\ c & d \end{pmatrix} \qquad B = \begin{pmatrix} e & f \\ g & h \end{pmatrix} \qquad C = \begin{pmatrix} i & j \\ k & l \end{pmatrix}$$

prouver (**a**) $(AB)C = A(BC)$; (**b**) $(A + B)C = AC + BC$.

23. La *transposée* d'une matrice A, notée A', est la matrice obtenue en interchangeant les lignes et les colonnes de A.   Ainsi, la première ligne de A' est la première colonne de A, la deuxième ligne de A' est la seconde colonne de A, etc.   Trouver A' si

$$A = \begin{pmatrix} 1 & 3 & 2 \\ 2 & 4 & 5 \\ 5 & 0 & 7 \end{pmatrix}$$

24. Pour les matrices du Problème 22, montrer que
   (**a**) $(A + B)' = A' + B'$
   (**b**) $(kA)' = kA'$
   (**c**) $(AB)' = B'A'$ (noter le changement d'ordre)
   (**d**) Si $A + B = A + C$, alors $B = C$

25. Étant donné $I = \begin{pmatrix} 1 & 0 \\ 0 & 1 \end{pmatrix}$, montrer que $I^{-1} = I$.

26. Soit $A = \begin{pmatrix} 3 & -4 & 2 \\ 1 & 5 & 9 \\ 2 & 6 & -7 \end{pmatrix}$, montrer que $AI = IA$.

27. Le système d'équations $a_1x + b_1y = c_1$, $a_2x + b_2y = c_2$ peut s'écrire dans la forme matricielle abrégée

$$\begin{pmatrix} a_1 & b_1 \\ a_2 & b_2 \end{pmatrix}\begin{pmatrix} x \\ y \end{pmatrix} = \begin{pmatrix} c_1 \\ c_2 \end{pmatrix}$$

Écrire le système d'équations valable qui doit correspondre à:

$$\begin{pmatrix} 2 & 3 \\ 5 & -2 \end{pmatrix}\begin{pmatrix} x \\ y \end{pmatrix} = \begin{pmatrix} 6 \\ -4 \end{pmatrix}$$

28. Exprimer dans la forme matricielle le système $5x - 2y = 12$, $3x + 7y = -4$.

29. Trouver A^{-1} si $A = \begin{pmatrix} 2 & 5 \\ 3 & -7 \end{pmatrix}$.   **30.** Trouver A^{-1} si $A = \begin{pmatrix} 1 & 6 \\ 0 & 3 \end{pmatrix}$

31. Si $i^2 = -1$, les matrices tournantes de Pauli sont

$$I = \begin{pmatrix} 1 & 0 \\ 0 & 1 \end{pmatrix} \qquad A = \begin{pmatrix} -1 & 0 \\ 0 & -1 \end{pmatrix} \qquad B = \begin{pmatrix} 0 & 1 \\ -1 & 0 \end{pmatrix} \qquad C = \begin{pmatrix} 0 & -1 \\ 1 & 0 \end{pmatrix}$$

$$D = \begin{pmatrix} i & 0 \\ 0 & -i \end{pmatrix} \qquad E = \begin{pmatrix} -i & 0 \\ 0 & i \end{pmatrix} \qquad F = \begin{pmatrix} 0 & -i \\ -i & 0 \end{pmatrix} \qquad G = \begin{pmatrix} 0 & i \\ i & 0 \end{pmatrix}$$

Montrer que les matrices tournantes de Pauli forment un ensemble fermé vis-à-vis de la multiplication des matrices.

32. Pour une matrice carrée A, nous définissons $A^1 = A$, $A^2 = AA$, $A^3 = A^2A$. Si $i^2 = -1$, et si $A = \begin{pmatrix} 0 & -i \\ i & 0 \end{pmatrix}$, trouver A^3.

DÉTERMINANT D'UNE MATRICE CARRÉE   13.8

Une matrice carrée de dimensions (n,n) est dite d'ordre n. Ainsi, une $(2,2)$-matrice est d'ordre 2, une $(3,3)$-matrice est d'ordre 3, etc.

Soit A une matrice carrée dont les éléments sont des nombres réels. Nous associons à la matrice A un nombre réel unique appelé le *déterminant* de A, noté $d(A)$ et lu "le déterminant de A". On se réfère également à $d(A)$ pour "la valeur du déterminant de A". Ainsi, d est une fonction à valeurs réelles dont les couples sont $A, d(A)$. Le domaine de d est l'ensemble de toutes les matrices carrées dont les éléments sont des nombres réels; le champ, l'ensemble de tous les nombres réels.

Déterminant d'une matrice

Si la matrice est d'ordre 1, c'est-à-dire si $A = (a)$, alors le nombre réel a est défini comme déterminant de la matrice. Ainsi, si $A = (5)$, alors

$$d(A) = d(5) = 5$$

Pour une $(2,2)$-matrice

$$\begin{pmatrix} a_1 & b_1 \\ a_2 & b_2 \end{pmatrix}$$

l'expression $a_1b_2 - a_2b_1$ est définie comme le déterminant de la matrice et se note comme suit:

$$d \begin{pmatrix} a_1 & b_1 \\ a_2 & b_2 \end{pmatrix} = \begin{vmatrix} a_1 & b_1 \\ a_2 & b_2 \end{vmatrix} = a_1 b_2 - a_2 b_1 \qquad (13.26)$$

Ainsi, $d \begin{pmatrix} 2 & 3 \\ -1 & -5 \end{pmatrix} = \begin{vmatrix} 2 & 3 \\ -1 & -5 \end{vmatrix} = 2(-5) - (-1)(3) = -7$

Notons que le déterminant d'une matrice est symbolisé par le rectangle de la matrice placé entre des barres verticales qui remplacent les parenthèses. Le déterminant d'une matrice d'ordre n est dit d'ordre n.

Déterminant mineur — On appelle *déterminant mineur*, relatif à l'un des éléments d'un déterminant d'ordre n, le déterminant d'ordre $n - 1$ obtenu en supprimant la ligne et la colonne de l'élément considéré. Ainsi, dans le déterminant du troisième ordre.

$$\begin{vmatrix} a_1 & b_1 & c_1 \\ a_2 & b_2 & c_2 \\ a_3 & b_3 & c_3 \end{vmatrix}$$

le mineur de l'élément a_1 est le déterminant du deuxième ordre

$$\begin{vmatrix} b_2 & c_2 \\ b_3 & c_3 \end{vmatrix}$$

le mineur de b_2 est

$$\begin{vmatrix} a_1 & c_1 \\ a_3 & c_3 \end{vmatrix}$$

et le mineur de l'élément a_3 est

$$\begin{vmatrix} b_1 & c_1 \\ b_2 & c_2 \end{vmatrix}$$

Cofacteur — Le *cofacteur** de l'élément de la $i$ème ligne et $j$ème colonne d'un déterminant est défini comme le mineur de cet élément multiplié par $(-1)^{i+j}$. Donc, pour le déterminant d'ordre 3 précédent, le cofacteur de a_1 est

$$(-1)^{1+1} \begin{vmatrix} b_2 & c_2 \\ b_3 & c_3 \end{vmatrix}$$

le cofacteur de b_1 est $(-1)^{1+2} \begin{vmatrix} a_2 & c_2 \\ a_3 & c_3 \end{vmatrix}$

le cofacteur de c_1 est $(-1)^{1+3} \begin{vmatrix} a_2 & b_2 \\ a_3 & b_3 \end{vmatrix}$

etc.

EXEMPLE 1. Trouver le cofacteur de 3 dans le déterminant

$$\begin{vmatrix} 1 & 2 & 7 \\ 5 & 1 & 2 \\ 1 & 3 & 8 \end{vmatrix}$$

Solution. Puisque l'élément 3 est dans la troisième ligne de la seconde colonne, son cofacteur est

_____

n T.: Cofacteur ou complément algébrique.

$$(-1)^{3+2}\begin{vmatrix} 1 & 7 \\ 5 & 2 \end{vmatrix} = -\begin{vmatrix} 1 & 7 \\ 5 & 2 \end{vmatrix}$$

Définissons maintenant le déterminant d'une matrice d'ordre n:

> **DÉFINITION.** La valeur d'un déterminant d'ordre n, $n > 2$ est la somme des produits obtenus en multipliant chaque élément de la **(13.27)** première ligne par son cofacteur.

Un déterminant d'ordre 3 se définit en termes de déterminants d'ordre 2 dont les valeurs peuvent être trouvées par l'Éq. (13.26). Ainsi,

$$\begin{vmatrix} a_1 & b_1 & c_1 \\ a_2 & b_2 & c_2 \\ a_3 & b_3 & c_3 \end{vmatrix} = a_1\begin{vmatrix} b_2 & c_2 \\ b_3 & c_3 \end{vmatrix} - b_1\begin{vmatrix} a_2 & c_2 \\ a_3 & c_3 \end{vmatrix} + c_1\begin{vmatrix} a_2 & b_2 \\ a_3 & b_3 \end{vmatrix}$$

$$= a_1b_2c_3 - a_1b_3c_2 - a_2b_1c_3 + a_3b_1c_2$$
$$+ a_2b_3c_1 - a_3b_2c_1 \quad \textbf{(13.28)}$$

EXEMPLE 2.

$$\begin{vmatrix} 2 & 3 & -7 \\ 1 & 5 & 4 \\ 3 & 2 & 3 \end{vmatrix} = 2\begin{vmatrix} 5 & 4 \\ 2 & 3 \end{vmatrix} - 3\begin{vmatrix} 1 & 4 \\ 3 & 3 \end{vmatrix} - 7\begin{vmatrix} 1 & 5 \\ 3 & 2 \end{vmatrix}$$

$$= 2(5 \cdot 3 - 2 \cdot 4) - 3(1 \cdot 3 - 3 \cdot 4) - 7(1 \cdot 2 - 3 \cdot 5)$$
$$= 132$$

La définition (13.27) appliquée à tous les déterminants d'ordre n $n > 2$ est appelé le développement de Laplace d'un déterminant suivan les éléments de la première ligne. Cette définition réduit le problème du **Développement d'un déterminant** développement d'un déterminant d'ordre n à celui du développement de n déterminants d'ordre $n - 1$. Le théorème suivant est fondamental pou l'étude des déterminants.

> **THÉORÈME.** Un déterminant peut être évalué par le développement de Laplace suivant les éléments d'une ligne ou d'une **(13.29)** colonne.

Nous ne donnerons pas une preuve de ce théorème ici, mais l'étudian devrait se convaincre en constatant qu'il est valable pour tout déterminan d'ordre 3. Si des éléments quelconques d'une ligne ou d'une colonne son nuls, le déterminant sera développé suivant la ligne ou la colonne qui a le plus grand nombre d'éléments nuls.

EXEMPLE 3. Évaluer le déterminant

$$D = \begin{vmatrix} 1 & 2 & 1 & 5 \\ 2 & 4 & 0 & 1 \\ 0 & 0 & 1 & 0 \\ 5 & 2 & 7 & 3 \end{vmatrix}$$

Solution. Développons le déterminant suivant les éléments de la troisième ligne. Alors

$$D = 0\begin{vmatrix} 2 & 1 & 5 \\ 4 & 0 & 1 \\ 2 & 7 & 3 \end{vmatrix} - 0\begin{vmatrix} 1 & 1 & 5 \\ 2 & 0 & 1 \\ 5 & 3 & 7 \end{vmatrix} + \begin{vmatrix} 1 & 2 & 5 \\ 2 & 4 & 1 \\ 5 & 2 & 3 \end{vmatrix} - 0\begin{vmatrix} 1 & 2 & 1 \\ 2 & 4 & 0 \\ 5 & 2 & 7 \end{vmatrix}$$

$$= \begin{vmatrix} 1 & 2 & 5 \\ 2 & 4 & 1 \\ 5 & 2 & 3 \end{vmatrix} = \begin{vmatrix} 4 & 1 \\ 2 & 3 \end{vmatrix} - 2\begin{vmatrix} 2 & 1 \\ 5 & 3 \end{vmatrix} + 5\begin{vmatrix} 2 & 4 \\ 5 & 2 \end{vmatrix} = -8$$

EXERCICES   13.7

TROUVER le cofacteur de chaque élément de la deuxième ligne des déterminants suivants:

1. $\begin{vmatrix} 2 & 3 \\ 1 & 5 \end{vmatrix}$
2. $\begin{vmatrix} -2 & 6 \\ 3 & 5 \end{vmatrix}$
3. $\begin{vmatrix} 1 & 3 & -5 \\ 2 & -6 & 0 \\ 3 & 1 & 7 \end{vmatrix}$
4. $\begin{vmatrix} 1 & 2 & 4 \\ -3 & -8 & 6 \\ 5 & 1 & 3 \end{vmatrix}$

TROUVER le cofacteur de chaque élément de la deuxième colonne des déterminants suivants:

5. $\begin{vmatrix} 1 & 2 \\ 4 & 3 \end{vmatrix}$
6. $\begin{vmatrix} -2 & -3 \\ 0 & 6 \end{vmatrix}$
7. $\begin{vmatrix} 0 & 3 & 1 \\ 1 & 0 & 2 \\ 2 & -1 & 5 \end{vmatrix}$
8. $\begin{vmatrix} 2 & 0 & 1 \\ -3 & -1 & 5 \\ 7 & 2 & 3 \end{vmatrix}$

ÉVALUER les déterminants suivants:

9. $\begin{vmatrix} 4 & 3 \\ 2 & 7 \end{vmatrix}$
10. $\begin{vmatrix} 6 & 3 \\ -5 & -4 \end{vmatrix}$
11. $\begin{vmatrix} -6 & -5 \\ 7 & 9 \end{vmatrix}$

12. $\begin{vmatrix} 2x & y \\ -x & -y \end{vmatrix}$
13. $\begin{vmatrix} 2x+1 & 3 \\ 4 & x \end{vmatrix}$
14. $\begin{vmatrix} 9a & -4b \\ -5c & -d \end{vmatrix}$

15. $\begin{vmatrix} 1 & 3 & 2 \\ 4 & 5 & 3 \\ 7 & 2 & 1 \end{vmatrix}$
16. $\begin{vmatrix} 2 & 1 & -3 \\ -4 & -1 & 1 \\ 5 & 3 & 2 \end{vmatrix}$
17. $\begin{vmatrix} 6 & 7 & 8 \\ 4 & 0 & 3 \\ -1 & 3 & 2 \end{vmatrix}$

18. $\begin{vmatrix} 4 & 3 & 2 \\ 2 & 7 & 5 \\ 0 & 0 & 1 \end{vmatrix}$
19. $\begin{vmatrix} 3 & 2 & 6 \\ 0 & 1 & 0 \\ -4 & 7 & -5 \end{vmatrix}$
20. $\begin{vmatrix} 0 & -5 & -6 \\ 1 & 3 & 2 \\ 0 & 9 & 7 \end{vmatrix}$

21. $\begin{vmatrix} -4 & 3 & 1 & 2 \\ -6 & 1 & 4 & 0 \\ 5 & 2 & 0 & -7 \\ 1 & 3 & 0 & 0 \end{vmatrix}$
22. $\begin{vmatrix} 2 & 3 & 5 & 6 \\ 1 & 2 & 0 & 7 \\ 0 & 4 & 1 & 6 \\ -4 & 0 & 2 & 5 \end{vmatrix}$
23. $\begin{vmatrix} 1 & 1 & 0 & 0 & 0 \\ 1 & 0 & 1 & 0 & 0 \\ 1 & 0 & 0 & 1 & 0 \\ 1 & 1 & 1 & 1 & 1 \\ 1 & 0 & 0 & 0 & 1 \end{vmatrix}$

24. $\begin{vmatrix} 1 & 3 & 3 & 5 & 6 \\ 0 & 2 & 1 & 3 & 1 \\ 0 & 0 & 3 & 2 & 5 \\ 0 & 0 & 0 & 4 & 1 \\ 0 & 0 & 0 & 0 & 5 \end{vmatrix}$
25. $\begin{vmatrix} \sin x & \cos x \\ -\cos x & \sin x \end{vmatrix}$
26. $\begin{vmatrix} \cos x & \sin x \\ \sin x & \cos x \end{vmatrix}$

27. $\begin{vmatrix} \sec x & \tan x \\ \tan x & \sec x \end{vmatrix}$
28. $\begin{vmatrix} 1 & \cot x \\ -\cot x & 1 \end{vmatrix}$

PROPRIÉTÉES DES DÉTERMINANTS 13.9

Les théorèmes suivants servent de base à l'étude des déterminants. Puisque leurs preuves peuvent se trouver impliquées mais sont abstraites, nous ne présenterons que les preuves concernant les déterminants du 2ᵉ ordre. Nous supposerons que les théorèmes peuvent être prouvés pour les déterminants de tout ordre et nous conseillons aux étudiants de formuler leurs propres preuves des théorèmes pour les déterminants du troisième ordre.

THÉORÈME. En interchangeant deux lignes (ou deux colonnes) d'un déterminant, on obtient un déterminant qui est négatif par rapport au déterminant initial. **(13.30)**

Preuve (pour des déterminants d'ordre 2).

$$\begin{vmatrix} a_1 & b_1 \\ a_2 & b_2 \end{vmatrix} = a_1b_2 - a_2b_1$$

Si nous interchangeons les deux lignes nous avons

$$\begin{vmatrix} a_2 & b_2 \\ a_1 & b_1 \end{vmatrix} = a_2b_1 - a_1b_2 = -(a_1b_2 - a_2b_1)$$

$$= -\begin{vmatrix} a_1 & b_1 \\ a_2 & b_2 \end{vmatrix}$$

Le soin de prouver le résultat correspondant obtenu en interchangeant les colonnes est laissé à l'étudiant.

COROLLAIRE. Si deux lignes (ou colonnes) d'un déterminant sont identiques, alors le déterminant est égal à zéro. **(13.31)**

Par exemple,

$$\begin{vmatrix} 3 & 5 \\ 3 & 5 \end{vmatrix} = 3 \cdot 5 - 3 \cdot 5 = 0$$

THÉORÈME. On ne change pas la valeur d'un déterminant en interchangeant les lignes et les colonnes. **(13.32)**

Preuve (pour des déterminants d'ordre 2).

$$\begin{vmatrix} a_1 & b_1 \\ a_2 & b_2 \end{vmatrix} = a_1b_2 - a_2b_1$$

et
$$\begin{vmatrix} a_1 & a_2 \\ b_1 & b_2 \end{vmatrix} = a_1b_2 - b_1a_2 = a_1b_2 - a_2b_1$$

La conclusion suit.

THÉORÈME. Si on multiplie par $k \neq 0$ tous les termes d'une ligne (ou d'une colonne) d'un déterminant, le déterminant obtenu vaut k fois le déterminant original. **(13.33)**

Preuve (pour des déterminants d'ordre 2).

$$\begin{vmatrix} ka_1 & kb_1 \\ a_2 & b_2 \end{vmatrix} = ka_1(b_2) - a_2(kb_1) = k(a_1b_2 - a_2b_1)$$

$$= k \begin{vmatrix} a_1 & b_1 \\ a_2 & b_2 \end{vmatrix}$$

La preuve serait identique pour le cas où la deuxième ligne, la première colonne ou la seconde colonne est multipliée par k.

COROLLAIRE. Un facteur commun de tous les éléments d'une même ligne (ou colonne) d'un déterminant peut être extrait et placé comme multiplicateur du déterminant résultant sans changer la valeur du déterminant. **(13.34)**

Par exemple,

$$\begin{vmatrix} 4 & 8 \\ 3 & 5 \end{vmatrix} = 4 \begin{vmatrix} 1 & 2 \\ 3 & 5 \end{vmatrix}$$

Cet autre théorème permettra de calculer les déterminants de plus grand ordre:

THÉORÈME. Si un multiple d'une ligne (ou d'une colonne) d'un déterminant est ajouté à une autre ligne (ou une autre colonne), la valeur du déterminant résultant est la même que celle du déterminant original. **(13.35)**

Par exemple,

$$\begin{vmatrix} a_1 + ka_2 & b_1 + kb_2 \\ a_2 & b_2 \end{vmatrix} = \begin{vmatrix} a_1 & b_1 \\ a_2 & b_2 \end{vmatrix}$$

Preuve. $\begin{vmatrix} a_1 + ka_2 & b_1 + kb_2 \\ a_2 & b_2 \end{vmatrix} = (a_1 + ka_2)b_2 - a_2(b_1 + kb_2)$

$$= a_1b_2 - a_2b_1 = \begin{vmatrix} a_1 & b_1 \\ a_2 & b_2 \end{vmatrix}$$

Le théorème (13.35) sert à transformer un déterminant donné en un déterminant équivalent qui sera plus facile à évaluer. L'exemple suivant en illustre le principe.

EXEMPLE 1. Évaluer le déterminant

$$\begin{vmatrix} 1 & 3 & 1 \\ 4 & 2 & 2 \\ 5 & -1 & 3 \end{vmatrix}$$

Solution. En appliquant le théorème (13.35), cherchons le moyen le plu efficace pour obtenir des zéros dans une ligne ou une colonne. Puisqu il y a un -1 dans la troisième ligne, nous voyons à l'examen que la deuxième colonne peut être réduite en utilisant les multiplicateurs 3 et 2 Ainsi.

$$\begin{vmatrix} 1 & 3 & 1 \\ 4 & 2 & 2 \\ 5 & -1 & 3 \end{vmatrix} = \begin{vmatrix} 16 & 0 & 10 \\ 14 & 0 & 8 \\ 5 & -1 & 3 \end{vmatrix}$$ **1re ligne plus 3 fois la ligne
                                            **2e ligne plus 2 fois la ligne

$$= -(-1) \begin{vmatrix} 16 & 10 \\ 14 & 8 \end{vmatrix} = 2 \cdot 2 \begin{vmatrix} 8 & 5 \\ 7 & 4 \end{vmatrix} = -12$$

EXEMPLE 2. Évaluer le déterminant

$$\begin{vmatrix} -2 & 1 & -1 \\ 3 & 4 & 5 \\ 2 & 1 & -2 \end{vmatrix}$$

Solution. En se servant du 1 de la première ligne, nous pouvons réduir la première ligne en utilisant les multiplicateurs 2 et 1, comme suit:

$$\begin{vmatrix} -2 & 1 & -1 \\ 3 & 4 & 5 \\ 2 & 1 & -2 \end{vmatrix} = \begin{vmatrix} 0 & 1 & 0 \\ 11 & 4 & 9 \\ 4 & 1 & -1 \end{vmatrix}$$ **1re colonne plus 2 fois la 2e colonn
                                              **3e colonne plus 1 fois la 2e colonn

$$= -1 \begin{vmatrix} 11 & 9 \\ 4 & -1 \end{vmatrix} = 47$$

Déterminant triangulaire

On appelle *déterminant triangulaire* un déterminant dont tous le éléments au-dessous de la diagonale principale sont nuls. La diagonal principale est la diagonale allant coin supérieur gauche au coin inférieu droit.

THÉORÈME. La valeur d'un déterminant triangulaire est le produit des éléments de sa diagonale principale.   **(13.36)**

Preuve (pour des déterminants d'ordre 3).

$$\begin{vmatrix} a_1 & b_1 & c_1 \\ 0 & b_2 & c_2 \\ 0 & 0 & c_3 \end{vmatrix} = a_1 \begin{vmatrix} b_2 & c_2 \\ 0 & c_3 \end{vmatrix} = a_1 b_2 c_3$$

EXEMPLE 3.

$$\begin{vmatrix} 1 & 3 & 1 \\ 2 & 5 & 4 \\ 3 & 2 & 1 \end{vmatrix} = \begin{vmatrix} 1 & 3 & 1 \\ 0 & -1 & 2 \\ 0 & -7 & -2 \end{vmatrix} \qquad \text{2}^e \text{ ligne moins 2 fois la 1}^{re} \text{ ligne} \\ \text{3}^e \text{ ligne moins 3 fois la 1}^{re} \text{ ligne}$$

$$= \begin{vmatrix} 1 & 3 & 1 \\ 0 & -1 & 2 \\ 0 & 0 & -16 \end{vmatrix} \qquad \text{3}^e \text{ ligne moins 7 fois la 2}^e \text{ ligne}$$

$$= 1(-1)(-16) = 16$$

RÉSOLUTION DES SYSTÈMES PAR LES DÉTERMINANTS 13.10

La théorie des déterminants s'applique à l'étude des systèmes d'équations linéaires. Élaborons maintenant une méthode de résolution de ces systèmes appelé la *règle de Cramer*. Soit le système d'équations

$$\begin{aligned} a_1x + b_1y + c_1z &= d_1 \\ a_2x + b_2y + c_2z &= d_2 \\ a_3x + b_3y + c_3z &= d_3 \end{aligned} \qquad (13.37)$$

Symbolisons le déterminant de la matrice des coefficients par D. Alors

$$x \cdot D = x \begin{vmatrix} a_1 & b_1 & c_1 \\ a_2 & b_2 & c_2 \\ a_3 & b_3 & c_3 \end{vmatrix} = \begin{vmatrix} a_1x & b_1 & c_1 \\ a_2x & b_2 & c_2 \\ a_3x & b_3 & c_3 \end{vmatrix} \qquad \textbf{d'après le Théorème (13.33)}$$

$$= \begin{vmatrix} a_1x + b_1y & b_1 & c_1 \\ a_2x + b_2y & b_2 & c_2 \\ a_3x + b_3y & b_3 & c_3 \end{vmatrix} \qquad \textbf{d'après le Théorème (13.35)}$$

$$= \begin{vmatrix} a_1x + b_1y + c_1z & b_1 & c_1 \\ a_2x + b_2y + c_2z & b_2 & c_2 \\ a_3x + b_3y + c_3z & b_3 & c_3 \end{vmatrix} \qquad \textbf{d'après le Théorème (13.35)}$$

Substituons à chaque élément de la première colonne de ce déterminant sa valeur tirée des équations (13.37). Alors

$$x \cdot D = x \begin{vmatrix} a_1 & b_1 & c_1 \\ a_2 & b_2 & c_2 \\ a_3 & b_3 & c_3 \end{vmatrix} = \begin{vmatrix} d_1 & b_1 & c_1 \\ d_2 & b_2 & c_2 \\ d_3 & b_3 & c_3 \end{vmatrix}$$

De même,

$$y \cdot D = \begin{vmatrix} a_1 & d_1 & c_1 \\ a_2 & d_2 & c_2 \\ a_3 & d_3 & c_3 \end{vmatrix} \qquad z \cdot D = \begin{vmatrix} a_1 & b_1 & d_1 \\ a_2 & b_2 & d_2 \\ a_3 & b_3 & d_3 \end{vmatrix}$$

D'où nous tirons en divisant chaque membre par $D \neq 0$:

$$x = \frac{\begin{vmatrix} d_1 & b_1 & c_1 \\ d_2 & b_2 & c_2 \\ d_3 & b_3 & c_3 \end{vmatrix}}{D} \qquad y = \frac{\begin{vmatrix} a_1 & d_1 & c_1 \\ a_2 & d_2 & c_2 \\ a_3 & d_3 & c_3 \end{vmatrix}}{D} \qquad z = \frac{\begin{vmatrix} a_1 & b_1 & d_1 \\ a_2 & b_2 & d_2 \\ a_3 & b_3 & d_3 \end{vmatrix}}{D} \qquad (13.38)$$

Nous voyons que la valeur de chaque inconnue est donnée par une fraction dont le dénominateur est le déterminant des coefficients D et dont le numérateur est le déterminant obtenu à partir de D en remplaçant les coefficients de l'inconnue par les constantes d_1, d_2, d_3 correspondant aux équations.

Cette méthode, dite règle de Cramer, peut s'appliquer à tout système de n équations linéaires à n inconnues, pourvu que $D \neq 0$.

EXEMPLE 1. Résoudre le système par la règle de Cramer

$$\begin{aligned} 2x + 3y - z &= -1 \\ x - 6y - 5z &= 4 \\ 3x + 4y + 2z &= 14 \end{aligned}$$

Solution. $D = \begin{vmatrix} 2 & 3 & -1 \\ 1 & -6 & -5 \\ 3 & 4 & 2 \end{vmatrix} = -57 \neq 0$

D'où, d'après les Éq. (13.38),

$$x = \frac{\begin{vmatrix} -1 & 3 & -1 \\ 4 & -6 & -5 \\ 14 & 4 & 2 \end{vmatrix}}{-57} = 6 \qquad y = \frac{\begin{vmatrix} 2 & -1 & -1 \\ 1 & 4 & -5 \\ 3 & 14 & 2 \end{vmatrix}}{-57} = -3$$

$$z = \frac{\begin{vmatrix} 2 & 3 & -1 \\ 1 & -6 & 4 \\ 3 & 4 & 14 \end{vmatrix}}{-57} = 4$$

Ainsi, la solution du système est le triplet $(6, -3, 4)$. La vérification est laissée en exercice.

Déterminant
égal à zéro

Si $D = 0$ et l'un des numérateurs des Éq. (13.38) est différent de zéro, le système donné n'ayant pas de solution, est incohérent. Si $D = 0$ et tous les numérateurs sont nuls, le système peut avoir une solution ou pas. Nous ne donnerons pas la discussion de ce cas.

Les valeurs obtenues pour x, y et z des Éq. (13.38) sont uniques parce que $D \neq 0$ et les déterminants impliqués sont tous des nombres uniques. On peut montrer que ces valeurs, et seulement ces valeurs satisfont toutes les équations du système. Donc, l'ensemble-solution du système et le triplet (x, y, z) déterminé par les Éq. (13.38).

EXERCICES 13.8

RÉSOUDRE les systèmes suivants par les déterminants:

1. $3x + 4y = 1$
   $5x + 2y = 11$

2. $3x + 2y = 2$
   $2x - 3y = 36$

3. $10x + 9y = 12$
   $8x + 2y = 7$

4. $(x/5) + (y/4) = \frac{5}{2}$
   $(x/2) - (y/5) = \frac{23}{5}$

5. $2(x + y) - 7(x - y) = 5$
   $3(x + y) - 10(x - y) = 8$

6. $(2/x) + (8/y) + 7 = 0$
   $(1/x) - (2/y) - 4 = 0$

7. $x + y - z = 2$
   $x + 2y + z = 7$
   $3x - y + 2z = 12$

8. $2x - z - 2 = 0$
   $x - y - 5 = 0$
   $y - z + 6 = 0$

9. $x - 2y + z = 7$
   $y + 2z = 1$
   $2x + 3z = 4$

10. $x - 2y + 4z = -3$
    $2x + y - 3z = 11$
    $3x + y - 2z = 12$

11. $(2/x) + (3/y) + (1/z) = 4$
    $(4/x) - (6/y) + (3/z) = -7$
    $(3/x) - (5/y) + (2/z) = -5$

12. $8x + 3y - 18z = 1$
    $16x + 6y - 6z = 7$
    $4x + 9y + 12z = 9$

13. $2w - x + y + z = 2$
    $w + 5y - 4z = -2$
    $3x + 2y - 3z = 0$
    $w + 2x + 2y - z = 7$

14. $4r + 5s - 2t + 6u = 7$
    $3r - 4s + 8t + 3u = 8$
    $r + s + 2t + 3u = 4$
    $r + 2s - 4t - 3u = -2$

GRAPHES DES ÉQUATIONS DU SECOND DEGRÉ À DEUX INCONNUES 13.11

Une connaissance des graphes les plus simples des équations du second degré à deux inconnues aide à comprendre la résolution des systèmes comportant ces équations. Supposons un système de deux équations. Si les graphes des équations sont tracés dans le même système de coordonnées, on peut évaluer l'ensemble-solution du système en estimant les valeurs approchées des coordonnées des points d'intersection des graphes. Si les graphes ne se coupent pas, il n'y a pas de solution réelle.

Certaines formes d'équations du deuxième degré en x et y ont des graphes qui se tracent facilement, comme le montre la discussion suivante.

Cercle. Le graphe d'une équation qui peut être réduite à la forme $(x - h)^2 + (y - k)^2 = r^2$ est un cercle dont le centre est le point (h,k) et dont le rayon est r. Nous avons traité de cette équation dans la Section 3.7.

Ellipse. Le graphe d'une équation de la forme

$$ax^2 + by^2 = c$$

où a, b et c sont des constantes positives et $a \neq b$ est une ellipse dont le centre est l'origine et dont les axes se confondent avec les axes des coordonnées.

EXEMPLE 1. Tracer le graphe de $9x^2 + 4y^2 = 36$.

Solution. Lorsque $x = 0$, $y = \pm 3$. Par conséquent, les ordonnées à l'origine sont $(0, \pm 3)$. Lorsque $y = 0$, $x = 2$. D'où, les abscisses à l'origine sont $(\pm 2, 0)$. Puisque x et y sont au carré dans cette équation, il suit que si (x_1, y_1) est un point du graphe, alors $(-x_1, y_1)$, $(-x_1, -y_1)$, et $(x_1, -y_1)$

sont aussi des points du graphe. Nous décrivons cette propriété de la courbe en disant qu'elle est symétrique par rapport à l'axe des y et à l'axe des x. Puisque

$$y = \frac{\pm\, 3\sqrt{4 - x^2}}{2}$$

nous voyons que x ne peut pas être plus grand que 2 ni plus petit que -2. Pour toute valeur de x entre -2 et 2, il y a deux valeurs de y qui sont réelles. Le graphe est représenté à la figure 13.4.

Hyperbole.   Chacune des équations

$$ax^2 - by^2 = c \qquad ay^2 - bx^2 = c$$

où a, b et c sont positifs, représente une hyperbole dont le centre est à l'origine et dont les axes se confondent avec les axes des coordonnées.

EXEMPLE 2.   Tracer le graphe de $4x^2 - 9y^2 = 36$.

Solution.   Lorsque $y = 0$, $x = \pm\, 3$. D'où les abscisses à l'origine sont $(\pm 3,0)$. Il n'y a pas d'ordonnées à l'origine.   Puisque

$$y = \frac{\pm 2\sqrt{x^2 - 9}}{3}$$

nous voyons que x ne peut pas prendre des valeurs entre -3 et 3. La courbe est symétrique par rapport aux deux axes. Quelques couples de la relation apparaissent dans le tableau ci-après. Certaines valeurs de y sont approchées;

x	-5	-4	-3	3	4	5
y	± 2.7	± 1.8	0	0	± 1.8	± 2.7

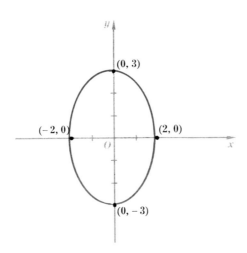

FIGURE 13.4
Graphe de $9x^2 + 4y^2 = 36$

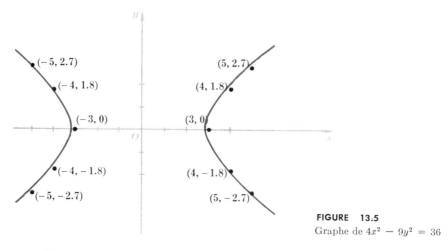

FIGURE 13.5

Graphe de $4x^2 - 9y^2 = 36$

Notons que l'hyperbole a deux branches. Le graphe est tracé à la figure 13.5.

Parabole. Une équation de la forme

$$y = ax^2 + bx + c \qquad a \neq 0$$

représente une parabole dont l'axe est parallèle à l'axe des y. Si $b = 0$ et $c = 0$, alors l'axe de la parabole est l'axe des y. Une équation de la forme

$$x = ay^2 + by + c \qquad a \neq 0$$

est une parabole dont l'axe est parallèle à l'axe des x. Si $b = 0$ et $c = 0$, l'axe de la parabole est l'axe des x. La discussion d'une parabole dont l'axe est parallèle à l'axe des y a été faite à la Section 11.3.

EXERCICES 13.9

TRACER les graphes des équations suivantes.

1. $x^2 + y^2 = 4$
2. $16x^2 + 9y^2 = 288$
3. $4x^2 + 9y^2 = 144$
4. $4x^2 - 25y^2 = 100$
5. $25x^2 - 16y^2 = 400$
6. $x = y^2 - y - 5$
7. $y = x^2 - 2x + 1$
8. $y^2 = 4x$
9. $x^2 = 9y$
10. $9y^2 - x + 6y + 1 = 0$
11. $xy = 4$

RÉSOUDRE graphiquement les sytèmes suivants en traçant les graphes de chaque équation dans le même système de coordonnées et estimer les coordonnées des points d'intersection.

12. $y = 9x - 6$
     $y = 3x^2$
13. $x = 10 + 2y$
     $y = x^2 + 2x - 15$
14. $2x - y = 1$
     $xy = 15$
15. $x^2 - y^2 = 6$
     $5x - 3y = 10$

Dans ce chapitre, nous étudierons le champ d'une catégorie de fonctions importante en mathématiques. Cette fonction, dont le domaine est
l'ensemble des entiers positifs, est à la base de l'étude des suites et des
séries. Nous traiterons également de la méthode de preuve par induction
mathématique, des progressions arithmétiques et géométriques et du
développement d'un binôme à exposant rationnel.

SUITES ET SÉRIES   14.1

**Fonction
d'une suite**

Soit f une fonction dont le domaine est l'ensemble des entiers positifs
$N^* = \{1,2,3, \ldots, n, \ldots\}$. Nous disons que f est la *fonction d'une suite*.
Nous symbolisons $f(n)$ par a_n, de sorte que $f(1) = a_1$, $f(2) = a_2$, $f(3) = a_3, \ldots, f(n) = a_n, \ldots$. Alors

$$f = \{(1,a_1),(2,a_2),(3,a_3), \ldots,(n,a_n), \ldots\}$$

Suite

On dit que les éléments du champ de f considérés dans l'ordre $a_1, a_2, a_3, \ldots$
$a_n, \ldots$ forment une *suite*. Par exemple, si $f(x) = 2x + 3$, $x \in N^*$, alors
$a_1 = f(1) = 5$, $a_2 = f(2) = 7$, $a_3 = f(3) = 9$, $a_4 = f(4) = 11, \ldots$ D'où

$$f = \{(1,5),(2,7),(3,9),(4,11), \ldots\}$$

et le champ de f

$$\{5,7,9,11, \ldots\}$$

est la suite associée à la fonction.

**Suite
finie**

Si le domaine de f est l'ensemble des entiers positifs $\{1,2,3, \ldots, n\}$
pour un n déterminé, alors le champ de f est une *suite finie*. Ainsi, soit
$f(x) = x/(x + 1)$, $x \in \{1,2,3,4\}$, alors

$$f = \left\{ \left(1,\frac{1}{2}\right), \left(2,\frac{2}{3}\right), \left(3,\frac{3}{4}\right), \left(4,\frac{4}{5}\right) \right\}$$

et le champ

$$\left\{ \frac{1}{2}, \frac{2}{3}, \frac{3}{4}, \frac{4}{5} \right\}$$

est une suite finie. Si $f(x) = 2$, $x \in \{1,2,3,4\}$, alors

$$f = \{(1,2),(2,2),(3,2),(4,2)\}$$

et l'ensemble $\{2,2,2,2\}$ est une suite finie.

termes
d'une suite

Les éléments a_1, a_2, a_3, ... du champ d'une suite sont les *termes* de la suite et dans la pratique, on se sert souvent du symbole $\{a_n\}$ pour noter cette suite.

Puisqu'il y a un premier entier positif, un second, un troisième, etc., il y a un premier terme, un second terme, un troisième terme, etc.

On décrit une suite de deux manières. D'une part, on peut en donner le premier terme a_1, puis exprimer le $n$ième terme a_n à l'aide des termes précédents comme dans l'exemple suivant.

EXEMPLE 1. Soit la suite a_n définie par les conditions suivantes:

$$a_1 = 5$$
$$a_n = 3a_{n-1} + 7 \qquad \text{pour tout } n > 1$$

Quels sont les quatre premiers termes de la suite ?

Solution. $a_1 = 5$
$\qquad\quad a_2 = 3a_1 + 7 = 22$
$\qquad\quad a_3 = 3a_2 + 7 = 73$
$\qquad\quad a_4 = 3a_3 + 7 = 226$

Les quatre premiers termes de la suite sont donc 5, 22, 73, 226.

formule de
récurrence

Une formule du type $a_n = 3a_{n-1} + 7$, indiquant comment obtenir un terme (autre que le premier) à partir du terme précédent, est dite *formule de récurrence*.

D'autre part, on peut décrire une suite en exprimant a_n en termes de n.

EXEMPLE 2. Soit une suite $\{a_n\}$ qui répond à la condition

$$a_n = \frac{3}{2^{n-1}} \qquad n \geq 1$$

Trouver les cinq premiers termes de la suite.

Solution. $a_1 = 3/2^0 = 3$, $a_2 = 3/2^1$, $a_3 = 3/2^2$, $a_4 = 3/2^3$, et $a_5 = 3/2^4$. Les cinq premiers termes de la suite sont donc 3, ³⁄₂, ³⁄₄, ³⁄₈, ³⁄₁₆.

Au lieu d'écrire explicitement l'égalité $a_n = 3/2^{n-1}$, $n \geq 1$, de l'Exemple 2, nous pourrions aussi bien noter la suite

$$\left\{ \frac{3}{2^{n-1}} \right\}$$

EXEMPLE 3. Trouver le dixième terme de

$$\left\{\frac{1}{2^n + 1}\right\}$$

Solution. Puisque $n = 10$,

$$a_{10} = \frac{1}{2^{10} + 1} = \frac{1}{1025}$$

Si une suite est formée de termes pour lesquels l'opération d'addition est définie, la somme des termes de la suite s'appelle une *série*. Ainsi, à la suite $a_1, a_2, a_3, \ldots$ s'associe la série

$$a_1 + a_2 + a_3 + \cdots$$

Si une suite est finie, la série associée est une série finie. Par exemple si n est un nombre entier positif déterminé, la suite finie

$$5, 7, 9. \ldots, (2n + 3)$$

conduit à la série finie

$$S_n = 5 + 7 + 9 + \cdots + (2n + 3)$$

où S_n symbolise la somme des n termes de la suite.

On représente souvent une série à l'aide du symbole Σ. Ce signe est la lettre grecque sigma qui s'emploie pour dénoter une somme. La série précédente peut s'écrire dans la forme abrégée

$$S_n = \sum_{k=1}^{n} (2k + 3)$$

où le membre de droite exprime la série obtenue en remplaçant successivement k par $1, 2, 3, \ldots, n$ dans l'expression $(2k + 3)$.

EXEMPLE 4. Si

$$S_n = \sum_{j=1}^{n} \frac{j}{2j + 1}$$

calculer S_5.

Solution. En remplaçant j dans l'expression $j/(2j + 1)$ successivement par $1, 2, 3, 4, 5$, nous obtenons la forme développée de la série:

$$S_5 = \frac{1}{3} + \frac{2}{5} + \frac{3}{7} + \frac{4}{9} + \frac{5}{11}$$

Si on veut indiquer qu'une série a un nombre infini de termes, nous utilisons la notation

$$S_\infty = \sum_{k=1}^{\infty} a_k$$

où a_k est une formule décrivant le $k^{\text{ième}}$ terme.

EXEMPLE 5. Utiliser le symbole Σ et une formule du terme général pour exprimer la somme:

$$x^3 - x^6 + x^9 - x^{12} + \cdots$$

Solution. Soit $(-1)^{k+1}x^{3k}$ une formule exprimant le $k^{\text{ième}}$ terme. La série peut donc s'écrire

$$\sum_{k=1}^{\infty} (-1)^{k+1}x^{3k}$$

Une série finie a une somme finie. Par exemple, $1 + \frac{1}{2} + \frac{1}{3} + \frac{1}{4}$ a pour somme $^{25}\!/_{12}$. Une série infinie n'a pas de dernier terme, et nous ne pouvons trouver la somme de tous ces termes en les additionnant. Nous discuterons dans une section ultérieure la signification, lorsqu'il y aura lieu, de certaines sommes infinies.

EXERCICES 14.1

ÉCRIRE les quatre premiers termes des suites $\{a_n\}$ définies ci-après:

1. $a_1 = 3$, $a_n = 3a_{n-1} + 5$ **2.** $a_1 = 2$, $a_n = \frac{1}{2}na_{n-1}$

3. $a_1 = 5$, $a_{n+1} = 1/-a_n$ **4.** $a_1 = 3$, $a_n = (a_{n-1})^2$

5. $a_1 = 2$, $a_2 = 3$, $a_n = \frac{1}{3}(a_{n-1} + a_{n-2})$ **6.** $a_1 = 5$, $a_2 = 7$, $a_n = \frac{1}{2}(a_{n-1} + a_{n-2})$

ÉCRIRE les quatre premiers termes des suites suivantes:

7. $\left\{\dfrac{1}{2n}\right\}$ **8.** $\left\{\dfrac{n}{n+1}\right\}$ **9.** $\left\{\dfrac{1}{n(n+1)}\right\}$

10. $\left\{\dfrac{2^n}{n+1}\right\}$ **11.** $\{n^n\}$ **12.** $\{(-1)^n2^n\}$

13. $\left\{\dfrac{(-1)^{n-1}}{n^3}\right\}$ **14.** $\left\{\left(\dfrac{1}{2}\right)^{2n+1} + \left(-\dfrac{1}{2}\right)^{2n}\right\}$ **15.** $\{2^n - 1\}$

16. $\left\{\dfrac{1 \times 3 \times 5 \times \cdots \times (2n-1)}{(2n)!}\right\}$ **17.** $\left\{\dfrac{1}{n}\log 10^n\right\}$

UTILISER le symbole Σ pour exprimer les séries suivantes:

18. $1 + 2 + 4 + 8 + \cdots + 64$ **19.** $1 + \frac{1}{2} + \frac{1}{4} + \frac{1}{8} + \cdots + \frac{1}{128}$

20. $1 + 3 + 5 + \cdots$ **21.** $\frac{1}{2} + \frac{3}{4} + \frac{5}{6} + \frac{7}{8} + \cdots$

22. $1 + \frac{1}{4} + \frac{1}{9} + \frac{1}{16} + \cdots$ **23.** $2 - 4 + 6 - 8 + \cdots$

24. $x + \dfrac{x^3}{1 \cdot 2} + \dfrac{x^5}{1 \cdot 2 \cdot 3} + \dfrac{x^7}{1 \cdot 2 \cdot 3 \cdot 4} + \cdots$ **25.** $x + \dfrac{x^2}{1 \cdot 2} + \dfrac{x^3}{1 \cdot 2 \cdot 3} + \dfrac{x^4}{1 \cdot 2 \cdot 3 \cdot 4} + \cdots$

DÉVELOPPER chacune des série suivantes:

26. $\displaystyle\sum_{n=1}^{5} (-1)^n$ **27.** $\displaystyle\sum_{k=1}^{3} 1 - (-1)^k$ **28.** $\displaystyle\sum_{j=1}^{4} \dfrac{1}{j+1}$

29. $\displaystyle\sum_{s=1}^{5} x^{s-1}$ **30.** $\displaystyle\sum_{r=1}^{3} 3r^2$ **31.** $\displaystyle\sum_{j=1}^{\infty} \dfrac{j}{(j+1)^j}$

32. $\displaystyle\sum_{k=0}^{\infty} \dfrac{1}{3^k}$

INDUCTION MATHÉMATIQUE   14.2

Axiome
d'induction

Considérons maintenant l'*induction mathématique* en tant que méthode de preuve. Cette méthode est un outil très utile, particulièrement pour prouver des propositions concernant les séries. Elle s'établit sur une propriété fondamentale des entiers positifs exprimée par l'*axiome d'induction finie**.

Tout ensemble M d'entiers positifs contient tous les entiers positifs

Si   (1) $1 \in M$

        (2) $k + 1 \in M$ pour tout $k \in M$ **(14.1)**

Comme tout axiome, en tant qu'axiome d'un système, l'axiome d'induction finie ne peut être prouvé. Mais son énoncé semble acceptable. En effet (1), $1 \in M$ et (2), $1 + 1 = 2 \in M$. Et par addition réitérée: $2 + 1 = 3 \in M$; $3 + 1 = 4 \in M$; etc. Les exemples suivants sont des applications de cet axiome d'induction finie.

EXEMPLE 1. Prouver que, si m et n sont des entiers positifs et a est un nombre quelconque, alors

$$a^m \cdot a^n = a^{m+n}$$

Preuve.

(1)   Par notre définition des exposants entiers positifs

$$a^1 = a$$
$$a^{k+1} = a^k \cdot a$$

(2)   Soit un entier positif m et soit

$$M = \{n : n \in N^* \text{ et } a^m \cdot a^n = a^{m+n}\}$$

(3)   Puisque $a^m \cdot a^1 = a^m \cdot a = a^{m+1}$ par définition, nous avons $1 \in M$ et M n'est pas vide

(4)   Supposons $k \in M$; alors k est un entier positif et $a^m \cdot a^k = a^{m+k}$ par définition de l'ensemble M.

(5)   Maintenant $a^m \cdot a^{k+1} = a^m(a^k \cdot a)$ **pourquoi?**

                       $= (a^m \cdot a^k)a$ **associativité**

                       $= (a^{m+k})a$ **d'après (4)**

                       $= a^{(m+k)+1}$ **pourquoi?**

                       $= a^{m+(k+1)}$ **associativité**

(6)   D'où, $(k + 1) \in M$ par définition de l'ensemble M.

---

*N. du T.:   appelé parfois axiome de récurrence.

(7)   Comme $1 \in M$ et $(k + 1) \in M$ lorsque $k \in M$, l'axiome d'induction finie nous garantit que M contient tous les entiers positifs.

(8)   Donc, $a^m \cdot a^n = a^{m+n}$ pour tous les entiers positifs m et n.

EXEMPLE 2.   Prouver la proposition

$$1 + 3 + 5 + \cdots + (2n - 1) = n^2$$

Preuve.

(1)   Soit $M = \{n : n \in N^* \text{ et } 1 + 3 + 5 + \cdots + (2n - 1) = n^2\}$.

(2)   Puisque $1 = 1^2$, nous voyons que $1 \in M$.

(3)   Supposons $k \in M$. Alors la somme des k premiers termes de la série est

$$1 + 3 + 5 + \cdots + (2k - 1) = k^2$$

(4)   La somme des $k + 1$ premiers termes s'obtient en ajoutant le terme en $(k + 1)$ au membre de gauche c'est-à-dire $(2k + 1)$. Alors d'après (3)

$$\begin{aligned}[1 + 3 + 5 + \cdots + (2k - 1)] + (2k + 1) &= k^2 + (2k + 1) \\ &= k^2 + 2k + 1 \\ &= (k + 1)^2\end{aligned}$$

(5)   D'où $k + 1 \in M$ lorsque $k \in M$.

(6)   D'après (2) et (5), nous concluons que la proposition est vraie pour tout entier n.

Ces deux exemples appliquent le raisonnement par récurrence, conséquence de l'axiome d'induction finie et du *principe d'induction* mathématique que nous citons en théorème.

Induction mathématique

THÉORÈME.   Soit $P(n)$ une propriété liée à l'entier positif n. Si $P(1)$ est vraie et si $P(k + 1)$ est vraie chaque fois que $P(k)$ est **(14.2)** vraie, alors, quel que soit n, la propriété $P(n)$ est vraie.

Preuve

(1)   Soit $M = \{n : n \in N^* \text{ et } P(n) \text{ est vraie}\}$.

(2)   Puisque $P(1)$ est vraie, par hypothèse, nous avons $1 \in M$.

(3)   En outre, $P(k + 1)$ est vraie chaque fois que $P(k)$ est vraie, par hypothèse.

(4)   D'où $(k + 1) \in M$ chaque fois que $k \in M$.

(5)   Donc M contient tous les entiers positifs d'après l'axiome d'induction finie.

(6)   C'est-à-dire $P(n)$ est vraie pour tout entier positif n.

Les preuves par le principe d'induction mathématique demandent:

1)   une preuve de la véracité de la proposition pour $n = 1$;

2)   une preuve que la propriété vraie pour $n = k$ implique la propriété vraie pour $n = k + 1$.

EXEMPLE 3.   Prouver que pour tout entier positif n,

$$1^3 + 2^3 + 3^3 + \cdots + n^3 = \left[\frac{n(n + 1)}{2}\right]^2$$

Solution.   La preuve comprend deux parties:

1ʳᵉ partie.   Nous devons d'abord prouver que l'assertion est vraie pour $n = 1$.

Lorsque $n = 1$, le membre de gauche vaut $1^3 = 1$ et le membre de droite

$$\left[\frac{1(1 + 1)}{2}\right]^2 = 1$$

D'où la proposition est vraie pour $n = 1$.

2ᵉ partie.   Nous devons ensuite prouver que, si la proposition est vraie pour $n = k$, elle l'est aussi pour $n = k + 1$.

Si l'assertion est vraie pour $n = k$, nous avons

$$1^3 + 2^3 + 3^3 + \cdots + k^3 = \left[\frac{k(k + 1)}{2}\right]^2$$

Comme $$(k + 1)^3 = (k + 1)^3$$

il suit que

$$1^3 + 2^3 + 3^3 + \cdots + k^3 + (k + 1)^3 = \left[\frac{k(k + 1)}{2}\right]^2 + (k + 1)^3$$

$$= \frac{k^2(k + 1)^2}{2^2} + (k + 1)^3$$

$$= (k + 1)^2\left[\frac{k^2}{2^2} + k + 1\right]$$

$$= (k + 1)^2\left[\frac{k + 2}{2}\right]^2$$

$$= \left[\frac{(k + 1)(k + 2)}{2}\right]^2$$

D'où, si la proposition est vraie pour $n = k$, elle est vraie pour $n = k + 1$. D'après le principe d'induction mathématique, la proposition est vraie pour tout entier positif n.

**Preuve par
induction**   Dans la preuve d'une proposition générale par le principe d'induction mathématique, il est *absolument essentiel* de faire la preuve de chacune des parties.

EXERCICES   14.2

PROUVER par induction mathématique chacune des propositions suivantes où n est un entier positif:

1. $1 + 2 + 3 + \cdots + n = \tfrac{1}{2}n(n + 1)$
2. $2 + 4 + 6 + \cdots + 2n = n(n + 1)$
3. $2 + 2^2 + 2^3 + \cdots + 2^n = 2(2^n - 1)$

4. $1^2 + 2^2 + 3^2 + \cdots + n^2 = \frac{1}{6}n(n + 1)(2n + 1)$

5. $\dfrac{1}{1 \cdot 2} + \dfrac{1}{2 \cdot 3} + \dfrac{1}{3 \cdot 4} + \cdots + \dfrac{1}{n(n + 1)} = \dfrac{n}{n + 1}$

6. $1 + 5 + 9 + \cdots + (4n - 3) = n(2n - 1)$

7. $1 + \dfrac{1}{2} + \dfrac{1}{2^2} + \cdots + \dfrac{1}{2^{n-1}} = \dfrac{2^n - 1}{2^{n-1}}$

8. $1^2 + 3^2 + 5^2 + \cdots + (2n - 1)^2 = \frac{1}{3}n(2n + 1)(2n - 1)$
9. $1^3 + 2^3 + 3^3 + \cdots + n^3 = \frac{1}{4}n^2(n + 1)^2$
10. $1^3 + 3^3 + 5^3 + \cdots + (2n - 1)^3 = n^2(2n^2 - 1)$

11. $\displaystyle\sum_{j=1}^{n} j(j + 1) = \frac{1}{3}n(n + 1)(n + 2)$ 12. $\displaystyle\sum_{j=1}^{n} j(j + 2) = \frac{1}{6}n(n + 1)(2n + 7)$

PROUVER par induction mathématique les suivants, où a,b,c,m,n sont des entiers positifs:

13. $(a + b) + c = a + (b + c)$
14. $a + 1 = 1 + a$
15. $a + b = b + a$
16. $a(b + c) = ab + ac$
17. $a(bc) = (ab)c$
18. $a \cdot 1 = 1 \cdot a$
19. $ab = ba$
20. $(ab)^n = a^n b^n$
21. $(a^m)^n = a^{mn}$
22. Si $c + a = c + b$, alors $a = b$
23. $1^n = 1$

24. Le théorème de De Moivre: $[r(\cos\theta + i\sin\theta)]^n = r^n(\cos n\theta + i\sin n\theta)$

25. $\sin x + \sin 2x + \cdots + \sin nx = \dfrac{\sin \frac{1}{2}(n + 1)x \sin \frac{1}{2}nx}{\sin \frac{1}{2}x}$

26. $\sin t + \sin 3t + \cdots + \sin (2n - 1)t = \dfrac{\sin^2 nt}{\sin t}$

27. $\cos t + \cos 3t + \cdots + \cos (2n - 1)t = \dfrac{\sin 2nt}{2 \sin t}$

PROGRESSIONS 14.3

Suite
arithmétique

La suite $\{a_1, a_2, a_3, \ldots, a_n\}$ est une *suite arithmétique* si, et seulement s'il existe une constante d telle que

$$a_n - a_{n-1} = d \qquad \text{pour tout } n > 1 \qquad (14.3)$$

La constante d est la *raison* de la suite arithmétique.
L'équation (14.3) peut s'écrire:

$$a_n = a_{n-1} + d \qquad (14.4)$$

Ainsi nous pouvons trouver à partir du premier terme tous les termes de la suite en ajoutant d au terme précédent.

D'après la formule (14.4), nous concluons que $a_2 = a_1 + d$, $a_3 = a_2 + d = (a_1 + d) + d = a_1 + 2d$, $a_4 = a_1 + 3d$, $a_5 = a_1 + 4d$, . . .
Il semble donc exact que pour tout $n > 1$

$$a_n = a_1 + (n - 1)d \qquad (14.5)$$

Nous laissons à l'étudiant le soin de prouver (par induction mathématique) que cette proposition est vraie de fait.

EXEMPLE 1.   Calculer le 37e terme de la suite arithmétique 8, 11, 14, . . .

Solution.   Ici $n = 37$, $a_1 = 8$, et $d = a_2 - a_1 = 11 - 8 = 3$.   D'après la formule (14.5), on a

$$a_{37} = 8 + (37 - 1)(3) = 116$$

Une suite arithmétique s'appelle aussi *progression arithmétique* (PA en abrégé).   La somme formelle de ces termes est une série arithmétique. Pour déduire une formule de la somme des termes d'une progression arithmétique finie, notons S_n la somme des n premiers termes de la PA et posons:

$$S_n = a_1 + (a_1 + d) + (a_1 + 2d) + \cdots + [a_1 + (n - 1)d]$$

Si nous renversons l'ordre d'écriture de la même somme, nous obtenons

$$S_n = [a_1 + (n - 1)d] + [a_1 + (n - 2)d] + \cdots + (a_1 + d) + a_1$$

Si nous ajoutons membre à membre les deux égalités, dans chaque colonne du membre de droite la somme de deux termes est précisément $a_1 + [a_1 + (n - 1)d]$, et il y a n colonnes.

$$2S_n = n[2a_1 + (n - 1)d]$$

$$S_n = \frac{n}{2}[2a_1 + (n - 1)d] \tag{14.6}$$

Également,

$$S_n = \frac{n}{2}\{a_1 + [a_1 + (n - 1)d]\} \tag{14.7}$$

$$= \frac{n}{2}(a_1 + a_n)\ \text{d'après (14.5)}$$

EXEMPLE 2.   Calculer le premier terme et la raison d'une PA si la somme des 17 premiers termes est 187 et le 17e terme 27.

Solution.   Comme $n = 17$, $S_{17} = 187$, $a_{17} = 27$, on a d'après (14.7)

$$187 = \frac{17}{2}(a_1 + 27)$$

D'où

$$a_1 = -5$$

Comme

$$a_n = a_1 + (n - 1)d$$

$$27 = -5 + (17 - 1)d$$

et

$$d = 2$$

La suite $\{a_1, a_2, a_3, \ldots, a_n\}$ est une *suite géométrique* si, et seulement si

(1) $a_n \neq 0$ pour tout n

(2)   Il existe une constante $r \neq 0$ telle que

$$\frac{a_n}{a_{n-1}} = r \text{, pour tout } n > 1 \qquad (14.8)$$

Raison

La constante r est la *raison* de la suite géométrique. Nous pouvons écrire la formule (14.8) dans la forme équivalente

$$a_n = ra_{n-1} \qquad (14.9)$$

Ainsi, nous pouvons trouver à partir du premier terme tous les termes de la suite en multipliant le terme précédent par r.

D'après (14.9), on a $a_2 = ra_1$, $a_3 = ra_2 = r(ra_1) = r^2 a_1$, $a_4 = r^3 a_1$, ... D'où il semble exact que

$$a_n = a_1 r^{n-1} \qquad n > 1 \qquad (14.10)$$

La validité de (14.10) pour tout $n > 1$ se prouve par induction mathématique. Les détails de la preuve sont laissés en exercice.

Série géométrique

Une suite géométrique s'appelle aussi *progression géométrique* (PG en abrégé). La somme formelle de ces termes est une série géométrique. Pour calculer la somme des termes d'une progression géométrique finie, notons S_n la somme des n premiers termes et posons

$$S_n = a_1 + (a_1 r) + (a_1 r^2) + \cdots + (a_1 r^{n-1})$$

et comme $r \neq 0$,

$$rS_n = a_1 r + (a_1 r^2) + (a_1 r^3) + \cdots + (a_1 r^{n-1}) + (a_1 r^n)$$

En soustrayant alors chaque membre de la deuxième égalité des membres correspondants de la première, nous avons

$$S_n - rS_n = a_1 - a_1 r^n$$
ou $$S_n(1 - r) = a_1 - a_1 r^n$$

Si $r \neq 1$, nous pouvons diviser par $1 - r$: d'où l'égalité

$$S_n = \frac{a_1 - a_1 r^n}{1 - r} = \frac{a_1 r^n - a_1}{r - 1} \qquad r \neq 1 \qquad (14.11)$$

Si $r = 1$, la série géométrique donnée devient

$$S_n = a_1 + a_1 + a_1 + \cdots + a_1 = na_1$$

Nous laissons à l'étudiant le soin de calculer la somme S_n pour $r = -1$.

La preuve de (14.11) par récurrence est laissée à l'étudiant en exercice.

Comme $a_n = a_1 r^{n-1}$ et $r \neq 0$, on a $ra_n = a_1 r^n$ et les relations (14.11) deviennent

$$S_n = \frac{a_1 - ra_n}{1 - r} = \frac{ra_n - a_1}{r - 1} \qquad r \neq 1 \qquad (14.12)$$

EXEMPLE 3. Calculer le nombre de termes n et la raison r de la PG dont le premier terme est 256, le dernier terme 81 et la somme des n termes 781.

Solution.   D'après (14.12),

$$781 = \frac{81r - 256}{r - 1}$$

D'où $$781r - 781 = 81r - 256$$

et $$r = \frac{3}{4}$$

Comme $a_n = a_1 r^{n-1}$, nous avons

$$81 = 256 \left(\frac{3}{4}\right)^{n-1}$$

et $$\frac{81}{256} = \left(\frac{3}{4}\right)^{n-1}$$

Nous savons que $$\frac{81}{256} = \left(\frac{3}{4}\right)^{4}$$

Donc $$n - 1 = 4$$

et $$n = 5$$

EXERCICES   14.3

CALCULER le terme demandé de chacune des suites arithmétiques suivantes:

1. 13, 11, 9, . . . (25ᵉ terme)   2. $2\sqrt{2}$, $4\sqrt{2}$, $6\sqrt{2}$, . . . (7ᵉ terme)
3. 2, ⅔, −⅔, . . . (11ᵉ terme)
4. Calculer le 99ᵉ terme d'une suite arithmétique dont le septième terme est 29 et dont le 44ᵉ terme est 177.
5. Quel est le rang du terme 65 dans la suite arithmétique $-7, -5, -3, \ldots$?
6. Un corps en chute libre dans le vide tombe d'environ 16 pi durant la première seconde, de 48 pi durant la deuxième seconde, ensuite de 80 pi, etc. Calculer le nombre approximatif de pieds dont ce corps chutera pendant la 15ᵉ seconde.

CALCULER la somme des termes indiqués des séries arithmétiques suivantes:

7.   5 + 3 + 1 + . . . (40 termes)   8.   2 + ⁵⁄₄ + ½ + . . . (8 termes)
9.   3 + 7 + 11 + . . . (25 termes)   10.   4 + 9 + 14 + . . . (30 termes)
11. Si $a_n = 109$, $d = 6$, $n = 18$, calculer S_n.   12. Si $a_9 = 1.8$, $a_1 = 1$, calculer S_9.
13. Le 4ᵉ terme d'une PA est 4 et le 10ᵉ terme est 7. Calculer la somme des 47 premiers termes.
14. Les termes placés entre deux termes non consécutifs d'une suite arithmétique s'appellent *moyens arithmétiques* de ces deux termes. Placer cinq moyens arithmétiques entre 42 et -24.
15. Placer sept moyens arithmétiques entre 3 et 15.
16. Insérer huit moyens arithmétiques entre -0.7 et 11.
17. Calculer la moyenne arithmétique de 6 et 14. INDICATION: insérer un moyen entre 6 et 14.
18. Calculer la moyenne arithmétique de -36 et 94.
19. La somme de trois nombres en progression arithmétique est 42. La somme de leurs carrés 830. Déterminer les trois nombres.
20. La suite $\{a_1 a_2, \ldots a_n\}$ est appelée une suite *harmonique* si, et seulement si

$$\left\{ \frac{1}{a_1}, \frac{1}{a_2}, \frac{1}{a_3}, \ldots, \frac{1}{a_n} \right\}$$

est une suite arithmétique. Insérer trois moyens harmoniques entre 5 et 9.

CALCULER le terme demandé des suites géométriques suivantes:

21. 2, 4, 8, . . . (9e terme)

22. $^4/_5$, $-^8/_{15}$, $^{16}/_{45}$, . . . (6e terme)

23. 0.3, 0.03, 0.003, . . . (7e terme)

24. $^2/_5$, $^1/_5$, $^1/_{10}$, . . . (7e terme)

25. Le n^e terme de la suite géométrique $^5/_2$, 5, 10, . . . est 640. Calculer le nombre de termes de la suite.

26. La raison d'une suite géométrique est 2. Le 13e terme est 512. Écrire les cinq premiers termes de la suite.

27. Écrire les cinq premiers termes de la suite géométrique dont le 3e terme est $\sqrt{2}$ et le 6e terme $\sqrt{54}$.

28. Une pompe aspire un quart de l'air d'une cloche à vide à chaque coup de piston. Quelle portion de l'air initial demeure dans la cloche à vide après cinq coups de piston?

EFFECTUER la somme du nombre indiqué de termes des séries géométriques suivantes:

29. 4 + 12 + 36 + . . . (6 termes)

30. 12 − 18 + 27 − . . . (5 termes)

31. $^1/_8$ + $^1/_4$ + $^1/_2$ + . . . (8 termes)

32. 0.0018 + 0.018 + 0.18 + . . . (7 termes)

33. Calculer la somme des termes de la progression géométrique 16 + 8 + 4 + . . . + $^1/_{16}$.

34. Soit $^{728}/_{27}$ la somme des n termes d'un PG dont le dernier terme est $^2/_{27}$ et la raison $^1/_3$. Déterminer le nombre n de termes et le premier terme.

35. Le nombre des bactéries d'une culture double toutes les 20 mn. Combien de fois le nombre initial de bactéries aurons-nous au bout de 2 h? (En supposant des pertes nulles.)

36. Soit trois nombres d'une suite arithmétique. Si l'on ajoute 9 au premier, 7 au second et 9 au troisième, les nombres obtenus sont en progression géométrique. Quels sont ces nombres?

37. Les *moyens géométriques* sont les termes situés entre deux termes non consécutifs d'une progression géométrique. Insérer deux moyens géométriques entre 40 et 5.

38. Insérer trois moyens géométriques entre 24 et $^3/_2$.

39. Calculer la moyenne géométrique de −3 et −48. (C'est-à-dire déterminer un moyen géométrique entre −3 et −48.)

40. La population d'une ville augmente de 5% par année. Si la population actuelle est de 300,000, quelle sera cette population dans 6 ans.

SÉRIES GÉOMÉTRIQUES INFINIES 14.4

Nous étudierons dans cette section certaines propriétés de la série géométrique infinie

$$a_1 + a_1r + a_1r^2 + \cdots + a_1r^{n-1} + \cdots$$

Si $|r| > 1$, alors chaque terme de la série est numériquement plus grand que le terme précédent. Donc il n'existe pas de valeur définie représentant cette somme. Si $|r| < 1$, nous pouvons accorder une signification à la somme d'un nombre illimité de termes en considérant ce que r^n devient lorsque n croît sans limite. Par exemple, soit $r = \frac{2}{3}$, que devient r^n lorsque n croît de 4 à 12, puis à 50. Pour $n = 4$

$$\left(\frac{2}{3}\right)^4 < \frac{1}{5}$$

pour $n = 12$

$$\left(\frac{2}{3}\right)^{12} < \frac{1}{100}$$

et pour $n = 50$ $\qquad \left(\dfrac{2}{3}\right)^{50} < \dfrac{1}{100,000,000}$

Il est devenu évident qu'en choisissant n assez grand, la différence entr $(\frac{2}{3})^n$ et zéro devient aussi petite qu'on le désire.

Pour décrire plus précisément cette propriété de r^n pour $|r| < 1$, soi ϵ un nombre positif réel. Aussi petit que ϵ peut être, nous pouvon trouver une valeur de n, notée N, telle que

$$|r^n| < \epsilon \qquad \text{pour tout } n \geq N$$

Ce que nous résumons en écrivant

Limite

$$\lim_{n \to \infty} r^n = 0 \qquad |r| < 1 \qquad (14.13$$

qui se lit "la limite de r^n lorsque n croît sans limite est zéro".

D'après l'Éq. (14.11), la somme des n premiers termes d'une séri géométrique peut s'écrire

$$S_n = \frac{a_1}{1 - r} - \frac{a_1}{1 - r}(r^n)$$

D'où, si $-1 < r < 1$, la différence entre S_n et $a_1/(1 - r)$ devient auss petite que nous le désirons en prenant n suffisamment grand. Pour marque que tel est le cas, nous écrivons

$$\lim_{n \to \infty} S_n = \frac{a_1}{1 - r} \qquad |r| < 1 \qquad (14.14$$

Si $r = 1$, $S_n = a_1 + a_1 + a_1 + \cdots$. En conséquence, si $a_1 \neq 0$, S croît sans limite en valeur absolue si n croît sans limite.

Si $r = -1$, $S_n = a_1 - a_1 + a_1 - \cdots$. D'où $S_n = a_1$, ou $S_n = 0$, suivan que n est impair ou pair.

Nous notons S la limite de S_n dans l'Éq. (14.14) et l'appelons la "somme" de la série géométrique infinie. Donc

$$S = \frac{a_1}{1 - r} \qquad |r| < 1 \qquad (14.15$$

Notons que S n'est pas une somme arithmétique, mais la limite de la somme de n termes lorsque n croît sans limite.

EXEMPLE 1. Calculer la "somme" de la série géométrique $3 + \frac{3}{2} + \frac{3}{4} + \cdots$

Solution. Puisque $S = \dfrac{a_1}{1 - r}$

$$S = \frac{3}{1 - \frac{1}{2}} = 6$$

EXEMPLE 2. Déterminer le nombre rationnel équivalent au nombr décimal périodique $0.363636 \ldots$

Solution. Le nombre décimal 0.36336 ... s'écrit dans une forme équivalente

$$0.36 + 0.0036 + 0.000036 + \cdots$$

qui peut être considérée comme une série géométrique infinie dont le premier terme est 0.36 et la raison 0.01. D'où

$$S = \frac{0.36}{1 - 0.01} = \frac{36}{99} = \frac{4}{11}$$

EXEMPLE 3. Déterminer le nombre rationnel équivalent au nombre décimal périodique 2.35242424 ....

Solution. $2.35242424 \ldots = 2.35 + 0.0024 + 0.000024 + \cdots$

$$= 2.35 + \frac{0.0024}{1 - 0.01}$$

$$= \frac{235}{100} + \frac{24}{9900}$$

$$= \frac{23289}{9900}$$

EXERCICES 14.4

CALCULER la "somme" des séries géométriques infinies suivantes:

1. $12 + 6 + 3 + \cdots$ **2.** $0.9 + 0.03 + 0.001 + \cdots$

3. $7 + \frac{7}{2} + \frac{7}{4} + \cdots$ **4.** $60 + 6 + 0.6 + \cdots$

5. $5 + 1 + \frac{1}{5} + \cdots$ **6.** $22 - 2 + \frac{2}{11} - \cdots$

7. $13/10^2 + 13/10^4 + 13/10^6 + \cdots$ **8.** $1 - \frac{1}{4} + \frac{1}{16} - \frac{1}{64} + \cdots$

DÉTERMINER les nombres rationnels équivalents aux nombres décimaux périodiques suivants. Vérifier votre réponse en effectuant la division.

9. 0.7777 ...   **10.** 1.32454545 ...   **11.** 0.124124124 ...

12. 0.696969 ...   **13.** 7.1272727 ...   **14.** 0.279279279 ...

15. Une balle de caoutchouc tombe de 30 pi de haut. Elle rebondit toujours du $\frac{1}{3}$ de la hauteur dont elle est tombée. Quelle sera la distance parcourue par cette balle au moment où elle tombe en repos.

16. Soit $\frac{3}{4}$ la somme d'une progression géométrique dont le premier terme est $\frac{3}{2}$. Quelle en est la raison?

17. Dans un carré de 9 po de côté, on inscrit un second carré en joignant les milieux des côtés du premier carré, puis un troisième carré en joignant les milieux des côtés du second, et ainsi de suite. Calculer la somme des surfaces du nombre illimité de carrés ainsi formés.

THÉORÈME DU BINÔME 14.5

Si n est un nombre positif entier, alors $(a + b)^n$ se définit à partir de

$$(a + b)^1 = a + b$$
$$(a + b)^{k+1} = (a + b)^k(a + b)$$

Développements du binôme

Lorsqu'on effectue par ce procédé l'opération $(a + b)^n$, on obtient une série de termes qui sont les *développements successifs du binôme* pour $n = 1,2,3 \ldots$. Par définition

$$(a + b)^1 = a + b$$

et en développant les produits successifs, on a

$$(a + b)^2 = a^2 + 2ab + b^2$$
$$(a + b)^3 = a^3 + 3a^2b + 3ab^2 + b^3$$
$$(a + b)^4 = a^4 + 4a^3b + 6a^2b^2 + 4ab^3 + b^4$$
$$(a + b)^5 = a^5 + 5a^4b + 10a^3b^2 + 10a^2b^3 + 5ab^4 + b^5$$

D'après ces identités, nous voyons que si $n = 1, 2, 3, 4, 5$, les développements de $(a + b)^n$ comprennent $n + 1$ termes qui suivent les règles suivantes:

1. le premier terme du développement est $a^n b^0$ et les exposants de a décroissent d'une unité dans les termes successifs;

2. le deuxième terme est $na^{n-1}b$; les exposants de b croissent d'une unité dans les termes successifs;

3. le dernier terme est $a^0 b^n$;

4. si on multiplie le coefficient d'un terme par l'exposant de a et si on divise ce produit par le rang du terme, on obtient le coefficient du terme suivant.

Si on suppose que ces propriétés sont conservées pour tout n positif entier, alors

$$(a + b)^n = a^n + \frac{n}{1} a^{n-1}b + \frac{n}{1} \frac{n - 1}{2} a^{n-2}b^2$$

$$+ \frac{n}{1} \frac{n - 1}{2} \frac{n - 2}{3} a^{n-3}b^3 + \cdots + b^n \qquad (14.16)$$

Formule du binôme

Cette identité est connue comme la *formule du binôme*. L'énoncé du *théorème du binôme* affirme que cette formule reste valable pour tout entier positif n. La preuve de ce théorème s'établit par induction mathématique, et l'étudiant intéressé fera bien de travailler les détails de cette preuve. Pour le moment, nous tenons ce théorème pour valable et reportons la preuve formelle au chapitre suivant. À ce point, nous exposerons une preuve plus significative qu'une preuve par induction mathématique.

EXEMPLE 1. Développer $(2x - y)^5$.

Solution. Pour appliquer la formule, posons $2x = a$ et $(-y) = b$; l'expression binomiale devient $[(2x) + (-y)]^5$. D'où

$$[(2x) + (-y)]^5 = (2x)^5 + \frac{5}{1}(2x)^4(-y) + \frac{5}{1}\frac{4}{2}(2x)^3(-y)^2$$

$$+ \frac{5}{1}\frac{4}{2}\frac{3}{3}(2x)^2(-y)^3 + \frac{5}{1}\frac{4}{2}\frac{3}{3}\frac{2}{4}(2x)(-y)^4$$

$$+ \frac{5}{1}\frac{4}{2}\frac{3}{3}\frac{2}{4}\frac{1}{5}(-y)^5$$

$$= (2x)^5 + 5(2x)^4(-y) + 10(2x)^3(-y)^2$$
$$+ 10(2x)^2(-y)^3 + 5(2x)(-y)^4 + (-y)^5$$

En réduisant les termes à leur forme la plus simple, on a

$$(2x - y)^5 = 32x^5 - 80x^4y + 80x^3y^2 - 40x^2y^3 + 10xy^4 - y^5$$

EXEMPLE 2. Écrire les quatre premiers termes et le dernier terme du développement de $[(3/x) - (x/3)].^6$

Solution. $\left(\dfrac{3}{x} - \dfrac{x}{3}\right)^6 = \left(\dfrac{3}{x}\right)^6 + \dfrac{6}{1}\left(\dfrac{3}{x}\right)^5\left(-\dfrac{x}{3}\right) + \dfrac{6}{1}\dfrac{5}{2}\left(\dfrac{3}{x}\right)^4\left(-\dfrac{x}{3}\right)^2$

$$+ \dfrac{6}{1}\dfrac{5}{2}\dfrac{4}{3}\left(\dfrac{3}{x}\right)^3\left(-\dfrac{x}{3}\right)^3 + \cdots + \left(-\dfrac{x}{3}\right)^6$$

$$= \dfrac{729}{x^6} - \dfrac{486}{x^4} + \dfrac{135}{x^2} - 20 + \cdots + \dfrac{x^6}{729}$$

Pour trouver une expression du $(r + 1)$ième terme du développement du binôme, nous relevons les faits suivants:

1. L'exposant de b dans un terme est inférieur de 1 au rang du terme. L'exposant de b dans le $(r + 1)$ième terme est r.

2. La somme des exposants de a et b dans un terme est n. L'exposant de a dans le $(r + 1)$ième terme est $n - r$.

3. Le numérateur du coefficient du $(r + 1)$ième terme est formé des r facteurs: $n(n - 1)(n - 2) \cdots n - (r - 1) = n(n - 1)(n - 2) \cdots (n - r + 1)$. Le dénominateur est formé des r facteurs $1 \cdot 2 \cdot 3 \cdot \ldots \cdot r$. Le $(r + 1)$ième terme est donc:

$$\dfrac{n(n - 1)(n - 2) \cdots (n - r + 1)}{1 \cdot 2 \cdot 3 \cdot \ldots \cdot r} a^{n-r}b^r \tag{14.17}$$

EXEMPLE 3. Quel est le cinquième terme de $(2x^2 + 3y)^9$?

Solution. Puisqu'on cherche le 5e terme et que la formule (14.7) vaut pour le $(r + 1)$ième terme, nous avons $r + 1 = 5$ et $r = 4$. Par conséquent l'exposant de $a = 2x^2$ est $n - 4 = 5$. L'exposant de $b = 3y$ est 4. Le 5e terme est donc

$$\dfrac{9 \cdot 8 \cdot 7 \cdot 6}{1 \cdot 2 \cdot 3 \cdot 4}(2x^2)^5(3y)^4 = 126(2x^2)^5(3y)^4$$

$$= 326,592x^{10}y^4$$

EXEMPLE 4. Quel est le terme indépendant de x du développement de $(x^3 + 1/x)^8$?

Solution. Le $(r + 1)$ième terme comprend les facteurs $(x^3)^{8-r}(1/x)^r$ c'est-à-dire x^{24-4r}. Donc, si le terme doit être indépendant de x, nous pouvons poser:

$$24 - 4r = 0$$

ou
$$r = 6$$

Le terme demandé est le 7e terme:

$$\frac{8 \cdot 7 \cdot 6 \cdot 5 \cdot 4 \cdot 3}{1 \cdot 2 \cdot 3 \cdot 4 \cdot 5 \cdot 6} (x^3)^2 \left(\frac{1}{x}\right)^6 = 28$$

Pour faire la preuve complète du théorème du binôme par inductio█ mathématique, il nous faut une expression d'un terme caractéristique d█ développement. La formule (14.17) nous la fournit. Nous pouvon█ maintenant énoncer le théorème formellement.

THÉORÈME DU BINÔME. Pour n entier positif,

$$(a + b)^n = a^n + na^{n-1}b + \frac{n(n - 1)}{2!} a^{n-2}b^2 + \cdots$$

$$+ \frac{n(n - 1)(n - 2) \cdots (n - r + 1)}{r!} a^{n-r}b^r + \cdots + b^n \quad (14.18█$$

Le symbole $r!$, r entier positif, symbolise le produit d'entiers positi█ $1 \cdot 2 \cdot 3 \cdot 4 \cdot \ldots \cdot r$. Le symbole $r!$ se lit "factorielle r." Par exemple, $7! = $ $1 \cdot 2 \cdot 3 \cdot 4 \cdot 5 \cdot 6 \cdot 7$.

Pour prouver le théorème du binôme par la méthode d'inductio█ mathématique, on montre d'abord que la proposition est vraie pour $n = $ █ Puisque

$$(a + b)^1 = a + b = a^1 + \frac{1}{1} a^0 b$$

nous voyons que l'énoncé est vrai pour $n = 1$.

Nous devons montrer que si la proposition est vraie pour $n = k$, el█ le sera pour $n = k + 1$. Les détails de cette partie de la preuve et sa co█ clusion sont laissées en exercice. Dans le prochain chapitre nous verro█ une autre preuve du théorème après l'étude des combinaisons.

EXERCICES 14.5

DÉVELOPPER:

1. $(a + b)^6$

2. $(x + 2)^7$

3. $\left(x + \dfrac{1}{x}\right)^6$

4. $(x^3 - 2y^2)^6$

5. $(y^{2/3} - x^{2/3})^4$

6. $(x^{-1} - y^{-2})^5$

7. $(y^{1/2} + x^{1/2})^6$

8. $(1 + x)^6 - (1 - x)^6$

9. $(a + b)^7 + (a - b)^7$

10. $\left(\dfrac{x}{\sqrt{y}} - \dfrac{y}{\sqrt{x}}\right)^4$

11. Écrire les trois premiers termes de $(2x^2 + \frac{1}{2}x^{-1/2})^6$.

12. Écrire les trois premiers termes de $\left(\dfrac{a}{b^2} - \dfrac{b}{a^2}\right)^5$

DÉTERMINER le terme indiqué:

13. $(2a - b)^7$; 5e terme

14. $(2a^2 - 3b)^8$; 4e terme

15. $(1 + xy)^9$; 6e terme

16. $(x^2 - y)^{10}$; terme central

17. $\left(\dfrac{a}{a} - \dfrac{b}{a}\right)^{10}$; le terme indépendant de a et b

18. $\left(\dfrac{2x}{y} + \dfrac{y}{2x}\right)^8$; le terme indépendant de x et y

19. $(x^{3/2} + 2x^{1/2})^{10}$; le terme en x^{12}

20. $\left(x^2 - \dfrac{2}{x}\right)^8$; le terme en x^4

21. Écrire sous forme de binôme et évaluer $(101)^3$. Essayer $(100 + 1)^3$.

22. Écrire sous forme de binôme et évaluer $(99)^4$.

SÉRIES BINOMIALES 14.6

Par substitution de 1 à a et de x à b dans la formule du binôme, on a

$$(1 + x)^n = 1 + nx + \frac{n(n - 1)}{2!}\, x^2 + \frac{n(n - 1)(n - 2)}{3!}\, x^3 + \cdots$$

$$+ \frac{n(n - 1)(n - 2) \cdots (n - r + 1)}{r!}\, x^r + \cdots \quad (14.19)$$

Pour n entier positif, le développement comprend un nombre fini, $n + 1$, de termes. Si n est un nombre réel, mais non pas un entier positif ou zéro, le développement n'a pas de fin. La série infinie résultante s'appelle une *série binomiale*.

On montre dans des ouvrages plus avancés que si $|x| < 1$, la valeur approchée de la somme des k premiers termes de la série binomiale peut être déterminée avec le degré de précision voulu en choisissant k assez grand.

EXEMPLE 1. Soit $x^2/2 < 1$, développer les trois premiers termes réduits à leur forme la plus simple de $(2 - x^2)^{-2}$.

Solution. $(2 - x^2)^{-2} = \left[2\left(1 - \dfrac{x^2}{2}\right)\right]^{-2} = 2^{-2}\left(1 - \dfrac{x^2}{2}\right)^{-2}$

$$= 2^{-2}\left[1^{-2} + (-2)(1^{-3})\left(-\frac{x^2}{2}\right)\right.$$

$$\left. + (-3)(1^{-4})\left(-\frac{x^2}{2}\right)^2 + \cdots\right]$$

$$= \frac{1}{4} + \frac{x^2}{4} + \frac{3x^4}{16} + \cdots$$

EXEMPLE 2. Soit $|y| < 4x^2$, développer les trois premiers termes de $(4x^2 - y)^{1/2}$.

Solution. $(4x^2 - y)^{1/2} = (4x^2)^{1/2} + \dfrac{1}{2}(4x^2)^{-1/2}(-y)$

$$+ \left(-\frac{1}{8}\right)(4x^2)^{-3/2}(-y)^2 + \cdots$$

$$= 2x - \frac{y}{4x} + \frac{y^2}{64x^3} - \cdots$$

EXEMPLE 3. Développer les trois premiers termes d'une série binomia■ pour évaluer $\sqrt[4]{17}$ à deux décimales près.

Solution. Traduisons $\sqrt[4]{17}$ dans la forme $(16 + 1)^{1/4}$, et non pas da■ la forme $(1 + 16)^{1/4}$. Alors

$$(16 + 1)^{1/4} = (16)^{1/4} + \frac{1}{4}(16)^{-3/4}(1) + \left(-\frac{3}{32}\right)(16)^{-7/4}(1)^2 + \cdots$$

$$= 2 + \frac{1}{32} - \frac{3}{4096} + \cdots$$

$$= 2 + 0.03 - 0.0073 + \cdots$$

$$= 2.03 \text{ (approx.)}$$

EXERCICES 14.6

ÉCRIRE les quatre premiers termes des développements, en supposant que les binômes suivan■ peuvent se développer comme des séries binomiales:

1. $(2 - m)^{-1}$	**2.** $(1 - 2y)^{-6}$	**3.** $(y + 2)^{-2}$
4. $(2 - x^2)^{-3}$	**5.** $(8 - x)^{2/3}$	**6.** $(x + 5y)^{-1}$
7. $(1 - x)^{-1/2}$	**8.** $(x^2 + y)^{1/2}$	**9.** $(4 + y)^{1/2}$

TRANSFORMER les suivants en séries binomiales et évaluer à trois décimales près:

10. $(1.02)^4$	**11.** $(1.01)^5$	**12.** $(1.06)^{-3}$
13. $(1.08)^{3/4}$	**14.** $(1.03)^{-3/5}$	**15.** $(1.06)^{1/3}$
16. $(1.05)^{-5}$		

ÉVALUER la racine principale des suivants à trois décimales à l'aide de séries binomiales:

17. $\sqrt[5]{31}$	**18.** $\sqrt[3]{9}$	**19.** $\sqrt{1.02}$
20. $\sqrt[4]{14}$	**21.** $\sqrt[3]{-28}$	**22.** $\sqrt{0.98}$

PERMUTATIONS, COMBINAISONS, PROBABILITÉ

Dans ce chapitre, nous aborderons les concepts de base de l'étude des probabilités et de la statistique. Pour donner une bonne connaissance pratique des probabilités, il nous faudrait beaucoup plus d'espace que celui dont nous disposons. Certaines notions simples, cependant, n'exigent pas de longs développements. Nous examinerons ces notions avant de définir la probabilité.

PRINCIPES FONDAMENTAUX 15.1

Nous nous rappelons que le produit cartésien des ensembles A et B est l'ensemble de tous les couples (a,b) tels que a est un élément de A et b un élément de B. D'où $A \times B = \{(a,b): a \in A \text{ et } b \in B\}$. Par exemple, si $A = \{a,b,c,d\}$ et $B = \{r,s\}$, alors $A \times B = \{(a,r),(a,s),(b,r),(b,s),(c,r),(c,s),(d,r),(d,s)\}$.

Nous voyons qu'il y a quatre façons possibles de choisir la première coordonnée des couples de $A \times B$ (c'est-à-dire a, b, c ou d) et deux façons possibles d'assortir d'une deuxième coordonnée cette première coordonnée choisie. Donc, pour chacun des quatre éléments de A, choisi comme première coordonnée, nous avons les deux éléments de B comme choix possible d'une deuxième coordonnée. Le nombre total de couples ainsi formés est le produit du nombre des éléments de A par le nombre des éléments de B. Rappelons-nous (Section 0.12) que le symbole $n(A)$ représente le nombre des éléments de tout ensemble fini A et $n(B)$ le nombre des éléments de l'ensemble B. D'où nous tirons

$$n(A \times B) = n(A)n(B) = (4)(2) = 8$$

Ce qui précède se résume dans le théorème suivant :

THÉORÈME. Si P et Q sont des ensembles finis d'éléments distincts, alors

$$n(P \times Q) = n(P)n(Q) \qquad (15.1)$$

Ce théorème peut être généralisé à un nombre fini d'ensembles. Donc, si P, Q, R, ... sont des ensembles finis d'éléments distincts,

$$n(P \times Q \times R \times \cdots) = n(P)n(Q)n(R) \cdots$$

Les exemples suivants appliquent ce théorème.

EXEMPLE 1. Nous voulons élire un président de classe parmi cinq garçons une secrétaire parmi trois filles, et un tuteur parmi trois universitaires Combien de possibilités existent pour les résultats de ces élections ?

Solution. Soit $P = \{b_1, b_2, b_3, b_4, b_5\}$, $Q = \{g_1, g_2, g_3\}$, $R = \{f_1, f_2, f_3\}$ les ensembles respectifs des présidents, secrétaires et tuteurs éligibles. Chaque candidat est un élément de $P \times Q \times R$. De la généralisation du Théorème (15.1), nous tirons

$$\begin{aligned} n(P \times Q \times R) &= n(P)n(Q)n(R) \\ &= 5(3)(3) = 45 \end{aligned}$$

EXEMPLE 2. Avec les lettres a, b, c, d on bâtit un code à trois lettres Sans jamais répéter la même lettre combien de mots-code peut-on former ?

Solution. Soit $P = \{a, b, c, d\}$, alors $n(P) = 4$. Chacune des lettres de P peut être choisie pour première lettre d'un mot-code. Celle-ci choisie, il reste trois choix possibles pour la deuxième lettre. Notons cet ensemble Q; alors $n(Q) = 3$. La première et la deuxième lettre choisie, il reste deux choix possibles pour la troisième lettre. Appelons cet ensemble R; alors $n(R) = 2$.

Si l'on considère chaque mot-code comme un élément de $P \times Q \times R$ Alors

$$n(P \times Q \times R) = 4(3)(2) = 24$$

L'exemple précédent applique un principe utilisé dans les problèmes de recensement.

PRINCIPE FONDAMENTAL: Soit les ensembles $S_1, S_2, \ldots, S_r$ ayant $n_1, n_2, \ldots, n_r$ éléments respectivement. Le nombre des possibilités qu'on a de choisir en premier un élément de S_1, puis un élément de $S_2, \ldots$, enfin un élément de S_r est le nombre **(15.2)**
$$n_1 n_2 \cdots n_r$$

EXEMPLE 3. Combien peut-on former de nombres de 3 chiffres inférieurs à 700 avec les chiffres 1, 3, 5, 7, 9 si la répétition d'un chiffre est permise ?

Solution. Puisque l'entier positif demandé doit être inférieur à 700, le chiffre des centaines doit être pris dans l'ensemble $\{1, 3, 5\}$. Donc, pour le chiffre des centaines nous avons trois possibilités. Puisqu'un chiffre peut être répété nous avons cinq choix possibles pour le chiffre des dizaines dans l'ensemble {1,3,5,7,9}. De même, nous avons cinq choix possibles pour le chiffre des unités. Donc, d'après le Principe Fondamental, le nombre total d'entiers positifs inférieurs à 700 sera

$$3(5)(5) = 75$$

Comme nous l'avons indiqué à la Section 14.5, le produit de tous les entiers positifs de 1 à n est noté $n!$ et se lit "factorielle n". Ainsi,

$$1! = 1$$
$$2! = 1(2)$$
$$3! = 1(2)(3)$$
$$\cdots\cdots\cdots\cdots\cdots$$
$$n! = 1(2)(3) \cdots (n)$$

et
$$(n + 1)! = 1(2)(3) \cdots (n)(n + 1)$$

D'où nous tirons

$$(n + 1)! = n!(n + 1)$$

Si cette assertion vaut pour $n = 0$, alors nous aurons

$$(0 + 1)! = 0!(0 + 1)$$

Cette discussion suggère la définition récurrente ci-après:

DÉFINITION. Si n est un entier non négatif

$$0! = 1$$
$$n! = (n - 1)!n \qquad n \geq 1$$
(**15.3**)

De cette définition, nous tirons immédiatement le théorème suivant:

THÉORÈME. Soit $n \in N^*$ et $r \in N^*$, et $r < n$, alors

$$n! = r!(r + 1)(r + 2) \cdots (n)$$
(**15.4**)

EXEMPLE 4. Trouver la valeur de $7!/5!$.

Solution. D'après le Théorème (15.4),

$$\frac{7!}{5!} = \frac{5!(6)(7)}{5!} = 6(7) = 42$$

EXEMPLE 5. Trouver la valeur de n si $[(n + 3)!]/[(n + 1)!] = 30$.

Solution. $30 = \dfrac{(n + 3)!}{(n + 1)!} = \dfrac{(n + 1)!(n + 2)(n + 3)}{(n + 1)!}$

$$= (n + 2)(n + 3)$$

D'où $30 = n^2 + 5n + 6$ $n^2 + 5n - 24 = 0$

Donc $n = 3$ $n = -8$

Nous ne définissons pas la factorielle pour un entier négatif. Par conséquent, la fraction $[(n + 3)!]/[(n + 1)!]$ n'a pas de signification pou■ $n = -8$. Nous concluons en disant que $n = 3$ est la seule solution. O■ vérifie facilement que 3 est une solution. En effet, si $n = 3$, on a

$$\frac{(3 + 3)!}{(3 + 1)!} = \frac{6!}{4!} = 30$$

Pour toute autre valeur de n, l'équation donnée n'est pas vérifiée.

EXERCICES 15.1

1. $\dfrac{9!}{11!}$ 2. $\dfrac{5! - 8!}{4! - 7!}$ 3. $\dfrac{4!5!}{6!7!}$

4. $\dfrac{k!}{(k - 1)!}$ 5. $\dfrac{(k + 1)!}{k!}$ 6. $\dfrac{4! + 5(4!)}{3!}$

7. $\dfrac{(n - 1)!(n + 1)!}{(n!)(n!)}$ 8. $\dfrac{(2n)!}{(2n - 1)!}$ 9. $\dfrac{k!}{(k - 2)!}$

10. $\dfrac{(n + 1)!}{(n - 1)!}$ 11. $\dfrac{n!(n + 1)!}{(n - 1)!(n + 2)!}$ 12. $\dfrac{k!(k - 2)!}{[(k - 1)!]^2}$

RÉSOUDRE en appliquant le Principe Fondamental:

13. Combien de nombres de quatre chiffres peut-on former avec les chiffres 0, 1, 2, 3, 4, 5, 6, 7■ 8, 9 ? Éliminer la possibilité de nombres commençant par 0.

14. Une agence d'automobiles offre un choix de 5 carosseries, de 3 moteurs et de 12 couleurs. Quels sont les choix offerts à un acheteur ?

15. Si trois dés non pipés sont jetés, quels sont les coups possibles ?

16. Trois étudiants entrent dans un stade à douze portes. Si aucun d'eux n'entre par la même porte, de combien de façons peuvent-ils entrer ?

17. Trois associations ont 30, 40 et 50 membres respectivement. Combien de comités différents■ de trois personnes peuvent être formés si les trois associations doivent être représentées dans ces■ comités ?

18. Combien de plaques d'automobiles peuvent être émises, si on y inscrit une lettre de l'alphabet suivie d'un nombre de quatre chiffres pris dans l'ensemble des chiffres ? Dans ce cas, le premier chiffre peut être un zéro.

PERMUTATIONS ET ARRANGEMENTS 15.2

On appelle *permutation* d'un ensemble fini d'éléments distincts cet ensemble rangé par une relation d'ordre total. Un ensemble fini est rangé par une relation d'ordre total lorsqu'il y a un premier élément, un deuxième, un troisième, etc. Par exemple, les éléments de l'ensemble {3,4,5} peuvent être rangés ou ordonnés totalement de 6 façons différentes.

$$
\begin{array}{ccc}
3\,4\,5 & 4\,3\,5 & 5\,3\,4 \\
3\,5\,4 & 4\,5\,3 & 5\,4\,3
\end{array}
$$

Chacun de ces ensembles ordonnés par une relation d'ordre total est une permutation de l'ensemble donné.

Nous remarquons ici qu'il y a trois possibilités de choix pour le premier chiffre de ces permutations. Le premier chiffre choisi, il y a deux possibilités de choix pour le second chiffre, et une seule possibilité pour le troisième chiffre. D'après le Principe Fondamental, il y a

$$3 \cdot 2 \cdot 1 = 3! = 6$$

façons de permuter les trois chiffres.

Fréquemment, il nous faut choisir un nombre donné d'éléments dans un ensemble pour en considérer les permutations. Par exemple, il se peut que nous ayons à choisir r éléments dans un ensemble de n éléments pour les permuter ensuite. Nous définissons ci-après le nombre de ces permutations.

DÉFINITION. Le nombre des permutations de r éléments choisis dans un ensemble E de n éléments distincts s'appelle le nombre **(15.5)** des arrangements de n éléments pris r à la fois.

Puisque le nombre des arrangements de n éléments pris r à la fois est une fonction de n et de r, nous le notons $A(n,r)$.

THÉORÈME. $A(n,r) = n(n-1)(n-2)\cdots(n-r+1)$ **(15.6)**

Pour montrer que le théorème est valable, nous considérons que le premier rang d'un arrangement peut être rempli de n façons différentes; puis, le deuxième rang de $n-1$ façons, le troisième de $n-2$ façons, etc. Pour chaque rang, le nombre de choix est n moins le nombre de rangs déjà complétés. Lorsqu'on choisi le $r^{\text{ième}}$ élément, $r-1$ rangs ont déjà été complétés. Donc, le $r^{\text{ième}}$ élément peut être choisi de $n-(r-1)=n-r+1$ façons. Et le théorème se déduit du Principe Fondamental.

EXEMPLE 1. Calculer $A(12,4)$.

Solution. $A(12,4) = 12(11)(10)(9) = 11{,}880$

EXEMPLE 2. Un entraîneur de ballon-panier a une formation de 10 joueurs. Si chaque joueur peut jouer dans chaque position, combien d'équipes différentes l'entraîneur peut-il présenter ?

Solution. Puisqu'il y a 5 positions dans une équipe et 10 hommes disponibles, nous avons

$$A(10,5) = 10(9)(8)(7)(6) = 30{,}240$$

Si $r = n$, le dernier facteur de $A(n,r)$ est $n - n + 1 = 1$, et le Théorème (15.6) devient

$$P_n = A(n,n) = n(n - 1)(n - 2)\ldots(1) = n! \qquad (15.7)$$

EXEMPLE 3. Les six premières lettres de l'alphabet doivent être rangées pour former les mots d'un code. Combien de mots aura-t-on si on ne répète pas les lettres ?

Solution. Nous devons trouver ici les permutations des six lettres. D'où

$$A(6,6) = 6! = 720$$

Permutations avec des éléments identiques

Le problème est plus compliqué lorsque plusieurs éléments sont identiques. Par exemple, soit quatre boules rouges, une blanche, une verte et une noire à tirer d'un sac. Dans combien d'ordres différents peut-on les tirer ? Le raisonnement est le suivant: si on peut reconnaître les boules rouges les unes des autres, le nombre des permutations serait $7!$ Cependant, nous ne pouvons distinguer une rouge d'une autre, donc les quatre rouges peuvent être permutées sans que l'ensemble rangé choisi soit modifié. D'où, si P symbolise le nombre des permutations reconnaissables, alors

$$4!P = 7! \qquad \text{et} \qquad P = \frac{7!}{4!}$$

Et, en généralisant le raisonnement:

THÉORÈME. Si dans un ensemble de n éléments, n_1 sont identiques, n_2 le sont également, etc.; le nombre de permutations distinctes P des n éléments sera alors   **(15.8)**

$$P = \frac{n!}{n_1! n_2! \cdots}$$

EXEMPLE 4. Combien de permutations distinctes peut-on obtenir avec les lettres du mot PAPINEAU ?

Solution. Ce mot a huit lettres dont deux P et deux A. D'où

$$P = \frac{8!}{2!2!} = 10{,}080$$

EXERCICES 15.2

1. Calculer **(a)** $A(7,5)$; **(b)** $A(10,6)$; **(c)** $A(18,3)$; **(d)** $A(40,4)$.

2. Prouver que $A(n,r) = \dfrac{n!}{(n-r)!}$; $\dfrac{A(n,r)}{r!} = \dfrac{A(n,n-r)}{(n-r)!}$.

3. Prouver que $A(n,n) = A(n,n-1)$ **4.** Calculer n, sachant que $A(n,3) = 60$

5. Calculer n, sachant que $A(n+2,2) = 5A(n-1,2)$.

6. Calculer n, sachant que $5A(n,2) = 14A(n-2,2)$.

7. Trois hommes montent dans un autobus où vingt sièges sont libres. De combien de façons peuvent-ils s'asseoir ?

8. Si on dispose de dix joueurs pour tenir les quatre positions arrière d'une équipe de football, et si chaque joueur peut tenir les quatre positions, de combien de façons peut-on choisir cette défense ?

9. Quel est le nombre des arrangements des lettres du mot MONTRÉAL prises quatre à quatre ?

10. Dans une rangée de dix chaises, de combien de façons cinq garçons peuvent s'asseoir sur des chaises consécutives ?

11. Un entraîneur de baseball a son meilleur frappeur en quatrième place et son lanceur en dernière place. Quelles sont ses possibilités d'ordre de jeu ?

12. Combien de nombres de quatre chiffres impairs peut-on former avec les chiffres 1, 2, 3, 4, 5, 6, 7, 8, 9 sans répétition de chiffre ?

13. Quels sont les mots-code de quatre lettres qu'on peut former avec les cinq voyelles et les vingt et une consonnes, si on alterne voyelles et consonnes ?

14. Un club a vingt-cinq membres. On doit élire un président, un vice-président, un secrétaire et un trésorier; mais seuls, dix membres sont éligibles à la présidence et à la vice-présidence. Combien de comités directeurs sont possibles ?

15. Quel est le nombre des permutations des lettres du mot COLLÈGE ?

16. De combien de façons peut-on asseoir en ligne cinq personnes, si deux d'entre elles ne peuvent s'asseoir l'une à côté de l'autre ?

17. De combien de façons peut-on asseoir en ligne cinq personnes, si deux d'entre elles doivent s'asseoir l'une à côté de l'autre ?

18. De combien de façons peuvent s'asseoir en ligne cinq personnes sur des chaises consécutives d'une rangée de neuf chaises ?

19. Dans un rayon de bibliothèque il y a deux livres d'algèbre, trois livres d'histoire, trois livres de géométrie et trois livres de grammaire française. De combien de façons peut-on disposer ces livres s'ils doivent rester groupés par sujet ?

20. De combien de façons peut-on asseoir 8 personnes à une table ronde ? INDICATION: une personne doit être placée, puis les autres sont permutées ?

21. Douze personnes s'asseyent à une table ronde. Deux personnes veulent s'asseoir l'une en face de l'autre. De combien de façons peut-on asseoir les douze personnes ?

22. Huit personnes s'asseyent à une table ronde. Deux personnes veulent s'asseoir l'une à côté de l'autre. De combien de façons peut-on asseoir les huit personnes ?

COMBINAISONS 15.3

Si on choisit r éléments d'un ensemble de n éléments pour les permuter, on obtient les arrangements des n objets pris r à r. Si nous choisissons r éléments d'un ensemble de n élément *sans les permuter*, on obtient les *combinaisons des n éléments pris r à r*.

> **DÉFINITION.** Le nombre des sous-ensembles différents de r éléments choisis dans un ensemble de n éléments, sans tenir compte de l'ordre des éléments dans chaque sous-ensemble, s'appelle le *nombre des combinaisons des n objets pris r à r*. **(15.9)**

Nous notons $C(n,r)$ le nombre des combinaisons de n éléments pris r à la fois.

La différence essentielle entre permutations et combinaisons est la notion d'ordre, ou d'arrangement. Par exemple, $a\,b\,c$ et $c\,b\,a$ sont des permutations distinctes, mais des combinaisons identiques.

Considérons le nombre de combinaisons des lettres a, b, c, d prises trois par trois. Les ensembles distincts de lettres prises trois par trois, sans que ces lettres soient rangées par un ordre, sont

$$a\,b\,c \qquad a\,b\,d \qquad a\,c\,d \qquad b\,c\,d$$

De chacune de ces quatre combinaisons, nous pouvons obtenir $P_3 = 3!$ permutations différentes. Autrement dit, chacune des quatre combinaisons fournit $3!$ arrangements du nombre total des arrangements. C'est-à-dire qu'il y a $3!C(4,3)$ arrangements en tout. D'où,

$$3!C(4,3) = A(4,3)$$

et
$$C(4,3) = \frac{A(4,3)}{3!}$$

Comme le symbole $C(n,r)$ représente le nombre de choix possibles de r éléments pris dans les n éléments distincts d'un ensemble et comme il y a $P_r = r!$ permutations possibles des éléments de ces choix, il y aura $r!C(n,r)$ arrangements des n éléments pris r à r. Donc $r!C(n,r) = A(n,r)$. Si nous définissons maintenant $C(n,0) = 1$; nous avons le théorème suivant:

THÉORÈME.
$$C(n,r) = \frac{A(n,r)}{r!} \qquad 0 \le r \le n$$

$$(15.10)$$

$$= \frac{n(n-1)\cdots(n-r+1)}{r!}$$

EXEMPLE 1. Quel est le nombre de comités différents de cinq personnes qui peuvent être formés à partir d'un groupe de douze personnes?

Solution. Si l'ordre dans lequel les membres du comité sont choisis est indifférent, le problème se ramène à trouver le nombre des combinaisons de 12 éléments pris 5 à la fois. Donc, le nombre demandé est

$$C(12,5) = \frac{12(11)(10)(9)(8)}{5!} = 792$$

EXERCICES 15.3

1. Prouver que $C(n,r) = \dfrac{A(n,r)}{P_r}$.   **2.** Prouver que $C(n,r) = \dfrac{n!}{r!(n-r)!}$.

3. Prouver que $C(n,r) = C(n,n-r)$.

4. D'après le Théorème (15.10), évaluer: **(a)** $C(5,3)$; **(b)** $C(8,2)$; **(c)** $C(10,3)$; **(d)** $C(12,4)$.

5. D'après les résultats du Problème 3, évaluer (**a**) $C(20,17)$; (**b**) $C(28,25)$; (**c**) $C(42,39)$; (**d**) $C(100,98)$; (**e**) $C(120,118)$.

6. Calculer n, si (**a**) $C(n + 1,3) = 2C(n,2)$; (**b**) $C(n + 1,n - 1) = 15C(n,0)$.

7. Combien de comités de cinq membres peut-on former avec un groupe de neuf personnes?

8. Quelles sommes peut-on payer avec trois pièces si on a un cinq sous, un dix sous, un vingt-cinq sous, un cinquante sous et une pièce de un dollar?

9. Combien de sous-comités de cinq Démocrates et quatre Républicains peut-on former à partir d'un comité de trente Démocrates et onze Républicains?

10. De combien de façons peut-on distribuer les cartes entre les quatre joueurs de bridge (on joue au bridge avec 52 cartes)?

11. Quinze hommes peuvent jouer au basketball. Combien d'équipes peuvent être formées?

12. Une compagnie a dix emplois disponibles: six emplois d'hommes et six emplois de femmes. Neuf hommes et onze femmes offrent leurs services. De combien de façons peut-on remplir les emplois offerts?

13. Prouver que le nombre de sous-ensembles d'un ensemble S de n éléments est

$$C(n,0) + C(n,1) + C(n,2) + \ldots + C(n,n)$$

14. En admettant que $C(n,0) = 1$, montrer que le nombre total des combinaisons de n éléments pris 1, 2, 3, . . . , n à la fois est égal à $2^n - 1$. INDICATION: nous avons deux façons de traiter le premier élément (le prendre ou ne pas le prendre) et deux façons de traiter le deuxième élément. Donc, nous avons $2 \cdot 2$ façons de traiter les deux premiers éléments; $2 \cdot 2 \cdot 2$ façons de traiter les trois premiers éléments, etc. Et, d'après le résultat du Problème 13, on a

$$C(n,1) + C(n,2) + \ldots + C(n,n) = 2^{n-1}$$

15. On répond par vrai ou faux à un questionnaire de dix questions. Combien de réponses au questionnaire complet peut-on obtenir?

16. Combien de poids différents peut-on obtenir en associant six objets pesant respectivement 1, 2, 3, 4, 8, 16 et 32 oz?

THÉORÈME DU BINÔME 15.4

Nous avons cité dans la Section 14.5 le théorème du binôme sans le prouver. Nous le citons à nouveau pour le prouver.

THÉORÈME DU BINÔME. Pour tout n entier positif et tout nombre a et b,

$$(a + b)^n = C(n,0)a^n + C(n,1)a^{n-1}b + C(n,2)a^{n-2}b^2 + \cdots$$
$$+ C(n,r)a^{n-r}b^r + \cdots + C(n,n)b^n$$

Le produit $(a + b)(a + b) = aa + ab + ba + bb$. Donc, le développement de $(a + b)^2$ est la somme de tous les produits de deux lettres qui peuvent être formés à partir des lettres a et b. Le produit $(a + b)(a + b)(a + b)$ équivaut à

$$(a + b)(aa + ab + ba + bb)$$

qui équivaut à

$$aaa + aab + aba + abb + baa + bab + bba + bbb$$

Donc, le développement de $(a + b)^3$ est la somme de tous les produits de trois lettres qu'on peut former à partir des lettres a et b. Le théorème suivant généralise ce raisonnement:

THÉORÈME. Le développement de $(a + b)^n$, $n \in N^*$ est la somme de tous les produits de n-lettres qu'on peut former à partir **(15.11)** des seules lettres a et b.

Tous les produits de n lettres formés de r lettres b comprendront $(n - r)$ lettres a et seront de la forme $a^{n-r}b^r$. Si $r = 0$, le terme devient a^n; si $r = n$, $n - r = 0$ et le terme devient b^n. Le développement de $(a + b)^n$ est la somme de tous les termes de la forme $a^{n-r}b^r$, où r est un des nombres $0, 1, 2, 3, \ldots, n$. Le développement est donc de la forme

$$(a + b)^n = c_0 a^n + c_1 a^{n-1}b + c_2 a^{n-2}b^2 + \cdots + c_r a^{n-r}b^r + \cdots + c_n b^n$$

où les coefficients $c_0, c_1, c_2, \ldots, c_n$ restent à déterminer.

Pour trouver une expression de c_r, considérons le nombre de produits de n lettres que l'on peut former à partir de $(n - r)$ lettres a et r lettres b. Chaque produit s'obtient en prenant a dans $(n - r)$ facteurs et b dans les r facteurs restants de $(a + b)^n$. Par conséquent, le nombre de termes de la forme $a^{n-r}b^r$ est le nombre des combinaisons de n objets pris r à r, c'est-à-dire $C(n,r)$. Donc $c_r = C(n,r)$. D'où

$$(a + b)^n = C(n,0)a^n + C(n,1)a^{n-1}b + \cdots + C(n,r)a^{n-r}b^r + \cdots + C(n,n)b^n$$

Il faut noter que l'évaluation de ces coefficients nous donne le théorème du binôme dans la forme du Théorème (14.18), c'est-à-dire

$$(a + b)^n = a^n + \frac{n}{1!}a^{n-1}b + \cdots$$
$$+ \frac{n(n + 1) \cdots (n - r + 1)}{r!} a^{n-r}b^r + \cdots + b^n$$

EXEMPLE 1. Montrer que

$$C(n,1) + C(n,2) + \cdots + C(n,n) = 2^n - 1$$

Solution. Soit $a = b = 1$. Alors

$$(1 + 1)^n = 2^n = C(n,0)(1)^n + C(n,1)(1^{n-1})(1) + C(n,2)(1^{n-2})(1^2)$$
$$+ \cdots + C(n,n)(1^0)(1^n)$$
$$= 1 + C(n,1) + C(n,2) + \cdots + C(n,n)$$

D'où $\qquad 2^n - 1 = C(n,1) + C(n,2) + \cdots + C(n,n)$

EXEMPLE 2. Déterminer le cinquième terme du développement de $(2 - ix)^9$ où $i^2 = -1$.

Solution. Le cinquième terme étant le $(r + 1)^{\text{ième}}$ terme, $r = 4$. Donc le cinquième terme sera donné par

$$C(9,4)(2^5)(-ix)^4 = 126(32)(x^4) = 4{,}032x^4$$

EXERCICES 15.4

1. Prouver que

$$C(n,0) - C(n,1) + C(n,2) - C(n,3) + \cdots + (-1)^n C(n,n) = 0$$

2. Quel est le cinquième terme de $(1 + \tan x)^6$.

3. D'après le théorème de De Moivre, si $n \in N^*$

$$(\cos t + i \sin t)^n = \cos nt + i \sin nt$$

Pour $n = 3$, développer le membre de gauche d'après le théorème du binôme. Comparer les parties réelles et imaginaires des membres de gauche et de droite pour établir les identités de $\sin 3t$ et $\cos 3t$.

4. D'après le théorème de De Moivre et le théorème du binôme, établir des identités pour $\sin 4t$ et $\cos 4t$.

5. Établir des identités pour $\sin 5t$ et $\cos 5t$.

6. On lance six fois une pièce de monnaie. Trouver les coups possibles. INDICATION: en développant $(P - F)^6$, déterminer le nombre de possibilités d'obtenir six faces, cinq faces et un pile, quatre faces et deux piles, etc.

7. Combien d'entiers positifs différents inférieurs à 10,000 peut-on former avec les chiffres 1, 2, 3, 4, 5, 6, 7, 8?

8. Un signal de chemin de fer a trois bras. Si chaque bras a quatre positions, combien de signaux peuvent être transmis?

9. Un homme a huit amis. Quelles possibilités a-t-il de les inviter un ou plusieurs à la fois?

10. Quelles sont les possibilités de distribuer deux dix sous, trois vingt-cinq sous, quatre cinquante sous et cinq pièces de un dollar entre quatorze personnes de sorte qu'elles reçoivent chacune une pièce?

PROBABILITÉS 15.5

La théorie des probabilités tire son origine des jeux de hasard. Les bases de la théorie ont été posées au 17e siècle par les mathématiciens Pascal et Fermat. Depuis ce temps, la théorie des probabilités a gagné en importance. Elle est devenue vitale pour notre survie nationale. Les affaires d'assurances se traitent grâce à notre capacité de prévoir la réalisation de certains événements. Les méthodes probabilistes s'appliquent en mécanique quantique, aux programmes d'expérimentation, à l'interprétation des données, à la circulation dirigée, à la stratégie théorique, aux attributions d'équipements. La connaissance de cette théorie est indispensable à l'analyse des problèmes de communication et de contrôle, de mécanique quantique et de théorie cinétique.

Les probabilités sont associées aux résultats d'expériences. Pour chaque expérience, il y a un ensemble de toutes les éventualités possibles, et nous sommes intéressés à connaître les chances de telle éventualité, résultat d'une expérience. Commençons par une approche intuitive.

Supposons qu'on tire une carte d'un jeu de 52 cartes de bridge. Quelle chance y a-t-il pour que cette carte soit un roi? Pour répondre à cette question, nous faisons tout d'abord les constatations suivantes. Il n'y a

aucune raison de penser qu'une carte a plus de chance d'être tirée qu'une
autre. Donc, en tirant une carte du paquet, on fait un *essai* d'où résulte
une quelconque des 52 éventualités "également possibles". Si on tire un
roi, l'essai est réussi. Si on tire une autre carte, l'essai est un échec. D'où
il y a quatre possibilités de réussite parmi 52 éventualités "également
possibles". Il semble raisonnable de s'attendre à ce qu'un roi soit tiré
quatre fois pour 52 cartes tirées. On dit que les chances de tirer un roi
sont de 4 pour 52, et nous exprimons cette relation par le rapport $4/52 =
1/13$. Ce rapport est la probabilité qu'une carte tirée du paquet soit un roi.

Ce raisonnement conduit à l'énoncé suivant qui est souvent considéré
comme une définition de la probabilité:

**Définition
intuitive de la
probabilité**

Si pour une expérience, il y a n éventualités également possibles parmi
lesquelles s sont considérées comme des succès, la probabilité d'un
succès est s/n.

Cette énoncé présente des difficultés en tant que définition parce qu'elle
est circulaire. Par le terme "également possible" on définit le mot "probabilité". Mais quelle est le sens de "également possible"? Dire que pour
une expérience il y a n éventualités "également possibles" est juste une
manière de dire que la probabilité d'un résultat est la même que celle
d'un autre résultat. Nous nous servons de la notion de probabilité pour
donner une signification à "également possible". Nous devons briser le cercle.

Beaucoup préfèrent définir d'abord une fonction probabilité répondant
à des axiomes. La théorie se développe alors comme un système axiomatique.
Les propriétés établies par ce système axiomatique sont déjà suggérées
par l'expérience, de sorte que cette structure mathématique sera applicable.

**Espace-
échantillonnage**

Un espace-échantillonnage S pour une expérience est l'ensemble de
tous les résultats possibles. Par exemple, si une pièce est jetée, il y a deux
éventualités possibles, pile ou face, que nous pouvons désigner par les
lettres P, F. Donc, lorsqu'on jette une pièce, l'ensemble-échantillonnage
est $\{P,F\}$. Si on jette un dé non pipé sur une table, il y a six cas possibles
qui peuvent être désignés par les chiffres 1, 2, 3, 4, 5, 6. Pour les résultats
de cet essai, l'espace échantillonnage sera l'ensemble $\{1,2,3,4,5,6\}$.

**Éventualité
et événement**

Chaque élément d'un espace-échantillonnage pour un essai est appelé
une *éventualité* ou cas possible. Un ensemble d'éventualités peut être
formé de succès ou événements; nous définirons donc un événement comme
un sous-ensemble de l'ensemble-échantillonnage.

**Fonction
d'ensemble**

Nous définissons maintenant une *fonction réelle d'ensemble* en attribuant un nombre réel unique à chaque sous-ensemble A d'un espace
échantillonnage S. Le domaine de cette fonction est l'ensemble de tous
les sous-ensembles de S et le champ est un ensemble de nombres réels.
Par exemple, si $S = \{a,b\}$, les sous-ensembles de S sont $\varnothing$, $\{a\}$, $\{b\}$, $\{a,b\}$.
Si nous attribuons à chacun de ces sous-ensembles un nombre réel suivant
le tableau ci-après, nous avons défini une fonction réelle d'ensemble dont
le domaine est l'ensemble des sous-ensembles de S et dont le champ est
l'ensemble des nombres réels $\{0,\tfrac{1}{2},\tfrac{1}{4}\}$.

Sous-ensembles de S	$\varnothing$	$\{a\}$	$\{b\}$	$\{a,b\}$
Valeurs de $f(S)$	0	$\frac{1}{2}$	$\frac{1}{4}$	$\frac{1}{4}$

Cette notion de fonction d'ensemble nous sert à définir la probabilité d'un événement dans un espace-échantillonnage.

DÉFINITION. Si un événement A est un sous-ensemble d'un espace-échantillonnage S, la probabilité de l'événement A, notée $p(A)$, est une valeur d'une fonction d'ensemble répondant aux axiomes suivants:

AXIOME 1. $0 \leq P(A) \leq 1$ pour tout sous-ensemble $A \subseteq S$

(15.12)

AXIOME 2. $P(S) = 1$

AXIOME 3. Si A et B sont des sous-ensembles disjoints de S, on a

$$P(A \cup B) = P(A) + P(B)$$

---

onction
⌐obabilité

La fonction P est appelée une fonction probabilité. Le champ comprend les nombres réels entre 0 et 1, inclusivement, de sorte que la probabilité d'un événement ne peut pas être négative ou plus grande que 1. Nous considérons, en général, la probabilité d'un événement seulement si sa réalisation n'est pas certaine. Et il est préférable de considérer séparément

wénements
⌐rtains et
énements
⌐possibles

les cas de probabilité d'événements certains ou d'événements impossibles. À un événement logiquement certain nous attribuons la probabilité 1; à un événement logiquement impossible, nous attribuons la probabilité 0.

L'union d'ensembles étant associative, nous pouvons étendre l'Axiome 3 à un nombre d'ensembles disjoints par induction mathématique. Ainsi,

$$P(A \cup B \cup C \cup \ldots) = P(A) + P(B) + P(C) + \cdots$$

S'il y avait une infinité d'éventualités dans un ensemble-échantillonnage, il serait bon de réexaminer les axiomes de probabilité. Par exemple, quelle est la probabilité pour qu'un point de l'intervalle 0 à 1 de la droite numérique réelle corresponde au nombre $\frac{1}{2}$, si le point est choisi au hasard? Dans ce cours, nous restreindrons la théorie des probabilités à des situations présentant un nombre limité de cas possibles.

Notre intuition nous porte à croire que, dans certains cas, chaque élément de S présente la même probabilité. Par exemple, en jetant une pièce parfaite, nous attribuons la même probabilité à face ou à pile, c'est-à-dire $P(F) = P(P)$. Dans ce cas, F et P sont des événements mutuellement exclusifs et $S = \{F\} \cup \{P\}$. D'où, d'après les Axiomes 2 et 3,

$$P(S) = P(F) + P(P) = 2P(P) = 1$$

ou
$$P(P) = \frac{1}{2} \quad \text{et} \quad P(F) = \frac{1}{2}$$

En attribuant des probabilités aux événements, nous faisons des suppositions qui rencontrent des données pratiques, ou nous utilisons des données de l'expérience. Supposons, par exemple, que pour des raisons que nous estimons bonnes, nous décidons d'attribuer la même probabilité P à chacune des éventualités $s_1, s_2, \ldots, s_n$ de S. Ce qui est une autre façon de dire que les éventualités sont également possibles. D'où

$$P = P(s_1) = P(s_2) = \cdots = P(s_n)$$

Puisque

$$P(S) = P(s_1 \cup s_2 \cup \cdots \cup s_n)$$
$$= P(s_1) + P(s_2) + \cdots + P(s_n)$$
$$= 1$$

nous avons

$$nP = 1$$

et

$$P = \frac{1}{n}$$

Donc, $1/n$ est la probabilité de réalisation de l'un quelconque des événements d'un ensemble de n événements également probables et mutuellement exclusifs.

EXEMPLE 1.   Quelle est la probabilité d'obtenir cinq en un coup de dé ?

Solution.   Un dé a six faces et on peut supposer qu'il y a autant de chance pour que ce dé s'arrête sur l'une quelconque des faces. La probabilité d'obtenir un cinq est de $^1/_6$.

Soit A un sous-ensemble de S formé de k éléments pris parmi les n éléments de S. Soit $A = \{s_1, s_2, \ldots, s_k\}$. Supposons les éléments de S mutuellement exclusifs et également probables. La probabilité de l'événement A se définit comme la probabilité de réalisation de l'un quelconque des k éléments de A. Ou encore

Probabilité d'un événement

$$P(A) = P(s_1 \cup s_2 \cup \cdots \cup s_k)$$
$$= P(s_1) + P(s_2) + \cdots + P(s_k)$$
$$= \frac{1}{n} + \frac{1}{n} + \cdots + \frac{1}{n} = \frac{k}{n}$$

Puisque

$$k = n(A) \qquad \text{et} \qquad n = n(S)$$

$$P(A) = \frac{n(A)}{n(S)} \tag{15.13}$$

Il est facile de montrer que l'Ég. (15.13) définit une fonction probabilité. L'étudiant vérifiera que les axiomes 1 à 3 sont satisfaits. Notons que $n(A)$ est le nombre de façons distinctes selon lesquelles l'événement A peut se produire. Le nombre d'éventualités dans l'ensemble-échantillonnage est $n(S)$.

EXEMPLE 2.   Quelle est la probabilité d'obtenir un cinq en un coup de deux dés ?

Solution. Un dé peut s'arrêter de 6 façons différentes. D'après le Principe Fondamental, les possibilités combinées pour un coup de deux dés seront $6(6) = 36$. Donc $n(S) = 36$.

Les possibilités d'obtenir un cinq sont $(1,4)$, $(2,3)$, $(3,2)$, $(4,1)$, c'est-à-dire $n(A) = 4$. D'où la probabilité d'obtenir cinq en un coup de deux dés est de $^4/_{36} = ^1/_9$.

Soit A un sous-ensemble de l'ensemble-échantillonnage S et soit A' le complément de A par rapport à S; précisément $S = A \cup A'$ et $A \cap A' = \varnothing$. Alors

$$P(S) = P(A \cup A') = 1$$

D'où
$$P(A) + P(A') = 1$$

et
$$P(A') = 1 - P(A) \qquad (15.14)$$

Si $P(A)$ est la probabilité de réalisation de l'événement A, $P(A')$ est la *probabilité contraire ou défavorable*.

EXEMPLE 3. On lance une paire de dés sur une table. Quelle est (1) la probabilité pour que la somme des nombres soit inférieure à 5; (2) la probabilité pour que cette somme soit égale ou supérieure à 5.

Solution. (1) Comme dans l'Exemple 2, $n(S) = 36$. Puisque

$$A = \{(1,1),(1,2),(1,3),(2,1),(2,2),(3,1)\}$$

il suit que $n(A) = 6$. D'où

$$P(A) = \frac{6}{36} = \frac{1}{6}$$

(2) Puisque $P(A') = 1 - P(A) = 1 - ^1/_6 = ^5/_6$, la probabilité que la somme soit égale ou supérieure à 5 est de $^5/_6$.

Soit n_1 le nombre d'essais (ou d'observations) d'une expérience dans laquelle l'espace-échantillonnage est précisé. Soit s_1 le nombre de fois qu'un événement A se produit. Le nombre S_1 est alors appelé la *fréquence* de A en n_1 essais. Le rapport s_1/n_1 est appelé *fréquence relative* de réalisation de l'événement en n_1 essais. Si on répète n_2 fois l'expérience, on observe s_2 fois la réalisation de l'événement A et la fréquence relative de A en n_2 essais est devenue s_2/n_2. Une série de ces répétitions détermine une série de fréquences relatives

$$\frac{s_1}{n_1}, \frac{s_2}{n_2}, \frac{s_3}{n_3}, \ldots$$

Dans beaucoup de cas, l'expérience montre que ces fréquences relatives varient peu d'un ensemble de répétitions à l'autre. Il semble qu'il existe un nombre déterminé, noté $P(A)$, dont on doit supposer l'existence, autour duquel les fréquences relatives se rassemblent. Ce nombre (dont nous avons supposé l'existence) s'appelle la probabilité de l'événement A.

Nous disons que les fréquences relatives s_i/n_i sont des approximations expérimentales de la probabilité de l'événement A. Par exemple, un dé imparfait est jeté sur une surface plate. L'ensemble-échantillonnage est $S = \{1,2,3,4,5,6\}$. Si nous désirons évaluer la probabilité d'amener un trois, nous jetons un grand nombre de fois le dé pour trouver la fréquence relative de cet événement. Nous prenons alors cette fréquence relative comme approximation de la probabilité qu'un trois soit amené en un seul coup de dé.

EXEMPLE 4. L'expérience a montré qu'une presse produit environ 12 pièces défectueuses par lot de 10,000. Si une pièce est prise au hasard dans une caisse où il y a 500 de ces pièces, quelle est la probabilité qu'elle soit défectueuse ?

Solution. La fréquence relative est 12/10,000. Donc la probabilité que cette pièce soit défectueuse est

$$P = \frac{12}{10,000} = 0.0012$$

Espérance   Soit p la probabilité de gagner un prix d'une valeur de \$$v$. L'*espérance* de gagner le prix est définie comme la valeur du prix multipliée par la probabilité de le gagner; c'est-à-dire pv.

EXEMPLE 5. Un joueur qui réussi à amener un onze en un seul coup de deux dés reçoit un prix de \$72. Combien peut-il se permettre de payer pour une chance de gagner ce prix ?

Solution. Nous considérons l'espérance de gagner un prix comme étant le prix qu'un joueur accepterait de payer pour avoir le privilège de jouer. S'il paie plus, les chances sont contre lui.

La probabilité pour qu'un joueur amène un onze est de $^1/_{18}$. Son espérance est donc $^1/_{18}(72) = \$4$. C'est le montant qu'il peut payer pour une chance de gagner.

Les combinaisons, comme nous le verrons, se montrent très utiles pour calculer les probabilités.

EXEMPLE 6. Un sac contient cinq boules blanches, quatre rouges et trois noires. (1) Si on tire trois boules, qu'elle est la probabilité pour qu'elles soient toutes blanches. (2) Si on tire six boules, qu'elle est la probabilité que deux soient blanches, trois rouges et une noire.

Solution. (1) Il y a $C(5,3)$ façons de tirer trois boules blanches. Puisqu'il y a, au total $C(12,3)$ façons de tirer trois boules quelconques, la probabilité de tirer trois boules blanches est de

$$\frac{C(5,3)}{C(12,3)} = \frac{10}{220} = \frac{1}{22}$$

(2) Il y a $C(5,2)$ façons de tirer deux boules blanches; il y a $C(4,3)$ façons de tirer trois boules rouges et $C(3,1)$ façons de tirer une boule noire. D'après le Principe Fondamental il y a en tout $C(5,2) \cdot C(4,3) \cdot C(3,1)$ façons de tirer deux boules blanches, trois rouges et une noire. Puisqu'il y a au total $C(12,6)$ façons de tirer six boules du sac, la probabilité demandée est

$$\frac{C(5,2) \cdot C(4,3) \cdot C(3,1)}{C(12,6)} = \frac{120}{924} = \frac{10}{77}$$

Les exercices suivants ont peu de valeur pratique, mais ils offrent une occasion d'appliquer les principes jusqu'ici examinés.

EXERCICES 15.5

1. Un sac contient six boules blanches, cinq rouges et quatre noires.
   (a) Si on tire deux boules, quelle est la probabilité qu'elles soient blanches.
   (b) Si on tire trois boules, quelle est la probabilité qu'elles soient rouges.
   (c) Si on tire six boules, quelle est la probabilité qu'on ait deux boules de chaque couleur.
   (d) Si on tire sept boules, quelle est la probabilité que quatre soient rouges et trois blanches.
   (e) Si on tire neuf boules, quelle est la probabilité que deux soient rouges, cinq blanches et deux noires.

2. On bat un paquet de 24 billets numérotés 1, 2, 3, . . . , 24. On tire, ensuite trois billets. Quelle est la probabilité:
   (a) Que les trois billets soient numérotés 1, 2 et 3 ?
   (b) Que 1, 2 ou 3 soit parmi les billets tirés ?

3. Quelle est la probabilité de ne pas amener un nombre supérieur à cinq en un coup de deux dés ?

4. Quelle est la probabilité d'amener au moins cinq en un seul coup de deux dés ?

5. On jette trois dés. Quelle est la probabilité d'amener un dix ?

6. Six personnes s'asseyent au hasard autour d'une table. Quelle est la probabilité pour que deux personnes en particulier s'asseyent l'une à côté de l'autre ?

7. Si quatre cartes sont tirées d'un jeu de bridge, quelle est la probabilité qu'elles soient de la même couleur ?

8. Un comité de quatre personnes doit être choisi au hasard dans un groupe de huit hommes et douze femmes. Quelle est la probabilité pour que ce comité soit formé de deux hommes et de deux femmes ?

9. Un comité de cinq personnes doit être choisi au hasard parmi dix hommes et huit femmes. Quelle est la probabilité qu'il y ait trois hommes et deux femmes dans ce comité ?

10. Une carte est tirée dans un jeu de cinquante-deux cartes. Quelle est la probabilité qu'elle soit un roi ou un as ?

11. Une automobile de $3,000 sera donnée au détenteur du talon d'un billet tiré au hasard dans une boîte. Il y a 60,000 billets dans la boîte; quelle est l'espérance d'une personne possédant 100 billets ?

12. Un billet est tiré au hasard d'une boîte dans laquelle on a déposé cinq billets de $1, dix billets de $5 et vingt billets de $10. Calculer l'espérance.

13. Une presse produit 720 pièces à l'heure. L'expérience montre qu'il y a 20 pièces défectueuses à l'heure. Quelle est la probabilité qu'une pièce tirée au hasard soit défectueuse ?

LOIS D'ADDITION 15.6

Événement
composé

Un *événement composé* est un sous-ensemble d'un ensemble-échantillon-nagé S obtenu par l'application des opérations sur les ensembles à un ou plusieurs événements de S. Ainsi, si A et B sont des événements de S, alors $A \cup B$, $A \cap B$, et A' sont des événements composés qui font partie de l'ensemble-échantillonnage. Nous avons déjà prouvé que

$$P(A') = 1 - P(A)$$

D'où $$P(S') = 1 - P(S)$$

Puisque $\varnothing = S'$ et $P(S) = 1$, il suit que

$$P(\varnothing) = 0$$

Si A et B sont deux événements partie de S, si $n(A)$ et $n(B)$ notent le nombre des éléments des ensembles A et B respectivement, alors

$$n(A \cup B) = n(A) + n(B) - n(A \cap B) \tag{15.15}$$

Cet énoncé vient du fait qu'en additionnant le nombre des éléments de A au nombre des éléments de B, nous avons compté les éléments (s'il y en a) de l'intersection deux fois, et nous devons soustraire leur nombre du total. Le diagramme (15.1) illustre ce principe.

Si A et B sont des ensembles disjoints, $A \cap B = \varnothing$, alors A et B

Événements
mutuellement
exclusifs

sont *mutuellement exclusifs*. Dans ce cas, $n(A \cup B) = n(A) + n(B)$.

THÉORÈME. Soit A et B des événements d'un espace-échantillonnage S,

$$P(A \text{ ou } B) = P(A \cup B) = P(A) + P(B) - P(A \cap B) \tag{15.16}$$

Preuve. Nous prouverons ce théorème pour des événements "également possibles", bien que la même méthode s'applique aux probabilités définies par les Axiomes (15.12).

FIGURE 15.1 (*a*) $n(A \cup B) = n(A) + n(B) - n(A \cap B)$; (*b*) $n(A \cup B) = n(A) + n(B)$

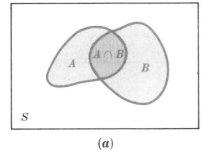
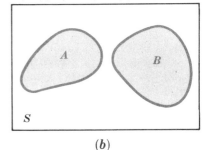

(*a*)   (*b*)

$$P(A \cup B) = \frac{n(A \cup B)}{n(S)} \qquad \text{pourquoi?}$$

$$= \frac{n(A) + n(B) - n(A \cap B)}{n(S)} \qquad \text{pourquoi?}$$

$$= \frac{n(A)}{n(S)} + \frac{n(B)}{n(S)} - \frac{n(A \cap B)}{n(S)} \qquad \text{pourquoi?}$$

$$= P(A) + P(B) - P(A \cap B) \qquad \text{pourquoi?}$$

EXEMPLE 1. Une carte est tirée d'un jeu de bridge de 52 cartes. Quelle est la probabilité qu'elle soit un pique ou un sept ?

Solution. Soit A l'ensemble des piques et B l'ensemble des sept. Alors

$$P(A) = \frac{13}{52} = \frac{1}{4} \qquad \text{et} \qquad P(B) = \frac{4}{52} = \frac{1}{13}$$

L'intersection $A \cap B$ est le sept de pique. D'où $n(A \cap B) = 1$, et $P(A \cap B) = 1/52$. Et

$$P(A \cup B) = \frac{1}{4} + \frac{1}{13} - \frac{1}{52} = \frac{4}{13}$$

EXEMPLE 2. Quelle est la probabilité d'amener un quatre en un coup de deux dés ?

Solution. Un quatre sera obtenu en amenant un trois et un un ou en amenant deux deux. Ces événements sont mutuellement exclusifs. Nous savons que $n(S) = 36$.

Soit A le premier événement (amener trois et un); soit B le deuxième événement (amener deux deux). Il y a deux façons d'obtenir A, soit $(3,1)$ et $(1,3)$. Donc, $n(A) = 2$ et $P(A) = 2/36$. Il y a une seule façon d'obtenir B, soit $(2,2)$. Donc, $n(B) = 1$ et $P(B) = 1/36$; puisque A et B sont mutuellement exclusifs, $n(A \cap B) = \varnothing$. Donc,

$$P(A \text{ ou } B) = \frac{2}{36} + \frac{1}{36} = \frac{1}{12}$$

ÉVÉNEMENTS DÉPENDANTS ET INDÉPENDANTS 15.7

Dans cette section nous considérerons la probabilité de réalisation des deux événements A et B, c'est-à-dire de la probabilité de A et B.

Pour noter la probabilité de l'événement B, en supposant que l'événement A s'est déjà produit, nous nous servons du symbole $P(B|A)$. Si la réalisation de l'événement B n'est pas influencée par la réalisation antérieure ou la non-réalisation antérieure de l'événement, alors

$$P(B|A) = P(B)$$

Nous définissons ci-après les événements *dépendants* et *indépendants*:

DÉFINITION. Soit A et B deux événements d'un espace-échantillonnage et soit $P(B|A) = P(B)$, alors A et B sont des événements indépendants. Deux événements qui ne sont pas indépendants sont dépendants. **(15.17)**

Le théorème ci-après vaut pour les événements dépendants et indépendants.

THÉORÈME. Soit A et B des événements d'un espace-échantillonnage et soit $P(B|A)$ la probabilité de réalisation de B étant donnée la réalisation antérieure de A, alors **(15.18)**

$$P(A \text{ et } B) = P(A \cap B) = P(A) \cdot P(B|A)$$

Preuve. Ici encore, nous ne donnerons que la preuve pour des événements "également possibles".

$$P(A \cap B) = \frac{n(A \cap B)}{n(S)} \qquad \textbf{pourquoi?}$$

$$= \frac{n(A \cap B)}{n(A)} \cdot \frac{n(A)}{n(S)} \qquad \textbf{pourquoi?}$$

$$= P(B|A) \cdot P(A) \qquad \textbf{pourquoi?}$$

COROLLAIRE. Soit A et B des événements indépendants d'un espace-échantillonnage, alors $\quad P(A \cap B) = P(A) \cdot P(B)$ **(15.19)**

EXEMPLE 1. On tire deux cartes d'un jeu de bridge de 52 cartes. Quelle est la probabilité de tirer deux rois (1) si la première carte est remise dans le jeu et les cartes battues avant qu'une deuxième carte soit tirée, et (2) si la première carte n'est pas remise dans le jeu avant le deuxième tirage.

Solution. (1) Si la première carte est remise dans le jeu et les cartes battues, les événements sont indépendants.

Si la première carte tirée est un roi, la probabilité de tirer deux rois sera

$$P(A \text{ et } B) = P(A \cap B)$$
$$= P(A) \cdot P(B)$$
$$= \frac{4}{52} \cdot \frac{4}{52} = \frac{1}{169}$$

(2) Si la première carte n'est pas remise dans le jeu avant que ne soit tirée la deuxième carte, le second tirage est dépendant du premier. Si la première carte tirée est un roi la probabilité de tirer deux rois sera

$$P(A \text{ et } B) = P(A \cap B) = P(A) \cdot P(B|A)$$
$$= \frac{4}{52} \cdot \frac{3}{51} = \frac{1}{221}$$

Le corollaire (15.19) peut être étendu à un nombre fini d'événements indépendants $A, B, C, \ldots, N$:

$$P(A \cap B \cap C \cdots \cap N) = P(A) \cdot P(B) \cdot P(C) \cdot \ldots \cdot P(N)$$

ESSAIS RÉPÉTÉS. DISTRIBUTION BINOMIALE 15.8

Si la probabilité $P(A)$ d'un événement en un seul essai est connue, la probabilité de réalisation de l'événement exactement k fois en n essais peut être calculée si les n essais sont indépendants.

Soit $P(A')$ la probabilité de non-réalisation de A en un seul essai. Alors, d'après l'extension du Corollaire (15.19), la probabilité que A se réalise k fois et manque de se réaliser $n - k$ fois dans un *ordre donné* est le produit de k facteurs $P(A)$ par $n - k$ facteurs $P(A)'$ ou

$$[P(A)]^k [P(A')]^{n-k}$$

Mais il y a $C(n,k)$ façons d'obtenir exactement k réalisations de l'événement en n essais. Puisque ces différentes façons ont la même probabilité de réussite et sont mutuellement exclusives, la probabilité que A se réalise exactement k fois en n essais est

$$C(n,k)[P(A)]^k [P(A')]^{n-k}$$

En notant $P(A)$ par p et $P(A')$ par q, la probabilité s'exprime par

$$C(n,k)p^k q^{n-k}$$

Nous remarquons que $C(n,k)p^k q^{n-k}$ est le $(k + 1)$ième terme du développement du binôme
$$(p + q)^n = C(n,0)p^n q^0 + C(n,1)p^{n-1}q + \cdots$$
$$+ C(n,k)p^{n-k}q^k + \cdots + C(n,n)p^0 q^n$$

Les termes successifs de ce développement nous donnent les probabilités de voir l'événement se réaliser exactement $n, n - 1, \ldots, k, \ldots, 3, 2, 1, 0$ fois en n essais.

obabilité
k réalisations
n essais

Déterminons la probabilité de réalisation d'un événement *au moins* k fois en n essais: l'événement se produira au moins k fois en n essais, s'il se réalise $n, n - 1, n - 2, \ldots, k$ fois. Puisque ces événements sont mutuellement exclusifs, la probabilité est la somme des probabilités.

$$C(n,0)p^n q^0 + C(n,1)p^{n-1}q + \cdots + C(n,n - k)p^k q^{n-k}$$

Puisque $C(n,k) = C(n,n - k)$, on peut écrire la probabilité de voir un événement se produire au moins k fois en n essais

$$C(n,n)p^n + C(n,n - 1)p^{n-1}q + \cdots + C(n,k)p^k q^{n-k}$$

EXEMPLE 1. Quelle est la probabilité de jeter exactement deux as en cinq coups de dé ?

Solution. Comme il n'y a qu'une possibilité de réussir un as, la probabilité d'en réussir un sera $p = \frac{1}{6}$ et $q = 1 - \frac{1}{6} = \frac{5}{6}$. D'où la probabilité sera

$$C(5,2)p^2q^3 = 10 \left(\frac{1}{6}\right)^2 \left(\frac{5}{6}\right)^3 = \frac{625}{3{,}888}$$

EXEMPLE 2. Quelle est la probabilité de réussir deux piles en lançant quatre fois une pièce de monnaie ?

Solution. La probabilité est

$$p^4 + C(4,1)p^3q + C(4,2)p^2q^2 = \left(\frac{1}{2}\right)^4 + 4\left(\frac{1}{2}\right)^3\left(\frac{1}{2}\right) + 6\left(\frac{1}{2}\right)\left(\frac{1}{2}\right)^2$$

$$= \frac{11}{16}$$

Notons la probabilité de voir un événement A se produire k fois en n essais $P_{k,n}$. Si les essais sont indépendants, on a

$$P_{k,n} = C(n,k)p^kq^{n-k}$$

Distribution binomiale La fonction définie par cette égalité est la fonction de *distribution binomiale.* C'est un exemple d'une catégorie de fonctions appelées *fonctions de distribution des probabilités* qu'on utilise souvent en statistique.

EXERCICES 15.6

1. Une boîte contient huit billes rouges, cinq blanches et deux noires. Quelle est la probabilité de tirer une bille blanche ou une noire en un essai ?

2. Une boîte contient six boules rouges, cinq blanches et quatre bleues. Trois boules sont tirées au hasard et, à chaque essai, la boule est replacée avant l'essai suivant. Quelle est la probabilité de tirer une première boule rouge, une seconde blanche, et une troisième bleue ?

3. Quelle est la probabilité de réussir un cinq ou un six en un coup de dé ?

4. Une boîte contient cinq billes rouges, six blanches et neuf bleues. Deux billes sont tirées au hasard sans être remises dans la boîte. Quelle est la probabilité de tirer deux billes rouges ?

5. Onze personnes s'asseyent à une table ronde. Quelle est la probabilité pour deux personnes de s'asseoir l'une à côté de l'autre ?

6. Un comité de cinq membres doit être choisi au hasard parmi dix garçons et huit filles. Quelle est la probabilité d'avoir trois garçons et deux filles dans ce comité ?

7. Quelle est la probabilité de réussir au moins quatre en deux coups de dé ?

8. La probabilité de voir un certain homme vivre dix ans est de $\frac{1}{4}$. La probabilité de voir sa femme vivre dix ans est de $\frac{1}{5}$. Quelle est la probabilité qu'au moins l'un deux vive dix ans ?

9. On lance dix pièces. Quelle est la probabilité de réussir six piles ?

10. Quelle est la probabilité de réussir exactement quatre six en six coups de dé ?

11. Une boîte contient cinq pièces de un dollar et sept cinq sous; une autre boîte contient trois pièces de un dollar et douze cinq sous. Quelle est la probabilité de tirer un dollar en tirant une seule pièce au hasard d'une des boîtes ?

12. On lance une pièce huit fois. Quelle est la probabilité de réussir au moins cinq faces ?

13. Quelle est la probabilité de réussir 10 avec deux dés exactement trois fois en quatre essais ?

14. Si on lance deux pièces cinq fois, quelle est la probabilité de réussir cinq piles et cinq faces ?

15. Quatre personnes tirent chacune une carte d'un jeu de bridge. Quelle est la probabilité que les cartes soient de couleurs différentes ?

16. Une boîte contient cinq boules blanches et trois noires. Si on tire quatre boules et si on ne les replace pas, quelle est la probabilité que les boules soient alternativement de couleurs différentes ?

17. La probabilité d'un événement est de $^2/_7$, et la probabilité d'un autre, indépendant du premier, est de $^6/_{11}$. Quelle est la probabilité pour qu'au moins un de ces événements se réalise ?

18. Un sac contient six boules. Une personne en tire une et la replace. Après l'avoir fait six fois, quelle est la probabilité pour lui d'avoir eu les six boules dans la main ?

19. Montrer que $P(B|A) = \dfrac{n(A \cap B)}{n(A)}$. [Cette relation a servi dans la preuve du Théorème (15.18).]

20. Si A et B sont des événements indépendants, montrer que $P(B|A') = P(B|A) = P(B)$.

21. Montrer que si $P(B|A') = P(B)$, alors A et B sont des événements indépendants.

TABLES

TABLE I   Valeurs à quatre décimales des fonctions de nombres

t	sin t	cos t	tan t	cot t	sec t	csc t
.00	.0000	1.0000	.0000	. . . . .	1.000	. . . . .
.01	.0100	1.0000	.0100	99.997	1.000	100.00
.02	.0200	.9998	.0200	49.993	1.000	50.00
.03	.0300	.9996	.0300	33.323	1.000	33.34
.04	.0400	.9992	.0400	24.987	1.001	25.01
.05	.0500	.9988	.0500	19.983	1.001	20.01
.06	.0600	.9982	.0601	16.647	1.002	16.68
.07	.0699	.9976	.0701	14.262	1.002	14.30
.08	.0799	.9968	.0802	12.473	1.003	12.51
.09	.0899	.9960	.0902	11.081	1.004	11.13
.10	.0998	.9950	.1003	9.967	1.005	10.02
.11	.1098	.9940	.1104	9.054	1.006	9.109
.12	.1197	.9928	.1206	8.293	1.007	8.353
.13	.1296	.9916	.1307	7.649	1.009	7.714
.14	.1395	.9902	.1409	7.096	1.010	7.166
.15	.1494	.9888	.1511	6.617	1.011	6.692
.16	.1593	.9872	.1614	6.197	1.013	6.277
.17	.1692	.9856	.1717	5.826	1.015	5.911
.18	.1790	.9838	.1820	5.495	1.016	5.586
.19	.1889	.9820	.1923	5.200	1.018	5.295
.20	.1987	.9801	.2027	4.933	1.020	5.033
.21	.2085	.9780	.2131	4.692	1.022	4.797
.22	.2182	.9759	.2236	4.472	1.025	4.582
.23	.2280	.9737	.2341	4.271	1.027	4.386
.24	.2377	.9713	.2447	4.086	1.030	4.207
.25	.2474	.9689	.2553	3.916	1.032	4.042
.26	.2571	.9664	.2660	3.759	1.035	3.890
.27	.2667	.9638	.2768	3.613	1.038	3.749
.28	.2764	.9611	.2876	3.478	1.041	3.619
.29	.2860	.9582	.2984	3.351	1.044	3.497
.30	.2955	.9553	.3093	3.233	1.047	3.384
.31	.3051	.9523	.3203	3.122	1.050	3.278
.32	.3146	.9492	.3314	3.018	1.053	3.179
.33	.3240	.9460	.3425	2.920	1.057	3.086
.34	.3335	.9428	.3537	2.827	1.061	2.999
.35	.3429	.9394	.3650	2.740	1.065	2.916
.36	.3523	.9359	.3764	2.657	1.068	2.839
.37	.3616	.9323	.3879	2.578	1.073	2.765
.38	.3709	.9287	.3994	2.504	1.077	2.696
.39	.3802	.9249	.4111	2.433	1.081	2.630
t	sin t	cos t	tan t	cot t	sec t	csc t

Avec la permission de Alvin K. Bettinger et John A. Englund, *Algebra and Trigonometry*, International Textbook Company, Scranton, Pa., 1960.

TABLE I (*suite*)

t	sin t	cos t	tan t	cot t	sec t	csc t
.40	.3894	.9211	.4228	2.365	1.086	2.568
.41	.3986	.9171	.4346	2.301	1.090	2.509
.42	.4078	.9131	.4466	2.239	1.095	2.452
.43	.4169	.9090	.4586	2.180	1.100	2.399
.44	.4259	.9048	.4708	2.124	1.105	2.348
.45	.4350	.9004	.4831	2.070	I.111	2.299
.46	.4439	.8961	.4954	2.018	1.116	2.253
.47	.4529	.8916	.5080	1.969	1.122	2.208
.48	.4618	.8870	.5206	1.921	1.127	2.166
.49	.4706	.8823	.5334	1.875	1.133	2.125
.50	.4794	.8776	.5463	1.830	1.139	2.086
.51	.4882	.8727	.5594	1.788	1.146	2.048
.52	.4969	.8678	.5726	1.747	1.152	2.013
.53	.5055	.8628	.5859	1.707	1.159	1.978
.54	.5141	.8577	.5994	1.668	1.166	1.945
.55	.5227	.8525	.6131	1.631	1.173	1.913
.56	.5312	.8473	.6269	1.595	1.180	1.883
.57	.5396	.8419	.6410	1.560	1.188	1.853
.58	.5480	.8365	.6552	1.526	1.196	1.825
.59	.5564	.8309	.6696	1.494	1.203	1.797
.60	.5646	.8253	.6841	1.462	1.212	1.771
.61	.5729	.8196	.6989	1.431	1.220	1.746
.62	.5810	.8139	.7139	1.401	1.229	1.721
.63	.5891	.8080	.7291	1.372	1.238	1.697
.64	.5972	.8021	.7445	1.343	1.247	1.674
.65	.6052	.7961	.7602	1.315	1.256	1.652
.66	.6131	.7900	.7761	1.288	1.266	1.631
.67	.6210	.7838	.7923	1.262	1.276	1.610
.68	.6288	.7776	.8087	1.237	1.286	1.590
.69	.6365	.7712	.8253	1.212	1.297	1.571
.70	.6442	.7648	.8423	1.187	1.307	1.552
.71	.6518	.7584	.8595	1.163	1.319	1.534
.72	.6594	.7518	.8771	1.140	1.330	1.517
.73	.6669	.7452	.8949	1.117	1.342	1.500
.74	.6743	.7385	.9131	1.095	1.354	1.483
.75	.6816	.7317	.9316	1.073	1.367	1.467
.76	.6889	.7248	.9505	1.052	1.380	1.452
.77	.6961	.7179	.9697	1.031	1.393	1.437
.78	.7033	.7109	.9893	1.011	1.407	1.422
.79	.7104	.7038	1.009	.9908	1.421	1.408
t	sin t	cos t	tan t	cot t	sec t	csc t

TABLE I   (*suite*)

t	$\sin t$	$\cos t$	$\tan t$	$\cot t$	$\sec t$	$\csc t$
.80	.7174	.6967	1.030	.9712	1.435	1.394
.81	.7243	.6895	1.050	.9520	1.450	1.381
.82	.7311	.6822	1.072	.9331	1.466	1.368
.83	.7379	.6749	1.093	.9146	1.482	1.355
.84	.7446	.6675	1.116	.8964	1.498	1.343
.85	.7513	.6600	1.138	.8785	1.515	1.331
.86	.7578	.6524	1.162	.8609	1.533	1.320
.87	.7643	.6448	1.185	.8437	1.551	1.308
.88	.7707	.6372	1.210	.8267	1.569	1.297
.89	.7771	.6294	1.235	.8100	1.589	1.287
.90	.7833	.6216	1.260	.7936	1.609	1.277
.91	.7895	.6137	1.286	.7774	1.629	1.267
.92	.7956	.6058	1.313	.7615	1.651	1.257
.93	.8016	.5978	1.341	.7458	1.673	1.247
.94	.8076	.5898	1.369	.7303	1.696	1.238
.95	.8134	.5817	1.398	.7151	1.719	1.229
.96	.8192	.5735	1.428	.7001	1.744	1.221
.97	.8249	.5653	1.459	.6853	1.769	1.212
.98	.8305	.5570	1.491	.6707	1.795	1.204
.99	.8360	.5487	1.524	.6563	1.823	1.196
1.00	.8415	.5403	1.557	.6421	1.851	1.188
1.01	.8468	.5319	1.592	.6281	1.880	1.181
1.02	.8521	.5234	1.628	.6142	1.911	1.174
1.03	.8573	.5148	1.665	.6005	1.942	1.166
1.04	.8624	.5062	1.704	.5870	1.975	1.160
1.05	.8674	.4976	1.743	.5736	2.010	1.153
1.06	.8724	.4889	1.784	.5604	2.046	1.146
1.07	.8772	.4801	1.827	.5473	2.083	1.140
1.08	.8820	.4713	1.871	.5344	2.122	1.134
1.09	.8866	.4625	1.917	.5216	2.162	1.128
1.10	.8912	.4536	1.965	.5090	2.205	1.122
1.11	.8957	.4447	2.014	.4964	2.249	1.116
1.12	.9001	.4357	2.066	.4840	2.295	1.111
1.13	.9044	.4267	2.120	.4718	2.344	1.106
1.14	.9086	.4176	2.176	.4596	2.395	1.101
1.15	.9128	.4085	2.234	.4475	2.448	1.096
1.16	.9168	.3993	2.296	.4356	2.504	1.091
1.17	.9208	.3902	2.360	.4237	2.563	1.086
1.18	.9246	.3809	2.427	.4120	2.625	1.082
1.19	.9284	.3717	2.498	.4003	2.691	1.077
t	$\sin t$	$\cos t$	$\tan t$	$\cot t$	$\sec t$	$\csc t$

TABLE I (*suite*)

t	sin t	cos t	tan t	cot t	sec t	csc t
1.20	.9320	.3624	2.572	.3888	2.760	1.073
1.21	.9356	.3530	2.650	.3773	2.833	1.069
1.22	.9391	.3436	2.733	.3659	2.910	1.065
1.23	.9425	.3342	2.820	.3546	2.992	1.061
1.24	.9458	.3248	2.912	.3434	3.079	1.057
1.25	.9490	.3153	3.010	.3323	3.171	1.054
1.26	.9521	.3058	3.113	.3212	3.270	1.050
1.27	.9551	.2963	3.224	.3102	3.375	1.047
1.28	.9580	.2867	2.341	.2993	3.488	1.044
1.29	.9608	.2771	3.467	.2884	3.609	1.041
1.30	.9636	.2675	3.602	.2776	3.738	1.038
1.31	.9662	.2579	3.747	.2669	3.878	1.035
1.32	.9687	.2482	3.903	.2562	4.029	1.032
1.33	.9711	.2385	4.072	.2456	4.193	1.030
1.34	.9735	.2288	4.256	.2350	4.372	1.027
1.35	.9757	.2190	4.455	.2245	4.566	1.025
1.36	.9779	.2092	4.673	.2140	4.779	1.023
1.37	.9799	.1994	4.913	.2035	5.014	1.021
1.38	.9819	.1896	5.177	.1931	5.273	1.018
1.39	.9837	.1798	5.471	.1828	5.561	1.017
1.40	.9854	.1700	5.798	.1725	5.883	1.015
1.41	.9871	.1601	6.165	.1622	6.246	1.013
1.42	.9887	.1502	6.581	.1519	6.657	1.011
1.43	.9901	.1403	7.055	.1417	7.126	1.010
1.44	.9915	.1304	7.602	.1315	7.667	1.009
1.45	.9927	.1205	8.238	.1214	8.299	1.007
1.46	.9939	.1106	8.989	.1113	9.044	1.006
1.47	.9949	.1006	9.887	.1011	9.938	1.005
1.48	.9959	.0907	10.983	.0910	11.029	1.004
1.49	.9967	.0807	12.350	.0810	12.390	1.003
1.50	.9975	.0707	14.101	.0709	14.137	1.003
1.51	.9982	.0608	16.428	.0609	16.458	1.002
1.52	.9987	.0508	19.670	.0508	19.695	1.001
1.53	.9992	.0408	24.498	.0408	24.519	1.001
1.54	.9995	.0308	32.461	.0308	32.476	1.000
1.55	.9998	.0208	48.078	.0208	48.089	1.000
1.56	.9999	.0108	92.620	.0108	92.626	1.000
1.57	1.0000	.0008	1255.8	.0008	1255.8	1.000
1.58	1.0000	−.0092	−108.65	−.0092	−108.65	1.000
1.59	.9998	−.0192	−52.067	−.0192	−52.08	1.000
1.60	.9996	−.0292	−34.233	−.0292	−34.25	1.000
t	sin t	cos t	tan t	cot t	sec t	csc t

TABLE II Valeurs à quatre décimales des fonctions d'angles

→	Sin	Cos	Tan	Cot	Sec	Csc	
0°00′	.0000	1.000	.0000	——	1.000	——	**90°00′**
10′	029	000	029	343.8	000	343.8	89°50′
20′	058	000	058	171.9	000	171.9	40′
30′	.0087	1.000	.0087	114.6	1.000	114.6	30′
40′	116	.9999	116	85.94	000	85.95	20′
0°50′	145	999	145	68.75	000	68.76	10′
1°00′	.0175	.9998	.0175	57.29	1.000	57.30	**89°00′**
10′	204	998	204	49.10	000	49.11	88°50′
20′	233	997	233	42.96	000	42.98	40′
30′	.0262	.9997	.0262	38.19	1.000	38.20	30′
40′	291	996	291	34.37	000	34.38	20′
1°50′	320	995	320	31.24	001	31.26	10′
2°00′	.0349	.9994	.0349	28.64	1.001	28.65	**88°00′**
10′	378	993	378	26.43	001	26.45	87°50′
20′	407	992	407	24.54	001	24.56	40′
30′	.0436	.9990	.0437	22.90	1.001	22.93	30′
40′	465	989	466	21.47	001	21.49	20′
2°50′	494	988	495	20.21	001	20.23	10′
3°00′	.0523	.9986	.0524	19.08	1.001	19.11	**87°00′**
10′	552	985	553	18.07	002	18.10	86°50′
20′	581	983	582	17.17	002	17.20	40′
30′	.0610	.9981	.0612	16.35	1.002	16.38	30′
40′	640	980	641	15.60	002	15.64	20′
3°50′	669	978	670	14.92	002	14.96	10′
4°00′	.0698	.9976	.0699	14.30	1.002	14.34	**86°00′**
10′	727	974	729	13.73	003	13.76	85°50′
20′	756	971	758	13.20	003	13.23	40′
30′	.0785	.9969	.0787	12.71	1.003	12.75	30′
40′	814	967	816	12.25	003	12.29	20′
4°50′	843	964	846	11.83	004	11.87	10′
5°00′	.0872	.9962	.0875	11.43	1.004	11.47	**85°00′**
10′	901	959	904	11.06	004	11.10	84°50′
20′	929	957	934	10.71	004	10.76	40′
30′	.0958	.9954	.0963	10.39	1.005	10.43	30′
40′	.0987	951	.0992	10.08	005	10.13	20′
5°50′	.1016	948	.1022	9.788	005	9.839	10′
6°00′	.1045	.9945	.1051	9.514	1.006	9.567	**84°00′**
	Cos	Sin	Cot	Tan	Csc	Sec	←

Avec la permission de Alvin K. Bettinger et John A. Englund, *Algebra and Trigonometry*, International Textbook Company, Scranton, Pa., 1960.

TABLE II (*suite*)

⟶	Sin	Cos	Tan	Cot	Sec	Csc	
6°00′	.1045	.9945	.1051	9.514	1.006	9.567	**84°00′**
10′	074	942	080	255	006	309	83°50′
20′	103	939	110	9.010	006	9.065	40′
30′	.1132	.9936	.1139	8.777	1.006	8.834	30′
40′	161	932	169	556	007	614	20′
6°50′	190	929	198	345	007	405	10′
7°00′	.1219	.9925	.1228	8.144	1.008	8.206	**83°00′**
10′	248	922	257	7.953	008	8.016	82°50′
20′	276	918	287	770	008	7.834	40′
30′	.1305	.9914	.1317	7.596	1.009	7.661	30′
40′	334	911	346	429	009	496	20′
7°50′	363	907	376	269	009	337	10′
8°00′	.1392	.9903	.1405	7.115	1.010	7.185	**82°00′**
10′	421	899	435	6.968	010	7.040	81°50′
20′	449	894	465	827	011	6.900	40′
30′	.1478	.9890	.1495	6.691	1.011	6.765	30′
40′	507	886	524	561	012	636	20′
8°50′	536	881	554	435	012	512	10′
9°00′	.1564	.9877	.1584	6.314	1.012	6.392	**81°00′**
10′	593	872	614	197	013	277	80°50′
20′	622	868	644	6.084	013	166	40′
30′	.1650	.9863	.1673	5.976	1.014	6.059	30′
40′	679	858	703	871	014	5.955	20′
9°50′	708	853	733	769	015	855	10′
10°00′	.1736	.9848	.1763	5.671	1.015	5.759	**80°00′**
10′	765	843	793	576	016	665	79°50′
20′	794	838	823	485	016	575	40′
30′	.1822	.9833	.1853	5.396	1.017	5.487	30′
40′	851	827	883	309	018	403	20′
10°50′	880	822	914	226	018	320	10′
11°00′	.1908	.9816	.1944	5.145	1.019	5.241	**79°00′**
10′	937	811	.1974	5.066	019	164	78°50′
20′	965	805	.2004	4.989	020	089	40′
30′	.1994	.9799	.2035	4.915	1.020	5.016	30′
40′	.2022	793	065	843	021	4.945	20′
11°50′	051	787	095	773	022	876	10′
12°00′	.2079	.9781	.2126	4.705	1.022	4.810	**78°00′**
	Cos	Sin	Cot	Tan	Csc	Sec	⟵

TABLE II (*suite*)

⟶	Sin	Cos	Tan	Cot	Sec	Csc	
12°00′	.2079	.9781	.2126	4.705	1.022	4.810	**78°00′**
10′	108	775	156	638	023	745	77°50′
20′	136	769	186	574	024	682	40′
30′	.2164	.9763	.2217	4.511	1.024	4.620	30′
40′	193	757	247	449	025	560	20′
12°50′	221	750	278	390	026	502	10′
13°00′	.2250	.9744	.2309	4.331	1.026	4.445	**77°00′**
10′	278	737	339	275	027	390	76°50′
20′	306	730	370	219	028	336	40′
30′	.2334	.9724	.2401	4.165	1.028	4.284	30′
40′	363	717	432	113	029	232	20′
13°50′	391	710	462	061	030	182	10′
14°00′	.2419	.9703	.2493	4.011	1.031	4.134	**76°00′**
10′	447	696	524	3.962	031	086	75°50′
20′	476	689	555	914	032	4.039	40′
30′	.2504	.9681	.2586	3.867	1.033	3.994	30′
40′	532	674	617	821	034	950	20′
14°50′	560	667	648	776	034	906	10′
15°00′	.2588	.9659	.2679	3.732	1.035	3.864	**75°00′**
10′	616	652	711	689	036	822	74°50′
20′	644	644	742	647	037	782	40′
30′	.2672	.9636	.2773	3.606	1.038	3.742	30′
40′	700	628	805	566	039	703	20′
15°50′	728	621	836	526	039	665	10′
16°00′	.2756	.9613	.2867	3.487	1.040	3.628	**74°00′**
10′	784	605	899	450	041	592	73°50′
20′	812	596	931	412	042	556	40′
30′	.2840	.9588	.2962	3.376	1.043	3.521	30′
40′	868	580	.2994	340	044	487	20′
16°50′	896	572	.3026	305	045	453	10′
17°00′	.2924	.9563	.3057	3.271	1.046	3.420	**73°00′**
10′	952	555	089	237	047	388	72°50′
20′	.2979	546	121	204	048	356	40′
30′	.3007	.9537	.3153	3.172	1.049	3.326	30′
40′	035	528	185	140	049	295	20′
17°50′	062	520	217	108	050	265	10′
18°00′	.3090	.9511	.3249	3.078	1.051	3.236	**72°00′**
	Cos	Sin	Cot	Tan	Csc	Sec	⟵

TABLE II (*suite*)

⟶	Sin	Cos	Tan	Cot	Sec	Csc	
18°00′	.3090	.9511	.3249	3.078	1.051	3.236	**72°00′**
10′	118	502	281	047	052	207	71°50′
20′	145	492	314	3.018	053	179	40′
30′	.3173	.9483	.3346	2.989	1.054	3.152	30′
40′	201	474	378	960	056	124	20′
18°50′	228	465	411	932	057	098	10′
19°00′	.3256	.9455	.3443	2.904	1.058	3.072	**71°00′**
10′	283	446	476	877	059	046	70°50′
20′	311	436	508	850	060	3.021	40′
30′	.3338	.9426	.3541	2.824	1.061	2.996	30′
40′	365	417	574	798	062	971	20′
19°50′	393	407	607	773	063	947	10′
20°00′	.3420	.9397	.3640	2.747	1.064	2.924	**70°00′**
10′	448	387	673	723	065	901	69°50′
20′	475	377	706	699	066	878	40′
30′	.3502	.9367	.3739	2.675	1.068	2.855	30′
40′	529	356	772	651	069	833	20′
20°50′	557	346	805	628	070	812	10′
21°00′	.3584	.9336	.3839	2.605	1.071	2.790	**69°00′**
10′	611	325	872	583	072	769	68°50′
20′	638	315	906	560	074	749	40′
30′	.3665	.9304	.3939	2.539	1.075	2.729	30′
40′	692	293	.3973	517	076	709	20′
21°50′	719	283	.4006	496	077	689	10′
22°00′	.3746	.9272	.4040	2.475	1.079	2.669	**68°00′**
10′	773	261	074	455	080	650	67°50′
20′	800	250	108	434	081	632	40′
30′	.3827	.9239	.4142	2.414	1.082	2.613	30′
40′	854	228	176	394	084	595	20′
22°50′	881	216	210	375	085	577	10′
23°00′	.3907	.9205	.4245	2.356	1.086	2.559	**67°00′**
10′	934	194	279	337	088	542	66°50′
20′	961	182	314	318	089	525	40′
30′	.3987	.9171	.4348	2.300	1.090	2.508	30′
40′	.4014	159	383	282	092	491	20′
23°50′	041	147	417	264	093	475	10′
24°00′	.4067	.9135	.4452	2.246	1.095	2.459	**66°00′**
	Cos	Sin	Cot	Tan	Csc	Sec	⟵

TABLE II   (*suite*)

$\longrightarrow$	Sin	Cos	Tan	Cot	Sec	Csc	
24°00′	.4067	.9135	.4452	2.246	1.095	2.459	**66°00′**
10′	094	124	487	229	096	443	65°50′
20′	120	112	522	211	097	427	40′
30′	.4147	.9100	.4557	2.194	1.099	2.411	30′
40′	173	088	592	177	100	396	20′
24°50′	200	075	628	161	102	381	10′
25°00′	.4226	.9063	.4663	2.145	1.103	2.366	**65°00′**
10′	253	051	699	128	105	352	64°50′
20′	279	038	734	112	106	337	40′
30′	.4305	.9026	.4770	2.097	1.108	2.323	30′
40′	331	013	806	081	109	309	20′
25°50′	·358	.9001	841	066	111	295	10′
26°00′	.4384	.8988	.4877	2.050	1.113	2.281	**64°00′**
10′	410	975	913	035	114	268	63°50′
20′	436	962	950	020	116	254	40′
30′	.4462	.8949	.4986	2.006	1.117	2.241	30′
40′	488	936	.5022	1.991	119	228	20′
26°50′	514	923	059	977	121	215	10′
27°00′	.4540	.8910	.5095	1.963	1.122	2.203	**63°00′**
10′	566	897	132	949	124	190	62°50′
20′	592	884	169	935	126	178	40′
30′	.4617	.8870	.5206	1.921	1.127	2.166	30′
40′	643	857	243	907	129	154	20′
27°50′	669	843	280	894	131	142	10′
28°00′	.4695	.8829	.5317	1.881	1.133	2.130	**62°00′**
10′	720	816	354	868	134	118	61°50′
20′	746	802	392	855	136	107	40′
30′	.4772	.8788	.5430	1.842	1.138	2.096	30′
40′	797	774	467	829	140	085	20′
28°50′	823	760	505	816	142	074	10′
29°00′	.4848	.8746	.5543	1.804	1.143	2.063	**61°00′**
10′	874	732	581	792	145	052	60°50′
20′	899	718	619	780	147	041	40′
30′	.4924	.8704	.5658	1.767	1.149	2.031	30′
40′	950	689	696	756	151	020	20′
29°50′	.4975	675	735	744	153	010	10′
30°00′	.5000	.8660	.5774	1.732	1.155	2.000	**60°00′**
	Cos	Sin	Cot	Tan	Csc	Sec	$\longleftarrow$

TABLE II (*suite*)

⟶	Sin	Cos	Tan	Cot	Sec	Csc	
30°00′	.5000	.8660	.5774	1.732	1.155	2.000	**60°00′**
10′	025	646	812	720	157	1.990	59°50′
20′	050	631	851	709	159	980	40′
30′	.5075	.8616	.5890	1.698	1.161	1.970	30′
40′	100	601	930	686	163	961	20′
30°50′	125	587	.5969	675	165	951	10′
31°00′	.5150	.8572	.6009	1.664	1.167	1.942	**59°00′**
10′	175	557	048	653	169	932	58°50′
20′	200	542	088	643	171	923	40′
30′	.5225	.8526	.6128	1.632	1.173	1.914	30′
40′	250	511	168	621	175	905	20′
31°50′	275	496	208	611	177	896	10′
32°00′	.5299	.8480	.6249	1.600	1.179	1.887	**58°00′**
10′	324	465	289	590	181	878	57°50′
20′	348	450	330	580	184	870	40′
30′	.5373	.8434	.6371	1.570	1.186	1.861	30′
40′	398	418	412	560	188	853	20′
32°50′	422	403	453	550	190	844	10′
33°00′	.5446	.8387	.6494	1.540	1.192	1.836	**57°00′**
10′	471	371	536	530	195	828	56°50′
20′	495	355	577	520	197	820	40′
30′	.5519	.8339	.6619	1.511	1.199	1.812	30′
40′	544	323	661	501	202	804	20′
33°50′	568	307	703	492	204	796	10′
34°00′	.5592	.8290	.6745	1.483	1.206	1.788	**56°00′**
10′	616	274	787	473	209	781	55°50′
20′	640	258	830	464	211	773	40′
30′	.5664	.8241	.6873	1.455	1.213	1.766	30′
40′	688	225	916	446	216	758	20′
34°50′	712	208	.6959	437	218	751	10′
35°00′	.5736	.8192	.7002	1.428	1.221	1.743	**55°00′**
10′	760	175	046	419	223	736	54°50′
20′	783	158	089	411	226	729	40′
30′	.5807	.8141	.7133	1.402	1.228	1.722	30′
40′	831	124	177	393	231	715	20′
35°50′	854	107	221	385	233	708	10′
36°00′	.5878	.8090	.7265	1.376	1.236	1.701	**54°00′**
	Cos	Sin	Cot	Tan	Csc	Sec	⟵

TABLE II *(suite)*

$\longrightarrow$	Sin	Cos	Tan	Cot	Sec	Csc	
36°00′	.5878	.8090	.7265	1.376	1.236	1.701	**54°00′**
10′	901	073	310	368	239	695	53°50′
20′	925	056	355	360	241	688	40′
30′	.5948	.8039	.7400	1.351	1.244	1.681	30′
40′	972	021	445	343	247	675	20′
36°50′	.5995	.8004	490	335	249	668	10′
37°00′	.6018	.7986	.7536	1.327	1.252	1.662	**53°00′**
10′	041	969	581	319	255	655	52°50′
20′	065	951	627	311	258	649	40′
30′	.6088	.7934	.7673	1.303	1.260	1.643	30′
40′	111	916	720	295	263	636	20′
37°50′	134	898	766	288	266	630	10′
38°00′	.6157	.7880	.7813	1.280	1.269	1.624	**52°00′**
10′	180	862	860	272	272	618	51°50′
20′	202	844	907	265	275	612	40′
30′	.6225	.7826	.7954	1.257	1.278	1.606	30′
40′	248	808	.8002	250	281	601	20′
38°50′	271	790	050	242	284	595	10′
39°00′	.6293	.7771	.8098	1.235	1.287	1.589	**51°00′**
10′	316	753	146	228	290	583	50°50′
20′	338	735	195	220	293	578	40′
30′	.6361	.7716	.8243	1.213	1.296	1.572	30′
40′	383	698	292	206	299	567	20′
39°50′	406	679	342	199	302	561	10′
40°00′	.6428	.7660	.8391	1.192	1.305	1.556	**50°00′**
10′	450	642	441	185	309	550	49°50′
20′	472	623	491	178	312	545	40′
30′	.6494	.7604	.8541	1.171	1.315	1.540	30′
40′	517	585	591	164	318	535	20′
40°50′	539	566	642	157	322	529	10′
41°00′	.6561	.7547	.8693	1.150	1.325	1.524	**49°00′**
10′	583	528	744	144	328	519	48°50′
20′	604	509	796	137	332	514	40′
30′	.6626	.7490	.8847	1.130	1.335	1.509	30′
40′	648	470	899	124	339	504	20′
41°50′	670	451	.8952	117	342	499	10′
42°00′	.6691	.7431	.9004	1.111	1.346	1.494	**48°00′**
	Cos	Sin	Cot	Tan	Csc	Sec	$\longleftarrow$

TABLE II (*suite*)

⟶	Sin	Cos	Tan	Cot	Sec	Csc	
42°00'	.6691	.7431	.9004	1.111	1.346	1.494	**48°00'**
10'	713	412	057	104	349	490	47°50'
20'	734	392	110	098	353	485	40'
30'	.6756	.7373	.9163	1.091	1.356	1.480	30'
40'	777	353	217	085	360	476	20'
42°50'	799	333	271	079	364	471	10'
43°00'	.6820	.7314	.9325	1.072	1.367	1.466	**47°00'**
10'	841	294	380	066	371	462	46°50'
20'	862	274	435	060	375	457	40'
30'	.6884	.7254	.9490	1.054	1.379	1.453	30'
40'	905	234	545	048	382	448	20'
43°50'	926	214	601	042	386	444	10'
44°00'	.6947	.7193	.9657	1.036	1.390	1.440	**46°00'**
10'	967	173	713	030	394	435	45°50'
20'	.6988	153	770	024	398	431	40'
30'	.7009	.7133	.9827	1.018	1.402	1.427	30'
40'	030	112	884	012	406	423	20'
44°50'	050	092	.9942	006	410	418	10'
45°00'	.7071	.7071	1.000	1.000	1.414	1.414	**45°00'**
	Cos	Sin	Cot	Tan	Csc	Sec	⟵

TABLE III Logarithmes des nombres de 1.00 à 9.99

N	0	1	2	3	4	5	6	7	8	9
1.0	0.0000	0.004321	0.008600	0.01284	0.01703	0.02119	0.02531	0.02938	0.03342	0.03·
1.1	0.04139	0.04532	0.04922	0.05308	0.05690	0.06070	0.06446	0.06819	0.07188	0.07·
1.2	0.07918	0.08279	0.08636	0.08991	0.09342	0.09691	0.1004	0.1038	0.1072	0.11·
1.3	0.1139	0.1173	0.1206	0.1239	0.1271	0.1303	0.1335	0.1367	0.1399	0.14·
1.4	0.1461	0.1492	0.1523	0.1553	0.1584	0.1614	0.1644	0.1673	0.1703	0.17·
1.5	0.1761	0.1790	0.1818	0.1847	0.1875	0.1903	0.1931	0.1959	0.1987	0.20·
1.6	0.2041	0.2068	0.2095	0.2122	0.2148	0.2175	0.2201	0.2227	0.2253	0.22·
1.7	0.2304	0.2330	0.2355	0.2380	0.2405	0.2430	0.2455	0.2480	0.2504	0.25·
1.8	0.2553	0.2577	0.2601	0.2625	0.2648	0.2673	0.2695	0.2718	0.2742	0.27·
1.9	0.2788	0.2810	0.2833	0.2856	0.2878	0.2900	0.2923	0.2945	0.2967	0.29·
2.0	0.3010	0.3032	0.3054	0.3075	0.3096	0.3118	0.3139	0.3160	0.3181	0.32·
2.1	0.3222	0.3243	0.3263	0.3284	0.3304	0.3324	0.3345	0.3365	0.3385	0.34·
2.2	0.3424	0.3444	0.3464	0.3483	0.3502	0.3522	0.3541	0.3560	0.3579	0.35·
2.3	0.3617	0.3636	0.3655	0.3674	0.3692	0.3711	0.3729	0.3747	0.3766	0.37·
2.4	0.3802	0.3820	0.3838	0.3856	0.3874	0.3892	0.3909	0.3927	0.3945	0.39·
2.5	0.3979	0.3997	0.4014	0.4031	0.4048	0.4065	0.4082	0.4099	0.4116	0.41·
2.6	0.4150	0.4166	0.4183	0.4200	0.4216	0.4232	0.4249	0.4265	0.4281	0.42·
2.7	0.4314	0.4330	0.4346	0.4362	0.4378	0.4393	0.4409	0.4425	0.4440	0.44·
2.8	0.4472	0.4487	0.4502	0.4518	0.4533	0.4548	0.4564	0.4579	0.4594	0.46·
2.9	0.4624	0.4639	0.4654	0.4669	0.4683	0.4698	0.4713	0.4728	0.4742	0.47·
3.0	0.4771	0.4786	0.4800	0.4814	0.4829	0.4843	0.4857	0.4871	0.4886	0.49·
3.1	0.4914	0.4928	0.4942	0.4955	0.4969	0.4983	0.4997	0.5011	0.5024	0.50·
3.2	0.5051	0.5065	0.5079	0.5092	0.5105	0.5119	0.5132	0.5145	0.5159	0.51·
3.3	0.5185	0.5198	0.5211	0.5224	0.5237	0.5250	0.5263	0.5276	0.5289	0.53·
3.4	0.5315	0.5328	0.5340	0.5353	0.5366	0.5378	0.5391	0.5403	0.5416	0.54·
3.5	0.5441	0.5453	0.5465	0.5478	0.5490	0.5502	0.5514	0.5527	0.5539	0.55·
3.6	0.5563	0.5575	0.5587	0.5599	0.5611	0.5623	0.5635	0.5647	0.5658	0.56·
3.7	0.5682	0.5694	0.5705	0.5717	0.5729	0.5740	0.5752	0.5763	0.5775	0.57·
3.8	0.5798	0.5809	0.5821	0.5832	0.5843	0.5855	0.5866	0.5877	0.5888	0.58·
3.9	0.5911	0.5922	0.5933	0.5944	0.5955	0.5966	0.5977	0.5988	0.5999	0.60·
4.0	0.6021	0.6031	0.6042	0.6053	0.6064	0.6075	0.6085	0.6096	0.6107	0.61·
4.1	0.6128	0.6138	0.6149	0.6160	0.6170	0.6180	0.6191	0.6201	0.6212	0.62·
4.2	0.6232	0.6243	0.6253	0.6263	0.6274	0.6284	0.6284	0.6294	0.6304	0.6314	0.63·
4.3	0.6335	0.6345	0.6355	0.6365	0.6375	0.6385	0.6395	0.6405	0.6415	0.64·
4.4	0.6435	0.6444	0.6454	0.6464	0.6474	0.6484	0.6493	0.6503	0.6513	0.65·
4.5	0.6532	0.6542	0.6551	0.6561	0.6571	0.6580	0.6590	0.6599	0.6609	0.66·
4.6	0.6628	0.6637	0.6646	0.6656	0.6665	0.6675	0.6684	0.6693	0.6702	0.67·
4.7	0.6721	0.6730	0.6739	0.6749	0.6758	0.6767	0.6776	0.6785	0.6794	0.68·
4.8	0.6812	0.6821	0.6830	0.6839	0.6848	0.6857	0.6866	0.6875	0.6884	0.68·
4.9	0.6902	0.6911	0.6920	0.6928	0.6937	0.6946	0.6955	0.6964	0.6972	0.69·
5.0	0.6990	0.6998	0.7007	0.7016	0.7024	0.7033	0.7042	0.7050	0.7059	0.70·
5.1	0.7076	0.7084	0.7093	0.7101	0.7110	0.7118	0.7126	0.7135	0.7143	0.71·
5.2	0.7160	0.7168	0.7177	0.7185	0.7193	0.7202	0.7210	0.7218	0.7226	0.72·
5.3	0.7243	0.7251	0.7259	0.7267	0.7275	0.7284	0.7292	0.7300	0.7308	0.73·
5.4	0.7324	0.7332	0.7340	0.7348	0.7356	0.7364	0.7372	0.7380	0.7388	0.73·

Avec la permission de Thomas L. Wade et Howard E. Taylor, *Fundamental Mathematics*, McGraw-Hill Book Company, New York, 1960.

TABLE III (suite)

N	0	1	2	3	4	5	6	7	8	9
5.5	0.7404	0.7412	0.7419	0.7427	0.7435	0.7443	0.7451	0.7459	0.7466	0.7474
5.6	0.7482	0.7490	0.7497	0.7505	0.7513	0.7520	0.7528	0.7536	0.7543	0.7551
5.7	0.7559	0.7566	0.7574	0.7582	0.7589	0.7597	0.7604	0.7612	0.7619	0.7627
5.8	0.7634	0.7642	0.7649	0.7657	0.7664	0.7672	0.7679	0.7686	0.7694	0.7701
5.9	0.7709	0.7716	0.7723	0.7731	0.7738	0.7745	0.7752	0.7760	0.7767	0.7774
6.0	0.7782	0.7789	0.7796	0.7803	0.7810	0.7818	0.7825	0.7832	0.7839	0.7846
6.1	0.7853	0.7860	0.7868	0.7875	0.7882	0.7889	0.7896	0.7903	0.7910	0.7917
6.2	0.7924	0.7931	0.7938	0.7945	0.7952	0.7959	0.7966	0.7973	0.7980	0.7987
6.3	0.7993	0.8000	0.8007	0.8014	0.8021	0.8028	0.8035	0.8041	0.8048	0.8055
6.4	0.8062	0.8069	0.8075	0.8082	0.8089	0.8096	0.8102	0.8109	0.8116	0.8122
6.5	0.8129	0.8136	0.8142	0.8149	0.8156	0.8162	0.8169	0.8176	0.8182	0.0189
6.6	0.8195	0.8202	0.8209	0.8215	0.8222	0.8228	0.8235	0.8241	0.8248	0.8254
6.7	0.8261	0.8267	0.8274	0.8280	0.8287	0.8293	0.8299	0.8306	0.8312	0.8319
6.8	0.8325	0.8331	0.8338	0.8344	0.8351	0.8357	0.8363	0.8370	0.8376	0.8382
6.9	0.8388	0.8395	0.8401	0.8407	0.8414	0.8420	0.8426	0.8432	0.8439	0.8445
7.0	0.8451	0.8457	0.8463	0.8470	0.8476	0.8482	0.8488	0.8494	0.8500	0.8506
7.1	0.8513	0.8519	0.8525	0.8531	0.8537	0.8543	0.8549	0.8555	0.8561	0.8567
7.2	0.8573	0.8579	0.8585	0.8591	0.8597	0.8603	0.8609	0.8615	0.8621	0.8627
7.3	0.8633	0.8639	0.8645	0.8651	0.8657	0.8663	0.8669	0.8675	0.8681	0.8686
7.4	0.8692	0.8698	0.8704	0.8710	0.8716	0.8722	0.8727	0.8733	0.8739	0.8745
7.5	0.8751	0.8756	0.8762	0.8768	0.8774	0.8779	0.8785	0.8791	0.8797	0.8802
7.6	0.8808	0.8814	0.8820	0.8825	0.8831	0.8837	0.8842	0.8848	0.8854	0.8859
7.7	0.8865	0.8871	0.8876	0.8882	0.8887	0.8893	0.8899	0.8904	0.8910	0.8915
7.8	0.8921	0.8927	0.8932	0.8938	0.8943	0.8949	0.8954	0.8960	0.8965	0.8971
7.9	0.8976	0.8982	0.8987	0.8993	0.8998	0.9004	0.9009	0.9015	0.9020	0.9025
8.0	0.9031	0.9036	0.9042	0.9047	0.9053	0.9058	0.9063	0.9069	0.9074	0.9079
8.1	0.9085	0.9090	0.9096	0.9101	0.9106	0.9112	0.9117	0.9122	0.9128	0.9133
8.2	0.9138	0.9143	0.9149	0.9154	0.9159	0.9165	0.9170	0.9175	0.9180	0.9186
8.3	0.9191	0.9196	0.9201	0.9206	0.9212	0.9217	0.9222	0.9227	0.9232	0.9238
8.4	0.9243	0.9248	0.9253	0.9258	0.9263	0.9269	0.9274	0.9279	0.9284	0.9289
8.5	0.9294	0.9299	0.9304	0.9309	0.9315	0.9320	0.9325	0.9330	0.9335	0.9340
8.6	0.9345	0.9350	0.9355	0.9360	0.9365	0.9370	0.9375	0.9380	0.9385	0.9390
8.7	0.9395	0.9400	0.9405	0.9410	0.9415	0.9420	0.9425	0.9430	0.9435	0.9440
8.8	0.9445	0.9450	0.9455	0.9460	0.9465	0.9469	0.9474	0.9479	0.9484	0.9489
8.9	0.9494	0.9499	0.9504	0.9509	0.9513	0.9518	0.9523	0.9528	0.9533	0.9538
9.0	0.9542	0.9547	0.9552	0.9557	0.9562	0.9566	0.9571	0.9576	0.9581	0.9586
9.1	0.9590	0.9595	0.9600	0.9605	0.9609	0.9614	0.9619	0.9624	0.9628	0.9633
9.2	0.9638	0.9643	0.9647	0.9652	0.9657	0.9661	0.9666	0.9671	0.9675	0.9680
9.3	0.9685	0.9689	0.9694	0.9699	0.9703	0.9708	0.9713	0.9717	0.9722	0.9727
9.4	0.9731	0.9736	0.9741	0.9745	0.9750	0.9754	0.9759	0.9763	0.9768	0.9773
9.5	0.9777	0.9782	0.9786	0.9791	0.9795	0.9800	0.9805	0.9809	0.9814	0.9818
9.6	0.9823	0.9827	0.9832	0.9836	0.9841	0.9845	0.9850	0.9854	0.9859	0.9863
9.7	0.9868	0.9872	0.9877	0.9881	0.9886	0.9890	0.9894	0.9899	0.9903	0.9908
9.8	0.9912	0.9917	0.9921	0.9926	0.9930	0.9934	0.9939	0.9943	0.9948	0.9952
9.9	0.9956	0.9961	0.9965	0.9969	0.9974	0.9978	0.9983	0.9987	0.9991	0.9996

TABLE IV Logarithmes à quatre décimales des fonctions d'angles

$\longrightarrow$	L Sin	L Tan	L Cot	L Cos	
0°00′				10.0000	**90°00′**
10′	7.4637	7.4637	12.5363	.0000	89°50′
20′	.7648	.7648	.2352	.0000	40′
30′	7.9408	7.9409	12.0591	.0000	30′
40′	8.0658	8.0658	11.9342	.0000	20′
0°50′	.1627	.1627	.8373	10.0000	10′
1°00′	8.2419	8.2419	11.7581	9.9999	**89°00′**
10′	.3088	.3089	.6911	.9999	88°50′
20′	.3668	.3669	.6331	.9999	40′
30′	.4179	.4181	.5819	.9999	30′
40′	.4637	.4638	.5362	.9998	20′
1°50′	.5050	.5053	.4947	.9998	10′
2°00′	8.5428	8.5431	11.4569	9.9997	**88°00′**
10′	.5776	.5779	.4221	.9997	87°50′
20′	.6097	.6101	.3899	.9996	40′
30′	.6397	.6401	.3599	.9996	30′
40′	.6677	.6682	.3318	.9995	20′
2°50′	.6940	.6945	.3055	.9995	10′
3°00′	8.7188	8.7194	11.2806	9.9994	**87°00′**
10′	.7423	.7429	.2571	.9993	86°50′
20′	.7645	.7652	.2348	.9993	40′
30′	.7857	.7865	.2135	.9992	30′
40′	.8059	.8067	.1933	.9991	20′
3°50′	.8251	.8261	.1739	.9990	10′
4°00′	8.8436	8.8446	11.1554	9.9989	**86°00′**
10′	.8613	.8624	.1376	.9989	85°50′
20′	.8783	.8795	.1205	.9988	40′
30′	.8946	.8960	.1040	.9987	30′
40′	.9104	.9118	.0882	.9986	20′
4°50′	.9256	.9272	.0728	.9985	10′
5°00′	8.9403	8.9420	11.0580	9.9983	**85°00′**
10′	.9545	.9563	.0437	.9982	84°50′
20′	.9682	.9701	.0299	.9981	40′
30′	.9816	.9836	.0164	.9980	30′
40′	8.9945	8.9966	11.0034	.9979	20′
5°50′	9.0070	9.0093	10.9907	.9977	10′
6°00′	9.0192	9.0216	10.9784	9.9976	**84°00′**
	L Cos	L Cot	L Tan	L Sin	$\longleftarrow$

Avec la permission de Alvin K. Bettinger et John A. Englund, *Algebra and Trigonometry*
International Textbook Company, Scranton, Pa., 1960.

TABLE IV (*suite*)

→	L Sin	L Tan	L Cot	L Cos	
6°00′	9.0192	9.0216	10.9784	9.9976	**84°00′**
10′	.0311	.0336	.9664	.9975	83°50′
20′	.0426	.0453	.9547	.9973	40′
30′	.0539	.0567	.9433	.9972	30′
40′	.0648	.0678	.9322	.9971	20′
6°50′	.0755	.0786	.9214	.9969	10′
7°00′	9.0859	9.0891	10.9109	9.9968	**83°00′**
10′	.0961	.0995	.9005	.9966	82°50′
20′	.1060	.1096	.8904	.9964	40′
30′	.1157	.1194	.8806	.9963	30′
40′	.1252	.1291	.8709	.9961	20′
7°50′	.1345	.1385	.8615	.9959	10′
8°00′	9.1436	9.1478	10.8522	9.9958	**82°00′**
10′	.1525	.1569	.8431	.9956	81°50′
20′	.1612	.1658	.8342	.9954	40′
30′	.1697	.1745	.8255	.9952	30′
40′	.1781	.1831	.8169	.9950	20′
8°50′	.1863	.1915	.8085	.9948	10′
9°00′	9.1943	9.1997	10.8003	9.9946	**81°00′**
10′	.2022	.2078	.7922	.9944	80°50′
20′	.2100	.2158	.7842	.9942	40′
30′	.2176	.2236	.7764	.9940	30′
40′	.2251	.2313	.7687	.9938	20′
9°50′	.2324	.2389	.7611	.9936	10′
10°00′	9.2397	9.2463	10.7537	9.9934	**80°00′**
10′	.2468	.2536	.7464	.9931	79°50′
20′	.2538	.2609	.7391	.9929	40′
30′	.2606	.2680	.7320	.9927	30′
40′	.2674	.2750	.7250	.9924	20′
10°50′	.2740	.2819	.7181	.9922	10′
11°00′	9.2806	9.2887	10.7113	9.9919	**79°00′**
10′	.2870	.2953	.7047	.9917	78°50′
20′	.2934	.3020	.6980	.9914	40′
30′	.2997	.3085	.6915	.9912	30′
40′	.3058	.3149	.6851	.9909	20′
11°50′	.3119	.3212	.6788	.9907	10′
12°00′	9.3179	9.3275	10.6725	9.9904	**78°00′**
	L Cos	L Cot	L Tan	L Sin	←

TABLE IV (*suite*)

→	L Sin	L Tan	L Cot	L Cos	
12°00′	9.3179	9.3275	10.6725	9.9904	**78°00′**
10′	.3238	.3336	.6664	.9901	77°50′
20′	.3296	.3397	.6603	.9899	40′
30′	.3353	.3458	.6542	.9896	30′
40′	.3410	.3517	.6483	.9893	20′
12°50′	.3466	.3576	.6424	.9890	10′
13°00′	9.3521	9.3634	10.6366	9.9887	**77°00′**
10′	.3575	.3691	.6309	.9884	76°50′
20′	.3629	.3748	.6252	.9881	40′
30′	.3682	.3804	.6196	.9878	30′
40′	.3734	.3859	.6141	.9875	20′
13°50′	.3786	.3914	.6086	.9872	10′
14°00′	9.3837	9.3968	10.6032	9.9869	**76°00′**
10′	.3887	.4021	.5979	.9866	75°50′
20′	.3937	.4074	.5926	.9863	40′
30′	.3986	.4127	.5873	.9859	30′
40′	.4035	.4178	.5822	.9856	20′
14°50′	.4083	.4230	.5770	.9853	10′
15°00′	9.4130	9.4281	10.5719	9.9849	**75°00′**
10′	.4177	.4331	.5669	.9846	74°50′
20′	.4223	.4381	.5619	.9843	40′
30′	.4269	.4430	.5570	.9839	30′
40′	.4314	.4479	.5521	.9836	20′
15°50′	.4359	.4527	.5473	.9832	10′
16°00′	9.4403	9.4575	10.5425	9.9828	**74°00′**
10′	.4447	.4622	.5378	.9825	73°50′
20′	.4491	.4669	.5331	.9821	40′
30′	.4533	.4716	.5284	.9817	30′
40′	.4576	.4762	.5238	.9814	20′
16°50′	.4618	.4808	.5192	.9810	10′
17°00′	9.4659	9.4853	10.5147	9.9806	**73°00′**
10′	.4700	.4898	.5102	.9802	72°50′
20′	.4741	.4943	.5057	.9798	40′
30′	.4781	.4987	.5013	.9794	30′
40′	.4821	.5031	.4969	.9790	20′
17°50′	.4861	.5075	.4925	.9786	10′
18°00′	9.4900	9.5118	10.4882	9.9782	**72°00′**
	L Cos	L Cot	L Tan	L Sin	←

TABLE IV (*suite*)

⟶	L Sin	L Tan	L Cot	L Cos	
18°00′	9.4900	9.5118	10.4882	9.9782	**72°00′**
10′	.4939	.5161	.4839	.9778	71°50′
20′	.4977	.5203	.4797	.9774	40′
30′	.5015	.5245	.4755	.9770	30′
40′	.5052	.5287	.4713	.9765	20′
18°50′	.5090	.5329	.4671	.9761	10′
19°00′	9.5126	9.5370	10.4630	9.9757	**71°00′**
10′	.5163	.5411	.4589	.9752	70°50′
20′	.5199	.5451	.4549	.9748	40′
30′	.5235	.5491	.4509	.9743	30′
40′	.5270	.5531	.4469	.9739	20′
19°50′	.5306	.5571	.4429	.9734	10′
20°00′	9.5341	9.5611	10.4389	9.9730	**70°00′**
10′	.5375	.5650	.4350	.9725	69°50′
20′	.5409	.5689	.4311	.9721	40′
30′	.5443	.5727	.4273	.9716	30′
40′	.5477	.5766	.4234	.9711	20′
20°50′	.5510	.5804	.4196	.9706	10′
21°00′	9.5543	9.5842	10.4158	9.9702	**69°00′**
10′	.5576	.5879	.4121	.9697	68°50′
20′	.5609	.5917	.4083	.9692	40′
30′	.5641	.5954	.4046	.9687	30′
40′	.5673	.5991	.4009	.9682	20′
21°50′	.5704	.6028	.3972	.9677	10′
22°00′	9.5736	9.6064	10.3936	9.9672	**68°00′**
10′	.5767	.6100	.3900	.9667	67°50′
20′	.5798	.6136	.3864	.9661	40′
30′	.5828	.6172	.3828	.9656	30′
40′	.5859	.6208	.3792	.9651	20′
22°50′	.5889	.6243	.3757	.9646	10′
23°00′	9.5919	9.6279	10.3721	9.9640	**67°00′**
10′	.5948	.6314	.3686	.9635	66°50′
20′	.5978	.6348	.3652	.9629	40′
30′	.6007	.6383	.3617	.9624	30′
40′	.6036	.6417	.3583	.9618	20′
23°50′	.6065	.6452	.3548	.9613	10′
24°00′	9.6093	9.6486	10.3514	9.9607	**66°00′**
	L Cos	L Cot	L Tan	L Sin	⟵

TABLE IV (*suite*)

$\longrightarrow$	L Sin	L Tan	L Cot	L Cos	
24°00′	9.6093	9.6486	10.3514	9.9607	**66°00′**
10′	.6121	.6520	.3480	.9602	65°50′
20′	.6149	.6553	.3447	.9596	40′
30′	.6177	.6587	.3413	.9590	30′
40′	.6205	.6620	.3380	.9584	20′
24°50′	.6232	.6654	.3346	.9579	10′
25°00′	9.6259	9.6687	10.3313	9.9573	**65°00′**
10′	.6286	.6720	.3280	.9567	64°50′
20′	.6313	.6752	.3248	.9561	40′
30′	.6340	.6785	.3215	.9555	30′
40′	.6366	.6817	.3183	.9549	20′
25°50′	.6392	.6850	.3150	.9543	10′
26°00′	9.6418	9.6882	10.3118	9.9537	**64°00′**
10′	.6444	.6914	.3086	.9530	63°50′
20′	.6470	.6946	.3054	.9524	40′
30′	.6495	.6977	.3023	.9518	30′
40′	.6521	.7009	.2991	.9512	20′
26°50′	.6546	.7040	.2960	.9505	10′
27°00′	9.6570	9.7072	10.2928	9.9499	**63°00′**
10′	.6595	.7103	.2897	.9492	62°50′
20′	.6620	.7134	.2866	.9486	40′
30′	.6644	.7165	.2835	.9479	30′
40′	.6668	.7196	.2804	.9473	20′
27°50′	.6692	.7226	.2774	.9466	10′
28°00′	9.6716	9.7257	10.2743	9.9459	**62°00′**
10′	.6740	.7287	.2713	.9453	61°50′
20′	.6763	.7317	.2683	.9446	40′
30′	.6787	.7348	.2652	.9439	30′
40′	.6810	.7378	.2622	.9432	20′
28°50′	.6833	.7408	.2592	.9425	10′
29°00′	9.6856	9.7438	10.2562	9.9418	**61°00′**
10′	.6878	.7467	.2533	.9411	60°50′
20′	.6901	.7497	.2503	.9404	40′
30′	.6923	.7526	.2474	.9397	30′
40′	.6946	.7556	.2444	.9390	20′
29°50′	.6968	.7585	.2415	.9383	10′
30°00′	9.6990	9.7614	10.2386	9.9375	**60°00′**
	L Cos	L Cot	L Tan	L Sin	$\longleftarrow$

TABLE IV (*suite*)

⟶	L Sin	L Tan	L Cot	L Cos	
30°00′	9.6990	9.7614	10.2386	9.9375	**60°00′**
10′	.7012	.7644	.2356	.9368	59°50′
20′	.7033	.7673	.2327	9361	40′
30′	.7055	.7701	.2299	.9353	30′
40′	.7076	.7730	.2270	.9346	20′
30°50′	.7097	.7759	.2241	.9338	10′
31°00′	9.7118	9.7788	10.2212	9.9331	**59°00′**
10′	.7139	.7816	.2184	.9323	58°50′
20′	.7160	.7845	.2155	.9315	40′
30′	.7181	.7873	.2127	.9308	30′
40′	.7201	.7902	.2098	.9300	20′
31°50′	.7222	.7930	.2070	.9292	10′
32°00′	9.7242	9.7958	10.2042	9.9284	**58°00′**
10′	.7262	.7986	.2014	.9276	57°50′
20′	.7282	.8014	.1986	.9268	40′
30′	.7302	.8042	.1958	.9260	30′
40′	.7322	.8070	.1930	.9252	20′
32°50′	.7342	.8097	.1903	.9244	10′
33°00′	9.7361	9.8125	10.1875	9.9236	**57°00′**
10′	.7380	.8153	.1847	.9228	56°50′
20′	.7400	.8180	.1820	.9219	40′
30′	.7419	.8208	.1792	.9211	30′
40′	.7438	.8235	.1765	.9203	20′
33°50′	.7457	.8263	.1737	.9194	10′
34°00′	9.7476	9.8290	10.1710	9.9186	**56°00′**
10′	.7494	.8317	.1683	.9177	55°50′
20′	.7513	.8344	.1656	.9169	40′
30′	.7531	.8371	.1629	.9160	30′
40′	.7550	.8398	.1602	.9151	20′
34°50′	.7568	.8425	.1575	.9142	10′
35°00′	9.7586	9.8452	10.1548	9.9134	**55°00′**
10′	.7604	.8479	.1521	.9125	54°50′
20′	.7622	.8506	.1494	.9116	40′
30′	.7640	.8533	.1467	.9107	30′
40′	.7657	.8559	.1441	.9098	20′
35°50′	.7675	.8586	.1414	.9089	10′
36°00′	9.7692	9.8613	10.1387	9.9080	**54°00′**
	L Cos	L Cot	L Tan	L Sin	

TABLE IV (*suite*)

⟶	L Sin	L Tan	L Cot	L Cos	
36°00′	9.7692	9.8613	10.1387	9.9080	**54°00′**
10′	.7710	.8639	.1361	.9070	53°50′
20′	.7727	.8666	.1334	.9061	40′
30′	.7744	.8692	.1308	.9052	30′
40′	.7761	.8718	.1282	.9042	20′
36°50′	.7778	.8745	.1255	.9033	10′
37°00′	9.7795	9.8771	10.1229	9.9023	**53°00′**
10′	.7811	.8797	.1203	.9014	52°50′
20′	.7828	.8824	.1176	.9004	40′
30′	.7844	.8850	.1150	.8995	30′
40′	.7861	.8876	.1124	.8985	20′
37°50′	.7877	.8902	.1098	.8975	10′
38°00′	9.7893	9.8928	10.1072	9.8965	**52°00′**
10′	.7910	.8954	.1046	.8955	51°50′
20′	.7926	.8980	.1020	.8945	40′
30′	.7941	.9006	.0994	.8935	30′
40′	.7957	.9032	.0968	.8925	20′
38°50′	.7973	.9058	.0942	.8915	10′
39°00′	9.7989	9.9084	10.0916	9.8905	**51°00′**
10′	.8004	.9110	.0890	.8895	50°50′
20′	.8020	.9135	.0865	.8884	40′
30′	.8035	.9161	.0839	.8874	30′
40′	.8050	.9187	.0813	.8864	20′
39°50′	.8066	.9212	.0788	.8853	10′
40°00′	9.8081	9.9238	10.0762	9.8843	**50°00′**
10′	.8096	.9264	.0736	.8832	49°50′
20′	.8111	.9289	.0711	.8821	40′
30′	.8125	.9315	.0685	.8810	30′
40′	.8140	.9341	.0659	.8800	20′
40°50′	.8155	.9366	.0634	.8789	10′
41°00′	9.8169	9.9392	10.0608	9.8778	**49°00′**
10′	.8184	.9417	.0583	.8767	48°50′
20′	.8198	.9443	.0557	.8756	40′
30′	.8213	.9468	.0532	.8745	30′
40′	.8227	.9494	.0506	.8733	20′
41°50′	.8241	.9519	.0481	.8722	10′
42°00′	9.8255	9.9544	10.0456	9.8711	**48°00′**
	L Cos	L Cot	L Tan	L Sin	⟵

TABLE IV   (*suite*)

$\longrightarrow$	L Sin	L Tan	L Cot	L Cos	
42°00′	9.8255	9.9544	10.0456	9.8711	**48°00′**
10′	.8269	.9570	.0430	.8699	47°50′
20′	.8283	.9595	.0405	.8688	40′
30′	.8297	.9621	.0379	.8676	30′
40′	.8311	.9646	.0354	.8665	20′
42°50′	.8324	.9671	.0329	.8653	10′
43°00′	9.8338	9.9697	10.0303	9.8641	**47°00′**
10′	.8351	.9722	.0278	.8629	46°50′
20′	.8365	.9747	.0253	.8618	40′
30′	.8378	.9772	.0228	.8606	30′
40′	.8391	.9798	.0202	.8594	20′
43°50′	.8405	.9823	.0177	.8582	10′
44°00′	9.8418	9.9848	10.0152	9.8569	**46°00′**
10′	.8431	.9874	.0126	.8557	45°50′
20′	.8444	.9899	.0101	.8545	40′
30′	.8457	.9924	.0076	.8532	30′
40′	.8469	.9949	.0051	.8520	20′
44°50′	.8482	.9975	.0025	.8507	10′
45°00′	9.8495	10.0000	10.0000	9.8495	**45°00′**
	L Cos	L Cot	L Tan	L Sin	$\longleftarrow$

SOLUTIONS

INTRODUCTION

1. $\{1,2,3,\ldots,11\}$ **3.** $\{4,8,12,\ldots,40\}$ **5.** $\{^3/_1,^3/_2,^3/_3,\ldots,^3/_8\}$ **7.** $B=\{$entiers positifs multiples de 3 et inférieurs à 15$\}$ **9.** $D=\{$articles de la langue française$\}$
11. Faux **13.** Vrai **15.** Vrai **17.** Un des trois ensembles: $\{\ \}$, $\{a\}$, $\{b\}$, $\{a,b\}$
19. $\{\ \}$, $\{1\}$, $\{2\}$, $\{3\}$, $\{4\}$, $\{1,2\}$, $\{1,3\}$, $\{1,4\}$, $\{2,3\}$, $\{2,4\}$, $\{3,4\}$, $\{1,2,3\}$, $\{1,2,4\}$, $\{1,3,4\}$, $\{2,3,4\}$, $\{1,2,3,4\}$ **21.** Non **23.** Oui **25.** (a) Infini; (c) fini; (e) fini; (g) fini

1. (a) $\{c\}$; (c) $\{a,d\}$; (e) $\{a,c,d,e,f,g,h,i,j\}$; (g) $\{c,e,j\}$; (i) $\{a,b,c,d\}$; (k) $\{c,e,j\}$;
(m) $\{e,f,g,h,i,j\}$; (o) $\{b\}$; (q) $\{b\}$ **2.** (a) $\{2,4,5,6,7,8\}$; (c) $\{0,1,2,3\}$;
(e) $\{0,1,2,3,4,5,6,7,8,9\}$; (g) $\{4,5,6,7,8,9\}$; (i) $\{0,1,2,3,4,9\}$; (k) $\{0,1,2,3,4,5,6,7,8,9\}$;
(m) $\{6,8\}$; (o) $\{0,1,2,3,6,8\}$ **3.** (a) $\{2\}$, oui; (c) $\{5,7,9\}$, oui.

1. (a) $\{(w,y),(w,z),(x,y),(x,z)\}$; (b) $\{(y,w),(y,x),(z,w),(z,x)\}$; non
3. $\{(1,1),(1,2),(1,3),(2,1),(2,2),(2,3),(3,1),(3,2),(3,3)\}$
5. $\{(3,3),(3,5),(3,7),(5,3),(5,5),(5,7),(7,3),(7,5),(7,7)\}$ **7.** 6 **9.** 7
10. (a) 5; (c) 10; (e) 3 **13.** 9

CHAPITRE 1

1. Commutativité **3.** Éléments neutres **5.** Éléments neutres **7.** Associativité
9. Éléments neutres **11.** Éléments neutres **13.** Symétriques **15.** Symétriques
17. Commutativité et symétriques **19.** Éléments neutres et distributivité
21. Distributivité **23.** 3 **25.** -11 **27.** 5 **29.** -3 **31.** -8 **33.** -8
35. 21 **37.** 12 **39.** -7 **41.** 3 **43.** -8 **45.** $-^3/_2$ **47.** $-3x-2y$
49. $-11a+9b$ **51.** $(3x-5y)$ **53.** $^1/_3$ **55.** $^3/_2$ **57.** $^2/_3$ **59.** $^5/_{24}$
61. $1/(2a-3b)$ **63.** $7b/3a$ **65.** $(x+y)/2$ **67.** 1.7 **69.** 2 **71.** $^{59}/_{21}$
73. $^6/_{35}$ **75.** $-^{20}/_{18}$ **77.** $-^{56}/_3$

5. $\{x:x>^1/_2\}$ **7.** $\{x:x>3\}$

EXERCICES 1.3

1. (a) 9; (c) 4; (e) 13; (g) 24; (i) 56; (k) ¾   **3.** $\{-2,6\}$
5. (a) $\{-10,4\}$; (c) $\{x: -2 < x\} \cap \{x:x < 4\}$; (e) $\{x: -\frac{1}{2} < x < \frac{9}{2}\}$;
(g) $\{x:x < -1\} \cup \{x:x > 5\}$; (i) $\{x: -\frac{3}{5} \le x \le 1\}$; (k) $\{x: -2 \le x \le \frac{10}{7}\}$;
(m) $\{x: -\frac{7}{2} \le x \le 4\}$; (o) $\{x: -7 \le x \le 7\}$; (q) $\{x:x \le -\frac{1}{3}\} \cup \{x:x \ge 3\}$

EXERCICES 1.4

1. $6x$ **3.** $3xy^2 + 2x^4 + 6x^2y^2 + x^2y$ **5.** Aucun terme semblable **7.** $-2x$ **9.** $5x - 9$
11. $3y$ **13.** $8x^4 + 6x^3 + 2x^2 - 3x + 4$ **15.** $-2xy^2 - 4xy + 9z$
17. $9h^3 - 9hk + 4k^2$ **19.** $2x^3 - 3x^2 + 1$ **21.** $-11x^2 + 7x - 3y + 1$

EXERCICES 1.5

1. $5x + 4y + z$ **3.** $-3x - 2y + 7z$ **5.** $-2w - 2x - 2z$ **7.** $7x - 3y + 2$
9. $-2x - 3y$ **11.** $-2z^2 - y + 13$ **13.** $n + 1$ **15.** $2x + (7y + 16)$
17. $2y + (-5x - 10)$ **19.** $3k + (-6 + 7m)$ **21.** $-7x - (2y + 4)$
23. $8 - (2a - 3b)$ **25.** $x^2 - (-2xy - y^2)$ **27.** $4 - (-6b + 7c)$
29. $-a - (2b + 3c)$ **31.** $a + b - [c - (d - e)]$

EXERCICES 1.6

1. $-84x^7y^5$ **3.** $-21x^5y^2z^2$ **5.** $-140x^5y^2z^3$ **7.** $-8x + 28y - 12z$
9. $-18z^3 + 24wz^2 + 6z$ **11.** $6a^2 + 11a + 4$ **13.** $x^3 - x^2 - 8x + 12$
15. $2x^4 - 10x^3y + 6x^2y^2 + x^2y - 5xy^2 + 3y^3$ **17.** $x^2 + 4y^2 + 9z^2 - 4xy + 6xz - 12yz$
19. $x^4 - 6x^3 - 20x^2 + 22x + 3$ **21.** $4x^2 - 4xy + y^2$
23. $x^2 + y^2 + z^2 + 2xy + 2xz + 2yz$ **25.** $x^2 + 4y^2 + 9z^2 - 4xy - 6xz + 12yz$
27. $2x^2$ **29.** $-3y^3$ **31.** $6x^3 - 4x$ **33.** $-4x - 5y + 2z$ **35.** $-(y/x) - 4x$
37. $4x$ **39.** $[65(a + 2b - 3c)]/9$ **41.** $x^2 - x + 5 + -4/(x + 2)$
43. $x^2 + 4x + 13 + 56/(x - 4)$ **45.** $x + 2y$ **47.** $-x + 2 + (-3x)/(x^2 + 2x + 4)$
49. $a - 2$ **51.** $4y^2 - 16xy + 64x^2 + (-448x^3)/(2y + 8x)$ **53.** $x^2 - xy + y^2$
55. $3x - 4$ **57.** $3x^2 + 7xy - 9y^2$ **59.** $a^5 - a^4b + a^3b^2 - a^2b^3 + ab^4 - b^5$

CHAPITRE 2

EXERCICES 2.1

1. -2 **3.** 4   **5.** -1 **7.** 4   **9.** $m = Fd^2/kM$ **11.** $(\tan \theta) = 3$
13. $(\sin \alpha) = \frac{1}{2}$ **15.** $(\ln x) = 3$ **17.** $(\cos x) = \frac{1}{2}$ **19.** $(\log x) = -8$

EXERCICES 2.2

1. 2%; 4% **3.** $\$2{,}641.57$ à 2.5% **5.** 18; 19   **7.** 13; 15; 17
9. 2 gal   **11.** $3^{11}/_{13}$ lb   **13.** $5^5/_7$ pinte   **15.** 675 mi/h; 775 mi/h   **17.** 300 mi/h
19. 280 mi   **21.** $5^5/_{11}$ mn   **23.** 36 h   **25.** $15^{33}/_{65}$ h   **27.** 30 h; 15 h   **29.** 84
31. 284   **33.** 1,200 lb   **35.** 16 ans, 32 ans   **37.** Jean, 12; Marc, 24
39. Base, 7; côté, 23

CHAPITRE 3

EXERCICES 3.1

1. (a) Oui; (c) non; (e) oui   **2.** (a) $\{-3, -2, -1, 0, 1\}$; (c) $\{-3, -2, 0, 4, 5\}$; (e) $\{p,r,v,w\}$
3. (a) $\{2,3,4,5,6\}$; (c) $\{-3, -2, -1, 1, 3\}$; (e) $\{-2, 2, 3, 4\}$ **5.** $\{-2, 0, 3\}$ **7.** $\{x:x \ne 1\}$

9. $\{x:x \le 2\} \cup \{x:x \ge 3\}$ **11.** $\{2,4,8\}$ **13.** (a) 0; (c) 4; (e) $a^4 - 3a^2$
14. (a) 13; (c) 1   **15.** (a) 4^0; (c) 4^{-1}; (d) $4^{1/2}$ **16.** (a) 9^1; (c) 9^0
17. $y = x^2$, $x \in \{1,2,3,4\}$ **19.** $y = 1/3^x$

EXERCICES 3.2

1. $f^{-1} = \{(-3,0),(3,1),(2,2),(5,3),(2,4)\}$; non   **3.** Oui   **5.** $y = (1 - 3y)/2x$
7. (a) $\{(-2,2),(-1,1),(0,0),(1,1),(2,2)\}$ **8.** (a) $\{(5,5),(5.1,5),(5.4,5),(5.8,5),(5.99,5)\}$ **9.** 0; 0.6

EXERCICES 3.3

1. (a) 5; (c) 13   **2.** (a) 13; (c) 10
5. (a) $(x - 4)^2 + (y - 5)^2 = 9$; (b) $(x + 1)^2 + (y + 3)^2 = 4$

CHAPITRE 4

EXERCICES 4.1

1. (a) $(1,0)$; (c) $(1,0)$; (e) $(0,1)$; (g) $(0,-1)$ **2.** (a) $(\sqrt{2}/2, -\sqrt{2}/2)$; (c) $(-\sqrt{2}/2, -\sqrt{2}/2)$;
(e) $(-\sqrt{2}/2, \sqrt{2}/2)$ **3.** (a) $(\frac{1}{2}, -\sqrt{3}/2)$; (c) $(-\frac{1}{2}, -\sqrt{3}/2)$; (e) $(\frac{1}{2}, -\sqrt{3}/2)$
4. (a) $(-\sqrt{3}/2, \frac{1}{2})$; (c) $(-\sqrt{3}/2, -\frac{1}{2})$; (e) $(\sqrt{3}/2, -\frac{1}{2})$ **5.** $\pi/6$ **6.** (a) $7\pi/4$

EXERCICES 4.2

1. (a) $\sin(\pi/2) = 1$, $\cos(\pi/2) = 0$, $\tan(\pi/2)$ n'est pas définie, $(\pi/2) = 0$, $\sec(\pi/2)$ n'est pas définie,
$\csc(\pi/2) = 1$; (c) $\sin(\pi/6) = \frac{1}{2}$, $\cos(\pi/6) = \sqrt{3}/2$, $\tan(\pi/6) = \sqrt{3}/3$, $\cot(\pi/6) = \sqrt{3}$,
$\sec(\pi/6) = 2\sqrt{3}/3$, $\csc(\pi/6) = 2$; (e) $\sin(5\pi/6) = \frac{1}{2}$, $\cos(5\pi/6) = -\sqrt{3}/2$,
$\tan(5\pi/6) = -(\sqrt{3}/3)$, $\cot(5\pi/6) = -\sqrt{3}$, $\sec(5\pi/6) = -(2\sqrt{3}/3)$, $\csc(5\pi/6) = 2$
2. (a) $\sqrt{2}/2$; (c) $\sqrt{2}$; (e) -2; (g) -1; (i) $-\sqrt{3}/2$; (k) -1 **3.** (a) $-\sqrt{3}/2$; (c) $-(\sqrt{3}/3)$
4. (a) $-\frac{1}{2}$; (c) -2 **5.** (a) -1; (c) $\sqrt{2}/2$ **6.** (a) $-\frac{1}{2}$; (c) $2\sqrt{3}/3$
8. (a) III, IV; (c) II, III; (e) I, IV   **9.** $\cos t = \frac{5}{13}$, $\tan t = \frac{12}{5}$, $\cot t = \frac{5}{12}$, $\sec t = \frac{13}{5}$, $\csc t = \frac{13}{12}$
10. (a) $\sin t = \frac{4}{5}$, $\cos t = \frac{3}{5}$, $\tan t = \frac{4}{3}$, $\cot t = \frac{3}{4}$, $\sec t = \frac{5}{3}$, $\csc t = \frac{5}{4}$;
(c) $\sin t = \frac{7}{25}$, $\cos t = \frac{24}{25}$, $\tan t = \frac{7}{24}$, etc.; (e) $\sin t = -\frac{15}{17}$, $\cos t = \frac{8}{17}$, $\tan t = -\frac{15}{8}$, etc.;
(g) $\sin t = -(8\sqrt{164}/164)$, $\cos t = -(10\sqrt{164}/164)$, $\tan t = \frac{8}{10}$, etc.;
(i) $\sin t = -\frac{8}{17}$, $\cos t = \frac{15}{17}$, $\tan t = -\frac{8}{15}$, etc.
11. (a) $\cos t = \frac{5}{13}$, $\tan t = \frac{12}{5}$; (c) $\sin t = -\frac{1}{2}$, $\cos t = -\frac{3}{2}$; (e) $\cos t = -\sqrt{527}/24$,
$\tan t = -(7\sqrt{527}/527)$; (g) $\cos t = -\frac{11}{6}$, $\tan t = -(5\sqrt{11}/11)$
15. (a) Vrai; (c) vrai; (e) vrai   **17.** II, IV

EXERCICES 4.3

1. (a) 0.8415; (c) -0.3203; (e) 0.8521; (g) 0.6967   **2.** (a) 0.7956; (c) 0; (e) 1; (g) -0.5062;
(i) -0.9001; (k) -0.4954; (m) 5.883; (o) -1.288 **3.** $5\pi/6$ **5.** 3.68   **7.** 0.80

EXERCICES 4.4

1. (a) $1 - \sin^2 t$; (c) $\sin t/\pm\sqrt{1 - \sin^2 t}$; (e) $1/\pm\sqrt{1 - \sin^2 t}$; (g) $1/\sin t$; (i) $\sin^2 t/1 - \sin^2 t$
2. (a) $\pm\sqrt{1 - \cos^2 \phi}$; (c) $\cos\phi/\pm\sqrt{1 - \cos^2 \phi}$; (e) $1/\pm\sqrt{1 - \cos^2 \phi}$
3. (a) $1/\tan\beta$; (c) $\tan\beta/\pm\sqrt{1 + \tan^2 \beta}$; (e) $1/\pm\sqrt{1 + \tan^2 \beta}$

EXERCICES 4.5

1. $45°$ **3.** $30°$ **5.** $72°$ **7.** $-210°$ **9.** $-12°$ **11.** $5°$ **13.** $210°$
15. $-130°$ **17.** $80°$ **19.** $1080°$ **21.** $6480°$ **23.** $1103.195°$ **25.** $\pi/6$ rad

27. $2\pi/3$ rad   **29.** $-3\pi/2$ rad   **31.** $-11\pi/6$ rad   **33.** $2\pi/5$ rad   **35.** $3\pi/5$ rad
37. $-\pi/18$ rad   **39.** $5\pi/3$ rad   **41.** 3.839 rad   **43.** 6.8055 rad
45. $48°24' = 48.4° = 0.84458$ rad   **47.** $27(0.01745) + 20(0.00029) + 40(0.00000485)$

EXERCICES 4.6

1. (a) $25\pi/2$ po; (c) 5π po; (e) 100 po; (g) 2,500 po   **2.** (a) 1; (c) ½; (e) 2; (g) $\pi/2$
3. (a) 4; (c) 60; (e) 4⁄7; (g) $12/7\pi$ **4.** (a) 100; (c) 250; (e) $25\pi/2$; (g) 25π **5.** (a) 18; (c) ½
6. (a) 72; (c) 32   **7.** 3 rad   **9.** 2.4 rad   **11.** $5000\pi/3$ mi   **13.** $1,550,000\pi/3$ mi

EXERCICES 4.7

1. (a) Vraisemblable; (c) erronée; (e) erronée; (g) vraisemblable; (i) erronée
3. (a) 0.8; (c) 1.2; (e) -0.7; (g) -0.8; (i) 1.2; (k) 0.9
5. $\sin\theta = {}^{12}\!/_{15}$, $\cos\theta = {}^{9}\!/_{15}$, $\tan\theta = {}^{12}\!/_{9}$, etc.   **7.** $\sin\theta = 8/\sqrt{128}$, $\cos\theta = 8/\sqrt{128}$,
$\tan\theta = 1$, etc.   **9.** $\sin\theta = 4/\sqrt{52}$, $\cos\theta = 6/\sqrt{52}$, $\tan\theta = {}^{4}\!/_{6}$, etc.
11. $\sin\theta = {}^{5}\!/_{7}$, $\cos\theta = 2\sqrt{6}/7$, $\tan\theta = 5/2\sqrt{6}$ **13.** Quad. I   **15.** Quad. I
17. Quad. I   **19.** $y = 4\sqrt{11}/5$, $r = {}^{24}\!/_{5}$

EXERCICES 4.8

1. 0.4695   **3.** 0.3839   **5.** 1.046   **7.** 0.9387   **9.** 0.8899   **11.** 0.3314
13. 0.9833   **15.** 0.4074   **17.** 0.4695   **19.** 1.010   **21.** 0.0175   **23.** 0.6018
25. 0.9325   **27.** 0.0145   **29.** 0.0465   **31.** 0.3185   **33.** 2.323   **35.** $37°40'$
37. $36°20'$ **39.** $33°30'$ **41.** $29°30'$ **43.** $4°30'$ **45.** $26°50'$ **47.** $44°40'$
49. $48°20'$ **51.** $55°20'$ **53.** $8°40'$ **55.** $46°30'$ **57.** $37°30'$ **59.** $63°20'$

EXERCICES 4.9

1. 0.8599   **3.** 0.6354   **5.** 0.0068   **7.** 1.731   **9.** 1.801   **11.** 0.1542   **13.** 0.8983
15. 30.068   **17.** 0.9008   **19.** 1.074   **21.** 0.9840   **23.** 0.9450   **25.** 1.084
27. 0.2971   **29.** 10.20   **31.** 2.205   **33.** 1.055   **35.** 1.261   **37.** 0.6209
39. 0.3415   **41.** 0.217   **43.** 1.409   **45.** 1.328   **47.** 1.313   **49.** 1.055
51. 0.254   **53.** $17°27'$ **55.** $43°31'$ **57.** $71°26'$ **59.** $49°46'$ **61.** $72°49'$
63. $70°04'$

EXERCICES 4.10

1. 0.5000   **3.** -0.1405 **5.** 1.195   **7.** -0.4643 **9.** -0.1132 **11.** 0.5095
13. -0.5783 **15.** 4.915   **17.** -1.039 **19.** -0.9962 **21.** -0.7002
23. -0.0291 **25.** -0.9063 **27.** 0.8391   **29.** -0.6494 **31.** -0.4600
33. -1.114 **35.** 0.7513   **37.** $22°08', 202°08'$ **39.** $32°08', 147°52'$
41. $233°01', 306°59'$ **43.** $127°, 307°$ **45.** $242°35', 297°25'$ **47.** $262°20', 277°40'$
49. $27°45', 332°15'$ **51.** $154°54', 334°54'$ **53.** $131°25', 228°35'$

EXERCICES 4.12

17. (a) 0.9; (c) -1; (e) -0.7 **18.** (a) Faux; (c) vrai

CHAPITRE 5

EXERCICES 5.1

1. $5x(x-2)$ **3.** $9xy(6xy-1)$ **5.** $(2x-y)(3a-4)$ **7.** $(2a-b)(2x+3y)$
9. $(x+y)^3(a^2-3b^2)$ **11.** $(x^2+y^2)(xy+yz+zw)$ **13.** $(x+2y-1)(m^2+2m+3)$

15. $\sin \beta(2 \sin \beta - 1)(\sin \beta - 1)$ **17.** $e^z(4x + 1)$ **19.** $\sqrt{3}(2xy + 2y + 1)$
21. $(2x - \sqrt{7})(7x - 3y)$ **23.** $(x + y)(x + p)$ **25.** $(2x + y)(4x - 3)$
27. $(3 - 2x)(3 + 4x^2)$ **29.** $(2x + 3a)(4y + 5b)$ **31.** $(m + 6)(m^3 - 7)$
33. $(x - y + z)(a - b)$ **39.** $(x + y - z)(a - b + c)$

EXERCICES 5.2

1. $(9x + 8)^2$ **3.** $[3x - (y + 2)]^2$ **5.** $[5(a - b) + 4c]^2$ **7.** $(7a - 6b)(7a + 6b)$
9. $(5 - x^3)(5 + x^3)$ **11.** $(x/10 - \frac{1}{7})(x/10 + \frac{1}{7})$ **13.** $(a + b - 4)(a + b + 4)$
15. $(x - 2y + 1)(x + 2y - 1)$ **17.** $(3x - 2y - 2)(3x - 2y + 2)$
19. $(x - y - 4)(x - y + 4)$ **21.** $(x + y + z)(x - y - z)$
23. $(4a - b - c - 5d)(4a - b + c + 5d)$ **25.** $(x - 15)(x + 5)$ **27.** $(y^2 - 13)(y^2 - 8)$
29. $(7 - x)(11 + x)$ **31.** $(a - 13)(a + 7)$ **33.** $(1 - 2ab)(1 + 7ab)$
35. $(x - 3m)(x - 2m)$ **37.** $(2x + 5)(2x + 9)$ **39.** $(5x - 3a)(5x - 2a)$
41. $(6x - 5)(6x + 7)$ **43.** $[(x - y) - 4][7(x - y) - 2]$
45. $(x^2 - 3y^3z)(x^4 + 3x^2y^3z + 9y^6z^2)$ **47.** $(2a - b^3)(4a^2 + 2ab^3 + b^6)$
49. $(xy + 5z)(x^2y^2 - 5xyz + 25z^2)$ **51.** $[x - (x + y)][x^2 + x(x + y) + (x + y)^2]$
53. $(x - y)(7x^2 + 13xy + 7y^2)$ **55.** $(a^2 - a + 3)(a^2 + a + 3)$
57. $(2x^2 - 5x - 2)(2x^2 + 5x - 2)$ **59.** $(4x^2 - 7x - 4)(4x^2 + 7x - 4)$
61. $(4 - 3x - x^2)(4 + 3x - x^2)$ **63.** $(4z^2 - 8ab - 5b^2)(4a^2 + 8ab - 5b^2)$
65. $(\sin \theta - 3)(2 \sin \theta + 1)$ **67.** $(3 \cos \alpha - 1)(5 \cos \alpha + 2)$

EXERCICES 5.3

1. $0,5$ **3.** $-5,2,5$ **5.** $-17,-6$ **7.** $-5,22$ **9.** $0,0,2,16$ **11.** $-\frac{4}{5},\frac{3}{2}$
13. $-\frac{1}{4},\frac{3}{5}$ **15.** $\frac{1}{2},7$ **17.** -2 est la seule racine réelle   **19.** $\frac{2}{3}$ est la seule racine réelle
21. $23,24$ **23.** $13,15$ **25.** 25 ft   **27.** $-4,4$ **29.** $0,\frac{3}{2}$ **31.** $\pi/4, 3\pi/4, 5\pi/4, 7\pi/4$
33. $\pi/6$ **35.** $1.36,\pi,4.92$

EXERCICES 5.4

1. $(x - 1)/(x + 1)$ **3.** $-(x^2 + 1)/(x + 3)$ **5.** $(4y - 1)/(2y - 1)$ **7.** $3x + 2y + 1$
9. $4a + 8b + c$ **11.** $(4x^2 + 10x + 25)/[x(x + 3)]$ **13.** $2/(x + 2)$ **15.** 1
17. $(x + 4)/(x^2 + 4)$ **19.** $x^2 + 2xy + 3y^2$

EXERCICES 5.5

1. $\dfrac{3x}{(x - 3y)(x + 3y)}$ **3.** $\dfrac{3}{4x - 6}$ **5.** $\dfrac{x - 1}{1 - 2x}$ **7.** $\dfrac{1}{x^2 + y^2}$

9. $\dfrac{34 - 33x}{(2 - 3x)(1 + 2x)(1 - x)}$ **11.** $\dfrac{b^2 + 6b + 7}{(2 + b)(3 + b)(4 + b)}$ **13.** $\dfrac{5(2x^2 + 3xy + 3y^3)}{4(2x - 3y)(2x + 3y)}$

15. $\dfrac{x - xy + y^2}{x^3 - y^3}$ **17.** $\dfrac{x^2 - 8x + 26}{4 - x^2}$ **19.** $\dfrac{6x^2 - 6x - 19}{2x - 3}$

21. $\dfrac{6 + 80n^5 + 384n^6 - 320n^7}{(4n^2 - 1)(64n^6 - 1)}$ **23.** $\dfrac{3 - x - 2x^2}{x + 3}$ **25.** $\dfrac{7y^2 - 5y - 5}{y - 1}$

27. $\dfrac{2(\sec \theta + 3)}{2 \sec^2 \theta + \sec \theta - 3}$

EXERCICES 5.6

1. $(x - 8)/(x + 2)$ **3.** $(x - 3)/(x + 7)$ **5.** $\frac{3}{2}$ **7.** 1 **9.** $a/(a - 1)$
11. $(x + y + 1)/(y - z)$ **13.** $3x^2/4y$ **15.** 1 **17.** $x^2/3(x^2 + y^2)$ **19.** x

EXERCICES 5.7

1. 5 **3.** 5 **5.** $^5/_4$ **7.** Pas de solution **9.** -1 **11.** cos $t = 3$ impossible.
13. $0,^5/_2$ **15.** $4^4/_9$ h **17.** $^{12}/_{19}$ **19.** \$88.89

EXERCICES 5.8

1. 4 **3.** Pas de solution **5.** Pas de solution **7.** Pas de solution **9.** Pas de solution
11. $y = 10x - 12$ **13.** $y = (x + 10)/6$ **15.** $\pi/6, 5\pi/6$

EXERCICES 5.9

1. $x - 1$ **3.** $b + a$ **5.** $(5y - 5x)/2$ **7.** $(a^2 + ab + b)/[(a + b)^2 - a]$
9. $a/(a - b)$ **11.** $-3/2y$ **13.** $^5/_4$

EXERCICES 5.10

1. 64,65 **3.** $^5/_7$ **5.** $^7/_{18}$ **7.** 5 mi/h **9.** 84 mn **11.** $103^{11}/_{13}$ mn
13. 27 sur 9 pi **15.** 687

CHAPITRE 6

EXERCICES 6.1

1. x^{7m} **3.** $4a^x$ **5.** $(x + y)^5$ **7.** (30^4) **9.** $1/x^6$ **11.** x^4y^2 **13.** 6
15. x/y^5 **17.** $(x + y)/xy$ **19.** $1/x^{n+2}y$ **21.** $1/(2x + 3y)^2$ **23.** $b^2/(b^2 - a^2)$
25. $(b^2 - a^2)/a^2b^2$ **27.** $(b^{2x} + b^{2y})/b^x b^y$ **29.** $(x^3 - 1)/(x^3 + 1)$ **31.** $3x^2$

EXERCICES 6.2

1. 5; 4; 5; 64 **3.** 9; 32; 2; 128; $^4/_7$; $^7/_9$ **5.** x^3 **7.** $2x\sqrt{6x}$
9. $7\sqrt{3}$ **11.** 15 **13.** $2\sqrt[3]{7}$ **15.** 3 **17.** 2 **19.** 3 **21.** $\sqrt{3}/3$
23. $\sqrt[3]{50}/5$ **25.** $\sqrt[3]{12x^2y}/2y$ **27.** $3y/x$ **29.** $(16x - 1)/x$ **31.** $x - y$
33. $2(2 + \sqrt{3})$ **35.** $3(\sqrt{5} + 1)/4$ **37.** $a(a + \sqrt{a^2 - 16})/16$
39. $-(\sqrt{a} - \sqrt{a + 1})^2$ **41.** $1 - x$ **43.** $a\sqrt{a - x^2}/(a - x^2)^2$
45. $(2a^2 - b^2)\sqrt{a^2 + b^2}$ **47.** $[(x^4 - 49x^2 + 625)\sqrt{x^2 - 25}]/(x^2 - 25)$

EXERCICES 6.3

1. 5 **3.** Pas de solution **5.** $-^{21}/_{16}$ **7.** $^{21}/_{16}$ **9.** 6 **11.** 0 **13.** $^{23}/_{18}$
15. 5 **17.** Pas de solution **19.** 20 **21.** 225 **23.** 140 **25.** 8 **27.** $-8,1$

EXERCICES 6.4

1. (a) 1.7; (c) 1.4; (e) 3; (g) 4.7; (i) 0.2 **2.** (a) 0.6; (c) 1.54; (e) -1.2 **4.** (a) 9
7. $50(^1/_2)^t$ **9.** $0.5\sqrt{2.7}/2.7 = 0.3$ a (approx.) **13.** 1 **15.** -4 **17.** -3
19. 3 **21.** -2 **23.** 4 **25.** $^9/_2$ **27.** -1

CHAPITRE 7

EXERCICES 7.1

1. (a) $\log_{10}100 = 2$; (c) $\log_7(^1/_7) = -1$; (e) $\log_8(^1/_4) = -^2/_3$; (g) $\log_4 x = y$; (i) $\log_{10}x = \log_{10}y$
2. (a) $5^3 = 125$; (c) $8^{2/3} = 4$; (e) $4^{3/2} = 8$; (g) $10^{-3} = 0.001$ **3.** (a) 3; (c) 1; (e) 4

4. (a) 4; (c) 4; (e) 1/32; (g) pas de solution **5.** (a) 0.9542; (c) 1.2552; (e) 0.1761; (g) 0.0791; (i) 2; (k) −0.0485; (m) 0.3495; (o) 3.2789; (q) 0.2845 **7.** $\log_b(4\pi r^3/3)$ **9.** $\log_b(3{,}200)^{1/3}$ **11.** $\log_b[9^{1/3}(7^{1/2})]/16$

EXERCICES 7.2

1. (a) 1; (c) 2; (e) 4; (g) 4; (i) 9 −10 (k) 9 −10; (m) 9 −10; (o) 0; (q) 1; (s) 0; (u) 0 **2.** (a) 1.7604; (c) 9.7604 − 10; (e) 6.7604 **3.** (a) 42.65; (c) 0.04265; (e) 0.4265; (g) 0.00004265; (i) 0.000004265 **4.** (a) 2.4362; (c) 9.9782 − 10; (e) 1.9420; (g) 7.7316 − 10; (i) 2.0043; (k) 0.0000; (m) 4.0112; (o) 5.0163; (q) 0.4816 **5.** (a) 4; (c) 527; (e) 0.358; (g) 0.0772; (i) 0.627; (k) 0.0776; (m) 1,040; (o) 1.05 **6.** (a) 0.6990; (c) 0.2014; (e) 2.51; (g) 540; (i) 25.1; (k) 0.9031; (m) 0.0862; (o) −14.6181

EXERCICES 7.3

1. (a) 3.0980; (c) 1.7606; (e) 9.9531 − 10 **2.** (a) 3.146; (c) 0.2475; (e) 0.9474 **3.** (a) $1.403(10^{13})$; (c) $8.424(10^8)$; (e) 2.79 **4.** (a) 26.83; (c) 0.9732; (e) 2.654; (g) 1.478; (i) 0.5224; (k) 0.3762; (m) 81,360 **5.** (a) 166.7; (c) 0.5026; (e) 1.260; (g) 19.56 **7.** 7,190 pi^3 **9.** 1,243 pi^2 **11.** $3,065

EXERCICES 7.4

1. 3.114 **3.** 3.635 **5.** 0.870 **7.** 0.903 **9.** −0.975 **11.** 0 **13.** 0.708 **15.** −2.578 **17.** 0.799 **19.** 1.404 **21.** 1.431 **23.** 6.69 **25.** 3.02

EXERCICES 7.5

1. 6 **3.** 0 **5.** −0.2386 **7.** 2.978 **9.** 2.874 **11.** 7 **13.** 87/2 **15.** 204/197 **17.** 96 **19.** 3 **21.** Pas de solution **23.** $x > 0.252$ **25.** 10, 0.1 **27.** $x = 10y^2$ **29.** $x = y^3e^{2y}$

CHAPITRE 8

EXERCICES 8.1

1. $\beta = 75°$, $a = 7.4$, $c = 8.9$ **3.** $\gamma = 42°$, $b = 32$, $c = 70$ **5.** $\beta = 36°30'$, $a = 216$, $b = 130$ **7.** $\gamma = 20°30'$, $a = 0.988$, $b = 1.60$ **9.** $\beta = 67°$, $\gamma = 53°$, $c = 69$ **11.** Pas de solution **13.** 73 pi (approx.) **15.** 460 pi (approx.)

EXERCICES 8.2

1. $b = 33$, $c = 41$ **3.** $a = 5.72$, $b = 7.41$ **5.** $\alpha = 27°$, $c = 70$ **7.** $\alpha = 42°50'$, $a = 329$ **9.** $\alpha = 42°40'$, $b = 46.8$ **11.** $b = 1.79$, $c = 4.67$ **13.** $a = 5.449$, $c = 9.707$ **15.** 67° **17.** 38°10′ **19.** 9.28 po **21.** 4,230 pi **23.** 3,147 mi **25.** N40°W **27.** 96.1 pi

EXERCICES 8.3

1. $v_x = 31$ lb, $v_y = 40$ lb **3.** $v_x = 80$ lb **5.** Un peu plus de 34.2 lb **7.** 38° au sud-est **9.** 520 mi/h; S18°E **11.** N2°W **13.** $6.8(10^7)$ **14.** (a) [3,10], $\sqrt{109}$; (c) [1,0], 1; (e) [8,−2], $\sqrt{68}$ **17.** (a) 5[4/5,3/5]; (c) 5[−3/5,4/5] **18.** (a) $(\sqrt{10}/10, 3\sqrt{10}/10)$; (c) $(-3\sqrt{13}/13, 2\sqrt{13}/13)$

EXERCICES 8.4

1. $c = 143$, $\alpha = 30°50'$ **3.** $a = 141$, $\gamma = 27°10'$ **5.** $b = 363$, $\alpha = 68°20'$
7. Pas de solution   **9.** $\alpha = 54°$, $\beta = 42°$ **11.** $\alpha = 36°40'$, $\beta = 88°10'$ **13.** $328\,\pi$
15. 340 lb; la résultante fait un angle de $46°10'$ avec la force de 370 lb   **17.** 10.9 po

EXERCICES 8.5

1. 25 unités carrées (approx.)   **3.** 1720 unités carrées (approx.)   **5.** 18,800 unités (approx.)
7. 27.7 unités carrées (approx.)   **9.** 510 unités carrées (approx.)   **17.** 37 mi/h, N35°E

CHAPITRE 9

EXERCICES 9.1

1. (a) $(5\sqrt{91} + 3\sqrt{75})/100$; (c) $(15 + 5\sqrt{73})/100$; (e) $\frac{3}{10}$; (g) $\sqrt{91}/10$ **3.** $(\sqrt{6} + \sqrt{2})/4$
5. (a) $\cos 0$; (c) $-\cot \pi/12$; (e) $\cot 0.65$ **6.** (a) $\sin 15°$; (c) $\cot 12°$; (e) $-\tan 38°$
7. (a) 0.9801; (c) 0.9996   **8.** (a) $(\sqrt{6} + \sqrt{2})/4$; (c) $-(\sqrt{6} + \sqrt{2})/4$; (e) $(\sqrt{6} - \sqrt{2})/4$
9. (a) 0; (c) 1   **11.** $\frac{84}{85}$ **13.** 1   **15.** $\frac{56}{65}$ **17.** $\cos \pi/6$ **19.** $\sin \frac{3}{2}$
21. $\cos 5\pi/12$ **23.** $\cos u$ **25.** $\pi/30, \pi/6, 13\pi/30$

EXERCICES 9.2

1. $\frac{1}{2}(\sqrt{2 + \sqrt{3}})$ **3.** $\frac{1}{2}(\sqrt{2 - \sqrt{2}})$ **5.** $\frac{1}{2}(\sqrt{2 + \sqrt{3}})$ **7.** $\frac{1}{2}(\sqrt{2 - \sqrt{3}})$
9. $\sqrt{2} - 1$ **11.** $-\sqrt{3}/2$ **13.** $2/\sqrt{2 - \sqrt{2}}$ **15.** $\frac{1}{2}(\sqrt{2 - \sqrt{2 - \sqrt{3}}})$
16. (a) $-\frac{120}{169}$; (c) $\frac{3}{2}$; (e) $2\sqrt{13}/13$; (g) $-\frac{169}{119}$; (i) $\frac{2}{3}$ **17.** (a) 720/1,681; (c) 1,519/1,681;
(e) 720/1,519   **18.** (a) $\frac{3}{4}$; (c) $-\frac{3}{5}$; (e) $-\frac{4}{5}$ **19.** (a) 2,035/2,197; (c) 828/2,197;
(e) 2,035/828   **33.** $0, \pi/3$ **35.** $\pi/6, \pi/2$ **37.** $0, \pi$ **39.** π

EXERCICES 9.3

1. $\frac{1}{2}(\sin 8t - \sin 2t)$ **3.** $\sin 6t + \sin 2t$ **5.** $\sin 9 - \sin 6$ **7.** $\frac{1}{2}(\cos 4 + \cos 3)$
9. $(\sqrt{3} + 1)/4$ **11.** $\sqrt{2}/4$ **13.** $\frac{1}{4}$ **15.** $\sqrt{2}/2$ **23.** $0, \pi/4$ **25.** $0, \pi/2$
27. $0, \pi/3, \pi/2, \pi, 3\pi/2, 5\pi/3$

EXERCICES 9.4

1. $-\sqrt{3}$ **3.** (a) 3; (c) 5   **5.** -1 **7.** $x + y - 1 = 0$ **9.** (a) 2,3; (c) $-\frac{3}{5}, \frac{6}{5}$
10. (a) et (c) sont parallèles   **11.** $3x - 5y + 9 = 0$ **13.** $3x + 2y = 0$

EXERCICES 9.5

1. 8,000 pi²   **3.** 3 po   **5.** 154 pi²   **7.** 80 lb/s   **9.** 36,000 pi³

EXERCICES 9.6

1. $g = 2e/t^2$ **3.** $C = 9(F - 32)/5$ **5.** $l = (2e - an)/n$ **7.** $n = r/(E - R)$
9. $y = 3x - 4$ **11.** $g = \sqrt{ab}$

CHAPITRE 10

EXERCICES 10.1

1. 2,2   **3.** 2,3   **5.** 2,4   **7.** $\pm 2,0$ **9.** $3 + 2i$ **11.** $3 - 8i$ **13.** $10 + 17i$
15. $18 + 5i$ **17.** $-6 + i$ **19.** $\frac{3}{2} + i(\sqrt{3}/2)$ **21.** i **23.** $4 - i(3 + \sqrt{3})$

25. $11 + 16i$ **27.** $-27 - 8i$ **29.** $13 + 11i$ **31.** $31 + 29i$
33. $\sqrt{15} + \sqrt{10} + i(\sqrt{6} - 5)$ **35.** $2i$ **37.** -4 **39.** $-3 - 2i$ **41.** $-i$
43. $\frac{1}{2} + \frac{1}{2}i$ **45.** $-\frac{3}{2} - \frac{3}{2}i$ **47.** $\frac{3}{2}i$ **49.** $\frac{27}{41} + \frac{3}{41}i$

EXERCICES 10.2

1. $\sqrt{5}(\cos 26°30' + i \sin 26°30')$ **3.** $2\sqrt{5}(\cos 205°40' + i \sin 205°40')$
5. $3(\cos 180° + i \sin 180°)$ **7.** $\sqrt{10}(\cos 161°30' + i \sin 161°30')$
9. $\cos 300° + i \sin 300°$ **11.** $\sqrt{3}/2(\cos 54°40' + i \sin 54°40')$
13. $13(\cos 67°20' + i \sin 67°20')$ **15.** $\sqrt{53}/5(\cos 286° + i \sin 286°)$
17. $\sqrt{13}/13(\cos 56°20' + i \sin 56°20')$ **19.** $\sqrt{170}/5(\cos 355°40' + i \sin 355°40')$
21. $3(\cos 90° + i \sin 90°)$ **23.** -3 **25.** $-\sqrt{3} + i$ **27.** $-3 - 3i\sqrt{3}$
29. $(5\sqrt{2}/2) - (5\sqrt{2}/2)i$ **31.** $-3 + 3i\sqrt{3}$

EXERCICES 10.3

1. $15i$ **3.** $5.909 - 1.042i$ **5.** $27i$ **7.** $2\sqrt{2} + 2i\sqrt{2}$ **9.** $5i$ **11.** $-3 + 3i\sqrt{3}$
13. $-2i$ **15.** $-i$ **17.** $-0.6830 + 0.1790i$ **19.** $-\frac{1}{2} + \frac{1}{2}i$

EXERCICES 10.4

1. $(\sqrt{2}/2) + (\sqrt{2}/2)i$ **3.** $(\sqrt{2}/2) - (\sqrt{2}/2)i$ **5.** $-4\sqrt{2} - 4i\sqrt{2}$ **7.** $\frac{1}{2} + (\sqrt{3}/2)i$
9. -4 **11.** $\sqrt{3}/2 + \frac{1}{2}i$ **13.** -8 **15.** $-1024i$
21. $2.187 + 0.4649i, -0.4649 + 2.187i, -2.187 - 0.4649i, 0.4649 - 2.187i$
23. $2[\cos(36° + k \cdot 72°) + i \sin(36° + k \cdot 72°)]$,   où $k = 0, 1, 2, 3, 4$
25. $-2\sqrt{2} + 2i\sqrt{2}, 2\sqrt{2} - 2i\sqrt{2}$
27. $\cos(6° + k \cdot 120°) + i \sin(6° + k \cdot 120°)$,   où $k = 0, 1, 2$
29. $\sqrt{3}/2 + \frac{1}{2}i, -\sqrt{3}/2 - \frac{1}{2}i, \frac{1}{2} - (\sqrt{3}/2)i, -\frac{1}{2} + (\sqrt{3}/2)i$
31. $1.292 + 0.2012i, -0.8203 + 1.018i, 0.4718 - 1.220i$

CHAPITRE 11

EXERCICES 11.1

1. $0,3$ **3.** $-9,3$ **5.** $\pi/4 + 2k\pi, 5\pi/4 + 2k\pi, k \in Z$
7. $\pi/6 + 2k\pi, 5\pi/6 + 2k\pi, k \in Z$ **9.** $-\frac{5}{3},2$ **11.** $k\pi, 153°30' + k\pi, k \in Z$
13. $0.0316,10,000$ **15.** $-2,10$ **17.** $-\frac{3}{2},3$ **19.** $\tan t = 1 + \sqrt{2}$ **21.** $\frac{1}{2},3$
23. $1 \pm \sqrt{3}/3$ **25.** $2i,3i$ **27.** $1 - i, -2 + i$ **29.** -2 **31.** 5 **33.** $0,5$
35. $24,25$ **37.** 13 **39.** 39 mi/h   **41.** $-\frac{5}{2},\frac{2}{5}$ **43.** 128 pi

EXERCICES 11.2

1. Min. pour $x = 2$ **3.** Max. pour $x = -1$ **5.** Min. -13 pour $x = 4$ **7.** Max. 5 pour $x = 2$
9. $20,20$ **11.** 40 sur 80 perches   **13.** 3 s; 144 pi

EXERCICES 11.3

1. (a) $-1,-6$; (c) $\frac{35}{6},\frac{22}{6}$; (e) $2i, -1 - 2i$ **2.** (a) $x^2 - 2x - 3 = 0$; (c) $x^2 + 12x + 15 = 0$;
(e) $x^2 - 4x + 13 = 0$; (g) $x^2 - x - 1 = 0$; (i) $x^2 - 2ax + a^2 - b^2 = 0$
4. (a) $x^2 - 8x + 15 = 0$; (c) $x^2 - 2x - 2 = 0$ **5.** $x^2 - 6x + 11 = 0$ **7.** $-4,2$
9. $5,-3$ **11.** -18 **13.** 6 **15.** $4x^2 + 8x - 5 = 0$ **17.** $|k| > \frac{3}{2}$
19. $(kx - 1)(x + k - 1)$

EXERCICES 11.4

1. $\pm 2, \pm 3$ **3.** $\pm \frac{1}{3}, \pm \frac{1}{2}$ **5.** $25, 16$ **7.** $\frac{1}{3}(1 \pm 2i)$ **9.** $\frac{1}{2}, -2$ **11.** $\pm 3, \pm \sqrt{14}$
13. $0, 4, -6$ **15.** Pas de solution **17.** $150°$ **19.** $135°$ **21.** $360°$ **23.** $35°16'$

EXERCICES 11.5

1. $x > -6$ **3.** $x < 5$ **5.** $x < -2$ **7.** $-\frac{1}{2} < x < \frac{1}{2}$ **9.** $x \leq -\frac{1}{4}$
11. $x < -2$, ou $x > 2$ **13.** $x \leq m + n$

15. $x < \dfrac{-3 - \sqrt{41}}{4}$ ou $x > \dfrac{-3 + \sqrt{41}}{4}$

17. Pas de solution réelle   **19.** $x < 2$, ou $x > 5$ **21.** $10 \leq x \leq 60$
23. $x < -3$, ou $-2 < x < -1$ **25.** $x < -1$, ou $0 < x < 2$
27. $0 < t < \pi/2$, ou $3\pi/2 < t < 2\pi$
29. $0 \leq t < \pi/3$, ou $\pi/2 < t < 3\pi/2$, ou $5\pi/3 < t < 2\pi$
31. $0 \leq t < \pi/3$, ou $5\pi/3 < t < 2\pi$

EXERCICES 11.8

1. $x - 1 + [-2/(x - 4)]$ **3.** $x^2 + 3x + 13 + 32/(x - 3)$ **5.** $x^2 - 2 + 1/(x + 3)$
7. $x^2 + 7x + 10 + 25/(x - 5)$ **9.** $2x^2 - 2x + 1/(2x - 1)$
11. $2x^3 + (6 + 2\sqrt{2})x^2 + (10 + 6\sqrt{2})x + 10\sqrt{2}$

EXERCICES 11.9

1. -2 **3.** 0 **5.** 64 **7.** $(x - 3)(x^2 + 2x - 5)$ **9.** $x - 3$ n'est pas un facteur
11. $x + 3$ n'est pas un facteur **13.** $x + 1$ n'est pas un facteur **15.** $(x - 5)(x + 2)(x + 5)$
17. $x + 1$ n'est pas un facteur   **19.** $(x + \frac{3}{2})(x^3 + x^2 + 4)$ **29.** $k = 1$

EXERCICES 11.10

5. $-2 < x < 9$ **7.** $-3 < x < 3$ **9.** $f(x) = x^3 - 10x^2 + 32x - 32$
11. $f(x) = x^5 - 7x^4 + 19x^3 - 25x^2 + 16x - 4$ **13.** $x^3 - 6x^2 + 11x - 6 = 0$
15. $x^2 + 2 = 0$ **17.** $x^4 + 2x^2 - 8 = 0$ **19.** $-3, -3, -3, 1, 1$ **23.** $-3, -2, 2$

EXERCICES 11.11

1. $-3, 3, -2i, 2i$ **3.** $-\frac{1}{4}, \frac{3}{2} \pm \frac{1}{2}\sqrt{5}$ **7.** $-2, 4, 2 \pm \sqrt{5}$ **9.** $\frac{1}{3}, \frac{3}{2}, \frac{5}{2}$
11. $-\frac{3}{4}, \frac{1}{5}, 1, \pm\sqrt{3}$ **13.** $0, \pi$ **15.** $\pi/6, 5\pi/6$

EXERCICES 11.12

1. $-2 < x < -1, -1 < x < 0, 2 < x < 3$ **3.** $5 < x < 6$ **5.** 1.15 **7.** -1.23
9. -3.42 **11.** $-1.93, -0.73$ **13.** 1.82 **15.** 1.19

EXERCICES 11.13

1. $-2i$ **3.** $1 - 3i$ **5.** Information insuffisante   **7.** $x^3 - 4x^2 + 6x - 4 = 0$
9. $x^4 - 5x^3 + 10x^2 - 10x + 4 = 0$ **11.** $\pm i\sqrt{2}$ **13.** 4 **15.** $(1 \pm \sqrt{5})/2$
17. $-\frac{3}{2}, -i, i$ **21.** $-\frac{1}{2}\sqrt{13}$ **23.** $(2 - \sqrt{3})/2$ **25.** $-3 - 5\sqrt{2}$
27. $f(x) = 2x^3 - 5x^2 + 10x - 4$ **29.** $f(x) = x^4 - 2x^3 - 10x^2 - 2x - 11$
31. $\pi/3, 3\pi/2, 5\pi/3$ **33.** $0, 1.231, 5.052$ **35.** $-0.6932, -1.099$ **37.** 2

CHAPITRE 12

EXERCICES 12.1

1. $f^{-1}(x) = (3x + 1)/5$, domaine $-2 \leq x \leq 8$; champ $-1 \leq y \leq 5$
3. $f^{-1}(x) = \sqrt{25 - x}$, domaine $0 \leq x \leq 25$; champ $-5 \leq y \leq 0$
5. $f^{-1}(x) = (x + \sqrt{x^2 - 4})/2$, domaine $x \geq 2$; champ $y \geq 1$
7. Pour $x > 1$, $f^{-1}(x) = \sqrt{(x + 1)/(x - 1)}$, domaine $1 < x < \infty$; champ $1 < y < \infty$.
Pour $0 \leq x < 1$, $f^{-1}(x) = \sqrt{(x + 1)/(x - 1)}$, domaine $-\infty < x \leq -1$; champ $0 \leq y < 1$.
Pour $-1 < x < 0$, $f^{-1}(x) = -\sqrt{(x + 1)/(x - 1)}$, domaine $-\infty < x < -1$;
champ $-1 < y < 0$.
Pour $x < -1$, $f^{-1}(x) = \sqrt{(x + 1)/(x - 1)}$, domaine $1 < x < \infty$; champ $-\infty < y < 1$.

EXERCICES 12.2

1. Cot $x = \cot x$, $0 < x < \pi$ **3.** (a) $\pi/2$; (c) $-\pi/4$; (e) $\pi/4$; (g) $-\pi/3$; (i) π; (k) $-\pi/4$;
(m) $\pi/4$; (o) $3\pi/4$ **4.** (a) 0.70; (c) 0.52; (e) 1.01; (g) 0.61; (i) -0.90; (k) 1.76; (m) -1.40
5. (a) x; (c) x, si $-\pi/2 \leq x \leq \pi/2$; $\pi - x$, si $\pi/2 < x < 3\pi/2$; $x - 2\pi$, si $3\pi/3 \leq x \leq 5\pi/2$;
$3\pi - x$, si $5\pi/2 < x < 7\pi/2$. En général,
$\operatorname{Sin}^{-1}(\sin x) = x - 2k\pi$, si $(4k - 1)\pi/2 \leq x \leq (4k + 1)\pi/2$
$= (2k + 1)\pi - x$, si $(4k + 1)\pi/2 < x < (4k + 3)\pi/2$,
k un entier; (e) t; (g) x, si $-\pi/2 < x < \pi/2$; $x - \pi$, si $\pi/2 < x < 3\pi/2$;
$x - 2\pi$, si $3\pi/2 < x < 5\pi/2$, etc. **6.** (a) $1/\sqrt{1 + x^2}$; (c) $t/\pm\sqrt{1 + t^2}$; (e) t
7. (a) $^4/_5$; (c) 0.6; (e) $^3/_5$; (g) $^3/_5$ **8.** (a) $\sqrt{3}/2$; (c) $\pi/2$
9. (a) $2t/(1 - t^2)$; (c) $(t^2 - 1)/(t^2 - 1)$ **21.** $^{16}/_{65}$ **23.** 0 **31.** $\sqrt{2}/2$ **33.** $^1/_2$
35. $0, ^4/_5$

CHAPITRE 13

EXERCICES 13.1

1. $(0.8, 2.8)$ **3.** $(1,2)$ **5.** $(-3,-10)$ **7.** $(^7/_2, 1)$ **9.** $(-2, 11)$ **11.** $(-7,-3)$
13. $5x - 20 = 0$ **15.** $27x - 29 = 0$ **17.** $8y + 8 = 0$
       $2x + y - 8 = 0$ $3x + 3y - y = 0$ $2x - 5y - 16 = 0$
19. $11y + 41 = 0$
       $2x + 3y - 9 = 0$
21. $(3,-1)$ **23.** $(1,-2)$ **25.** $(-^3/_{11}, ^9/_{11})$ **27.** $(-^2/_3, ^3/_5)$ **29.** $(-2,4)$ **31.** $(0, -i/2)$
33. $(^1/_2, 1)$ **35.** $(3,1)$ **37.** $(^5/_2, -^3/_2)$ **39.** $(3,4)$ **41.** $(10,100)$ **43.** $(7,11)$
45. 30 hommes, 32 femmes   **47.** 5 mi/h; $^5/_2$ mi/h   **49.** 24   **51.** 32 sur 24 pi

EXERCICES 13.2

1. Incohérent **3.** Incohérent **5.** Incohérent **7.** Cohérent et dépendant
9. Cohérent et dépendant **11.** Tout $k \neq -1$ **13.** Tout $k \neq -^5/_3$ **15.** Tout $k \neq -3$
17. Tout $k \neq -2$ **19.** $k = 32$ **21.** Aucune

EXERCICES 13.3

1. $(3,1,2)$ **3.** $(-1,-3,2)$ **5.** $(5,-4,6)$ **7.** $(3,2,1)$ **9.** $(9,12,8)$ **11.** $(^1/_2, 1, -^1/_3)$
13. $(2,1,-2,3)$ **15.** \$5,000   **17.** $(25,28,31)$ **19.** 734

EXERCISE SET 13.4

1. $(-3, ^7/_5, -^{22}/_5)$ **3.** $(^{16}/_{11}, -^{21}/_{11}, -^9/_2)$ **5.** $(^9/_5, -^1/_5, 1)$ **7.** $(1,0,8)$ **9.** $(2,0,-1,3)$
11. 369

EXERCICES 13.5

1. $(-1,2),(-3,-2)$　　**3.** $(-5/2,-3/5),(-9,2)$　　**5.** $(2,1),(-5/2,-2)$
7. $(1,2),(1,-2),(-1,2),(-1,-2)$
9. $(\sqrt{5}/2,\sqrt{3}/3),(\sqrt{5}/2,-\sqrt{3}/3),(-\sqrt{5}/2,\sqrt{3}/3),(-\sqrt{5}/2,-\sqrt{3}/3)$
11. $(\sqrt{329/34},\pm i\sqrt{12/17})$　　**13.** $(2,1),(-2,-1)$　　**15.** $(2,3),(-2,-3),(2,-1),(-2,1)$
17. $(3,6),(-3,-6),(4\sqrt{3},-5\sqrt{3}),(-4\sqrt{3},5\sqrt{3})$　　**19.** $4,9$　　**21.** 24 par 32 po　　**23.** $3,4$
25. $-8,-4$　　**27.** 20 sur 15 pi　　**29.** 27　　**31.** 30 lb　　**33.** 32 sur 24 v, 48 sur 16 v

EXERCICES 13.6

1. $x=3,y=5$　　**3.** $x=y=1$　　**5.** $x=3,y=1,z=-2$
7. $\begin{pmatrix} 5 & 3 & 3 \\ 7 & 7 & 8 \end{pmatrix}$　　**9.** $\begin{pmatrix} 3x-2y & -x & 14 \\ 2y & 2x+15y & -3y \end{pmatrix}$　　**11.** $\begin{pmatrix} 3 & -5 & 4 \\ -1 & -5 & 9 \\ 4 & -3 & 3 \end{pmatrix}$

13. $\begin{pmatrix} -13 & -4 & 9 \\ 14 & -18 & 15 \\ -2 & -19 & -4 \end{pmatrix}$　　**15.** 5　　**17.** $\begin{pmatrix} 16 & 4 & 8 \\ 14 & 3 & 9 \\ 7 & 6 & 7 \end{pmatrix}$　　**19.** $\begin{pmatrix} 2 & 0 & 3 & 11 \\ 0 & 0 & 3 & -15 \end{pmatrix}$

23. $\begin{pmatrix} 1 & 2 & 5 \\ 3 & 4 & 0 \\ 2 & 5 & 7 \end{pmatrix}$　　**27.** $2x+3y=6$　　**29.** $\begin{pmatrix} 7/29 & 5/29 \\ 3/29 & -2/29 \end{pmatrix}$
　　　　　　　　　　　　　$5x-2y=-4$

EXERCICES 13.7

1. $-3,5$　　**3.** $-\begin{vmatrix} 3 & -5 \\ 1 & 7 \end{vmatrix},\begin{vmatrix} 1 & -5 \\ 3 & 7 \end{vmatrix},-\begin{vmatrix} 1 & 3 \\ 3 & 1 \end{vmatrix}$　　**5.** $-4,1$
7. $-\begin{vmatrix} 1 & 2 \\ 2 & 5 \end{vmatrix},\begin{vmatrix} 0 & 1 \\ 2 & 5 \end{vmatrix},-\begin{vmatrix} 0 & 1 \\ 1 & 2 \end{vmatrix}$　　**9.** 22　　**11.** -19　　**13.** x^2+x-12　　**15.** -4
17. 77　　**19.** 9　　**21.** 183　　**23.** 3　　**25.** 1　　**27.** 1

EXERCICES 13.8

1. $(3,-2)$　　**3.** $(3/4,1/2)$　　**5.** $(7/2,5/2)$　　**7.** $(3,1,2)$　　**9.** $(-1,-3,2)$　　**11.** $(1/2,1,-1/3)$
13. $(-4,3,6,7)$

EXERCICES 13.9

13. $(-4,-7),(2.5,-3.8)$　　**15.** $(2.75,1.25),(3.5,2.5)$

CHAPITRE 14

EXERCICES 14.1

1. $3,14,47,146$　　**3.** $5,-1/5,5,-1/5$　　**5.** $2,3,5/3,14/9$　　**7.** $1/2,1/4,1/6,1/8$　　**9.** $1/2,1/6,1/12,1/20$
11. $1,4,27,256$　　**13.** $1-1/8+1/27-1/64$　　**15.** $1,3,7,15$　　**17.** $1,1,1,1$
19. $\sum_{n=1}^{8}\frac{1}{2^{n-1}}$　　**21.** $\sum_{n=1}^{\infty}\frac{2n-1}{2n}$　　**23.** $\sum_{n=1}^{\infty}(-1)^{n-1}2n$　　**25.** $\sum_{n=1}^{\infty}\frac{x^n}{(1)(2)(3)\cdots(n)}$
27. $2+0+2$　　**29.** $1+x+x^2+x^3+x^4$　　**31.** $1/2+2/9+3/64+4/625+\cdots$

EXERCICES 14.3

1. -35　　**3.** $-3/43$　　**5.** 28th　　**7.** $-1,360$　　**9.** $1,275$　　**11.** $1,044$　　**13.** 658
15. $9/2,6,15/12,9,21/2,12,27/2$　　**17.** 10　　**19.** $3,14,25$　　**21.** 512　　**23.** 0.0000003　　**25.** 9

27. $\sqrt{2}/3, \sqrt{6}/3, \sqrt{2}, \sqrt{6}, 3\sqrt{2}$ 29. 484   31. $255\frac{5}{8}$ 33. $511\frac{1}{16}$ 37. 20,10 or $-20,10$
39. 12

EXERCICES 14.4

1. 24   3. 14   5. $25\frac{1}{4}$ 7. $1\frac{13}{99}$ 9. $\frac{7}{9}$ 11. $124\frac{4}{999}$ 13. $39\frac{2}{55}$ 15. 60 pi
17. 81 po²a.

EXERCICES 14.5

1. $a^6 + 6a^5b + 15a^4b^2 - 20a^3b^3 + 15a^2b^4 + 6ab^5 + b^6$
3. $x^6 + 6x^4 + 15x^2 + 20 + 15/x^2 + 6/x^4 + 1/x^6$
5. $y^{8/3} - 4y^2x^{2/3} + 6y^{4/3}x^{4/3} - 4y^{2/3}x^2 + x^{8/3}$
7. $y^3 + 6y^{5/2}x^{1/2} + 15y^2x - 20y^{3/2}x^{3/2} + 15yx^2 - 6y^{1/2}x^{5/2} + x^3$
9. $2a^7 + 42a^5b^2 + 70a^3b^4 + 14ab^6$ 11. $64x^{12} + 96x^{19/2} + 60x^7$ 13. $280a^3b^4$
15. $126x^5y^5$ 17. -252 19. $960x^{12}$ 21. 1,030,301

EXERCICES 14.6

1. $\frac{1}{2} + m/4 + m^2/8 + m^3/16 + \cdots$ 3. $1/y^2 - 4/y^3 + 12/y^4 - 32/y^5 + \cdots$
5. $2 - x/3 - x^2/144 - x^3/2592 - \cdots$ 7. $1 + x/2 + 3x^2/8 + 5x^3/16 + \cdots$
9. $2 + y/4 - y^2/64 + y^3/512 - \cdots$ 11. 1.051   13. 1.059   15. 1.020   17. 1.987
19. 1.01   21. -3.04

CHAPITRE 15

EXERCICES 15.1

1. $\frac{1}{110}$ 3. $\frac{1}{1260}$ 5. $k + 1$ 7. $(n + 1)/n$ 9. $(k + 1)(k + 2)$ 11. $n/(n + 2)$
13. 9,000   15. 216   17. 60,000

EXERCICES 15.2

1. (a) 2,520; (c) 4,896   5. 4   7. 6,840   9. 1,680   11. 5,040   13. 22,050
15. 1,260   17. 48   19. 10,368   21. 3,628,800

EXERCICES 15.3

4. (a) 10; (c) 120   5. (a) 1,140; (c) 11,480; (e) 7,140   6. (a) 5   7. 126
9. $C(13,5)C(11,4)$ 11. 3,003   15. $2^{10} - 1$

EXERCICES 15.4

7. 4,680   9. 255

EXERCICES 15.5

1. (a) $\frac{1}{7}$; (c) 180/1,001; (e) 72/1,001   2. (a) 1/2,024   3. $\frac{5}{18}$ 5. $\frac{1}{8}$ 7. 44/4,165
9. $[C(10,3)C(8,2)]/C(18,5)$ 11. \$5   13. $\frac{1}{36}$

EXERCICES 15.6

1. $\frac{7}{15}$ 3. $\frac{1}{3}$ 5. $\frac{1}{10}$ 7. $\frac{3}{4}$ 9. $193\frac{3}{512}$ 11. $37\frac{1}{120}$ 13. 11/5,184
15. 2,197/20,825   17. $52\frac{4}{77}$

INDEX